Mélanie

love pé
mat
stéphan freit

X X X X
X X X X

serge

Serge    love X

Julie

Provencher

Mélanie

XXY

Taillefer

George

Serge

*Les vignes de San Cristobal*

MICHAEL LEGAT

# Les vignes de San Cristobal

*Traduit de l'anglais par Guy Casaril*

UNE ÉDITION SPÉCIALE DE LAFFONT CANADA LTEE,
EN ACCORD AVEC LES ÉDITIONS PIERRE BELFOND

Ce livre a été publié sous le titre original
MARIO'S VINEYARD
par Souvenir Press Ltd, Londres.

ISBN 2-89149-216-1

*A Rosetta,*
*avec tout mon amour*

*Et mes remerciements les plus chaleureux*
*à Jim et Joyce Ann Diemer, à Philip Evans,*
*et tout spécialement à Ernest Hecht*

PREMIÈRE
PARTIE

# 1

— François !

François Pujol leva les yeux. C'était son frère aîné Henri qui s'avançait, le regard mauvais, au milieu de la foule. Le café Riocaud n'était qu'une petite salle mal éclairée par des lampes à pétrole et quelques bougies. De la fumée partout. Toutes les chaises étaient prises et les clients s'entassaient devant le comptoir de bois, recouvert de toile cirée. Personne n'était ivre mais tout le monde avait bu — sauf peut-être Henri. Mais Henri ne buvait jamais. Toujours bon garçon. Soumis et bête. François lui sourit.

Henri s'avança. Il reconnut, à la même table, Thérèse Listrac, son frère Armand et la dernière en date des conquêtes d'Armand : Irène.

— Je me doutais bien que je te trouverais là. Papa attend. Il faut rentrer.

— Il n'est même pas dix heures et demie.

— Prends un petit blanc, Henri, c'est moi qui paie, proposa Armand, sachant bien que son offre serait refusée.

Henri fit la sourde oreille.

— Il t'avait dit de revenir à dix heures.

Pendant un instant, François soutint son regard. Puis il éclata de rire.

— Ne fais pas cette gueule. Ce sont les vendanges !

Thérèse les observait : Henri, solide et pondéré; François, rieur, tout vif-argent. Etrange, se dit-elle : un air de famille manifeste malgré de si grandes différences. Personne ne trouverait jamais Henri beau garçon, tandis que François... Elle lui lança un coup d'œil furtif : elle aimait la courbe de ses sourcils épais, les petits plis au coin de ses yeux quand il riait, sa bouche généreuse. Elle savait que les autres filles l'enviaient, et c'était bien normal. Parce qu'il était beau, grand, fort, et surtout joyeux compagnon, plein de vie et d'enthousiasme.

— Si tu ne veux pas boire un coup, dit François, fiche le camp, Henri. Ici, on s'amuse. Papa attendra un peu plus.

— Viens donc, s'obstina Henri. Tu sais bien qu'il va se mettre en rogne.

— Dix minutes et j'arrive.

Henri regarda son frère et haussa les épaules.

— Ça te retombera sur la tête, dit-il en quittant le café.

— Quel ronchon ! s'écria Armand. Il ne peut pas s'en empêcher, je suppose.

Il leva son verre.

— A la santé du Vieux Ronchon !

Ils burent, sérieux comme des papes, puis éclatèrent de rire.

— Tu devrais peut-être partir, dit Thérèse. Tu ne veux tout de même pas d'ennuis avec ton père.

— J'ai toujours des ennuis avec lui, répliqua François. Il me prend encore pour un galapiat. Une tournée de plus ou de moins n'y changera pas grand-chose. Il est toujours en train de gueuler que je suis un *feignant* et un traîne-savates. Ah ! je commence à le savoir par cœur qu'il a travaillé dur toute sa vie ! Ça fait si longtemps qu'il m'en rebat les oreilles. La mère va dire : « Allez, Raphaël, ça suffit », et nous rentrerons tous à la maison.

Il rit.

— Si je partais à présent, je lui gâcherais la moitié de son plaisir. Plus je serai en retard et plus il sera heureux de crier.

Armand, du même âge que François mais un peu plus râblé, passa la main dans ses cheveux bruns et fit une grimace.

— Ils sont tous pareils. Mon vieux n'arrête pas de m'asticoter. Il me traite comme si j'étais un gamin. Mais je ne le suis plus.

Il pinça la taille d'Irène et l'embrassa sur la joue.

— Tu pourrais le lui dire, pas vrai, mon lapin ?

Irène gloussa de rire.

— Quand vont-ils commencer à nous considérer comme des adultes ? conclut Armand.

— Quand vous serez mariés, répondit Thérèse, essayant de lui rendre sa bonne humeur.

— Tu rigoles ! Non, il n'y a qu'une seule réponse, François : il faut que nous fichions le camp. Travailler pour notre compte. On m'a dit qu'il y a du travail à la pelle à Bordeaux. Et du bon pognon à ramasser. Et tu sais comment sont les filles de la ville...

Armand rabâchait toujours les mêmes choses. Mieux valait faire la sourde oreille.

— Les filles d'ici sont très bien pour moi, répondit François en glissant son bras autour des épaules de Thérèse.

Elle rougit et enleva la main du jeune homme. Elle était svelte, avec un visage délicat de farfadet timide. Ses grands yeux marron semblaient toujours pleins de chaleur et de tendresse. Et François ne se lassait pas d'admirer le dessin de ses lèvres charnues. Elle portait ses cheveux bruns remontés en chignon, très haut sur la tête. Sa peau mate semblait très douce, mais ses joues ne prenaient jamais de couleur, sauf bien sûr quand la pudeur faisait monter le rouge sur son visage. C'était peut-être ce détail qui la rendait jolie plutôt que belle.

François se leva brusquement.

— Viens, Thérèse, dit-il en prenant la main de la jeune fille. Allons faire un petit tour.

— Un petit tour ? A cette heure de la nuit ?

12

— Pas plus loin que Sainte-Cécile.

— Et ton père ?

— Oh ! ne t'en fais pas. Viens. Deux minutes...

Elle se leva, les joues comme un coquelicot.

— Tu viens, Armand ? demanda-t-elle à son frère.

— Non, il ne vient pas, dit François en souriant.

— Dis donc, tu es assez grande pour veiller sur toi, répondit Armand avec un clin d'œil à l'adresse de son ami. Et puis, j'ai autre chose à faire.

Il serra plus fort la taille d'Irène et se pencha vers son oreille.

— Tu es impossible, Armand ! gloussa-t-elle, ravie.

Sans lui laisser le temps de protester davantage, François entraîna Thérèse vers la porte du café. Il y avait du monde sur la place.


Le petit village de Sauveterre était animé en ce dimanche d'octobre 1876. Les vendanges s'achevaient dans les vignes des environs, et partout régnait une atmosphère joyeuse car les rires et les chants accompagnent toujours le vin. Ce n'était pas à proprement parler une fête. Aucun touriste ne venait regarder de faux vignerons en costumes folkloriques fouler le raisin pour la frime dans une cuve à l'ancienne mode au milieu de la place Thiers, et le vin ne coulerait pas de la fontaine publique. Les vignerons, près de leurs sous, auraient tenu des activités de ce genre pour un gaspillage presque criminel. D'ailleurs, la région n'était pas exclusivement vinicole — il y avait l'élevage, le tabac, les abeilles — et les vendanges ne touchaient pas toutes les familles, bien que presque tout le monde, y compris Thérèse et Armand, eût mis la main à la récolte.

Les deux cafés étaient pleins et le vin coulait à flots. Les vieux, assis sur le pas de leur porte, regardaient d'un œil indulgent les jeunes gens aller et venir dans les rues, saluer des amis, former des groupes et parfois, sur la place, lancer une farandole ou une bourrée. Les parents, bien entendu, veillaient sur leurs filles. Aucune ne s'éloignait de trois pas de sa mère sans avoir été pourvue d'un chaperon, en général un frère aîné. Mais on pouvait toujours échapper aux chaperons, surtout les frères aînés qui avaient leurs propres lièvres à courir. Et, ensuite, comment ne pas se laisser entraîner dans les ruelles sombres, ou même dans les champs qui entouraient le bourg ? Cela expliquait, disait-on, le nombre important de mariages précipités aux alentours de Noël, et le fait que la plupart des premiers-nés de ces mariages venaient au monde anormalement tôt, au mois de juillet suivant.


François entraîna Thérèse dans la rue du Fougard. Il marchait avec une sorte de grâce féline, sans paraître se rendre compte de sa beauté. A chacun de ses sourires, les poils noirs de sa moustache donnaient plus d'éclat à ses dents, et sous ses sourcils épais ses yeux pétillaient. Ils étaient bleus, d'un bleu brillant, étonnant, comme c'est parfois le cas en Guyenne et en Gascogne — lointain souvenir des armées du Prince Noir ? —, et ils avaient tourné la tête de plus d'une fille, faisant bondir dans leur cœur des rêves de carillons de noces. Il avait vingt-deux ans, le bon âge pour se marier. Il n'avait certes pas l'intention de « se mettre la corde au cou » de sitôt, mais il n'aurait pas été le premier à se laisser prendre au piège. Et toute fille qui planterait ses crocs sur François n'obtiendrait pas seulement un beau mari, car Raphaël Pujol, son père, « avait du bien » selon les normes de Sauveterre; c'était un homme d'une éducation largement supérieure à celle de tous ses voisins, et même s'il travaillait la terre comme le premier venu, il y avait une différence, et elle était de taille : les vignes lui appartenaient. François n'était que son deuxième fils, mais à la mort de Raphaël il recevrait un héritage enviable.

Pourtant, ce soir-là, François n'avait d'yeux que pour Thérèse. Elle trottinait près de lui en lui abandonnant sa main, tandis que de l'autre elle relevait sa robe de soie du dimanche pour que l'ourlet ne traîne pas dans la poussière. Elle tournait les yeux vers lui en souriant, éclatait de rire à ses plaisanteries, et inclinait à peine la tête pour répondre aux saluts des amies qu'ils croisaient.

Sainte-Cécile n'était pas loin. Le cloître entourant l'ancien cimetière constituait un endroit idéal pour les amoureux, et, ce soir-là, il y avait plus d'un couple sous les arcades élégantes. François trouva un coin sombre et attira Thérèse contre lui. Il l'enveloppa de ses bras, se pencha vers elle et l'embrassa doucement. Elle ne résista qu'au moment où la langue du jeune homme vint jouer sur ses lèvres, cherchant le secret de sa bouche. Elle détourna la tête. Il lui embrassa les yeux, les joues, puis de nouveau les lèvres, avec plus de passion tandis que son désir montait.

— Je t'aime, Thérèse, murmura-t-il.

Ce n'était pas la première fois qu'il faisait cet aveu à une fille, mais il commençait à se demander si, cette fois, il ne le pensait pas vraiment. Il connaissait Thérèse depuis des années, depuis qu'Armand et lui s'étaient liés d'amitié sur les bancs de l'école, mais cela faisait très peu de temps qu'il songeait à elle autrement que comme à « la sœur d'Armand ». Depuis plusieurs semaines elle avait envahi toutes ses pensées. Certes, d'autres avant Thérèse l'avaient ému ainsi, mais il aurait juré que ses sentiments pour la jeune fille étaient de nature différente, plus profonds, plus sincères.

Elle ne répondit pas, mais au bout d'un instant elle glissa ses bras autour du cou de François, l'attira plus près d'elle et poussa un soupir agité de frissons.

Il laissa glisser sa main jusqu'à un de ses seins et crut sentir le mamelon se gonfler sous le corsage serré.

— Thérèse, murmura-t-il d'une voix troublée, insistante.

Et il se mit à défaire, entre ses doigts maladroits, les boutons de la guimpe. Thérèse s'écarta brusquement de lui.

14

— Non, dit-elle à mi-voix. Non, je t'en prie...

— Mais je ne te ferai pas de mal. Je t'aime.

Comme elle aurait voulu lui dire qu'elle l'aimait, elle aussi ! Mais la timidité l'en empêcha. Oui, elle aurait voulu lui laisser faire ce qu'il voulait et sentir ses mains d'homme sur sa poitrine, sur tout son corps. Le désir la mettait à la merci du jeune homme, mais elle savait qu'elle devait résister. Elle posa le bout du doigt, pendant un instant, sur les lèvres de François, puis elle lui prit la tête entre ses deux mains et appuya ses lèvres entrouvertes contre sa bouche, longuement, presque sans pudeur. Quand les bras de François commencèrent à se resserrer autour de sa taille, elle s'écarta.

— Ramène-moi tout de suite près d'Armand. Je t'en prie.

Le cœur battant, François hésita. Il devinait que le désir de la jeune fille était aussi violent que le sien, et il savait que s'il insistait il parviendrait probablement à vaincre sa résistance. Mais, sans trop savoir pourquoi, il était sûr que cela gâcherait tout et qu'il ne devait pas la traiter comme les autres. Non sans surprise, il s'aperçut que la résistance de Thérèse lui inspirait un sentiment d'honneur et de respect. Il l'embrassa tendrement sur la joue et murmura de nouveau :

— Je t'aime.

Cette fois il le pensait du fond du cœur.

— Il faut que je te revoie très vite, dit-il.

— Demain ?

— Demain, il y aura du travail. Après-demain ?

— Oui. Je le dirai à Armand. Papa ne me laissera pas sortir si mon frère ne m'accompagne pas. (Elle esquissa un rire bref.) Je crois qu'il se trompe sur le compte d'Armand...

Il rit à son tour et la ramena en courant au café Riocaud.

— Armand est toujours là, Dieu merci, s'écria Thérèse en entrant. J'avais peur qu'il ne soit parti avec Irène, ou à la recherche d'une autre de ses bonnes amies, mais on dirait qu'elles sont venues à lui. Regarde, il en a trois, à présent.

Sa voix tremblait un peu, comme si elle devait se forcer pour dire des banalités.

— Thérèse... commença François.

— Va-t'en, ça vaut mieux, répondit-elle. Ton père sera assez en colère pour y prendre vraiment plaisir... Nous nous verrons après-demain.

Elle lui serra brusquement la main et s'éloigna vers la table de son frère.

François la suivit des yeux un instant, puis sortit. Il était comme étourdi, le parfum frais des cheveux de Thérèse encore dans ses narines, et l'empreinte de leur dernier baiser sur ses lèvres. Il avait envie de danser, de chanter, de crier à tue-tête. Puis, soudain, son allégresse s'évanouit, remplacée par un désir étrange, douloureux. Un désir de quoi ? Il l'ignorait. Etre avec Thérèse ? S'évader de l'emprise de son père ? Faire quelque chose ? Aller quelque part ? Oui, que l'inattendu se produise, que tout soit nouveau, merveilleux...

La cloche de Sainte-Cécile le rappela à la raison. Onze heures. Son père allait pouvoir se livrer à une belle colère ! Il fit demi-tour et courut tout du long de la rue des Adouberies, jusqu'à la chapelle de Saint-Avit. Il s'arrêta devant le café des Girondins, l'endroit favori de son père aux rares occasions où il descendait à Sauveterre « gaspiller un peu d'argent ».

Raphaël Pujol avait belle allure : un visage puissant et mobile sous une épaisse crinière d'argent. Jamais personne n'oubliait ses yeux, sombres sous de lourds sourcils noirs, parfois étincelants de colère (comme en cet instant), souvent pétillants d'ironie, mais toujours vifs et brillants. Il était large d'épaules, bâti à chaux et à sable, et sa force était proverbiale dans le canton. D'une indépendance trop farouche pour devenir un personnage populaire à Sauveterre, il n'en était pas moins très respecté.

Marguerite, son épouse, plus jeune que lui de trois ans, paraissait, à quarante-huit ans, beaucoup plus âgée que Raphaël. Elle avait encore les cheveux bruns, mais la peau de son visage, tannée par le soleil, se creusait de rides profondes. Le bleu de ses yeux, dont François avait hérité, semblait un peu passé. De petite taille, toute replète, c'était une âme charitable, généreuse, qui aurait aimé le monde entier si elle en avait eu le temps et l'occasion.

Raphaël et Marguerite étaient assis avec Henri et leurs deux filles, Lydie et Fanchon, devant une grande table du café des Girondins. Fanchon, qui n'avait que douze ans, s'était endormie la tête contre l'épaule de sa mère. Dès son entrée, encore à bout de souffle, François put lire l'orage dans les yeux de son père. Les doigts de Raphaël pianotaient sur la toile cirée, ne s'interrompant que pour sortir de son gousset sa grosse montre en argent, la regarder, incrédule, puis la remettre en place avec un geste furibond.

Il aperçut le jeune homme. Ses doigts interrompirent leur geste d'impatience et il demeura immobile et silencieux jusqu'à ce que François arrive près de la table. Quand il parla enfin, il commença d'une voix basse, retenue.

— Alors, dit-il, tu t'es quand même décidé à revenir. Quelle heure crois-tu qu'il soit ? Mais tu t'en moques, n'est-ce pas ? Tu te moques sûrement de m'avoir fait attendre plus d'une heure. Je t'avais dit de revenir à dix heures, mais c'est le cadet de tes soucis, pas vrai ? Tu me désobéis, mais ça ne te tracasse guère ! Nous sommes tous prêts à rentrer à la maison. Je suis prêt, ta mère est prête, Henri est là — sauf que j'ai dû l'envoyer te chercher —, Lydie et Fanchon sont là. Mais pas François. Oh non ! Monsieur est en train de vadrouiller comme un galapiat qu'il est. Et quand j'envoie quelqu'un à sa recherche, il refuse de venir.

Sa voix était restée basse, menaçante, mais il lança soudain son poing sur la table et les verres vides tremblèrent. Son visage était

16

écarlate, les veines saillaient sur son front, il se mit à hurler.

— Oui, un galapiat ! rugit-il. Un *feignant*, un étourdi, un rebelle ! Tu es la honte de la famille, *Cap dé Diou* ! Qu'est-ce que j'ai fait au Bon Dieu pour être affligé d'un fils pareil ?

— Chut ! dit Marguerite à mi-voix, montrant les autres clients dont les yeux rieurs se tournaient vers Raphaël.

Il fit la sourde oreille, mais quand il reprit, sa voix était un peu plus basse.

— Tu me prends pour un vieux couillon qui ne pense qu'à dormir et qui n'est pas capable de comprendre les besoins des jeunes. Mais c'est toi qui es le couillon. Je n'étais rien du tout quand j'ai commencé dans la vie — orphelin, sans argent, sans amis — et maintenant, regarde où j'en suis. Et tu sais comment je l'ai gagné ? En travaillant dur, en me couchant à des heures régulières et en faisant mon devoir. Le devoir ! Tu ne sais peut-être pas ce que c'est, le devoir ? Et qu'est-ce que tu fichais, hein ? Tu buvais comme un idiot, pour te rendre encore plus idiot, et tu gueusais avec cette petite garce de rien. Oh ! je sais tout ça, va ! Je sais bien que tu étais avec ce jean-foutre d'Armand Listrac et sa sœur — comment s'appelle-t-elle, déjà ?

François, debout, se taisait. Les pensées tourbillonnaient, confuses, dans sa tête : la colère de son père, l'humiliation d'être rappelé à l'ordre ainsi, en public, l'ennui d'avoir déjà entendu tout ça cent fois, la certitude que, bien sûr, les reproches étaient justifiés; mais aussi le soupçon confirmé qu'Henri, forcément, avait mouchardé leur conversation au café Riocaud, et surtout la prise de conscience soudaine de la futilité de tout le reste puisque Thérèse l'aimait. Il se demandait aussi ce qu'il éprouvait vraiment à l'égard de son père. Il ne le détestait pas, c'était certain, mais il n'y avait guère d'amour entre eux, ni même d'affection. Peut-être du respect. Raphaël avait un caractère aussi fort que son physique, c'était un homme juste et droit, et sur presque tous les plans ils s'entendaient bien tous les deux, même si leurs relations étaient toujours entachées d'une sorte de bravade, d'ailleurs réciproque. Mais son père venait de dépasser les bornes de la justice et semblait ne plus pouvoir s'arrêter.

— Thérèse n'est pas une garce ! Tu ne dois pas la traiter de...

— Je la traiterai comme il me plaira. Tu sais ce que je pense des Listrac. Jamais tu n'aurais dû prendre cet Armand pour ami. Et cette fille n'est pas pour toi. Tu ne la reverras plus.

— Papa, tu n'as pas le droit...

— Tais-toi ! hurla Raphaël. Je n'ai pas le droit ? *Cap dé Diou*, j'ai tous les droits ! Mais cette fille ne compte pas. Ce qui compte, c'est qu'il y a du travail pour demain. La cuve de rouge à soutirer, la râpe à mettre en pressoir. Il faudra se lever avant le soleil, et tu nous fais lanterner jusqu'à Dieu sait quelle heure. Dans quel état seras-tu demain matin, hein ?

— Raphaël, dit Marguerite, ça suffit. Partons.

Ce fut comme si une main magique avait donné le signal. Sans un mot de plus, Raphaël se leva, et son mouvement brusque parut imposer le silence à tous les clients du café des Girondins. Son visage buté n'invitait personne à lui souhaiter le bonsoir et plus d'un client dut se dire que le moindre commentaire aurait soulevé une tempête. Il sortit à grands pas sonores, suivi par Marguerite, ombre rondelette mais pleine de dignité.

— Bonsoir, dit-elle en inclinant la tête de gauche et de droite comme si rien ne s'était passé.

Leur amis et connaissances répondirent en sourdine et suivirent des yeux la famille qui s'éloignait.

Les Pujol se dirigèrent à pied vers l'endroit où les attendaient la jument et la carriole. Raphaël, Marguerite et Fanchon s'assirent sur la planche : Henri, François et Lydie suivirent d'un bon pas. Parfois, quand la pente était trop raide, les jeunes gens s'amusaient à pousser. Ils prirent la route blanche qui montait entre les labours, jusqu'à l'embranchement du chemin de l'Espérance.


Entre Garonne et Dordogne, comme une pointe lancée vers Bordeaux par les collines crayeuses du Quercy, s'étend un pays de coteaux riants que les grandes routes, amies des vallées, semblent hésiter à traverser. C'est l'île de l'Entre-Deux-Mers, sillonnée par un dédale de chemins parfumés qui tracent de bourg en bourg et de ferme en ferme une toile d'araignée étrange reliée au reste du Bordelais uniquement par des ponts enjambant les grands fleuves. Il y a relativement peu de vignes et même les propriétés dont les revenus ne dépendent que du vin s'entourent de prairies où paissent les vaches de labour et le cheval de la carriole. Pour ce cheval on « fait » un peu d'avoine. Un peu de blé pour les volailles, des betteraves pour les porcs, du maïs — du « blé d'Espagne » — que l'on coupe vert pour enrichir la ration des bêtes au moment des « façons » de la fin du printemps.

Les grands vignobles sont plus à l'est, vers Monbazillac, ou juste en face, sur les coteaux du nord de la Dordogne, à Saint-Emilion, ou bien dans la couronne méridionale de la Garonne où les grands crus se succèdent comme une litanie de messe païenne : Sauternes, Haut-Brion, Barsac, Podensac...

Sauveterre se trouve presque au centre de la toile d'araignée, au nœud de tous les chemins. C'est une de ces bastides de pierre blonde, aux rues à angles droits, construites par des esprits clairs, fiers de leurs libertés durement conquises. Depuis longtemps ses murs sont à l'abandon, mais ses quatre portes massives témoignent encore de vieilles luttes dont il ne reste qu'un arrière-goût de mépris pour les barbares venus du Nord et leur accent pointu.

Sur les pentes ensoleillées qui dominent le bourg, les ceps portent une récolte moins abondante que dans le vallon, mais le sous-sol est plus riche et le raisin mûrit plus tôt. C'est là que se trouvent les vignes de Raphaël Pujol et quand l'année s'y prête, quand aux douces pluies de printemps s'allient les fortes chaleurs du mois d'août, le vin qui

18

coule dans ses foudres et ses barriques, pour être moins célèbre que celui de Château-Yquem ou de Sainte-Croix-du-Mont, possède le même velouté, avec en plus un parfum musqué venu, non point du terroir, comme on l'affirme, mais de l'habile mélange des cépages. Parce que Raphaël Pujol sait faire le vin.

Après le croisement de Massugas le chemin de terre raviné de la dernière pluie remonte entre la carrière et le petit bois d'acacias où, chaque hiver, on coupe les jeunes troncs pour faire les « caraçons » — les échalas — supportant les fils de fer de la vigne. Et dès la sortie du bois s'étendent les deux grands prés où se dressent les bâtiments, masse accrochée à la terre, dont les immenses toits de tuiles brunies par les ans étouffent la grisaille des blocs de tuf calcaire des murs. Le chai et les hangars bordent d'un côté la grande cour ouverte; en face, le poulailler, la soue des porcs et les clapiers. Non loin, entre la maison et le jardin, dominée par trois tilleuls et une haie d'ormeaux dont on effeuille chaque année les branches pour compléter la pâtée des gorets, se trouve la « crose » — la mare — toujours pleine, même au cœur de l'été, où l'on puise l'eau de la bouillie bordelaise. Les fûts sont toujours là, tachés de coulures blanches de chaux, et turquoise de sulfate de cuivre. Au-delà, le jardin avec ses cognassiers aux quatre angles et ses poiriers en espaliers. Au fond, un grand sorbier dont les enfants dégustent les fruits âpres quand ils commencent à pourrir.

Les pensées de François étaient si pleines de Thérèse que l'arrivée à l'Espérance le prit au dépourvu.

Raphaël descendit de la carriole et se dirigea vers la maison.

— Rentre le cheval, dit-il par-dessus son épaule.

Marguerite et Fanchon le suivirent aussitôt.

— C'est à toi qu'il parle, tête de bois, dit Henri à son frère en s'éloignant au plus vite, sans laisser à François le temps de le traiter de cafard et d'espion.

Lydie éclata de rire :

— C'est peut-être une tête de bois, mais au moins il prend un peu de bon temps... Il y a des soirs où j'ai bien envie de ficher le camp, ajouta-t-elle en se retournant vers François.

— Patience. Tu n'es qu'une gamine.

— Ça en vaudrait la chandelle, poursuivit-elle en négligeant l'insulte. Ça vaudrait l'engueulade, je veux dire. Il était en forme, hein ?

— Papa ? Oh ! il a pris du bon temps, lui aussi ! répondit François. Mais je ne lui pardonnerai jamais d'avoir traité Thérèse de garce.

— Tu es amoureux d'elle ? demanda Lydie.

C'était une jolie fille de dix-huit ans aux yeux éveillés, bien en chair, de tempérament rieur et insouciant. Elle avait toujours une plaisanterie sur les lèvres, et tous les garçons de Sauveterre qui s'étaient risqués à lui faire un brin de cour n'avaient pas tardé à fuir, blessés dans leur dignité : elle ne les prenait pas assez au sérieux. François l'aimait beaucoup.

— Et après ? dit-il.

Lydie, jouant la comédie des grands sentiments, poussa un profond soupir.

— Comme c'est romantique ! Une histoire d'amour condamnée par le destin. François et Thérèse mourant de langueur, sans pouvoir se marier parce que leurs parents sont ennemis jurés...

— Idiote !

Elle avait raison, mais à quoi bon essayer de lui parler sérieusement quand elle était de cette humeur-là ?

— C'est ce qui m'arrivera à moi aussi, j'en suis sûre. Je tomberai amoureuse à la folie, et papa interdira le mariage. Je resterai à jamais fidèle à celui que mon cœur aura choisi — quel qu'il soit. Et lorsque je serai vieille, les gens diront : « C'est la Lydie. Elle ne s'est jamais mariée, vous savez, parce que son âme appartenait à un homme, à un seul... Et son père ne l'a pas laissée l'épouser. »

Elle gloussa de rire.

— Ce sera très triste, conclut-elle.

— La seule personne que papa t'empêcherait d'épouser est Armand. Et autant que je sache, ça ne l'intéresse pas.

— Armand s'intéresse à tout ce qui porte jupons.

— C'est vrai. Mais je croyais que tu voulais épouser Labadesse.

Une vieille plaisanterie entre eux : « Moussu » Labadesse était le maître d'école.

Le rire de Lydie jaillit dans la nuit.

— Il doit avoir au moins cent cinq ans.

— Oui. Juste ce qu'il te faut.

— Cornichon ! lui lança-t-elle d'une voix pleine d'affection. Tu vois ça d'ici, le vieux Labadesse et moi ? Il faudrait que je l'aide à grimper dans l'alcôve et que je le bascule sur le lit.

— Lydie ! cria François en singeant son père. *Cap dé Diou* !

Depuis la porte de la maison, Marguerite appela en écho :

— Lydie !

Et elle s'en fut, toujours riant, tandis que François ôtait la sous-ventrière de la jument.


Dans leur chambre, Marguerite parla à son mari :

— Tu es trop dur avec le gosse.

— Oui, répondit Raphaël sèchement.

— Il a vingt-deux ans. Il faut bien qu'il s'amuse avec la jeunesse du bourg.

— Je sais.

— Et cette prétendue querelle avec les Listrac, c'est de la bêtise. Tu devrais avoir honte. A ton âge !

— Cesse de jacasser, femme.

— Il n'y a rien à redire sur cette fille. Je crois que c'est une de celles qui sont venues nous aider pour les vendanges, mais il y en a tant que je me perds dans les noms. C'est sûrement une brave petite. La plupart des filles de Sauveterre sont très gentilles.

— Comme tu dis.

— Alors pourquoi crier comme ça sur François ?

« Parce que c'est lui que j'aime le plus », songea-t-il. Mais ce n'était pas une chose à avouer, même à Marguerite.

— Parce qu'il peut le supporter, répondit-il à la place. Il est fort. Henri est parfait, loyal, travailleur et tout, mais c'est un lourdaud. Lydie serait beaucoup plus dégourdie, mais elle va se marier un de ces jours. François est différent. Comme moi. Il aime la vigne et s'intéresse au chai. C'est pour ça que je suis dur avec lui.

— Qu'est-ce que tu racontes ? Je ne te comprends pas, Raphaël. Je trouve tes raisons bien compliquées. Fais attention de ne pas le chasser.

## 2

Raphaël avait raison de dire qu'il y aurait beaucoup de travail le lendemain. Les dernières « comportes » de la vendange étaient encore pleines de raisins blancs devant le grand pressoir. Dans l'une des deux cuves où fermentait la récolte de rouge, pour la consommation de la famille, la râpe avait cessé de remonter et il était temps de mettre en fûts.

Dès cinq heures du matin les hommes donnèrent un dernier coup au pressoir, par acquit de conscience car le moût trouble ne coulait plus. Puis commença le travail fastidieux du démontage. La lourde barre de fer, l'écrou à cliquets, les épaisses traverses de châtaignier entrecroisées au-dessus du plancher à claire-voie pour répartir la pression énorme qui s'exerçait sur le raisin. Enfin la râpe parut. C'était devenu une sorte de tourteau dur, brun, et François grimpa par-dessus les claires-voies verticales pour la bêcher au trident recourbé. Il la jetterait ensuite à la fourche, par la petite fenêtre, sur le tas qui séchait au-dehors, répandant dans l'aube fraîche des senteurs âcres d'ivresses tristes. Henri pompait le dernier moût dans les grands foudres où il fermenterait doucement. Il manœuvrait machinalement la pompe à main et il ne vit pas déborder de la bonde le liquide brun, épais, boueux, dont on ne pouvait croire qu'après les premières gelées il se transformerait en liqueur ambrée, cristalline. Du fond du chai, Raphaël cria. Il avait vu le moût se répandre, ses yeux étaient partout.

— Va foncer la deuxième cuve ! Et n'oublie pas la bougie, grand couillon !

Henri partit la tête basse. Sans ralentir le mouvement de sa fourche, François se mit à siffloter.

Henri remonta les jambes de son pantalon de toile avant de grimper, pieds nus, sur l'échelle. Il alluma la bougie, puis la tendit à bout de bras, à la hauteur de son visage, au-dessus de la cuve. La flamme vacilla mais ne s'éteignit pas. Simple précaution, mais combien de vignerons s'étaient noyés dans des cuves pour avoir négligé de vérifier qu'une nappe de gaz carbonique ne s'était pas formée sous l'effet de la fermentation ? Il monta dans la cuve. La râpe, tiède sous ses pieds, était solide, et il dut appuyer de tout son poids pour l'enfoncer dans le moût. Quand elle céda brusquement, il glissa, se rattrapa au rebord de la cuve et releva sa jambe enduite d'émail grenat qui collait ses poils bruns à la peau. Le premier trou était fait, tout serait facile à présent. Il saisit la corde tendue au travers de la cuve et, lentement, plongea la râpe rêche sous le liquide parfumé. Il entendit son père grommeler à l'autre bout du chai. La fourche de François grattait le plancher du pressoir et à chaque fourchée, Henri apercevait la tête de son frère au-dessus de la claire-voie, comme une ombre chinoise sur le mur blanchi à la chaux.

Raphaël ôtait la pierre puis la feuille de vigne qui recouvraient la bonde de chaque foudre où le moût blanc fermentait. « Il faut, disait-il, que le vin respire. » Puis il approchait sa bougie de la bonde et il regardait longuement l'écume comme si son léger frémissement presque silencieux lui avait murmuré des secrets.

Fanchon vint les prévenir que le petit déjeuner était prêt. Marguerite, comme toujours, s'était levée la première pour allumer le feu dans la cheminée et faire réchauffer le café. Dès que les hommes avaient paru, elle avait envoyé François puiser un seau d'eau. La chaîne du puits était glacée. Un verre de café brûlant, puis sans un mot, chacun s'était mis au travail. Les hommes au chai. Fanchon soignait les lapins, Lydie les porcs et la volaille, Marguerite sortait les vaches et la jument dans le pré. Et maintenant, le petit déjeuner : la soupe de la veille avec du pain trempé, des grattons de porc, un reste de canard. Le vin sur la table... Avant d'entrer, les hommes se lavèrent les mains — et Henri les jambes — dans la bassine de fer-blanc posée à terre près de la porte. Un torchon de fil pendait à un clou.

Après avoir terminé sa soupe, ne laissant que deux ou trois cuillerées de bouillon, Raphaël remplit à moitié son assiette de vin.

— Au vin nouveau, dit-il avant de faire « chabrot ». Et qu'il soit bon !

— Tu crois qu'il le sera, papa ? demanda François.

— A ton avis ?

— C'est possible. Nous avons vendangé très mûr et le moût est sucré.

— Oui, répondit Raphaël, ça va peut-être faire une sacrée récolte.

Les autres sourirent. Fallait-il qu'il soit satisfait ! D'habitude il se serait borné à grogner deux ou trois fois dans sa barbe — le temps n'était jamais « comme il faut », on vendangeait toujours trop tôt ou trop tard. Son « peut-être » exprimait une satisfaction totale : il s'attendait à un vin particulièrement bon.

Le lendemain soir, toute la vendange blanche était pressée et l'on allait pouvoir passer à la cuve de rouge qui ne fermentait plus. Laisser plus longtemps la râpe dans le vin aurait donné de l'amertume.

— Papa, je descends en ville... risqua François, les yeux baissés.

Raphaël ôta son béret, l'épousseta du plat de la main et le remit sur ses cheveux gris. François avait travaillé dur et bien, mais il se doutait que le jeune homme allait retrouver cette fille Listrac, et il n'avait nullement envie de voir son fils se laisser embobiner par elle. La cause première de la querelle entre les Pujol et les Listrac était presque oubliée — une dispute sur le paiement de quelques fagots de sarments — mais depuis des années les Pujol se servaient uniquement dans l'épicerie rivale de celle des Listrac à Sauveterre, et jamais plus ils n'avaient accepté de vendre aux Listrac un fagot ou une barrique de vin.

— Très bien, dit-il enfin, se souvenant des paroles de Marguerite dans la chambre. Mais sois rentré à dix heures et demie, hein ? Pas une minute plus tard.

La fatigue de François disparut dès qu'il dévala la route du bourg. Il alla aussitôt au café Riocaud, mais Armand ne s'y trouvait pas. Il chercha dans tous les coins fréquentés par les jeunes, mais Armand et Thérèse n'étaient nulle part. Finalement, prenant son courage à deux mains, il frappa à la porte voisine de l'épicerie fermée : les Listrac habitaient au premier. La nuit tombait déjà.

Ce fut Armand qui répondit. Il n'avait pas le sourire aux lèvres.

— Je me doutais que ce serait toi. Nous ne pouvons pas sortir. Ni Thérèse ni moi.

— Et pourquoi ça ?

— Maman a fait avouer à Thérèse qu'elle te fréquentait, elle l'a raconté au père. On aurait dit qu'elle jetait de l'huile sur le feu. « Jamais une de mes filles ne sortira avec un Pujol ! » Et nous nous retrouvons tous les deux au piquet, comme deux gosses qui ont volé des confitures. Bon dieu ! François, ce que je peux en avoir marre ! A la première occasion, je fous le camp, ma parole !

La nouvelle prenait François au dépourvu.

— Dis à Thérèse, commença-t-il... Dis-lui que je la verrai... une autre fois. Dis-lui que je...

A cet instant « Moussu » Listrac parut en haut de l'escalier.

— Qui est-ce, Armand ?

— Un copain, papa...

Listrac descendit, un bougeoir à la main.

— Ah ! c'est toi, hein ? Fous le camp ! Tu n'as rien à faire ici. Et que je ne te trouve pas en train de tourner autour de ma fille, c'est vu ?

Sa colère s'acheva en quinte de toux et il se mit à souffler comme un asthmatique. Il tendit la bougie à Armand et claqua la porte au nez de François.

Le jeune homme revint au café Riocaud et prit un verre, seul dans son coin. Puis, inconsolable, il remonta le chemin de l'Espérance.

— Je voudrais... Je voudrais... s'écria-t-il à voix haute à la hauteur du bois d'acacias.

Mais il ne savait pas au juste ce qu'il voulait. Voir Thérèse, bien entendu, mais ce n'était pas tout. Il voulait changer de vie, changer le monde, chercher et trouver... ce qu'il restait encore à trouver.

Il n'était même pas neuf heures et demie. En arrivant près du puits, il aperçut de la lumière par la fente des contrevents du chai. Il se douta que c'était son père, et bien qu'il n'eût aucune envie de parler, il se sentit attiré par l'immense grotte sombre emplie d'odeurs prenantes, davantage que par la maison.

Raphaël donnait un dernier coup au pressoir avant d'aller se coucher. Le bruit clair des cliquets à chaque aller et retour de la barre résonnait dans le silence, comme amplifié par le tambour des fûts vides. Quand François, en face de lui, posa les mains entre les siennes, sur la barre, il ne put dissimuler sa surprise.

— Tu rentres bien tôt.

— Oui, répondit François sans autre explication.

Raphaël comprit que la soirée de son fils devait avoir mal tourné. Peut-être n'avait-il pas vu la fille Listrac après tout. Tant mieux...

— Tout le monde est couché, dit-il. Nous ferions bien d'y aller aussi. Il ne faut pas le presser trop vite.

Il n'attendait pas de réponse. Il posa la barre contre le mur, passa le bras sur les épaules de son fils et l'entraîna vers la maison. François s'étonna de voir son père comprendre qu'il n'était pas d'humeur à bavarder, et il lui en fut reconnaissant.

Il demeura longtemps éveillé dans la nuit, se demandant s'il reverrait Thérèse un jour. Son père ne pourrait tout de même pas la garder sous clé à tout jamais. Ils auraient sûrement l'occasion de se rencontrer, ne serait-ce que par hasard. Il songea à l'idée d'Armand de partir à Bordeaux. L'ennui, c'est qu'il n'éprouvait aucun désir de travailler en ville. Son cœur était près de la terre, attaché aux vignes. Il finit par sombrer dans un sommeil agité.


Le lendemain, ils se mirent à soutirer le vin rouge de la cuve. Ils le faisaient passer dans une grande bassine de cuivre avant de le pomper dans les barriques préalablement soufrées pour arrêter toute velléité de fermentation nouvelle. Le vin était encore « bourru », épais, âpre au goût. Il fallait que les lies se déposent pour qu'il prenne enfin son éclat de rubis. Ce serait fait aux premières gelées. Oui, il ne serait pas mauvais, mais peu importait car Raphaël ne produisait guère de vin rouge que pour sa consommation familiale. Ce qui comptait, c'était le blanc.

Le blanc, dont le moût fermentait en fûts, sans la râpe, et non en cuve comme le rouge, n'était pas seulement la richesse de Raphaël Pujol mais sa fierté. Tout dépendrait du moment où l'on arrêterait la fermentation, tout dépendrait de la date choisie — entre le dernier quartier et la nouvelle lune — pour le premier soutirage, tout dépendrait du « goût » des fûts dans lesquels le vin nouveau, encore pétillant, serait placé à mûrir.

La récolte était rentrée mais le vin restait à faire.

Ces journées de la fin octobre étaient parmi les plus animées de l'année, car l'hiver approchait et il fallait « chausser » les vignes pour l'hiver, remonter la terre autour des ceps — quatre « lans » de charrue dans les rangs étroits, qui recouvriraient les mauvaises herbes poussées depuis le « déchaussage » du printemps. Aussitôt après venait la saison des semailles du blé ou de l'avoine, et les labours pour les cultures de printemps, un peu de bois à rentrer, la clôture du pré d'en bas à refaire, le toit du poulailler à recouvrir. Puis ce serait le moment de tailler, par les matinées embrumées où les sécateurs glacés collent aux doigts. Chaque homme prenait son rang de vigne, et derrière eux les femmes « liaient les astes » aux fils de fer avec de minces tiges d'osier rouge, les « vimes », qui poussaient près des mares et dans le chemin creux. Et toujours le vin à soigner... Les soutirages se succédaient, et enfin, dans les barriques où il vieillirait, on « collait » le vin au blanc d'œuf qui, en tombant lentement de la bonde au fond du fût, enlèverait les dernières impuretés en suspension. A chaque soutirage, il fallait recueillir les lies, rincer les barriques, enlever le tartre. Et chaque mois, pour compenser l'évaporation, Raphaël débondait les fûts et « ouillait » avec du vin de même origine, puis replaçait la bonde avec un chiffon propre. Enfin les jours commenceraient à rallonger, permettant de travailler davantage encore.

François resta plusieurs semaines sans voir Thérèse. De temps en temps, il rencontrait Armand et apprenait de sa bouche qu'elle était littéralement prisonnière et ne sortait jamais sans sa mère. Armand lui transmettait des messages, mais cela ne remplaçait nullement la présence de la jeune fille, et François s'enfonça dans la tristesse. Plus rien ne semblait l'amuser.

— Il y a des filles à la pelle, lui dit un jour Lydie pour lui remonter le moral.

Et elle entreprit de lui réciter une liste désopilante de filles à marier à Sauveterre et dans les environs. Cela n'amusa pas du tout François, qui lui répliqua d'un ton sec que les autres filles ne l'intéressaient pas.

Mais « Moussu » Listrac n'avait pas atteint son objectif s'il pensait que Thérèse oublierait très vite François, ou que le jeune homme tomberait dans les filets de telle ou telle autre jeune fille. Plus d'une était prête à se laisser tourner la tête par un aussi beau garçon — bon parti de surcroît. Mais le vieux dicton « Loin des yeux, loin du cœur » avait menti, comme tant d'autres fois.

Thérèse était si malheureuse que sa mère commença à s'inquiéter de sa santé. Si cela continuait, elle tomberait vite gravement malade. Elle s'en ouvrit à son mari, mais il ne se montra guère compréhensif. D'autres filles étaient surveillées de près par leurs parents, sans pour autant dépérir de langueur : Thérèse n'avait qu'à faire comme elles.

— Oh ! vous les hommes, répondit M^{me} Listrac, si on vous écoutait ! Tu es prêt à sacrifier la santé de ta fille pour je ne sais quelle querelle idiote qui devrait être morte et enterrée depuis des années.

— Et toi, tu es prête à sacrifier sa virginité à ce galapiat de François, grommela-t-il. Oh ! fais comme tu l'entends. Je ne vais pas me torturer les méninges pour si peu. Mais pas de reproches, hein, si ses jupes se mettent à gonfler ! Et assure-toi bien qu'elle sait à quoi s'en tenir. Si tu la laisses sortir sans toi, qu'Armand ne la quitte pas d'une semelle. Je ne veux pas la voir vadrouiller avec ce bon à rien de Pujol. Et retour à la maison à neuf heures tapantes.

Il s'interrompit, secoué par la toux. A la fin de la quinte, il reprit :

— Tu ferais bien de lui apprendre comment il faut manœuvrer avec les hommes. Non que tu aies jamais offert beaucoup de résistance, si je me souviens bien.

— Ne te tracasse donc pas ! répliqua sa femme d'une voix amère. Je veillerai à ce qu'elle ne fasse pas la même bêtise que moi.

Ainsi donc, au mois de janvier, en pleine période de taille de la vigne et de soutirage du vin, François trouva, surpris et ravi, Thérèse Listrac assise près de son frère Armand à la table du fond du café Riocaud. Elle paraissait plus pâle que jamais et plus frêle, mais leur rencontre lui apporta un bonheur intense. Ils ne restèrent que très peu de temps ensemble, car il était presque neuf heures et Armand expliqua qu'il ne pouvait se permettre de ramener sa sœur à la maison en retard. Les deux jeunes gens se dirent peu de choses, saisis d'une timidité soudaine qui paralysait leurs langues. Seuls leurs yeux semblaient vivre. Même Armand, sentant le moment mal choisi pour ses habituels bavardages rieurs, demeurait silencieux. A l'instant de se séparer, François et Thérèse convinrent d'une autre rencontre la semaine suivante.

— Je ne serai pas long, dit Armand à François en sortant. Attends-moi ici.

A son retour, il se laissa tomber sur la chaise à côté de son ami et sourit.

— On dirait que ma petite frangine t'a drôlement accroché.

— Je n'ai jamais ressenti ça pour une autre.

— Ouais... Tu ferais mieux de cesser de penser à elle. Jamais tu ne pourras la voir seule, et pour le mariage... tu te doutes bien qu'il n'y a pas d'espoir.

— Et pourquoi ? Elle n'est promise à personne.

— Non. Mais jamais le père ne te permettra de l'épouser. Il a une dent contre ta famille, tu le sais.

— Oh ! cette vieille querelle ? Ça n'a pas de sens.

— Absolument. Mais je suis sûr que ton père pense exactement comme le mien. A moins de faire quelque chose...

— Quoi ?

— J'y ai réfléchi. J'ai une idée.

François se rembrunit. En règle générale, les « idées » d'Armand étaient toujours tirées par les cheveux. Impulsif et enthousiaste, il situait son objectif et il se lançait à l'aventure sans étudier les difficultés ni vérifier si le but poursuivi avait des chances d'être atteint.

L'important dans cette affaire, expliqua-t-il, était d'offrir à leurs pères respectifs une occasion d'enterrer la hache de guerre sans perdre la face.

— Un armistice, voilà ce qu'il nous faut. Mais aucun des deux ne voudra perdre la face. Alors, c'est à nous de faire le premier pas à leur place.

Et ses yeux sombres brillaient à la perspective de sa combine.

— Supposons que je te donne un sac de la meilleure farine de mon père, et supposons que tu me donnes une demi-douzaine de bouteilles de votre meilleur vin. Ensuite, tu donnes la farine à ton père et je donne le vin au mien. Et nous leur disons à tous les deux que l'autre a décidé qu'il était temps de redevenir amis.

François éclata de rire.

— Tu es fou. Tout d'abord, jamais je ne pourrai prendre le vin sans que papa s'en aperçoive. Et même si j'y parvenais, il flairerait le traquenard. Il renverrait la farine, et terminé.

Il en fallait devantage pour démonter Armand.

— Bon. J'ai une autre idée. Pour une fois, il faut que tu prennes le contre-pied de ton père. Fais-lui sentir à quel point cette querelle est stupide.

— Et si tu prenais, toi, le contre-pied du tien ?

— Euh... répondit Armand. C'est difficile.

Et il sourit de toutes ses dents.

Dans les semaines qui suivirent, Armand proposa une douzaine d'« idées », toutes plus irréalisables les unes que les autres. François cessa d'écouter. Thérèse et lui s'asseyaient côte à côte au fond du café Riocaud et se tenaient la main, souvent sans parler mais communiquant par les yeux et le contact de leurs doigts entrelacés. Ils s'engagèrent de plus en plus en avant dans leur amour.

François n'avait pas demandé à Thérèse de l'épouser, mais il faisait souvent des allusions sans ambiguïté à leur avenir ensemble, comme s'il tenait désormais pour acquis qu'ils seraient mari et femme un jour. A chaque fois, le cœur de Thérèse bondissait de joie. Depuis le dimanche soir de la fin des vendanges, l'amour de la jeune fille n'avait cessé de grandir. Elle s'était sentie attirée, dès ce jour-là, par le beau visage de François et par sa carrure puissante, virile; mais maintenant elle l'aimait pour sa douceur, sa constance, son rire toujours prêt à fuser, la façon dont leurs opinions coïncidaient, et surtout, surtout, pour le bonheur qu'elle ressentait à chaque instant quand elle était près de lui.

Armand se lassait de plus en plus de la surveiller.

— J'en ai jusque-là de cette histoire de chaperon, dit-il un soir. Je suis en train de bousiller ma vie amoureuse. Ecoutez, je file une demi-heure. Je serai revenu à temps pour te ramener, frangine.

— Papa a dit que tu devais rester avec moi, protesta Thérèse.

— Et comment saura-t-il que je ne suis pas resté ?

Une demi-heure plus tard, comme Thérèse commençait à s'inquiéter de l'absence d'Armand, la porte du café s'ouvrit et « Moussu » Listrac entra. Au début, il ne les vit pas : il se dirigea vers le comptoir et commanda un verre. Thérèse était figée de peur.

— Je croyais qu'il ne venait jamais ici, dit François.

— Jamais. C'est la première fois que je le vois. Pourquoi est-il... Oh ! mon dieu !

Sa gorge se serra : Listrac avait pivoté et son regard était rivé sur eux. Oubliant le père Riocaud qui lui demandait l'argent de sa consommation, il s'avança à grands pas vers la table des deux jeunes gens et saisit brutalement Thérèse par le bras. Son visage était livide de rage.

Il la souleva de sa chaise et la poussa vers la porte du café.

— « Moussu » Listrac ! s'écria François d'une voix qui aurait voulu ne pas trembler.

Listrac l'ignora. Thérèse se retourna un instant, les yeux envahis par le désespoir. Puis la porte claqua derrière eux.


Une semaine s'écoula avant que François ne rencontre Armand.

— Le père n'a pas voulu me laisser sortir, expliqua Listrac. Et il a interdit à Thérèse de te parler à l'avenir. Maman l'a supplié, elle lui a raconté que Thérèse tomberait malade si elle ne pouvait pas te revoir, elle lui a démontré qu'il avait tort de faire obstacle à un grand amour. « Le grand amour, vraiment ! a ricané papa. Elle ne mettra les pieds dehors qu'avec toi ou avec moi. » Et il s'est retourné contre moi : il m'a coincé pour toute une semaine.

François était bouleversé.

— Si tu étais resté avec nous... Espèce d'imbécile ! Regarde ce que tu as fait. Maintenant, nous ne pourrons jamais nous marier, Thérèse et moi.

— Calme-toi, répondit Armand. Il passera l'éponge. Il cède toujours, il suffit de patienter. Mais laisse-moi te dire une chose : c'est décidé pour de bon. Je quitte la maison. Il n'y a pas d'autre solution et le plus tôt sera le mieux. Et toi ?

— Si tu crois que je vais venir avec toi, tu te trompes, mon vieux. Tu as tout gâché.

François se dirigea vers le comptoir et se fit servir un verre de vin, omettant volontairement d'en commander un pour Armand.

Armand haussa les épaules sans se vexer et paya son verre. Il attendit en silence que François surmonte le désespoir qui s'était emparé de lui, puis il en revint à son idée de quitter Sauveterre.

— Bordeaux, c'est la seule solution, je te dis ! Viens avec moi...

Et comme il n'obtenait pas de réponse, il ajouta :

— Au moins, penses-y un peu.

— C'est tout réfléchi. Et depuis longtemps. Je ne veux pas aller à Bordeaux. Je ne passerai jamais ma vie en ville. Je ne pourrais pas. Je veux travailler la terre, la vigne, comme en ce moment. Je veux avoir mes vignes à moi un jour. Ça n'est pas possible à Bordeaux.

— Non, mais tu gagneras de l'argent... Tu le mets de côté et tu achètes ta vigne.

— Dans deux cents ans, hein ? Et puis Thérèse ? Tout serait fini entre nous. Si je quitte Sauveterre, je ne la reverrai jamais plus.

— Je ne vois pas pourquoi. Bordeaux n'est pas le bout du monde.

Et de toute façon quand tu seras propriétaire de tes vignes, tu n'auras plus de problèmes. Le père ne t'empêcherait pas d'épouser Thérèse si tu avais du bien à toi.

François secoua tristement la tête. Ce n'était qu'une des élucubrations saugrenues de son ami, condamnée à l'échec dès le départ.

— Eh ! s'écriait déjà Armand, j'ai une meilleure idée ! Pourquoi pas l'Amérique ?

— L'Amérique ?

— Il y a des vignes, là-bas, non ? En Californie. C'est là qu'il nous faut aller. Toi et moi, les deux doigts de la main. Tu t'occuperas des terres, tu feras le vin, et moi... moi, je serai ton associé.

— Ne fais pas l'idiot.

— Oh ! je ne dis pas que ce sera tout rose. Il faudra travailler dur au départ, mais en Amérique il n'y a qu'à se baisser pour ramasser l'argent, il paraît.

Il remarqua l'expression sceptique qui se peignait sur le visage de François.

— Ça ne coûte rien de se renseigner, hein ? Tout ce qu'il faudrait faire, les papiers et le reste. On en reparlera après. Mais une chose est certaine : je ne vais pas rester dans ce trou à rats le restant de mes jours, sous la coupe de mon père. Et si tu as un grain de bon sens, tu feras comme moi.


Thérèse était certaine qu'il y avait un moyen de combler le fossé entre sa famille et les Pujol. Si seulement les hommes n'étaient pas aussi bêtes ! Cette pensée lui donna une idée, puis l'idée devint un plan, et elle prit l'habitude de se rendre à l'église tous les jeudis vers midi. C'était l'unique sortie que son père lui permettait de faire toute seule. Il aurait eu mauvaise grâce à lui reprocher sa piété. Et rien ne pouvait lui arriver en plein jour — surtout qu'à cette heure-là ce vaurien de Pujol était toujours occupé dans les vignes.

Pourtant ce n'était pas la piété qui poussait Thérèse à fréquenter la chapelle de Saint-Avit. Elle savait que c'était très mal de sa part : feindre le besoin de réconfort spirituel alors que son mobile était si différent ! Mais elle se disait que le bon saint serait sûrement assez indulgent pour l'absoudre. Sa véritable raison, c'était que Marguerite Pujol se rendait à la chapelle vers cette heure-là chaque jeudi, jour de marché à Sauveterre. Après avoir fait ses achats pour la semaine, Marguerite avait pris l'habitude de s'asseoir quelques instants dans l'ombre fraîche de la chapelle, en partie pour dire un rosaire et quelques prières supplémentaires pour la famille et la récolte, en partie aussi pour prendre un peu de repos avant la longue remontée jusqu'à l'embranchement de l'Espérance. Coïncidence étrange, Thérèse était toujours prête à quitter la chapelle juste au moment où Marguerite se relevait et saisissait ses deux « bourricots » — les grands paniers d'osier où elle entassait la charge d'un âne.

La première semaine, Thérèse lui sourit, et Marguerite, reconnaissant l'une des filles qui venaient aider à la vendange, lui rendit son sourire. La semaine suivante, Thérèse lui dit bonjour et fit une remarque sur le mauvais temps. Deux semaines plus tard, elle jugea la situation bien à point.

— Ces panières ont l'air bien lourdes, dit-elle. Vous remontez vers l'Espérance, pas vrai, madame Pujol ? Je fais une partie du chemin avec vous, je vous en porterais bien une.

— J'ai l'habitude, répondit Marguerite avec un regard chargé de soupçon.

— Vraiment, insista Thérèse, ça ne me coûte pas.

Et elle saisit le panier. Elles sortirent ensemble et prirent la rue conduisant à la porte du Nord-Ouest, où s'ouvrait la route de Libourne.

C'était une belle journée ensoleillée, avec un ciel bleu cobalt à peine sali par deux ou trois bouffées de nuages blancs. Les collines entourant Sauveterre paraissent souvent très grises en hiver, mais ce jour-là le soleil jouait sur les dernières taches de rouille des jeunes chênes à l'orée des grands bois, tandis que déjà les cimes des trembles et des bouleaux luisaient d'une ombre verte, messagère de l'avant-printemps. Le vent semblait tiède, et dans les fossés du chemin, l'eau chantait en sourdine.

Au bout d'un moment, Marguerite demanda son nom à cette jeune fille si serviable.

— Thérèse Listrac, madame.

Marguerite s'arrêta tout net, posa son panier et regarda Thérèse. C'était un joli petit brin de femme, tirée à quatre épingles, pleine de respect et de gentillesse. Et puis, de la religion. Et fine mouche par-dessus le marché. Dès qu'elle avait dit son nom, Marguerite avait tout compris : ce n'était pas une rencontre de hasard et l'aide de la jeune fille avait un autre motif. Lequel ? Elle ne pouvait s'y tromper. Elle sourit en elle-même. C'était exactement le genre de chose qu'elle aurait faite à la place de Thérèse, devant l'obstacle dressé par deux hommes se comportant comme des gamins. Oui, elle se serait arrangée, elle aussi, pour nouer des relations avec la mère de son amoureux, sachant qu'une femme se montrerait plus réaliste.

— Ah ! dit-elle. Bien sûr. J'aurais dû vous reconnaître. Votre frère Armand est l'ami de mon fils François, n'est-ce pas ?

— Oui, madame.

— Et vous connaissez bien François, je crois ?

Elle lança un regard inquisiteur que Thérèse soutint sans ciller.

— Oui.

— Je vois.

Elle ramassa son panier. Thérèse fit de même et elles repartirent.

— Eh bien, ma chère, demanda Marguerite, à quoi ça rime, tout ça ?

Thérèse hésita, mais la question avait été posée d'une voix amicale et les yeux bleus de Marguerite semblaient lui sourire.

— J'ai besoin de votre aide, madame Pujol. C'est... C'est au sujet de François.

— François... (Un temps de silence.) Vous n'avez pas d'*ennuis*, tout de même ?

Thérèse devint écarlate.

— Oh non ! madame. Non, c'est seulement que je suis amoureuse de lui. Et je crois qu'il m'aime aussi. Mais tant que mon père et « Moussu » Pujol sont ennemis, c'est sans espoir.

— Alors vous avez décidé de vous faire une amie dans la famille... C'est bien ce que je me disais.

— Je n'ai pas eu besoin de me forcer... dit-elle avec un sourire.

Elles marchèrent quelque temps en silence.

— Vous avez parlé à votre mère ? demanda Marguerite.

— Pas vraiment, répondit la jeune fille. J'aime bien maman, mais nous ne nous parlons pas beaucoup. Des choses qui comptent, je veux dire. D'un autre côté, jamais elle ne s'oppose à mon père. Elle discute parfois avec lui, mais elle finit toujours pas céder.

— Bien entendu. C'est ce que font toutes les bonnes épouses. Quand vous serez mariée, ma chère, vous apprendrez vite que votre bonheur en dépend.

Ses yeux pétillèrent de malice.

— Souvenez-vous : tant que vous les écoutez parler et que vous suivez l'idée qu'ils ont dans la tête, ils ne s'aperçoivent même pas que cette idée, c'est vous qui la leur avez donnée au départ. Bien entendu dans cette histoire... Il n'y a que des hommes pour se montrer aussi têtus que ces deux-là ! Mais votre mère doit penser que le temps joue pour vous. Dites-moi donc, Thérèse, quel âge avez-vous ?

Et tout en montant la côte, les questions s'égrenèrent. Avait-elle une bonne santé ? Savait-elle faire la cuisine, coudre, tailler ses robes ? Aidait-elle sa mère à la lessive, au repassage et au ménage ? Se levait-elle de bonne heure ? Est-ce que les Listrac avaient des chèvres ? Oui ? Est-ce qu'elle les trayait ? Et des poulets ? L'interrogatoire semblait n'avoir pas de fin. Thérèse répondit en toute sincérité. Elle avoua sa maladresse à l'aiguille, et son manque d'expérience avec les enfants, car elle était la plus jeune de la famille. Mais Marguerite parut satisfaite, et quand elles atteignirent l'embranchement de l'Espérance, elle dit :

— Je crois que j'irai faire un saut chez votre mère un de ces jours.

Elle lança à Thérèse un regard matois avant d'ajouter :

— Ou peut-être nous rencontrerons-nous par hasard, à l'église.

Elle posa la main sur le bras de la jeune fille.

— Sois patiente, petite, lui dit-elle, la tutoyant pour la première fois. Cela prendra du temps.

Quand Thérèse repartit en courant vers le bourg, son cœur chantait. Peut-être y avait-il de l'espoir, après tout. Bien sûr, elle ne dirait rien à François de ce qu'elle avait fait. Il valait mieux garder ce genre de manigances entre femmes. Sur le chemin du retour, elle s'arrêta à la chapelle pour remercier le bon saint Avit.

# 3

Le printemps était tout à fait arrivé. Au cours des dernières semaines les jeunes bourgeons avaient déplié leurs feuilles d'un vert tendre et chaque matin Raphaël arpentait les « tournées », guettant longtemps à l'avance l'apparition des premières fleurs qui s'épanouiraient bientôt en jolies grappes miniatures, petites boules vertes où s'ouvriraient de fines corolles presque invisibles sous les larges feuilles. Dans le chai, le soutirage venait de se terminer. On avait serré les bondes et marqué les fûts. Déjà des chars à bancs chargés de lourdes tonnes avaient pris la route de Bordeaux. Les fûts s'entasseraient dans les cours des grands négociants et sur les docks du quai des Chartrons, avant de prendre la mer pour les grands ports du Nord, Anvers, Londres, Amsterdam, Lübeck, et jusqu'à Dantzig au fond de la Baltique, suivant les mêmes routes maritimes que jadis les voiliers de la Ligue hanséatique.

Un matin de la fin avril, Raphaël se leva tôt et partit dans la vigne comme à son habitude. Cela faisait plusieurs jours qu'il éprouvait un sentiment de malaise. Chaque matin il notait les progrès de ses pièces de vigne, humait l'air et vérifiait le ciel avant de déterminer les travaux de la journée. Rien ne lui échappait. Il était le père de sa terre et de sa récolte autant que de ses enfants. Et il sentait bien que quelque chose n'allait pas. Les bourgeons lui avaient paru plus petits que les autres années et les jeunes tiges ne poussaient pas avec leur vigueur normale. Il s'était dit que cela venait du temps — l'absence de pluie, des nuits plus fraîches que de coutume en mars, la lune rousse... Mais il était certain au fond de lui-même qu'il y avait autre chose. Les feuilles, quand elles s'ouvraient, restaient petites et parfois malformées. Depuis quelques jours, il se refusait à reconnaître ce que son instinct lui affirmait en secret. Aujourd'hui, il avait décidé d'en avoir le cœur net.

Il s'avança vers un des vieux ceps aux formes torturées qui produisait chaque automne ses deux grands paniers de raisins, mais dont les pousses médiocres de l'année n'auguraient rien de bon. Il retourna les feuilles et les examina avec soin, puis il commença à creuser à la bêche tout autour du pied pour l'arracher. Il lui fallut longtemps, car les racines de la vigne s'enfoncent très loin dans le sous-sol en quête de la moindre goutte d'humidité, quand les grandes chaleurs du mois de juillet ont desséché les couches supérieures...

Oui, tout était clair, on ne pouvait s'y tromper : les petites galles étaient visibles sur les feuilles et les nodules sur les racines.

Il secoua la terre du cep et le rapporta à la maison.

Le reste de la famille prenait le petit déjeuner dans la cuisine. Lydie traçait le portrait de son dernier galant, au milieu des éclats de rire.

— L'ennui c'est qu'il est muet. Il m'admire, il ouvre la bouche comme s'il allait parler... Et puis il la referme. Il l'ouvre et il la referme. Comme une alose. La prochaine fois j'emporterai une canne à pêche.

Ils riaient encore lorsque Raphaël ouvrit la porte, mais toute la joie mourut à l'instant où ils aperçurent son expression désespérée.

Il s'avança vers la table et laissa tomber le pied de vigne sur la toile cirée, sans s'occuper des assiettes et des plats. Un bol glissa sur le carrelage et se brisa.

— Raphaël ! cria Marguerite.

Il n'entendit pas.

— Regardez ! dit-il d'une voix sans timbre. Regardez bien !

Déconcertés, ils fixèrent le cep déraciné, sans comprendre où il voulait en venir.

— *Cap dé Diou !* rugit Raphaël au bout d'un instant. Vous ne voyez pas ce qui crève les yeux ? Regardez les racines.

Et ils virent.

— Le phylloxéra, murmura François, le souffle coupé.

Tout le monde se figea. Ils savaient ce qui s'était produit l'année précédente dans les vignobles des Graves et du côté du Pomerol. Toutes les vignes avaient été ravagées par le fléau. Combien de petits vignerons avaient été acculés au désespoir, incapables de survivre à l'arrachage total et au remplacement — ce qui supposait quatre à cinq ans sans la moindre récolte ! Même les plus riches propriétés connaissaient des difficultés. Plusieurs milliers de commis avaient perdu leur gagne-pain, et la main-d'œuvre occasionnelle — pour l'épamprage et les vendanges — avait souffert elle aussi, car souvent ce mince supplément de recettes lui était indispensable.

— Alors c'est ça, papa ? C'est le phylloxéra ? demanda Henri.

Le mot leur était bien connu mais ils n'avaient pas encore vu la maladie.

La colère de Raphaël avait disparu. Il parut se tasser sur lui-même, brisé soudain, et sans force.

— Oui, le phylloxéra, murmura-t-il. Cette saloperie d'insecte.

Nouveau silence.

— Je croyais que le gouvernement s'était occupé de... commença Marguerite.

Cette remarque ressuscita la colère de son mari.

— Ne raconte pas de bêtises, femme ! Comment veux-tu qu'un gouvernement arrête un insecte ? On peut faire toutes les lois qu'on voudra contre l'importation de vignes, mais qu'est-ce que ça change ? On ne peut pas empêcher une armée de bestioles de voler par-dessus la Garonne.

34

— C'est si mauvais que ça, papa ? demanda Lydie.

— Je dirai que plus de 90% de nos vignes sont déjà touchées. Et le reste suivra.

— Mais qu'est-ce que ça signifie ?

— Vous n'avez rien dans la tête ? Ça signifie pas de raisins, et pas de raisins signifie pas de vin. Pas de vin pas d'argent, rien à manger, rien pour s'habiller. Et pendant des années. *Cap dé Diou,* voilà ce que ça signifie !

François examinait le cep posé sur la table. Sur le dessus des feuilles se trouvaient de minuscules trous et, au-dessous, les galles — petites excroissances recouvertes de poils fins, avec des bourrelets. Sur les racines les plus fines, les boursouflures ressemblaient à des pommes de terre minuscules, de couleur jaunâtre. Il fallait regarder de très près pour distinguer les insectes microscopiques qui se déplaçaient sur ces tumeurs. Les larves du phylloxéra avaient le choix entre deux styles de vie pour leur incubation : certaines s'abritaient sous les jeunes feuilles, d'autres descendaient se nourrir sur les racines. Ces deux techniques saccageaient la vigne sans espoir.

— On ne peut rien faire, papa ? demanda François.

— Oh ! que si ! s'écria Raphaël d'un ton d'ironie amère. Si nos vignes étaient en plaine on pourrait les inonder, et noyer cette vermine. Si j'étais millionnaire, je pourrais dépenser une fortune en produits chimiques pour les détruire. Mais pour nous il n'y a que deux solutions : ou bien arracher tous nos ceps et les brûler, puis laisser la terre en jachère pendant deux ans pour être bien sûrs que le phylloxéra est mort lui aussi, et replanter ensuite en priant le Bon Dieu qu'aucune nouvelle génération de ces saloperies ne nous retombe dessus; ou bien acheter des porte-greffes américains et greffer nos cépages dessus. Dans les deux cas, cela signifie au moins cinq ans de vaches maigres. Fais-moi passer la bouteille, Marguerite.

— Je croyais que le phylloxéra venait d'Amérique, dit Henri. A quoi bon acheter des porte-greffes américains ?

— Les cépages américains sont résistants, répondit Raphaël. La vermine ne s'y met pas.

Il prit le cep et le jeta dans la cour, puis, d'un revers de main, il balaya la terre de la toile cirée.

— Et quelque chose à manger, Marguerite ! lança-t-il à sa femme qui s'affairait près du buffet.

Elle se hâta de lui apporter un quignon de pain, une tranche de grattons et un morceau de boudin.

— Ce que je ne comprends pas, dit la petite Fanchon, c'est pourquoi on ne l'a pas su plus tôt. Personne n'a donc vu arriver ces insectes ? On aurait pu les tuer avec du sulfate ou quelque chose.

— Ils ne nous ont pas avertis de leur arrivée répliqua Lydie. Ils ne nous ont pas envoyé une carte disant: « M. et M^me Phylloxéra auront le plaisir de passer chez vous mardi prochain. »

Personne ne rit. Même pas Fanchon.

— Non, dit François. Je suis sûr qu'ils ne sont pas arrivés en grands nuages. Un ou deux à la fois, pas plus. Et ils sont très petits. Personne ne les remarque. Un moucheron de plus qui bourdonne dans les vignes. Et puis c'est l'époque où nous étions tous sur les dents, fin octobre en principe. Les femelles pondent dans l'écorce des ceps et on ne voit les résultats qu'au printemps suivant. C'est bien ça, papa, hein ? C'est ce que j'ai lu dans *La Petite Gironde*.

Raphaël hocha la tête.

— Pourquoi ne l'avons-nous pas eu plus tôt ? demanda Fanchon.

— Parce qu'il est venu d'Amérique. Les vignerons d'ici ont envoyé des plants aux Etats-Unis et ont reçu des plants américains en échange.

— Pourquoi ?

— Mais bon dieu, Minette ! répliqua François, parce qu'ils voulaient faire des essais avec de nouveaux cépages, je suppose. Ce n'est pas à moi qu'il faut le demander.

— Pas la peine de te mettre en colère, intervint Henri. C'était une bonne question.

— Pardonne-moi, Minette, dit François avec un sourire d'excuse. Tu comprends, il faut si peu de temps, maintenant, pour traverser l'Atlantique que les plants de vigne supportent le voyage, et le phylloxéra a dû faire la traversée avec eux.

Ils se turent, mal à l'aise, tandis que Raphaël prenait son petit déjeuner et avalait deux verres de vin. Cela seul aurait suffi à leur faire sentir tout le côté extraordinaire de la situation. En temps normal, jamais Raphaël ne prenait de vin avant midi. Il enleva les miettes de sa moustache, referma son couteau et se leva.

— Allons, dit-il. Trêve de bavardages. Partons voir ce qu'on peut encore sauver.


Ce soir-là à Sauveterre, tout le monde ne parlait que du phylloxéra. Toutes les vignes à la ronde semblaient touchées.

Quand François entra au café Riocaud, Armand était plongé dans le journal.

— C'est moche, hein ?

— Un désastre.

— Tu sais ce que devrait faire ton père ? Vendre et vous emmener tous en Californie.

— Très drôle.

— Non, je suis sérieux. Regarde le journal : il y a des hectares de vignes à l'abandon en Californie par manque de vignerons qualifiés pour les entretenir.

Il tendit *La Petite Gironde* à son ami.

— Jamais il ne quittera Sauveterre, répondit le jeune homme après avoir lu l'article.

— C'est la première fois qu'il a un problème comme celui-là. Tu devrais le lui proposer.

François imaginait très bien les réactions de son père. La terre appartenait aux Pujol depuis des générations et Raphaël l'aimait de façon farouche et possessive. Il secoua la tête.

— Il ne s'y résoudra jamais.

— S'il ne veut pas partir, vas-y tout seul.

— Il ne me laisserait pas faire. Même si j'en avais envie.

— Bon dieu, François ! Tu parlais de ficher le camp il n'y a pas si longtemps. C'est l'occasion ou jamais. J'ai tout étudié. On peut faire la traversée d'Angleterre à New York pour moins de 150 francs. Il faut compter environ le double pour gagner San Francisco par le train. Tu auras besoin d'argent pour la nourriture et les faux frais pendant le voyage : disons 100 francs de plus. Cela fait 500, 600 francs à tout casser.

François éclata de rire.

— Je n'ai pas 600 francs, ni rien qui y ressemble. Et de toute façon, il faut aller d'ici en Angleterre...

— Tu prends à Bordeaux un bateau qui transporte le vin. Ça ne te coûte pas un rond.

— ... Et la vigne ne pousse pas à San Francisco. Il faut aller dans les vignobles, et...

— Il y en a partout : Monterey, Santa Cruz, Sonoma. Mais le nom qui m'a accroché l'oreille, c'est Napa. La vallée de Napa. Il paraît que c'est la meilleure région viticole de toute la Californie. Il y a plusieurs bourgs là-bas, Calistoga, Cinnabar, Sainte-Hélène... Tu vas dans l'un d'eux, tu trouves du travail dans les domaines des environs et tu économises, le temps d'acheter tes vignes.

— Cinnabar ?

Le mot semblait lourd de quelque magie.

— Il doit y avoir des mines de cinabre dans le coin. C'est de là que vient le nom, dit Armand comme si tout le monde savait ça.

— Le cinabre, qu'est-ce que c'est ?

— Du minerai de mercure, je crois.

— Et où as-tu appris ça ?

— Mais... je l'ai toujours su.

— A d'autres !

— D'accord, je vais tout te dire, concéda Armand, le sourire aux lèvres. Je suis allé voir le vieux Labadesse à la fin de la classe. Il a regardé dans son encyclopédie.

François réfléchit un instant.

— Il doit falloir des années pour économiser de quoi acheter un bout de terre, là-bas.

— Le journal dit que les vignes de Californie se vendent pour une bouchée de pain. Et l'argent est vite gagné en Amérique, c'est moi qui te le dis. Pourquoi crois-tu que tant de gens y vont ? Ce n'est pas seulement pour fuir Napoléon III — il n'y a plus de Napoléon III. Ils y vont parce que là-bas tout le monde a sa chance.

— Même si j'avais l'argent, dit François d'un ton sérieux, je ne quitterais pas Thérèse.

Armand se pencha en avant.

— Ecoute, tête de mule. Quels sont tes espoirs d'épouser Thérèse à présent, avec ce qui vient de se passer ? Jamais vous ne pourrez fonder un foyer à vous, et avoue que ton père ne te laissera pas ramener une femme chez lui, ce serait une bouche de plus à nourrir.

François le regarda sans répondre. Armand avait raison. Il n'en avait pas encore pris conscience, mais le phylloxéra avait tué ses espoirs de mariage, aussi sûrement que la récolte suivante. Il fallait qu'il s'en aille — mais pouvait-il abandonner sa famille en cette période de crise ? D'un autre côté, aurait-il le courage d'entreprendre un aussi long voyage tout seul ? Pourtant, si c'était sa seule chance d'épouser Thérèse un jour...

— Nous pouvons y aller ensemble, dit Armand.

— Toi et moi ?

— Bien sûr. Tu ne crois tout de même pas que je vais te laisser partir seul ? Je t'ai dit que je voulais ficher le camp.

— Ça fait des années que tu en parles, répondit François sceptique. Mais tu ne le feras jamais.

— On parie ?

— Ton père te laisserait filer ?

— Il ne pourra pas m'en empêcher. J'ai mis de côté ce qu'il faut.

— Moi pas, dit François. Point final.

— Emprunte l'argent à ton père.

Mais avant que François ait pu répliquer, Armand continua avec son enthousiasme coutumier.

— Une fois là-bas, on sera deux à travailler et à mettre de côté. On trouvera de l'emploi dans des vignes quelque part, et un jour on achètera une propriété à nous. Tu pourras faire venir Thérèse, et moi je ferai venir... enfin, l'une ou l'autre. A moins que je trouve une jolie fille par là-bas. Un petit brin du charme célèbre d'Armand, et avant que tu t'en aperçoives, me voilà marié à une Américaine.

— Je ne sais pas, dit François. Il faut que j'y réfléchisse. Ça me semble tiré par les cheveux, ton histoire. C'est l'ennui avec toi, Armand. Tu t'embarques toujours dans des idées à dormir debout. Il faut retourner le problème dans tous les sens.

— D'accord, réfléchis, réfléchis. On en reparlera.

Il se leva et lui lança un clin d'oeil.

— Il faut que je me sauve. Une affaire urgente.

— Avec qui ce soir, Casanova ?... Madeleine ? Irène ? Germaine ?

— Avec toutes, j'espère.

Il éclata de rire.

— Armand, dis bien à Thérèse que je pense à elle. Et pas un mot de cette idée d'émigrer. Je ne veux pas qu'elle se fassse du souci.

François demeura à sa place longtemps. Son verre de vin tournait entre ses doigts, et les idées semées par cette tête brûlée d'Armand tourbillonnaient dans son esprit. La Californie ! Cela semblait tellement fabuleux. Le mieux serait de persuader son père de vendre et d'emmener toute la famille là-bas. Et si son père repoussait l'idée, il étudierait alors l'autre plan d'Armand.

Thérèse avait rencontré Marguerite Pujol à plusieurs reprises depuis leur première conversation. Les affaires avançaient, mais à une allure de tortue. Marguerite était tombée par hasard sur M^me Listrac un matin, et elle s'était arrêtée pour parler longuement avec elle. L'épicière avait avoué n'avoir rien de particulier contre François, mais elle était manifestement moins capable d'influencer son mari que Marguerite Pujol ne l'avait espéré. « Moussu » Listrac demeurait implacable dans son hostilité envers tous les Pujol, bien que sa femme fût presque parvenue à le convaincre d'accorder de nouveau un peu plus de liberté à Thérèse.

En revanche, Marguerite put annoncer à la jeune fille un changement encourageant dans l'attitude de Raphaël. Chaque fois qu'elles se rencontraient, Thérèse portait un des « bourricots » jusqu'à l'embranchement de l'Espérance, et Marguerite n'avait pas manqué de faire part à Raphaël de la gentillesse de la jeune fille.

— Cette fille est bien « brave » avec toi, avait répondu son mari. Où l'as-tu rencontrée ?

— A l'église.

— On dirait que c'est une bonne petite. On n'en voit plus beaucoup par les temps qui courent. C'est le genre de fille que nous devrions trouver à Henri.

— Oui, tu as raison.

— Et elle s'appelle comment ?

— Thérèse Listrac.

Raphaël avait failli étouffer.

— Je vois. Tout s'explique.

Marguerite s'y attendait.

— Qu'est-ce qui s'explique ? La gentillesse, par exemple ? Et tu insinues peut-être qu'elle va à l'église avec des mauvaises idées derrière la tête ? Tu juges toujours le monde d'après toi, c'est ça la vérité.

Une fois lancée, elle avait dressé la liste de toutes les vertus de Thérèse, faisant honte à Raphaël de ses soupçons indignes, jusqu'à ce qu'il capitule enfin.

— Oui, avait-il grommelé, il arrive que de bons fruits poussent sur de mauvais plants. Pas souvent, pas souvent, n'oublie pas... Mais ça arrive.

Marguerite et Thérèse se félicitèrent de leur mince victoire, mais peu après le phylloxéra frappa, et la nouvelle glaça Thérèse. Elle avait eu toutes les raisons de se réjouir depuis peu : certes, son père était encore loin d'accepter l'idée de son mariage avec François, mais un espoir se faisait jour. Le phylloxéra allait tout bouleverser. Comment ? Elle l'ignorait, mais elle était certaine que plus rien ne serait comme avant, et son instinct lui soufflait que ce serait un bien.

Deux ou trois jours après sa conversation avec Armand, François prit son courage à deux mains et décida d'aborder le problème de l'émigration en face de la famille. Il avait calculé avec soin tout ce qu'il dirait et essayé d'imaginer les réactions de son père, pour préparer ses réponses. Le sujet trottait à tout instant dans sa tête, et plus il l'étudiait, plus il en arrivait à la conclusion que si son père refusait d'émigrer en Californie avec toute la famille, il annoncerait son intention de partir tout seul.

Ce n'était pas qu'il fût malheureux au sein de la maisonnée. Il aimait sa mère et il se plaisait avec Lydie et Fanchon. Même Henri était agréable malgré ses manières d'ours et son absence d'imagination. Mais le père, quel problème ! Oh ! les cris et les réprimandes ne le gênaient pas : comme la plupart des jeunes gens de son âge, François connaissait la loi de la famille, et le prix à payer pour chaque transgression. Se faire sermonner pendant cinq ou dix minutes était à coup sûr humiliant, mais ce n'était tout de même pas terrible, d'autant que cela ne se produisait pas très souvent.

Non, la vérité, c'était que s'il restait au sein du groupe familial, jamais il ne connaîtrait d'indépendance réelle. Parce que le père serait toujours là : le chef de famille, le Maître qui régnait sur la vie de tous. Jamais il ne céderait un pouce de cette autorité avant d'atteindre un âge avancé, très avancé même — et peut-être pas avant que la mort ne l'enlève. Or même à ce moment-là, Henri serait encore un obstacle à la liberté éventuelle de François.

Henri... Il pouvait s'en accommoder, lui : il avait le tempérament — et la balourdise — qui convient bien à l'attente. Et plus il attendrait, plus il s'enracinerait dans ses habitudes, plus il accepterait patiemment son sort sans songer à le modifier. François, au contraire, éprouvait un besoin lancinant d'agir, de faire quelque chose, n'importe quoi, pour répondre à l'appel de son sang bouillonnant, gagner son indépendance, bâtir et maîtriser son propre avenir.

Si l'invraisemblable se produisait et si toute la famille partait en Californie, François avait décidé de couper les ponts dès qu'ils se seraient solidement établis là-bas. Si Raphaël refusait de quitter la France, il partirait maintenant, sans retard. Au début, le moment lui avait paru assez mal choisi, car la famille allait vivre des années difficiles où son père aurait doublement besoin de son aide et surtout de l'instinct inné de vigneron que tout le monde lui reconnaissait. Mais il savait aussi que pendant les quatre ou cinq ans entre l'arrachage des vieilles vignes et la première récolte normale des nouvelles, le travail à l'Espérance serait moins accablant : en tout cas il n'y aurait guère de raisin à ramasser, ni de vin à faire.

Enfin, il y avait Thérèse. Ne sachant rien des tentatives de réconciliation dans lesquelles les femmes s'étaient engagées, il était persuadé que sa seule chance de l'épouser un jour était de quitter Sauveterre.

Il attendit la fin du repas du soir, l'instant où Raphaël pliait son couteau et le rangeait dans sa poche. Dans son dos, il sentait l'ardeur de la cheminée où Marguerite avait fait mijoter son civet de lapin.

— Papa, dit-il, je peux te parler ?

— Qu'est-ce que c'est que cette question ? Depuis quand t'ai-je empêché de me parler ? *Cap dé Diou !* Bien sûr, tu peux me parler !

— Je veux dire : te parler sérieusement, papa. Et que tu m'écoutes sérieusement toi aussi, sans me sauter à la gorge ou te moquer de moi. J'ai vingt-deux ans, papa...

Voyant que Raphaël allait exploser, François se hâta de terminer :

— Je suis un homme, et je te demande de me laisser parler comme un homme.

Pendant un instant, tout ne fut que silence. Henri, Lydie et Fanchon regardaient François bouche bée, comme si leur frère avait perdu son bon sens. Les tendons du cou de Raphaël se mirent à gonfler et tous se raidirent dans l'attente de l'inévitable coup de gueule. Mais Marguerite, devinant dans la voix de François une intensité qui exigeait l'attention, vint s'asseoir près de son mari et lui posa doucement la main sur l'avant-bras.

— Laisse-le parler, dit-elle.

Conscient, lui aussi, que la vie familiale était sur le point de traverser une crise, Raphaël avait déjà réussi à maîtriser son tempérament. Il écouterait tout ce que son fils avait à lui dire, et il l'écouterait aussi calmement que possible. François était encore un gamin — personne n'est un homme à vingt-deux ans, sauf sur le plan purement physique — mais il y a un moment où l'enfance et l'adolescence disparaissent soudain pour faire place aux premiers signes de l'âge adulte. Et il savait que l'on doit prendre soin de cette floraison, comme l'on veille sur les jeunes vignes.

— Très bien, dit-il. Je t'écoute.

François avait retenu son souffle, prêt à subir le choc de la tempête. Il respira lentement, presque déconcerté par le calme de son père.

— Merci, papa, dit-il.

Il s'arrêta. Il avait répété son discours plusieurs fois dans sa tête, et il savait à quel point il était important de demeurer concis et clair, sans heurter son père mais en lui communiquant son propre enthousiasme.

— Eh bien, c'est au sujet du phylloxéra et de ses conséquences pour nous tous. Il faudra des années pour nous en relever. J'ai vu dans le journal, à Sauveterre, un article que j'ai découpé.

Il sortit la coupure de sa poche et la déplia.

— « C'est un désastre de proportions gigantesques, une plaie qui dévastera toute la région, et nul ne sait si nous pourrons nous sauver. L'an dernier, le fléau s'était concentré sur quelques vignobles. Maintenant tout le Bordelais est contaminé et tout le monde ignore si nos terres seront encore capables de produire un vin de qualité. Peut-être nos vignerons pourront-ils reprendre la production d'ici quelques années, mais il faudra certainement plus d'une génération pour reconstruire notre vignoble et rétablir les normes de nos vins. »

— On sait tout ça, dit Henri. On n'a pas besoin du journal, ni de toi, pour nous l'apprendre.

Raphaël le fit taire d'un regard et François posa la coupure.

— Je ne lirai plus rien, mais l'auteur de l'article continue en expliquant qu'en Californie, d'où vient justement la maladie, les vignes sont plus ou moins immunisées contre le phylloxéra, mais que pourtant de nombreuses terres sont à l'abandon, faute de personnel pour les travailler — de personnel qualifié, bien sûr.

Il prit une inspiration profonde. Le moment délicat approchait.

— Ce que je voulais proposer, papa, c'est que tu réfléchisses sérieusement à l'idée de vendre ici et d'émigrer — mais tous, toute la famille — en Californie, dans la vallée de Napa. Il paraît que c'est la meilleure région pour le vin. Et comme c'est une vallée, c'est peut-être le genre de terroir auquel nous sommes habitués. Tu peux me répondre que tu n'obtiendras des terres et du chai qu'une fraction de ce qu'ils valent. Mais on dit que de gros propriétaires du côté de Langon cherchent à acheter des vignes comme les nôtres. Le prix que tu en retirerais, avec nos économies, suffirait sûrement à acheter un vignoble convenable dans un pays où la terre est bon marché.

Il s'attendait à ce moment-là à une réaction quelconque de son père, mais le visage de Raphaël semblait taillé dans la pierre. François, d'une voix qui tremblait, poursuivit malgré tout.

— Tu peux me dire que les vignes de Californie ne pourront jamais se comparer à celles de chez nous, et que tu préfères prendre le risque de faire un vin supérieur ici, plutôt que de la piquette là-bas. Mais si les vins de Californie ne sont pas au niveau des nôtres, c'est peut-être simplement parce que personne n'a tes connaissances pour les cultiver. Et ce ne serait pas comme s'il fallait partir de zéro. Il y a déjà des vignes là-bas, et tu ne serais pas tout seul. Nous serions tous là pour t'aider. Armand veut venir lui aussi. Je sais que tu le considères comme un bon à rien, mais c'est faux. Il pourra être très utile. Partir en Californie, poursuivit-il, c'est peut-être changer un avenir incertain contre un autre avenir incertain. Mais nous *savons* qu'ici, pendant des années, nous n'aurons pas d'autre espoir qu'un travail harassant et la misère, sans aucune garantie de pouvoir sauver les vignes de façon définitive. C'est pourquoi je te supplie d'étudier sérieusement ma proposition.

François s'arrêta. Il avait parlé dans un silence absolu et quand il avait prononcé le mot « émigration » tous avaient retenu leur souffle. Il n'était guère en mesure d'imaginer ce que chacun pensait, mais une chose était certaine : il les avait tous étonnés. Son cœur battait à se rompre. Il regarda son frère et ses sœurs tour à tour, puis se retourna vers Raphaël, attendant sa réponse.

— Tu as fini ? lui demanda son père enfin, d'une voix douce.

— Oui, papa.

— Tu as eu raison de penser à ça, lui dit Raphaël sans la moindre ironie. Je suis heureux de voir que tu as réfléchi à notre avenir et aux problèmes très graves que nous avons à résoudre. Moi aussi, je me suis demandé si nous ne devrions pas partir d'ici.

— Partir d'ici ? répéta Marguerite stupéfaite.

Les autres se lancèrent des regards interrogateurs, et François s'aperçut qu'il souriait bêtement, soulagé par la réaction pleine de compréhension de son père.

— Mais nous ne quitterons pas Sauveterre, reprit Raphaël. Je veux que tu comprennes pourquoi, et que tu saches bien que je ne te donne pas une réponse à la légère. Je ne refuse pas de partir parce que je suis ancré dans mes habitudes, sans sympathie pour les idées nouvelles, et fermé à tout esprit d'aventure. Oh ! je sais ce que tu penses de moi, petit, et peut-être n'as-tu pas tout à fait tort. Oui, peut-être suis-je trop vieux pour changer. Et si vous êtes capables, vous les jeunes, de survivre sans encombre à un voyage en Californie, je ne crois pas avoir le droit de demander à votre mère de se déraciner et de fonder un nouveau foyer dans un pays étranger.

— J'irai où tu iras, Raphaël, dit Marguerite.

— Tais-toi, femme. Bien sûr, tu le ferais, mais ce n'est pas le problème. J'ai d'autres choses en tête ! Combien pourrais-je obtenir de ces vignes, malades comme elles le sont ? Et va savoir si la terre est vraiment si facile à acheter en Californie, et aussi bon marché qu'on le dit ? Il faut se garder de croire tout ce que racontent les journaux. Et je ne suis pas sûr non plus que les vins médiocres de Californie n'attendent que le coup de baguette magique de Raphaël Pujol pour devenir les égaux des plus grands crus de France, d'Italie et d'Allemagne. Il y a déjà là-bas des vignerons et des cavistes aussi capables que nous, et toute mon expérience ne changera pas le terroir et le climat. Pas plus qu'elle n'a pu empêcher le phylloxéra de nous tomber dessus.

Il s'arrêta un instant.

— Mais aucune de ces raisons n'explique en fait pourquoi nous devons rester ici. Nous devons rester parce que c'est *notre* terre. C'était la terre de mon père, et la terre du père de mon père. Nous lui appartenons autant qu'elle nous appartient. Nous ne pouvons pas l'abandonner, quoi qu'il arrive. Nous connaissons en ce moment une catastrophe et, comme tu l'as dit, notre avenir est incertain, mais la terre n'est pas incertaine, la terre ne meurt pas. Nous avons déjà vécu des moments difficiles. Mes parents sont morts quand j'avais ton âge, petit, ne laissant derrière eux que des dettes. La terre était hypothéquée, parce que mon pauvre père — Dieu ait son âme ! — n'avait jamais compris la vigne ni le vin. La qualité de ses récoltes avait tellement baissé avec les années qu'il ne parvenait même plus à joindre les deux bouts. Mais hypothéquée ou non, la terre était encore là, et peu à peu, à force de soins, j'ai fait mûrir de bons raisins, j'ai vendu du bon vin, et j'ai payé les dettes. Nous avons connu d'autres catastrophes depuis — la sécheresse une année, le déluge l'année suivante, et puis les étés où le vin tournait dans les foudres et où il fallait tout jeter — et nous avons cru à chaque fois que jamais nous ne pourrions reprendre le dessus. Mais la terre n'est jamais morte. Elle a survécu, et nous avec elle. Elle survivra cette fois encore. Il se passera peut-être des années avant que nos vignes soient de nouveau prospères, mais avec l'aide de Dieu, les ceps pousseront et porteront fruit pour que nous fassions notre vin. C'est notre devoir, oui, notre devoir de nourrir la terre le temps qu'elle guérisse. Et c'est pour cette raison que nous devons rester ici.

Quand Raphaël eut terminé, il y eut un long silence. Jamais aucun d'eux ne l'avait entendu parler ainsi, et ils étaient émus par la force et la sincérité de ses paroles.

François releva la tête : tous les autres le fixaient maintenant. Comme les spectateurs d'une partie d'échecs, ils attendaient sa réaction à la prise de position de son père. Dans les yeux de son frère et de ses soeurs, il ne lut que de la curiosité, mais lorsque sa mère se détourna pour essuyer à la hâte une larme, il devina dans son regard fugitif de la compréhension et de l'affection, la fierté et le soulagement que lui apportaient les paroles de Raphaël — et la certitude que pour François la bataille était perdue. Il s'aperçut aussi que son père croyait le conflit terminé; mais était-ce vraiment un conflit ? Le regard fixe de Raphaël trahissait sa conviction que ses arguments étaient inattaquables.

François passa la langue sur ses lèvres :

— Tu dois rester, je dois partir, dit-il.

Il avait parlé à voix si basse que son père n'avait pas entendu.

— Qu'est-ce que tu racontes ?

Le visage livide, François répéta les deux petites phrases. De nouveau les tendons du cou de Raphaël saillirent : il luttait de toutes ses forces pour maîtriser sa colère.

— Et qu'est-ce que ça veut dire ? demanda-t-il enfin.

— Ça veut dire, papa, que je comprends très bien tes paroles. Je comprends pourquoi tu dois rester ici, et je respecte ta décision. Elle est justifiée pour toi. Mais pas pour moi. Il *faut* que je parte. Je veux aller en Californie. Je serai vigneron là-bas. J'espère que je pourrai partir avec ta bénédiction.

Il s'arrêta. Raphaël n'ouvrit pas la bouche.

— Si je n'ai pas ta bénédiction, il faudra que je parte sans elle, ajouta le jeune homme.

Cette fois le silence parut se prolonger à l'infini. Incapable de le supporter plus longtemps, François s'écria, la gorge nouée par le désespoir :

— Mais dites quelque chose, bon sang !

Tous se mirent à parler à la fois. Tous sauf Raphaël — le seul dont François attendait la réponse.

— Tu vas partir seul ? demanda sa mère.

— Non. Armand m'accompagne.

— Et Thérèse ? poursuivit Marguerite.

Il la regarda, stupéfait : que savait-elle de Thérèse ? Il avala sa salive et se tourna vers son père.

— J'épouserai Thérèse Listrac, papa. Je ne sais pas quand, mais dès que j'aurai assez d'argent de côté, je la ferai venir chez moi, en Californie.

S'il avait prononcé un autre nom, sa déclaration aurait provoqué des cris d'enthousiasme et mille questions. Mais toute la famille savait ce que Raphaël pensait des Listrac, et la nouvelle assenée par François paralysa de nouveau les langues. Raphaël lui-même semblait perdu dans ses pensées car il ne répondit pas.

— Et comment vas-tu aller là-bas ? demanda soudain Lydie. Qui va payer le billet ?

— Le moins cher d'Angleterre à New York, dans l'entrepont des émigrants, c'est 150 francs. De là en Californie par le train, il faut compter le double. Avec les dépenses du voyage, il me faudra environ 600 francs tout compris. J'ai à peu près 200 francs d'économies, ça me suffira pour gagner New York. J'espérais que papa me prêterait le reste.

Il s'arrêta, mais Raphaël ne fit aucun commentaire.

— Je sais que ce sera dur, reprit-il, s'adressant directement à son père, mais tu économiseras ma nourriture et l'argent que tu me donnes. Si je n'ai que mes 200 francs, Armand et moi resterons à New York le temps de mettre de côté le prix des billets de train. Ou bien il ira devant et je le rejoindrai par la suite.

— Mais qu'est-ce que tu feras en arrivant là-bas ? insista Lydie. Tu ne pourras pas acheter de vignes ?

— Je trouverai du travail chez quelqu'un.

— Où vivras-tu ? demanda Marguerite.

— Il y aura peut-être des chambres pour les commis. Sinon nous trouverons.

— Mais jamais tu ne pourras économiser si tu dois payer ta nourriture et ton toit.

François haussa les épaules. Sa tête commençait à bourdonner sous les questions.

— Jamais tu ne mettras un sou de côté, dit Henri d'un ton méprisant. Tu ne seras qu'un vulgaire commis.

— Et si je préfère être un vulgaire commis ? Au moins je serai libre.

— Qu'est-ce que tu veux dire, « libre » ? Tu n'es pas libre, ici ?

— Non. Certainement pas. Et papa le sait bien, même si tu ne le comprends pas, toi.

— Cabochard ! railla Henri. Tu as toujours été le dernier des cabochards. Tu nous fais honte avec tes idées d'idiot. Tu es indigne du nom de Pujol. François Cabochard, voilà comment on devrait t'appeler.

François perdit son sang-froid. Il bondit du banc et se jeta sur Henri. Son poing se tendit vers ce visage méprisant et bêtement sûr de son bon droit. Mais si rapide qu'il fût, Raphaël le devança. Ses bras puissants immobilisèrent François par-derrière, et le jeune homme se débattit en vain.

— Assez ! rugit le père. Ça suffit !

Il se retourna, entraîna François et le força à se rasseoir sur le banc.

— Henri, tais-toi, dit-il. S'il y a un idiot ici, c'est toi.

Puis il s'adressa à François :

— Ecoute-moi, à présent. J'ai entendu tout ce que tu avais à dire. Je suis resté patient. Et crois-moi sur parole, je comprends bien ce que tu as sur le coeur. Tu te figures que les gens de ma génération ont oublié ce qu'est la jeunesse ? Non. Je sais bien que tu désires ton indépendance, que tu as envie de faire ton chemin tout seul dans le monde. Mais je ne vois aucun avenir pour toi dans ton projet. Sur ce point-là, Henri a raison. Tu ne seras jamais qu'un commis-vigneron salarié. Même si tout se passe comme tu l'espères, tu es trop jeune, trop inexpérimenté.

Il leva la main pour faire taire la protestation qui montait sur les lèvres de François.

— Pas pour mener ta barque — tu ne me croirais pas si je te disais ça — mais trop inexpérimenté pour le travail des vignes et la fabrication du vin. Sans plus de connaissances, tu ne peux pas espérer une meilleure situation que celle de commis, et j'ai davantage d'ambition pour mon fils. Quant à épouser Thérèse Listrac, j'y suis également opposé. Non à cause de ce qu'elle est, mais parce qu'en ce moment de ta vie, n'importe quel mariage serait un boulet à tes pieds.

Sans regarder Marguerite qui avait ouvert la bouche pour intervenir, il poursuivit :

— Mais ce ne sont pas les vraies raisons pour lesquelles je m'oppose à ton projet. Je te l'ai déjà dit, cette terre est à nous et nous lui appartenons. Elle est notre héritage. Je ne peux pas t'empêcher de partir, mais je désire que tu restes. Je ne te prêterai pas d'argent, je ne t'aiderai pas à nous quitter, tu partiras sans ma bénédiction. J'ai besoin de toi ici. La terre a besoin de toi ici.

Il vida le fond de la bouteille dans son verre et but d'un seul trait.

— Et maintenant, au lit. Allez, Henri, Lydie, Fanchon.

Les trois enfants quittèrent la pièce, en murmurant leurs bonsoirs les yeux baissés, profondément émus par la scène extraordinaire dont ils venaient d'être les témoins et surtout par les dernières paroles farouches de Raphaël.

François attendit qu'ils aient disparu, puis regarda son père dans les yeux. Curieusement, ce qui s'était passé ne l'avait pas abattu, au contraire : il se sentit plus fort.

— Je te remercie, papa, de m'avoir parlé d'homme à homme. Je ne peux pas accepter ta réponse. Ce n'est pas faute de respect, non, seulement... Seulement, il faut que je parte. Nous en reparlerons.

Son père ne répondit pas, mais, sans sourire, hocha brièvement la tête.

François quitta la cuisine. Quand il se coucha, son soulagement ressemblait presque à de l'ivresse. Il exultait. Oui, il avait perdu sur toute la ligne, mais il s'y attendait. L'important, c'est qu'il avait été traité avec un respect qu'il n'avait jamais osé espérer et qui lui enlevait tout le poids de la défaite. Et en réalité, était-ce bien une défaite ? Advienne que pourra, se dit-il, je vais en Californie.

Avant cet instant, jamais il n'en avait pleinement accepté l'idée. Ce n'était guère plus qu'une des élucubrations farfelues d'Armand. Et chaque fois qu'il y songeait, quelque chose, derrière sa tête, lui criait :

46

« Impossible ! Irréalisable ! » Or, tandis qu'il parlait à son père, il avait découvert en lui-même une détermination qu'il ne soupçonnait pas et la certitude que sa décision s'imposait.


Quand François eut quitté la pièce, Raphaël se tassa sur sa chaise.

— Oh ! Marguerite, Marguerite ! Pourquoi faut-il que ce soit le meilleur qui s'en aille ?

Il rit soudain, sans amertume.

— Suis-je bête ! C'est précisément pour ça : parce qu'il est le meilleur. Il va nous manquer à tous les deux...

Marguerite, les yeux pleins de larmes, secoua la tête, mais ce n'était pas pour dire non. Simplement, elle avait trop de peine.

— Combien va-t-il falloir que je lui donne ? calcula Raphaël à voix haute. Assez pour qu'il arrive en Californie, je pense. Mais pas plus. Il n'aura pas besoin de plus. Il saura bien s'en sortir.

## 4

— Thérèse ! comment as-tu fait ?

François n'en croyait pas ses yeux. Elle était assise à côté d'Armand, au café Riocaud.

— Maman a fini par convaincre le père.

— C'est fantastique !

— Je vais chercher à boire, dit Armand, profitez-en pour rattraper le temps perdu, mes tourtereaux...

François s'assit près de Thérèse. Pendant un instant ni l'un ni l'autre ne parla. Malgré l'allégresse de leurs retrouvailles, la timidité imposait une certaine tension entre eux.

— Tu vas bien ? demanda François.

— Oui, et toi ?

— Oui, je vais bien. Armand t'a parlé de notre idée d'émigrer en Californie ?

— Oui.

Sa voix n'était qu'un soupir.

— Qu'est-ce que tu en penses ?

— Je... Ne pars pas, François, je t'en prie. Non...

— Mais pourquoi ? Tu ne vois donc pas que c'est le mieux pour nous deux ? Nous ne nous séparerons pas pour toujours. Juste le temps de mettre un peu de côté.

Elle leva les yeux vers lui. Ils n'étaient que tristesse.

— C'est une décision tellement importante. Réfléchis encore, avant qu'il ne soit trop tard.

— Je ne pense à rien d'autre depuis des jours et des jours. Je suis sûr d'avoir raison. Et puis, je l'ai déjà dit au père.

Armand revint avec leurs verres.

— Tu as dit à ton père que tu allais émigrer ? demanda-t-il.

François leur raconta tout : ses arguments, les réactions de Raphaël, ce qu'avait dit le reste de la famille. Thérèse et Armand s'étaient penchés pour l'écouter. Armand hochait la tête, approbateur, tandis que Thérèse, éperdue, comprenait que plus rien ne retiendrait François à Sauveterre. Il s'était engagé, et maintenant qu'il avait parlé à son père, son honneur était en jeu — revenir sur sa parole l'aurait humilié.

— Ce que nous devons faire à présent, dit Armand, c'est nous occuper de tous les papiers nécessaires. Je me suis renseigné. Il nous faut des passeports. On va chercher les formulaires, on les remplit et on les donne au maire qui les envoie à la préfecture, à Bordeaux. Il faut compter trois bonnes semaines.

— Je m'en doute. Et c'est tout ?

— Il faut obtenir le visa pour les Etats-Unis. Normalement on peut le demander par lettre au consul américain à Paris. Mais il paraît que c'est beaucoup plus facile de faire tamponner son passeport à Londres avant de prendre le bateau.

— Et les billets ?

— Il vaut mieux voir sur place. Choisir le bateau et acheter les billets là-bas.

— Mais on risque de perdre du temps.

— Bah ! Quelques jours à Londres, tu te rends compte ? Le temps de voir comment sont les petites Anglaises. Une dernière folie avant de quitter le Vieux Continent.

Il vit que Thérèse levait les yeux vers François.

— C'est d'accord, frangine. Je veillerai à ce qu'il soit au chaud dans ses toiles avant de partir en vadrouille.

François sourit, les yeux baissés.

— Ça m'est bien égal, répliqua Thérèse. François ne m'appartient pas. Il est libre de faire ce qui lui plaît. S'il a envie de vadrouiller avec toi, ça le regarde. Il est temps de rentrer, Armand.

— Rien ne presse.

— Si. Bonne nuit, François.

Elle était blessée et angoissée à la fois. Sa voix semblait de glace. Elle avait l'impression que François allait bientôt sortir de sa vie sans aucun égard pour elle. S'il l'avait vraiment aimée, il aurait au moins discuté de tout avec elle avant de décider...

Armand regarda François et haussa les épaules en faisant la grimace. « Ah ! les femmes ! disait son geste. Avec elles, on ne sait jamais. » Il suivit Thérèse jusqu'à la porte, puis revint en deux bonds.

— Je m'occupe des formulaires, pour les passeports. On les remplira demain soir, dit-il à la sauvette.

François, accablé, décida de ne pas prononcer un mot de plus à la maison avant d'être certain que son passeport était en bonne voie. Quant à Thérèse, il espérait tout de même que son humeur aurait changé lors de leur prochaine rencontre.


Plusieurs semaines s'écoulèrent. Armand et François remplirent les formulaires et le maire les envoya à Bordeaux. On leur assura qu'il n'y aurait aucune difficulté.

— Je le croirai quand je verrai les passeports, dit Armand. Thérèse recouvra sa gentillesse coutumière, mais François sentit tout de même une certaine tristesse courir en filigrane à travers ses sourires. Il profitait de chaque occasion pour la convaincre qu'il avait raison de quitter Sauveterre et que leur séparation ne serait que passagère, relativement brève, mais il était sûr qu'au fond de son coeur le doute la rongeait. Il lui promit qu'en Californie son premier soin serait de mettre de côté l'argent de son voyage : il ne songerait à acheter une vigne qu'après l'arrivée de la jeune fille près de lui. Elle écoutait, faisait semblant d'être heureuse, et ne croyait pas un mot de ce qu'il lui jurait.

A l'Espérance régnait un climat de catastrophe. Toutes les pièces de vigne, sauf une ou deux, avaient été atteintes par le phylloxéra, et Raphaël devait retenir ses larmes au spectacle de pousses rabougries, torturées, et des feuilles jaunes et rouges comme si déjà l'automne s'annonçait. Les raisins se formaient mais ils restaient chétifs, et les peaux des grains se ridaient. Ils ne donneraient pas de vin cette année. Raphaël était allé jusqu'à Libourne pour discuter avec les gros propriétaires de la vallée de la Dordogne, et, par leur entremise, il avait commandé des porte-greffes américains pour replanter. Quand ils arriveraient, il faudrait arracher toutes les pièces atteintes et écussonner les nouveaux plants avec les cépages d'ici. On les mettrait ensuite en pépinière pour planter en février-mars de l'année suivante les pieds dont les greffons auraient bien pris.

Entre-temps, il y avait du travail au chai. Le vin de deux ans était prêt à mettre en bouteilles et à lancer sur le marché, ou bien à envoyer aux marchands de Bordeaux dans les barriques de châtaignier où il avait mûri. Ensuite on ramènerait les fûts vides et on les rincerait pour y soutirer le vin nouveau, qui y séjournerait au moins douze mois. Tous les Pujol étaient occupés de l'aurore au soleil couchant. Oui, le vin nouveau serait exceptionnel et l'on avait tout lieu de s'en réjouir, mais cela ne compensait guère la mort des vignes qui l'avaient produit.

Un soir, en arrivant au café Riocaud, François s'étonna de ne trouver ni Thérèse ni Armand. Il demanda au buvetier s'il était au courant de quelque chose.

— Tu ne sais pas ? « Moussu » Listrac est très mal. A l'article de la mort, comme on dit.

François se rendit aussitôt à l'épicerie Listrac. Elle était fermée. On avait enveloppé le heurtoir de la porte d'un chiffon de laine. Il comprit que sa visite serait déplacée et il rentra chez lui, s'interrogeant sur les conséquences de ce malheur sur les projets d'Armand.

Deux jours plus tard, les Pujol apprirent que Listrac était mort. Raphaël réfléchit longtemps avant d'annoncer que la famille n'assisterait pas aux obsèques mais que lui s'y rendrait.

— Si nous y allions tous, ce serait une capitulation, expliqua-t-il. J'irai, pour marquer mon respect à l'égard d'un homme qui n'est plus mon ennemi, mais qui l'a été jusqu'au jour de sa mort.

— Tout le monde à Sauveterre va trouver ça étrange, fit observer Marguerite. Les gens ne comprendront pas. Comment veux-tu qu'ils devinent la différence entre le respect et la capitulation ?

Et elle se détourna pour dire entre ses dents, mais assez fort pour que Raphaël l'entende :

— Ah ! les hommes ! Tous des gosses...

— Je ne leur demande pas de comprendre, répliqua Raphaël. *Moi, je comprends.* Je sais ce que ma famille doit faire et ce qu'elle ne doit pas faire. Un point, un trait.

François savait qu'il ne pouvait pas discuter avec son père en présence de tous les autres, mais il profita de la première occasion pour lui parler seul à seul.

— Papa, dit-il, il faut que j'aille à l'enterrement de « Moussu » Listrac. Je le dois à Thérèse.

Raphaël regarda son fils préféré et son cœur se gonfla de fierté. Il n'y avait nulle bravade dans la voix du jeune homme, comme le soir de la discussion sur l'émigration, aucun tremblement trahissant le doute : une confiance calme et résolue. Il a le droit de vouloir partir, se dit Raphaël, et je ne peux pas l'arrêter. Pas plus que je ne peux l'empêcher d'épouser cette fille Listrac si c'est ce qu'il a dans la tête. Il est devenu un homme, avec la force et le courage d'un homme...

Et pourtant, ils seraient toujours en conflit tous les deux — la rivalité séculaire de deux mâles de puissance égale. Non, se dit-il, il ne pouvait pas laisser voir à François à quel point il venait de prendre conscience de sa force nouvelle : ce serait abdiquer, avouer la défaite.

— Je vois, dit-il. Très bien. Nous irons ensemble, toi et moi.

— Merci, papa.

Il sourit à son père, et bien qu'il ne perçût aucune tendresse dans le regard austère de Raphaël, il comprit qu'une trêve venait d'être conclue entre eux.


Quelques jours plus tard, il revint à Sauveterre.

Armand avait perdu tout ressort. Il fixait son verre d'un œil morose.

— Thérèse est avec maman, expliqua-t-il. Je suis seulement venu te voir. Je devrais être à la maison avec les autres. Je voulais te dire que ton passeport est prêt. Tu peux passer le prendre à la mairie.

Il s'arrêta, puis ajouta d'un ton contrit :

— J'ai déjà pris le mien, mais pour ce qu'il va me servir...

François s'y attendait, mais ce fut tout de même un choc.

— Qu'est-ce que tu veux dire ?

— Je ne peux pas partir en Amérique avec toi. *Cap dé mille Dious !* La mort de mon père a tout gâché. Il faut que je reste, à présent, pour faire tourner cette saleté de boutique. On n'a pas assez d'argent pour mettre la clé sous la porte, et puis maman ne veut pas abandonner. Elle dit que c'est ce que le père aurait souhaité.

— Mais... Louis et sa femme... Comment s'appelle-t-elle ?

Louis était le frère aîné d'Armand.

— Félicie. Ils ont leur commerce à Sigoulès. Ils ne peuvent pas venir ici et ils n'en ont sûrement pas envie. Et puis il faut qu'ils s'occupent de la mère de Félicie. Et maman ne veut pas entendre parler d'aller vivre avec eux. Elle n'a jamais aimé Félicie, et d'ailleurs ils n'auraient pas de quoi la loger. Non, je te l'ai dit, ma mère s'accroche à son épicerie, il n'y a rien à faire. Ça me fait mal au ventre, François. Tout tombe à l'eau, *macarel dé boun Diou !*

Armand avait l'air si malheureux que François n'eut pas le coeur de lui poser d'autres questions pour s'assurer qu'il avait bien étudié toutes les solutions possibles du problème.

— On n'y peut rien, dit-il. Ce n'est pas de ta faute. Merci d'être venu me parler. Tu ferais mieux de rentrer, à présent.

Il ne parvenait pas à chasser de sa voix une certaine froideur, et Armand lui lança un regard coupable.

— Que vas-tu faire ?

— Je ne sais pas. Il faut que j'y pense.

Armand partit, en s'excusant encore et en se lamentant sur son destin qui le clouait à un commerce qu'il détestait. François s'accouda au comptoir et tenta de faire le bilan de la situation nouvelle. Si Armand ne pouvait pas l'accompagner, oserait-il se lancer tout seul ? Sans un ami avec qui tout partager — l'aventure, le labeur et la joie — cela devenait soudain une entreprise effrayante.

Peut-être valait-il mieux ne pas partir, se dit-il. Attendre que la situation d'Armand — et la sienne — aient évolué. Mais cela signifiait rester à tout jamais. Après tout, pourquoi ne pas s'accrocher, aider son père et Henri à lutter contre le phylloxéra, attendre que les nouvelles vignes produisent, et ensuite épouser Thérèse ? Il laissa ces pensées pénétrer lentement son esprit. Il s'imagina assis dans la cuisine, à l'Espérance, et il entendit le soupir de soulagement de sa mère et le ricanement d'Henri lorsqu'il annoncerait à la famille que, tout compte fait, il ne partait pas. Et le père, comment réagirait-il ? En dépit de leurs nouvelles relations, il imaginait très bien le rire de triomphe du vieil homme — le son moqueur, cristallin, rebondissait sur les murs blanchis à la chaux puis éclatait dans son cerveau... Et plus tard, quoi ? Henri se dresserait toujours sur son chemin, et le jour où il se marierait, sa femme et lui auraient la préséance sur Thérèse et François. Ils seraient malheureux tous les deux.

Non, qu'il regardât à l'échéance d'un mois, d'un an ou d'une décennie, François ne voyait aucun avenir pour lui en France. Quelles que fussent les difficultés, avec Armand ou sans lui, il partirait en Californie.


Sa mère et son père reçurent la nouvelle avec calme.

— Dieu merci ! murmura Marguerite quand François lui apprit qu'Armand n'irait pas en Amérique.

Il lui expliqua aussitôt que cela ne changeait rien à ses propres projets. Elle s'arrêta de respirer un instant, et ne prononça pas un mot de plus. Raphaël, impassible, continua de manger son cassoulet. Quand il eut terminé, il hocha lentement la tête. C'était presque comme une bénédiction.

— Oh ! c'est bien de toi ! s'écria Henri d'un ton amer. Ficher le camp au moment où l'on a le plus besoin de toi !

François ne répliqua pas. Henri se tourna vers son père, en quête d'un soutien; mais comme rien ne venait, il plia son couteau, se leva et s'éloigna vers la porte de la cour en disant qu'il allait tailler des « caraçons ».

— Quand pars-tu ? demanda Raphaël.

— Dès que je pourrai. J'ai déjà mon passeport.

Il était allé le chercher dans la matinée. Il le sortit de sa poche.

— Fais-moi voir, s'écria Lydie en le lui arrachant des mains.

Fanchon monta sur le banc pour plonger par-dessus son épaule. Elle se mit à tourner les pages. Elle fut vite déçue. Il n'y avait rien de bien exaltant.

— Combien d'argent as-tu dit qu'il te fallait ? demanda Raphaël.

— A peu près 600 francs.

— Et tu en es loin, pas vrai ?

— J'ai juste un peu plus de 200. De quoi aller à New York. Je trouverai du travail là-bas et je mettrai le plus possible de côté pour finir le voyage.

— Tu ne vas pas me demander de te prêter de l'argent ?

— Je te l'ai déjà demandé une fois, papa, et tu m'as refusé. (Il tenta de conserver un ton égal, dénué de toute amertume.) Tu m'as répondu que tu ne m'aiderais pas à partir. Que tu ne me donnerais pas ta bénédiction.

— Oui, je m'en souviens. Je crois que ce soir-là, j'ai dit des choses sensées et d'autres qui l'étaient moins. Je t'ai dit que la terre avait besoin de toi. C'est encore vrai, elle a besoin de ta compréhension et de ton amour. Mais la compréhension et l'amour sont des sentiments qui ne naissent jamais de la contrainte. Je n'avais pas réfléchi, sur le moment, que ta vocation pour une nouvelle vie était plus forte dans ton coeur qu'elle ne l'a jamais été dans le mien. Je t'ai observé au cours de ces dernières semaines — oh ! j'aurais mauvaise grâce à me plaindre, tu as travaillé dur et bien, mais tu ne regardes plus cette terre avec les mêmes yeux qu'autrefois. Je ne t'accorderai pas ma bénédiction, et je crois que tu comprends pourquoi. Je ne me sépare ·pas de toi de bon coeur, parce que même sans lui donner ton amour, tu pouvais offrir à cette terre davantage que tous les autres. Non, je ne t'accorderai pas ma bénédiction, il n'en est pas question. Mais je te donnerai de l'argent. Ce qu'il te faut pour le voyage.

De nouveau ce fut le silence. Les autres savaient que Raphaël ne parlait qu'à François, comme s'ils n'étaient pas là, et c'était donc à François seul de répondre. Mais il ne pouvait pas. Parce que les mots de son père avaient noué une étrange boule dans sa gorge.

— Merci, papa, murmura-t-il enfin. Je comprends. Merci.

Raphaël grogna entre ses dents, puis cria :

— Le fromage, Marguerite !

Le sujet était clos.


Plus tard, quand ils furent seuls, Lydie poussa un grand soupir.

— Quelle chance, François ! Quelle chance tu as...

Depuis le premier jour où il avait parlé d'émigrer, Lydie lui avait fait comprendre qu'elle l'aurait accompagné volontiers si cela s'était révélé possible. Inutile, bien entendu, de poser la question à ses parents. Jamais Raphaël et Marguerite n'auraient accordé à une fille, quel que fût son âge, la même liberté qu'à un fils — et François avait déjà eu bien assez de mal à faire admettre son projet à son père. Elle quitterait sûrement la famille un jour, pour se marier et fonder un nouveau foyer, mais c'était pour elle la seule voie possible.

— Quand vas-tu partir ? demanda-t-elle à son frère.

Jusqu'à la dernière conversation avec son père, François n'avait dressé aucun plan précis. Mais il avait déjà vérifié dans *La Petite Gironde* qu'un cargo de vin quittait Bordeaux à destination de Londres presque toutes les semaines.

— Je n'ai pas encore décidé. Bientôt. Lundi prochain peut-être.

A peine eut-il envisagé cette date qu'elle se fixa dans son esprit. Il partirait le lundi suivant. Trois nuits de plus à la maison. Puis en route pour l'avenir.


Quand François lui annonça la nouvelle, le visage d'Armand se décomposa d'envie. Il félicita son ami de sa chance.

— Je viendrai, lui dit-il. Je te promets de venir un jour.

— Tu persuaderas ta mère de t'accompagner ?

— Je ne sais pas. Peut-être ira-t-elle vivre avec Louis après tout. Peut-être mourra-t-elle. (Il se signa à la hâte.) Comment veux-tu que je sache ce qui va se passer ?

— Moi, je le sais. Tu feras un polichinelle à une de tes bonnes amies, et tu seras *obligé* de quitter Sauveterre.

Armand éclata de rire.

— Ce n'est pas demain la veille.

Ils demeurèrent silencieux un long moment. Un silence lourd, chargé d'amitié. François songeait à quel point Armand allait lui manquer — son humour, ses idées folles, son chapelet de filles et les récits de ses prouesses avec elles. Quel était son secret ? Il n'était pas beau garçon et il traitait les femmes de façon très cavalière, pourtant on aurait dit qu'il lui suffisait de lever le petit doigt pour faire accourir toute une population féminine, de Sainte-Foy-la-Grande au Bec d'Ambès. Bien qu'il fût amoureux de Thérèse et qu'il la considérât comme la seule femme au monde, François enviait parfois son ami. Combien de jeunes filles avaient perdu leur virginité dans ses bras ?

Combien de ses bâtards peupleraient un jour l'Entre-Deux-Mers ?

François chassa ces pensées et revint au motif qui l'avait poussé à descendre à Sauveterre ce soir-là.

— Armand, il faut que tu arranges quelque chose pour dimanche soir. Il faut que je voie Thérèse. Que je la voie seule, et pour plus de cinq minutes. Je veux lui parler.

— Et rien d'autre ?

— Bien entendu. Tu me connais, non ?

Armand éclata de rire.

— Oh ! je ne me fais pas de souci pour ma soeur. Mais si je partais en Californie... le dernier soir, j'aurais envie d'un peu plus qu'une simple conversation.

François sourit.

— Méfie-toi, dit-il. Un de ces jours, un frère aîné protecteur te coupera en rondelles ! Tout le monde n'est pas comme toi, Dieu merci ! Thérèse sera en sécurité avec moi. Je l'épouserai dès que je serai installé. Et jusque-là, je patienterai.

— Très bien, très bien, répondit Armand avec un sourire jusqu'aux oreilles.

— A quelle heure, dimanche ?

— Huit heures. Elle sera là. Même si je dois droguer ma vieille pour la faire tenir tranquille.


Ils étaient au rendez-vous tous les deux le dimanche à huit heures. François trouva Thérèse plus belle que jamais dans sa robe de deuil qui soulignait la pâleur de son teint et la vivacité de ses yeux sombres.

— Filez, filez, les tourtereaux, dit Armand. Et surtout ne faites rien que je ne ferais à votre place.

Il se retourna aussitôt vers sa dernière conquête, une certaine Marie-Paule à la taille de guêpe et au minois boudeur. François et Thérèse, à la porte du café, prirent machinalement la direction de Sainte-Cécile.

Ils ne parlèrent pas pendant le trajet, aussi mal à l'aise l'un que l'autre.

Dès leur arrivée dans l'ombre du cloître, François la prit dans ses bras et l'embrassa tendrement. Il sentit des larmes brûlantes glisser sur les joues de la jeune fille.

— Ne pleure pas, mon amour. Ne pleure pas, je t'en supplie.

— Je... Je ne peux pas m'en empêcher.

— Je vais te manquer ?

Elle avala sa salive, essuya ses larmes de son poing crispé et se força à sourire.

— En voilà une question ! Si je réponds « oui », tu vas faire le coq et si je réponds « non », tu ne me croiras pas.

Malgré tous ses efforts, son ton désinvolte sonnait faux.

— Tu crois que je vais faire le coq ?

— Bien sûr, tu vas me manquer. Oh ! François... François...

Elle renonça à tout faux-semblant et les larmes glissèrent de nouveau sur ses joues. Elle ne pleurait pas vraiment, aucun sanglot ne faisait trembler sa gorge et sa respiration demeurait égale. Des larmes coulaient — toutes seules, semblait-il, venues de plus loin...

— J'avais décidé d'être gaie, tu sais, rieuse et heureuse pour toi. Pour que tu gardes cette image de moi... Si tu te souviens encore de moi... François, j'ai tellement peur que tu m'oublies... J'avais décidé aussi de ne pas te dire ça ! poursuivit-elle d'une voix presque rageuse. Tu vas croire que je suis bête, une bécasse sentimentale.

— Non. Non... Et je ne t'oublierai jamais. Je penserai à toi à tout instant, et dès que j'aurai mis de côté l'argent de ton voyage, je te l'enverrai et nous nous marierons. Tu voudras m'épouser, Thérèse ?

— Oui, murmura-t-elle dans un soupir, le coeur battant.

C'était la première fois que François lui faisait une demande en mariage précise et directe.

Il posa la main doucement sous son menton et releva son visage.

— Je t'aime, Thérèse, je t'aime. Je te veux pour femme et je te promets de ne. penser qu'à toi. Et toi, tu m'attendras ?

— Toujours.

— Tu n'auras pas besoin d'attendre longtemps, je te le promets. Un an, peut-être deux. Et je t'appellerai. Il faudra que tu viennes, quoi que les autres disent, quels que soient les obstacles dressés pour t'en empêcher.

— Je viendrai. Je viendrai.

— Armand t'aidera.

Elle lança les bras autour du cou du jeune homme et l'embrassa de toute sa passion. Il sentit le coeur de Thérèse battre contre sa poitrine et il sut que le désir de la jeune fille était aussi violent que le sien.

Elle le repoussa et se mit à défaire nerveusement les boutons de son corsage, puis elle saisit la main de François et la posa contre sa chair nue. Emerveillé, il commença à la caresser tandis que la bouche entrouverte de Thérèse cherchait ses lèvres.

— Prends-moi, François, murmura-t-elle, prise de vertige. Prends-moi tout de suite.

Tout son être se tendit vers elle. Il se pencha pour soulever ses lourds jupons, tandis que son autre main défaisait sa propre ceinture. A cet instant, il y eut un bruit dans le cloître. Un homme et une femme d'âge mûr le traversaient pour rentrer chez eux. Ils semblèrent ne pas voir François et Thérèse dans l'ombre, mais leur présence avait suffi à rompre le charme, et François avait retrouvé tous ses esprits. Ce n'était pas ainsi qu'il désirait connaître l'amour de Thérèse. Il fallait qu'elle soit d'abord sa femme.

— Non, dit-il. Non, il ne faut pas.

— François, je t'en prie.

— Non, mon amour. Je te désire à en mourir. Mais pas ainsi. Pas comme un paysan vulgaire et sa garce.

Il se souvint de ce mot dans la bouche de son père, et à quel point il s'en était indigné.

— Pas comme des bêtes en chaleur, dit-il.

Elle le regarda un instant, puis reboutonna son corsage.

— François, je te désirais tant... Avant que tu partes... Mais tu me donnes honte de moi-même. Que vas-tu penser de moi ?

— Je vais penser que tu es très belle, pure et douce. Et je vais ne t'en aimer que plus.

La cloche de Sainte-Cécile sonna neuf heures.

— Il faut que je parte, dit Thérèse.

De nouveau elle l'enlaça et l'embrassa, puis elle s'écarta, le prit par les épaules et le fit tourner pour que la lune tombe sur son visage. Elle le regarda intensément, comme pour retenir en elle chacun de ses traits.

— Je te demande pardon... commença-t-elle. Je te demande pardon de tant pleurer. Ce n'est pas ainsi que j'aurais voulu rester dans ton souvenir. Viens, il faut rentrer.

Lentement, à regret, ils se dirigèrent vers le café Riocaud. Juste avant de franchir la porte, Thérèse fouilla dans son réticule et en sortit un petit paquet enveloppé dans du papier blanc et cacheté à la cire.

— C'est pour toi, dit-elle en le posant dans la main de François. Ne l'ouvre pas maintenant. Mets-le dans ta poche. Tu le regarderas plus tard, quand je serai partie.

Il la fixa pendant un instant sans parler, puis il lui prit les mains et porta doucement les paumes à ses lèvres.

— Merci, mon amour, mon coeur. Merci pour tout.

A l'intérieur du café, Armand attendait. Visiblement, sa soirée avec Marie-Paule avait été orageuse.

— Ah ! te voilà, frangine ! dit-il. Il est temps de te ramener à la maison, sinon maman va nous faire une jaunisse. Viens, Marie-Paule ! Allez, dis adieu à François. Il nous quitte demain.

Il serra très fort la main de François.

— Bonne chance, mon vieux. J'aimerais t'accompagner, demain. Mais je partirai un jour — c'est décidé —, alors garde le contact. Je sais que tu te souviendras d'une personne ici, mais n'oublie pas les autres tout à fait. Ecris-nous un mot de temps en temps.

— Si j'ai de quoi payer le timbre, répondit François en se forçant à sourire.

Il se tourna vers Thérèse. Elle le fixait d'un regard étrange, solennel.

— Attends-moi, murmura-t-il. Je t'aime.

— Oui, acquiesça-t-elle. Je t'aime aussi.

Et elle se retourna pour partir.

Au même instant Marie-Paule prit François par les épaules et lui posa sur les joues des baisers sonores. Il la repoussa, furieux qu'elle lui eût dérobé sa dernière vision de Thérèse. Quand il se libéra, la jeune fille était déjà sortie. Armand avait la main sur la poignée de la porte.

— Viens, Marie-Paule, dit-il. On ramène Thérèse à la maison et on se trouve un petit coin tranquille. Adieu, François.

— Adieu !

Ils n'étaient plus là.

François décida de prendre un dernier verre de Sainte-Croix-du-Mont avant de rentrer. Quand il glissa la main dans sa poche pour le payer, il trouva le petit paquet que lui avait remis Thérèse. Il déchira le papier et découvrit un petit écrin plat qui contenait une médaille d'or représentant saint Christophe, avec une chaîne en or. Elle était belle et elle avait dû coûter une fortune à la jeune fille. Il fit passer la chaîne autour de son cou et glissa la médaille sous sa chemise.

Dans son lit, il demeura éveillé pendant de longues heures, songeant à Thérèse et à tout ce qui s'était passé ce soir-là. Il prit le Saint-Christophe entre ses doigts et fit voeu de ne jamais l'ôter.

Thérèse ne dormait pas non plus. Avec le réalisme intuitif de son sexe, elle pleurait sur son oreiller : elle était absolument certaine de ne jamais revoir François en cette vie.

## 5

Bordeaux... Une ville bruyante, toujours en émoi, pleine de gens pressés, impatients. Ce n'était pas la première fois que François traversait la vaste esplanade des Quinconces pour se rendre au quai des Chartrons, où il trouverait à coup sûr deux ou trois des courtiers qui visitaient les chais de Sauveterre pour le compte des gros négociants de la place. Mais cette fois, il était seul.

Il leva les yeux vers les Colonnes rostrales, dont les proues de bateaux marquaient les quatre points cardinaux. En face, un cargo blanc de Maurel et Prom déchargeait des arachides de l'Afrique. Il vit sur le pont deux grands Noirs dont les muscles saillaient dans les accrocs de leurs haillons.

Il se sentait déjà très loin.

Quand il avait quitté la maison ce matin-là, son père lui avait remis un petit paquet de billets sales.

— Tiens ! s'était écrié Raphaël d'une voix bourrue. Tu m'as dit qu'il te manquait 400 francs. En voici 450. Tu auras sûrement besoin de davantage, mais pour le reste, il faudra que tu te débrouilles. Je ne peux pas me permettre de te donner un sou de plus. J'ai bien·peur que le phylloxéra mange toutes nos économies.

François se sentit vraiment coupable. Non seulement il faisait faux bond à sa famille, mais il prenait une partie de l'argent dont ils auraient un besoin vital pendant la période difficile qui s'annonçait. Impulsivement, il tendit les billets vers son père. Mais sans lui laisser le temps d'ouvrir la bouche, devinant sans doute ses pensées, Raphaël repoussa sa main.

— Fais attention de ne rien perdre. Garde-le dans ta bourse, contre ta peau.

Il hésita un instant, puis il dit :

— Adieu, fils. Dieu soit avec toi.

Il posa la main sur l'épaule de François, s'avança légèrement vers lui comme s'il allait le serrer dans ses bras, lui pressa deux fois l'épaule, puis sortit de la cuisine à grands pas.

— Adieu, papa, cria François au dos voûté de son père.

Le départ brusque de Raphaël le soulagea : il sentait sa gorge nouée et si la conversation avait dû se prolonger, sans doute se seraient-ils effondrés, en larmes tous les deux. François s'aperçut qu'il n'avait même pas remercié son père pour l'argent.

— Tu lui diras merci pour moi, murmura-t-il à sa mère. Je veux qu'il sache à quel point j'apprécie ce qu'il a fait. Il a été très bon pour moi.

— Meilleur que tu ne le mérites, répondit Henri.

L'amertume salissait sa voix.

— Ça suffit, dit Marguerite.

Henri ricana.

— Ah ! c'est facile de ficher le camp pour se faire une nouvelle vie. Mais nous, hein ? on reste derrière. Qui va remettre tout en ordre ici ? Il aurait dû nous aider.

— Il est trop tard pour lui en faire le reproche. Tends-lui la main, avant qu'il parte.

Henri lança un regard furieux à sa mère, mais elle le fixa d'un air digne et calme qui interdisait manifestement toute révolte.

Il serra la main de François sans chaleur, murmura « Adieu » et sortit dans la cour.

Lydie, comprenant que son tour était venu, éclata en sanglots et se jeta au cou de son frère. Elle le serra, le couvrit de baisers et de larmes. Elle avait bien du mal à parler.

— Tu vas nous manquer, gémit-elle, tu vas tellement nous manquer ! Tu écriras, pas vrai ? Et je te répondrai.

Fanchon, bouleversée par les larmes de Lydie, se mit à pleurer elle aussi, et François, incapable d'endiguer ce torrent d'émotion, se tourna vers sa mère.

— Assez, vous deux ! dit Marguerite d'un ton sec. Vous ne voulez pas que François nous quitte trempé de vos pleurs. Allez, séchez vos larmes pour lui dire adieu comme il faut. Et puis filez donner à manger aux poules.

Tentant mais en vain de ravaler ses sanglots, Lydie serra François dans ses bras une dernière fois et lui glissa une petite enveloppe dans la main.

— Cache-la avant que maman la voie, murmura-t-elle. Je ne te souhaite que des bonnes choses. Que des bonnes choses. Tu ne nous oublieras pas ?

Et elle baissa encore la voix.

— Fais-moi venir un jour, François, comme Thérèse. Tu voudras ? C'est promis ?

— Oh ! je parie que tu te marieras avant longtemps, chuchota-t-il à l'oreille de sa sœur. Et tu n'auras plus envie de partir en Amérique...

Il l'embrassa sur les deux joues.

— Adieu, Lydie. Allez, fais-moi un sourire avant que je m'en aille.

Le sourire de la jeune fille tremblait beaucoup.

— C'est mieux. Eh bien, Minette, dit-il en se tournant vers Fanchon. Tu ne vas pas renifler comme ça ! Je reviendrai un jour... Quand je serai riche.

Fanchon tenta de sourire à son tour mais ne réussit qu'un sanglot. Elle glissa, elle aussi, dans la main de son frère un morceau de papier plié. Elle l'embrassa, gémit de plus belle et courut vers Lydie qui attendait près de la porte.

François se tourna vers sa mère. Elle était assise à la table et elle le fixait, anormalement calme.

— Tu ne vas pas pleurer, toi aussi ? demanda-t-il en essayant de prendre le ton de la plaisanterie.

— Oh ! François, François ! La seule raison pour laquelle je ne pleure pas, c'est que je me prépare pour cet instant depuis que tu nous as dit que tu partirais. Non... Même avant. Même quand tu étais tout petit. J'ai toujours su que tu serais le premier à partir. Les autres surmonteront leurs pleurs ou leur colère. Ils ne t'oublieront pas, mais...

Elle laissa sa phrase en suspens. François se rapprocha, tendit les bras pour l'attirer contre lui, mais elle se leva et prit un cabas de paille tressée.

— Voilà... Je t'ai préparé de quoi pour le voyage. Si tu sais le faire durer, ça t'économisera des sous. Et puis voici un peu d'argent en plus. Ton père ne le sait pas, et il serait furieux s'il l'apprenait. Peu importe. Maintenant va, et que Dieu te guide. Ne L'oublie pas, François. Promets-moi de dire chaque jour ton « Notre Père », et ton « Je vous salue Marie ». Et va à la messe quand tu pourras.

Son regard était tendu vers lui. François hocha la tête. Il ne pouvait plus parler.

— Ma bénédiction t'accompagne, mon fils, reprit-elle. Maintenant et à jamais.

Elle se leva sur la pointe des pieds et lui prit la tête dans ses mains pour l'incliner vers elle. Elle l'embrassa sur les deux joues, puis elle traça du bout du pouce le signe de la croix sur le front de son fils. Et aussitôt elle se détourna. François entendit le bruit des couverts du petit déjeuner qui s'entrechoquaient.

— Va-t-en, dit-elle sans se retourner. Va-t-en à présent.

Sa voix était décomposée par les larmes trop longtemps retenues. Il prit d'une main le cabas avec la nourriture et le vin; de l'autre, sa valise.

— Adieu, maman.

Il parcourut la cuisine des yeux, essayant de tout fixer dans son souvenir... La silhouette de sa mère penchée sur la pierre d'évier... Il se demanda s'il reverrait un jour ces lieux qui avaient été son foyer. Son regard revint à sa mère. Tout son amour le poussait à s'avancer vers elle et à la prendre une dernière fois dans ses bras, mais il se détourna et sortit dans le beau matin de mai.

Le soleil clair (ou peut-être les larmes qui perlaient entre ses paupières) le fit cligner des yeux. Quand il traversa la cour, vers la « crose », Lydie et Fanchon interrompirent leur ouvrage pour le suivre des yeux. Elles étaient immobiles et graves, presque comme si un enterrement passait. Il leur envoya un baiser du bout des doigts et elles le lui rendirent, mais on voyait bien que le cœur n'y était pas. A la hauteur du puits, il vit son père et Henri qui travaillaient dans les vignes. Manifestement, ils le guettaient, car ils se relevèrent aussitôt et Raphaël lui fit un signe du bras. Il avait à la main sa botte de joncs pour relever les « flages ». François lui rendit son geste. Henri se pencha de nouveau sur son rang mais le père demeura debout. François se retourna pour voir si sa mère n'était pas à la porte de la cuisine, mais non : il n'y avait personne.

Il reprit sa valise et descendit le chemin. Ce fut le moment le plus solitaire de sa vie. Il eut la tentation de revenir sur ses pas, mais il fixa la cime du petit bois d'acacias et avança. Il savait qu'un regard de plus à sa famille, derrière lui, suffirait à lui faire rebrousser chemin — malgré la honte — vers la sécurité du foyer. Ses jambes continuèrent à l'entraîner. La brume légère qui recouvrait la vallée d'une nappe blanche s'échancra soudain et au tournant de l'Espérance, par-dessus les toits et les clochers de Sauveterre, il crut voir se dessiner un horizon qu'il ne reconnut pas. L'image de la Californie... La vallée de Napa vint se superposer à la brume qui se refermait déjà. Il partit d'un bon pas.

Il s'était réservé une demi-heure à Sauveterre, avant son rendez-vous avec le roulier qui l'emmènerait sur son char à bancs jusqu'à Bordeaux. Il se dirigea d'abord vers l'horloger de la place Thiers. C'était le seul endroit de Sauveterre où il avait une chance de trouver quelque chose ressemblant à un bijou. Les prix l'effrayèrent, et tout ce qui correspondait à peu près à ses moyens lui parut laid. Finalement, il fixa son choix sur un anneau d'argent tout simple dont le chaton s'ornait de quelques arabesques entrelacées. Ensuite, il se rendit à l'épicerie Listrac. M$^{me}$ Listrac se tenait au comptoir, mais ni Thérèse ni Armand ne se trouvaient là.

— Armand est parti à La Réole chercher des fournitures, lui dit-elle. Et Thérèse l'a accompagné. J'ai pensé qu'une petite balade lui ferait du bien.

— Vous voudrez bien lui remettre ceci de ma part ?

Il lui tendit le petit paquet.

— Et vous lui direz... commença-t-il, mais sa voix se brisa. Donnez-lui ça, c'est tout. Elle ne m'a pas laissé de message ?

— Elle ne se doutait pas que vous viendriez.

— Non, bien sûr. Eh bien, merci. Adieu.


Allongé sur les ballots de tabac que le roulier transportait à la manufacture de Talence, François se laissa bercer par le grincement des roues du char à bancs. Le pas des chevaux s'allongeait au pied des côtes, le frein de bois raclait le bandage de fer des roues dans les descentes, et toujours le roulier sifflait.

Sortant soudain de sa torpeur, François retourna ses poches. Après l'achat de l'anneau et en mettant de côté l'argent du « coup à boire » qu'il paierait au roulier en passant à Créon, il lui restait 202 francs de son propre argent. Ensuite, il y avait les 450 francs de son père; le petit paquet de billets de sa mère représentait 40 francs de plus; et quand il ouvrit l'enveloppe de Lydie, il trouva encore 25 francs. Dieu bénisse sa mère, et Dieu bénisse Lydie ! La jeune fille avait très peu d'argent à elle, n'étant pas encore à l'âge où le père jugeait raisonnable de payer à ses enfants autre chose que quelques sous pour leur travail dans la vigne — ces 25 francs représentaient probablement toutes ses économies. Restait encore le bout de papier que Fanchon avait glissé dans sa main. On aurait dit une petite pièce, mais quand François le déplia, il trouva le bien le plus précieux de sa petite sœur : une médaille de la Vierge, en émail bleu et en argent. Il sentit soudain la poussière de la route blanche lui piquer les yeux : tout l'amour de sa famille s'était exprimé dans ces présents.

Il fixa la médaille à la chaîne qu'il portait à son cou : la Vierge de Fanchon demeurerait toujours près du Saint-Christophe de Thérèse. Il ouvrit sa chemise et sortit la bourse de peau de chamois suspendue à sa taille. Il y déposa 700 francs. 700 francs ! Il était riche ! Il glissa les 17 francs qu'il avait en plus dans sa poche, et replaça la bourse sous ses vêtements.

On approchait de Targon, le soleil était haut. Bientôt le roulier s'arrêterait pour faire boire les chevaux. François regarda dans le cabas de sa mère : du jambon, du boudin, du pain et du vin, mais aussi des pommes miraculeusement conservées tout l'hiver et des noix. Et puis six œufs durs... Encore une fois il bénit sa mère. Il glissa la main dans sa poche et serra son couteau.

Et il était là, le cœur serré au milieu des cris de la ville, son cabas d'une main, sa valise de bois de l'autre, les yeux posés sur le fleuve familier et, de l'autre côté des mâtures, les collines verdoyantes de Cenon et de Lormont qui ressemblaient encore tant à celles qu'il venait de quitter sans retour.

Devant le café de l'Arquebuse une fille à marins l'accosta. Il baissa les yeux et poursuivit son chemin. Dans la cour de l'entrepôt du marchand de vins, dominée par la vaste enseigne de sa marque — un aigle farouche emportant le globe entre ses serres — il rencontra un des courtiers. L'homme n'était plus du tout le même que dans le chai de l'Espérance : affairé, distant, manifestement peu intéressé par les explications timides du petit paysan dont il se rappelait à peine le visage. Oui, un bateau partait à la marée du matin, l'*Aliénor* croyait-il — mais l'entrepôt n'avait pas de vin dessus. Pourquoi François ne repasserait-il pas la semaine suivante ? Le courtier rattrapa ses amis et disparut. François eut l'impression qu'ils riaient entre eux.

Il n'eut aucun mal à trouver l'*Aliénor*. Les chargeurs du port, la « taillole » rouge ou noire autour des reins, faisaient rouler les barriques sur le plan incliné jusque dans le sabord de la cale. Un commis de la compagnie pointait les fûts.

— Besoin d'un coup de main ? demanda François.

Le commis lui lança un regard soupçonneux, puis se dérida. Il avait un visage ouvert, sympathique, avec dans le regard ce côté égaré qui attire instinctivement la protection. François sourit. Oui, c'était ce genre de personne qui, en n'importe quelle circonstance, trouve quelqu'un pour l'aider, parce que pour les autres, c'est toujours un plaisir de lui rendre service.

— D'où sors-tu, toi ? dit-il à François.

— De Sauveterre.

Le commis était de Blasimon. Il connaissait les Listrac et les Marche, les Estève et les Nebout. François sortit de son cabas sa bouteille de vin blanc... Le soir, à la fin d'une après-midi de chargement qui lui avait brisé les reins, le jeune homme se couchait sur un des bat-flanc du gaillard d'avant de l'*Aliénor*. Le capitaine, un ancien marin-pêcheur d'Arcachon, ne lui avait même pas demandé son nom.

François n'eut guère le temps de contempler la mer. Quand il ne gisait pas sur son bat-flanc, terrassé par les vomissements, il nettoyait la cabine du Vieux, épluchait les pommes de terre et lavait la vaisselle. Le deuxième jour, le cuisinier tomba malade, et il dut le remplacer. Le riz collait et il avait oublié le sel. Mais quand le cuisinier se rétablit, à l'entrée de la Tamise, les marins déclarèrent que la brandade de morue de François n'avait pas sa pareille dans toute la marine marchande — une fois le poisson dessalé, il le faisait mariner au vin blanc, comme il l'avait vu faire à Marguerite.


Quand il quitta enfin l'*Aliénor,* après une journée et une nuit de déchargement sans un instant de répit — les heures passées à quai coûtaient cher à la compagnie — François avait le menton haut et le sourire aux lèvres : il sentait sa bourse pleine contre sa peau et son cabas, regarni dans la cambuse, pesait au bout de son bras. Surtout, ces quelques jours de mer l'avaient doté d'une confiance nouvelle.

Il se retourna. Deux marins s'affairaient sur le pont. Le signe d'adieu qu'il leur fit passa inaperçu. François songea à son père et à son frère. A cette heure-là, Raphaël devait sortir les vaches et Henri puiser l'eau de la mère. Un des marins jeta un seau d'eau sale dans le fleuve. François n'entendit aucun bruit. A l'arrière, des chalands passaient, une brume légère dessinait des auréoles autour des fanaux.

François avait peu parlé aux marins pendant la traversée jusqu'à Londres, mais il avait beaucoup observé et beaucoup écouté. Avec sa science nouvelle, son jeune talent de cuisinier, son assurance naturelle de Gascon et les douze mots d'anglais glanés auprès de l'équipage, il avait soudain l'impression que le monde entier lui appartenait.

Londres s'éveillait. On eût dit que toute la campagne anglaise se déversait en même temps sur la ville : des centaines de carrioles se pressaient dans les petites rues remontant des quais, chargées de chèvres ou de choux, d'oies ou de foin, de poisson ou de carottes. Les rouliers hélaient des marchandes. Un vieux pâtre, un agneau dans ses bras, poussait trois brebis devant lui. Une femme en cheveux tirait une charrette à bras chargée de chiffons et de peaux de lapin, et la courroie d'épaule écrasait sa poitrine. Presque sous chaque voiture, un chien... C'était le marché du jeudi à Sauveterre, élargi à la dimension de la plus grande ville du monde.

François montra à une marchande le bout de papier sur lequel l'officier de la police du port avait inscrit l'adresse du consulat des États-Unis. Elle cria quelque chose. Tout le monde s'attroupa, le papier passa de main en main, les visages se tournèrent vers François, les questions fusèrent. Devant l'absence de réponse du jeune homme, le ton monta. Une vingtaine de personnes de plus se précipitèrent, une jeune fille, respirant à fond pour faire gonfler son corsage, mit ses poings sur ses hanches et adressa au jeune homme une œillade gouailleuse. Un gamin reçut une gifle. Puis la foule s'écarta et un petit bonhomme tout rond apparut, avec entre les doigts le bout de papier que François était déjà sûr d'avoir perdu. Le silence se fit. Le petit homme qui savait lire salua courtoisement, puis se lança dans une longue explication ponctuée de gestes de la main, vers la droite, vers la gauche, tout droit. En ayant fini avec l'incident, la foule se dispersait peu à peu. Deux filles rousses pouffèrent de rire et tirèrent la langue à François. Le petit homme avait terminé son discours et lui tendait le papier.

— Merci, *thank you*... balbutia François, Gros-Jean comme devant.

Et puis deux gamins en haillons se disputèrent sa valise, une fillette minuscule saisit son cabas, plus lourd qu'elle, un autre enfant lui prit la main, et moitié courant, moitié marchant, zigzaguant entre les calèches et les fiacres sans se soucier des fouets des cochers, lançant au passage des coups de pied dans les tas de crottin frais, les gosses de la rue conduisirent François jusqu'à la grille du consulat américain. Il était tellement soucieux de ne pas perdre sa valise de vue qu'il ne leva même pas les yeux en passant devant Buckingham Palace. A l'arrivée, comme par miracle, les quatre enfants étaient sept : quatorze petites mains se tendirent vers François. Il fouilla dans ses poches pour remettre une pièce à chacun mais le premier servi regarda le sou français avec mépris et le lui rendit. La fillette le lui prit des mains, le regarda à son tour, puis se mit à pleurer. François se pencha vers elle. Il allait leur expliquer, c'était très simple : il suffisait de trouver un changeur. Il ouvrit la bouche, mais aucun mot ne vint. Il se redressa. Déjà deux des plus grands s'éloignaient, écœurés, après lui avoir lancé ce qui ne pouvait être que des insultes. François devint écarlate. Jamais il n'avait connu une telle honte. Devant la porte du consulat, encore fermée à cette heure matinale, une queue se formait déjà. Tous les yeux le fixaient — et il était le seul à ne pas comprendre les invectives des gosses. Avant de partir, la fillette lança un coup de pied contre le cabas qu'elle avait porté pour rien...

— Venez ! s'écria François. *Come ! Come* !

Il s'assit sur le bord du trottoir, prit le cabas entre ses genoux, sortit des biscuits de mer et déplia la feuille de papier brun où il avait enveloppé six harengs saurs. Puis il déboucha la bouteille de vin. Les visages des enfants s'éclairèrent.

Vers la fin de l'après-midi, après presque toute une journée de queue et d'attente dans la cour, les couloirs, les bureaux, après deux interrogatoires et une heure passée à remplir un interminable formulaire, François ressortit, son passeport dûment tamponné et signé. Il pleuvait. Il remonta le col de sa veste et se dirigea au juger vers le port. Un des dockers lui avait montré la veille l'immense bateau qui faisait la ligne de New York. Le bureau de vente des billets se trouvait presque en face.

Derrière un long comptoir d'acajou, un vieux gratte-papier inscrivait des chiffres dans un registre. A l'entrée de François, il continua de faire glisser sa plume sur les grandes pages, sans même lever les yeux. Puis, avec un soupir d'impatience, il tourna la page et regarda l'intrus. Il ne parla pas, ses yeux n'étaient même pas interrogateurs, et le jeune homme comprit qu'il devait prendre l'initiative.

— New York, dit-il.

— Quand ? demanda l'autre en anglais.

François se tourna vers la fenêtre et montra le bateau. L'homme se lança dans une longue phrase. Saisissant au passage le mot « visa », François sortit son passeport de sa poche.

L'employé ne parut pas s'y intéresser.

— *Class* ? demanda-t-il.

Et comme François ne répondait pas tout de suite, l'homme ne put retenir un nouveau soupir d'impatience.

— Emigrant, dit François. Meilleur marché. *No much money.*

— *Full,* répondit l'homme avec un geste sans ambiguïté.

Jamais François n'avait envisagé cette possibilité.

— Il n'y a plus de deuxième classe non plus, reprit l'employé. Et le passage en première classe coûte 32 livres sterling, ajouta-t-il avec un sourire vaguement méprisant.

Il griffonna quelques chiffres sur un morceau de papier et le tendit à François qui lut : 758 francs.

— Le prochain bateau ? demanda-t-il.

L'homme dut se prendre de pitié pour le jeune Français désemparé car il sortit un calendrier d'un tiroir et lui expliqua patiemment qu'il y avait un bateau chaque semaine mais que toutes les places d'entrepont étaient retenues plusieurs mois à l'avance.

— Et pour se faire inscrire ? demanda François.

L'homme leva les yeux sur la pendule murale. Il était presque six heures.

— Revenez demain, dit-il.

François sortit. Dans les rues voisines, toutes les boutiques fermaient... Il ne savait pas où passer la nuit. Il n'avait pas encore changé d'argent. Son cabas était bien léger : il ne lui restait plus qu'un morceau de fromage, quelques biscuits et la bouteille de rhum que le capitaine de l'*Aliénor* lui avait glissée dans les mains en guise de viatique. Mais pas un instant, il ne songea à chercher sur le port un bateau en partance pour la France. Oui, tout était beaucoup plus difficile dans la réalité que dans les rêveries brumeuses de son ami Armand, mais au fond de lui-même, il l'avait toujours su. Le soir tombait. Une journée perdue ? se demanda-t-il. Sûrement pas car il avait fait ce jour-là une découverte capitale : il fallait qu'il apprenne très vite l'anglais, sinon il était perdu.

Le *pub* était bondé. Il se dirigea vers le comptoir de zinc. Les épaules ne s'écartèrent pas. Il avait pris dans sa main un billet de 10 francs et il le tendit à bout de bras au-dessus des têtes. Il demeura ainsi trois bonnes minutes, puis la serveuse saisit la coupure, la regarda, sourit à François et dit quelque chose. Il haussa les épaules. La fille se dirigea vers une porte.

Dès qu'elle réapparut, François comprit que le résultat de la négociation était négatif. La main potelée, toute rose, se glissa entre les casquettes et lui rendit son argent.

François ne bougea pas. Pendant deux heures, sous la pluie fine, il avait arpenté les quais en agitant dans sa tête toutes les inconnues de son problème, et il était glacé jusqu'aux os. Les voix bourdonnaient dans ses oreilles comme un bruit de vagues indéchiffrable qui finit par vous bercer.

— *Hey, man* !

Une épaule le bousculait. Il leva les yeux : la serveuse lui tendait une chope de bière en souriant. Il la saisit et remercia la fille. Elle se borna à hausser les épaules. Ce geste, curieusement, le rassura. La chance ne pouvait pas le bouder éternellement. Il porta la chope à ses lèvres. Le breuvage était presque aussi amer que ses pensées.

— *Cap dé Diou* !

Il se retourna brusquement. Dans l'arrière-salle enfumée, un groupe de marins et de dockers lançaient des fléchettes sur une cible. C'était l'un d'eux qui avait juré en gascon. Lequel ? François termina sa bière d'un trait, prit ses affaires et s'approcha des joueurs. Très vite il le repéra : un grand brun au nez mince, portant un gilet sans manches en peau de mouton comme les bergers des Landes qui remontaient chaque année faire paître leurs troupeaux dans les jachères de Sauveterre.

— Je suis gascon, dit-il en s'approchant.

L'homme le toisa longuement. Il pouvait avoir la quarantaine.

— Qu'est-ce que tu me veux ? demanda-t-il.

Puis il cria quelque chose en anglais aux autres joueurs qui s'installaient, impatients, à la table.

— Un coup de main, répondit François.

— J'ai perdu à leur saloperie de jeu, il faut que je paie ma tournée, on verra après.

Il se détourna et s'assit. François se pencha, fouilla dans son cabas, puis posa la bouteille de rhum sur le bord de leur table. Le regard des dockers s'éclaira. L'Anglais du bout du banc bouscula ses compagnons pour lui faire une petite place.

— Je m'appelle Pujol, dit-il

— Moi Deheyrassary, de Bayonne. Mais ils m'appellent tous Frenchie.

Il présenta les Anglais tour à tour.

— Glenn, Tom, Teddy, Dalrymphe et Michael. Mais si tu cries « Jack ! » et que tu as une bouteille de rhum à la main, ils te suivront jusqu'au bout du monde.

— Je n'en demande pas tant.

Et il se mit à raconter. A la fin du récit la bouteille de rhum était vide, mais il n'était plus seul.


Trois semaines plus tard, ses nouveaux amis trouvèrent enfin l'occasion que François attendait : une place d'aide-cuisinier sur le *Savannah*, un vieux cargo qui transportait du coton de La Nouvelle-Orléans à Londres, puis de l'acier et des machines de Londres à New York, avant de rentrer en Louisiane avec ses cales pleines de bois du Nord.

Mais ces trois semaines à Londres n'avaient pas été perdues pour le jeune Français. Chaque matin, avec les autres dockers, il prenait la queue près des entrepôts. Parfois la chance lui souriait : sa journée de dur labeur lui permettait alors de couvrir à peu près ses frais. Certains jours personne n'avait besoin de ses muscles, et il devait puiser dans ses réserves, se promettant de les renflouer dès que la première occasion s'offrirait.

Chaque fois qu'il rencontrait le Bayonnais, François lui demandait le sens de telle ou telle expression anglaise qu'il avait retenue ou bien la prononciation des mots qu'il lisait sur les affiches. Mais il savait qu'il n'aboutirait à rien sans un livre, et dès son premier après-midi de liberté forcée, il n'avait pas hésité à faire la dépense d'un petit manuel de conversation français-anglais et d'un dictionnaire bilingue. Chaque soir, tandis que ses nouveaux amis retournaient à leur jeu de fléchettes, François apprenait par cœur des phrases qui le rappro-chaient en pensée de son but.

Il dormait, épuisé sur son dictionnaire, la nuit où le Bayonnais vint le chercher pour le présenter au cuisinier du *Savannah*. C'était un petit

Italien maigre et sec, complètement chauve, qui paraissait cinquante ans mais devait en avoir beaucoup moins. Il se nommait Attilio Rinaldi. Cela faisait deux traversées qu'il suppliait la Compagnie de lui accorder un aide. On le lui avait promis mais il n'était jamais venu. Excédé par les récriminations quotidiennes de l'Italien, le capitaine l'avait enfin autorisé à chercher quelqu'un.

Le bateau partait à la marée du matin et François n'eut que le temps de prendre ses affaires. L'Italien l'attendait au poste de garde des grilles du dock. Il le conduisit directement dans la cambuse et lui demanda d'attendre là que tout soit réglé avec le Vieux.

François retroussa ses manches, enfila un tablier sale qui pendait à un crochet et se mit à laver la vaisselle qui traînait. Il était en train de récurer le sol lorsque le cuisinier revint, près d'une heure plus tard. Déjà, vers l'est, la nuit se teintait de gris pâle. Les machines faisaient vibrer un hublot mal serré.

— Le Vieux veut te voir, dit Attilio.

François s'essuya les mains.

Il monta dans la dunette. La police du port avait déjà effectué sa visite. On attendait d'un instant à l'autre le pilote de la Tamise. Le capitaine ne quittait pas des yeux, à travers la brume dense, la silhouette des hommes prêts à la manœuvre, à l'avant. L'Italien se racla la gorge. Sans se retourner, le capitaine tendit la main.

— Passeport, souffla Attilio.

François s'avança pour poser son passeport dans la main tendue. Attilio le tira en arrière. Le capitaine feuilleta le passeport, constata que le visa était en règle, puis sans un mot, le rangea dans sa poche.

Le cuisinier entraîna François. Dans la cambuse, deux officiers attendaient une tasse de café...

Attilio Rinaldi était de ces hommes qui, s'ils prennent quelqu'un sous leur aile, ont tendance à l'étouffer. Mais François ne songeait guère à s'en plaindre : dans quinze jours il serait à New York et rien d'autre ne comptait pour lui. Et puis il aimait beaucoup entendre l'Italien égrener sans fin l'histoire de sa vie dans sa langue natale — si proche du parler de Gascogne que François la comprit vite sans grand effort. De temps en temps le flot ininterrompu de paroles s'émaillait d'un mot de portugais pêché à Pernambouc, d'une expression espagnole entendue à Manille, d'un juron hollandais cueilli à Batavia ou bien d'un français étrange, où se mêlaient des souvenirs de Québec, de Pondichéry et de Saint-Louis du Sénégal. François avait l'impression qu'à son arrivée à New York, il comprendrait l'italien, assaisonné de toutes les langues de la terre, beaucoup mieux que l'anglais... Or cela ne faisait pas du tout son affaire. Et à chaque instant de liberté il se replongeait dans son livre de conversation.

C'était toujours Attilio qui remettait les plats aux hommes d'équipage et qui servait les officiers — sous prétexte qu'il n'y avait pas de veste blanche à la taille de François. Mais le jeune homme s'aperçut très vite qu'en réalité le cuisinier cherchait à le tenir à l'écart de tout le monde. Si par hasard François rencontrait un marin sur le pont et essayait sur lui ses phrases d'anglais laborieusement apprises, à son retour dans la cambuse le cuisinier le surchargeait de travail, ou bien l'accablait de reproches à n'en plus finir pour des riens. Il fallait que François n'ait d'yeux et d'oreilles que pour lui.

Mais ce qui irritait le plus Attilio, c'était la générosité des autres à l'égard du Français. Un des jeunes officiers du bord, qui l'avait surpris avec son manuel de conversation bilingue, lui avait donné deux ou trois revues, et chaque fois qu'il était de quart au petit matin il ne manquait pas, en venant chercher son café, de s'informer des progrès de François. Le cuisinier se mettait alors dans des rages folles, suivies par des matinées entières de silence boudeur. Et puis les chansons reprenaient, entrecoupées d'interminables histoires d'escales de rêve dans des ports où l'air est toujours tiède et parfumé — et les jolies filles toujours prêtes à livrer leur cœur au marin en bordée.

La veille de leur arrivée, Attilio révéla au jeune homme le fond de sa pensée : pourquoi François n'abandonnerait-il pas son projet dérisoire de vignes en Californie, pour mener, comme lui — avec lui — la vie libre et exaltante des marins ?

François ouvrit la bouche pour répondre, puis se tut. A quoi bon tenter d'expliquer la terre à un homme de la mer ?

## 6

Quand François arriva à Castle Garden, où tous les émigrants étaient passés au crible, les passagers d'un bateau italien, le *Liguria,* en provenance de Gênes, faisaient déjà la queue. L'examen médical venait en premier. Le médecin vérifia la condition physique du jeune homme, s'assura qu'il n'avait aucun handicap d'aucune sorte et examina sa tête avec soin. Puis, avec l'aide d'un interprète qui cria des ordres à François et lui posa quelques questions simples, le médecin établit que son état mental était acceptable. Ensuite, un autre docteur ne lui examina que les yeux, cherchant notamment des signes éventuels de la redoutable maladie du trachome. Ce fut très désagréable : à l'aide d'un tire-bouton ordinaire, le médecin re- tournait la paupière pour voir la surface interne. La douleur était atroce. Enfin François, les yeux encore brûlants, fut entraîné dans une autre salle. Après une longue attente une voix appela son nom et il comprit cette fois que ce devait être l'examen crucial pour l'admission dans le pays. De nouveau il y avait un interprète, un petit homme entre deux âges assis à côté du fonctionnaire qui interrogerait le jeune homme. Au premier regard, François se rasséréna : l'officier consu- laire lui rappelait son père — cheveux gris, coup d'œil vif, expression sévère mais avec, comme Raphaël, une grande bonté courant en filigrane.

. L'homme lui demanda son nom, le nom de ses parents, son âge et sa date de naissance, son lieu de résidence en France, et ainsi de suite — notant soigneusement chaque réponse.

— Où irez-vous aux États-Unis ?

— En Californie. D'abord à San Francisco. Puis dans la vallée de Napa.

— Vous avez déjà un emploi là-bas.

— Non, monsieur.

— Quel est votre métier ?

— Vigneron.

— Pourquoi êtes-vous venu aux États-Unis ?

François raconta l'histoire du phylloxéra, sa décision de bâtir une nouvelle vie et l'article de journal qui avait évoqué le manque de main-d'œuvre qualifiée dans les vignobles de Californie. L'officier consulaire écouta attentivement le flot de mots débités sans aucune expression par l'interprète. De temps à autre il hochait la tête, ou bien haussait les sourcils, jouant la surprise.

— Qui a payé votre passage ?

François hésita. Fallait-il dire la vérité ?

— Moi... Moi. C'est-à-dire, j'avais une partie de l'argent et mon père m'a aidé pour le reste.

— Combien d'argent avez-vous en ce moment ?

— 700 francs.

L'homme fit une petite opération.

— Environ 135 dollars, dit-il. Mettons 80 dollars pour la Californie, y compris les frais de route... Cela vous laisse 55 dollars. C'est une belle somme. D'où vous vient tout ça ?

— Mon père, monsieur. Il m'a prêté 450 francs.

— 450 ?

— Oui, monsieur. Et j'avais 200 francs à moi.

— Et 60 francs encore en plus, même après avoir payé pour votre passage. D'où viennent-ils ?

François comprit qu'il avait failli se trahir.

— Ma mère et mes sœurs, monsieur. Elles m'ont donné de l'argent.

— Votre famille est donc riche ?

— Non, monsieur.

— Alors fallait-il qu'ils soient heureux de se débarrasser de vous !

Les yeux de l'homme souriaient. Il avait déjà décidé que ce jeune Français entreprenant au visage ouvert et honnête lui plaisait beaucoup. C'était bien le genre d'homme qui ferait son chemin aux États-Unis. Il posa d'autres questions — la religion de François, ses affiliations politiques ou à des sociétés, s'il avait eu maille à partir avec la police.

Après avoir consulté un gros livre, il tampona enfin le formulaire qu'il avait rempli, inscrivit quelque chose sur un registre, tampona le passeport de François et le lui rendit.

— Passez par cette porte, dit-il. On vous donnera à manger. Il y a un guichet où vous pourrez changer votre argent, et un autre où on vous délivrera votre billet pour San Francisco. Vous prendrez la navette du bac de Jersey City. C'est là que se trouve la gare de l'Ouest. Soyez le bienvenu aux États-Unis d'Amérique.

— Merci, monsieur.

François n'arrivait pas à croire que tout était fini. Il y avait trois heures et demie qu'il avait quitté la cambuse du *Savannah* avec son costume du dimanche resté dans sa valise de bois depuis le départ de Sauveterre, justement pour cette grande occasion.

Il alla changer son argent. On lui remit 135 dollars et 30 *cents,* il dépensa 60 de ses nouveaux dollars pour un billet de chemin de fer à destination de San Francisco, puis alla faire la queue au comptoir où l'on distribuait les repas. On lui donna un sandwich au jambon, une pomme et une tasse de café. La salle d'attente ne cessait de se remplir à mesure que d'autres migrants passaient les services de contrôle. Certains sortaient directement sur la place où des parents et des amis les attendaient, et l'on s'enlaçait, on s'embrassait, on se tapait sur l'épaule, on criait, on se faisait des signes, on riait, on pleurait. D'autres, comme François, attendaient patiemment l'arrivée des véhicules promis.

L'après-midi était déjà avancé quand un homme entra dans la salle et appela :

— Les voyageurs pour Jersey City et Philadelphie, directions du Sud et de l'Ouest !

Toute la salle sembla exploser tandis que les émigrants se bousculaient autour de l'homme, chacun criant le nom de la ville où il voulait se rendre. Prenant tout son temps, l'homme opéra le tri. Au-dehors se trouvaient un certain nombre d'omnibus où l'homme et les autres cochers entassèrent ceux qui devaient partir avec eux. Le trajet n'était pas long et il parut d'autant plus bref que tout le monde tendait le cou pour voir le plus possible de New York. Ses grands bâtiments, certains de sept, huit et même neuf étages, stupéfièrent François qui n'avait rien vu de pareil à Bordeaux ou à Londres.

On les emmena jusqu'à l'embarcadère de la compagnie de chemin de fer. Un hangar bas s'étendait sur la berge du fleuve et François eut l'impression que des milliers de personnes attendaient d'embarquer dans le bac qui leur ferait traverser l'Hudson jusqu'à Jersey City. La cohue et le vacarme étaient effrayants. Chacun voulait être le premier sur le bateau; certains se servaient de leurs valises comme béliers pour écarter les rangs; d'autres demeuraient immobiles, leurs bagages étalés autour d'eux pour faire obstacle aux voyageurs arrivant derrière. Des porteurs se frayaient un chemin à travers la foule sans tenir compte des bosses qu'ils distribuaient ni des enfants qu'ils renversaient avec les lourdes malles qu'ils portaient ou traînaient. De nombreuses familles s'étaient séparées, quelques femmes avaient des crises de nerfs, partout des enfants pleuraient. On avait le sentiment qu'après avoir passé quinze jours enfermé dans les cales malsaines, condamné à l'immobilité et au silence par l'entassement et la promiscuité, chacun avait besoin de bouger, de pousser, de tirer, de crier — de revivre.

Tout le monde monta sur le bac, et tout le monde parut se figer pendant la lente traversée du fleuve. Dès que les amarres furent fixées au quai de Jersey City, le chaos recommença tandis que la masse humaine s'élançait vers la gare. François se laissa emporter par la marée.

Le train attendait en gare, et les voyageurs impatients se précipitèrent à la recherche d'une place assise. On se battait avec ses bagages, on passait d'un compartiment à l'autre, les contrôleurs harcelés ne savaient plus où donner de la tête.

Il s'écoula une bonne demi-heure avant que le train ne s'ébranle. Dès que les roues grincèrent, des vivats saluèrent le départ, suivis par des bavardages excités. Les émigrants passaient la tête aux fenêtres, montraient du doigt et s'extasiaient — tout ce qu'ils avaient sous les yeux était nouveau et méritait bien d'être commenté. Tout le monde criait, riait, pleurait, gesticulait. L'enthousiasme tapageur dominait presque le tonnerre des roues sur les rails.

A la tombée du jour, le bruit diminua et la fatigue reprit ses droits. La plupart des émigrants s'installèrent pour dormir tandis que le train les entraînait vers Philadelphie.

François songea à Sauveterre. Quelle heure était-il là-bas ? Il imagina les siens assis autour de la table de la cuisine. Peut-être parlaient-ils de lui ? Et Thérèse — comme il aurait aimé qu'elle fût là, près de lui, pour qu'ils entrent ensemble dans la grande aventure ! Bientôt, comme les autres, il s'endormit, bercé par le rythme régulier des roues, épuisé par l'excitation autant que par les incertitudes du voyage.

Il s'éveilla à plusieurs reprises cette nuit-là, notamment lorsque le train s'arrêta, à Philadelphie ou en rase campagne, comme cela lui arriva plusieurs fois. Son cou lui faisait mal, ses jambes étaient trop longues pour l'espace libre, il avait chaud, il avait faim. Il sentait ses yeux brûlants comme s'ils étaient pleins de sable.

Trois journées s'écoulèrent ainsi et François, comme les autres voyageurs, eut le temps de prendre des habitudes. Dans les gares, les arrêts étaient assez longs pour que les voyageurs de première et de deuxième classe prennent leurs repas dans les restaurants. Mais la plupart des émigrants faisaient comme François : ils achetaient au buffet un sandwich ou un petit pain pour compléter les fruits et le sucre qu'on trouvait dans le train. Le café lui parut épais et sans goût. Mais ces arrêts offraient surtout l'occasion de se dégourdir les jambes en faisant quelques pas le long de la voie. Le train était comme un four. Le soleil de l'été avait grillé la campagne qu'ils traversaient.

Ce fut dans ces conditions peu confortables que François se lança à l'assaut du continent, franchissant les vallée verdoyantes de Pennsylvanie, puis les plaines de l'Ohio et toujours plus loin, jusqu'à Council Bluffs, sur la rive orientale du Missouri, où se situait la gare de correspondance avec la ligne du Pacifique. Là, les voyageurs devaient passer la nuit dans une sorte de vaste auberge réservée aux émigrants, et le lendemain matin, ils prendraient un autre train — celui de l'Union Pacific — qui les emmènerait à Ogden, où les attendait la correspondance pour le dernier tronçon du parcours : le train de la Central Pacific Railroad qui les conduirait à San Francisco.

Il y avait davantage de place dans le train de l'Union Pacific et chaque voyageur disposa d'un des sièges de bois nu conçus pour deux personnes. Mais dormir sur ces sièges très étroits serait inconfortable. Le matin, en quittant le dortoir, François découvrit qu'un employé des chemins de fer louait des planches et des matelas que l'on pouvait disposer entre les deux sièges pour improviser une couchette à deux. Non seulement le cheminot fournissait cet équipement, mais il organisait les groupes de deux hommes prêts à partager les frais de location et le matelas. La plupart des groupes se constituaient d'eux-mêmes : des membres de la même famille, des camarades du même village ou du même quartier, ou bien des amis qui avaient fraternisé pendant la traversée. Au bout du compte, tout le monde se trouva pourvu, sauf François et un jeune Italien de son âge, qui devait probablement appartenir à un groupe plus nombreux et en nombre impair.

— J'irai avec vous, dit le jeune homme. Magnani. Emilio Magnani.

Il n'y avait pas d'autre possibilité, mais François était ravi : le jeune homme semblait très agréable, quoique un peu vaniteux; et surtout (merci, Attilio !) il pourrait communiquer avec lui beaucoup mieux qu'avec un des Polonais ou des Slaves du convoi. François se présenta à son tour et paya sa part des 2,50 dollars que coûtaient la planche et le matelas. Ils montèrent ensemble dans le train, et ils firent plus ample connaissance.

Emilio allait à Salinas rejoindre son oncle qui tenait une épicerie-bazar dans cette ville. Apprenant que François s'intéressait à la vigne, il lui proposa d'y aller avec lui.

— Il y a beaucoup de vignes, là-bas. Je parie que mon oncle connaît tous les vignerons de la vallée. Il pourra te présenter. Et il te trouvera une chambre.

— Où est-ce, Salinas ?

— A 160 kilomètres au sud de San Francisco. Une petite ville, ou un gros village.

— Je vais y réfléchir.

Il était toujours déterminé à tenter d'abord sa chance dans la vallée de Napa, et si aimable que fût ce jeune Italien, François n'avait guère envie de s'engager à l'accompagner.

— Où vas-tu descendre à San Francisco ? lui demanda Emilio.

— Je ne sais pas. Il faudra que je trouve quelque chose.

— Viens avec moi. Mon oncle m'a donné le nom d'une logeuse italienne. Il y a beaucoup d'Italiens à San Francisco. Tu verras, une vraie colonie. Tout un quartier qui s'appelle North Beach. Mon oncle m'a écrit que la Signora Regazzoni me réserverait une chambre. J'espère qu'elle pourra te loger aussi.

— Merci, répondit François.

Cela faisait tout à fait son affaire, mais quelque chose dans le jeune Emilio continuait de mettre le Gascon mal à l'aise. Peut-être était-ce la supériorité un peu prétentieuse qu'il affectait.

Le train traversa les plaines du Nebraska et les sombres montagnes du Wyoming, et avec le temps François apprit à mieux connaître Emilio et à l'apprécier davantage. Le caractère de l'Italien lui rappelait Armand Listrac à plus d'un égard — même attitude désinvolte devant la vie, mêmes réactions impulsives, et le fait qu'il valait mieux ne pas prendre à la lettre toutes les idées qui lui passaient par la tête — mais Armand, malgré sa façon de rouler les épaules, demeurait beaucoup moins imbu de sa personne que le jeune Emilio. Celui-ci ne faisait pas partie d'un groupe, comme François l'avait cru, il s'était simplement lié avec d'autres émigrants pendant le voyage. En réalité il se trouvait aussi seul que François. Il venait de Milan où il travaillait comme plâtrier.

— Ça va te changer de travailler dans un magasin de village.

— Oui, répondit Emilio. Mais rien ne sera pire que si j'étais resté à la maison avec la famille. Je m'entendais plutôt mal avec mon père. Et puis Salinas n'est qu'un début. Je n'ai pas l'intention d'y moisir. Je trouverai vite quelque chose qui me conviendra mieux. Nous pourrions nous lancer ensemble, toi et moi, non ?

— Dans quoi ?

— Dans n'importe quoi, du moment que ça rapporte.

François sourit.

— Je crois que je préfère aller d'abord à Cinnabar, dans la vallée de Napa. C'est ce que j'avais prévu.

— Pourquoi Cinnabar ? Où est-ce ?

— Je ne sais pas. Enfin... Je sais qu'on fait du vin là-bas, mais à part ça... La vérité c'est que ce nom m'est resté dans la tête depuis la première fois que je l'ai entendu. Il a une sorte... d'écho pour moi, il m'attire. Ce sera peut-être impossible. Je finirai peut-être dans un autre village de la vallée — à Napa, à Sainte-Hélène ou à Calistoga. Mais si je ne trouve rien là-bas, je viendrai peut-être te voir.

— Tu feras bien. Tu me plais, *Francesco*.

— François, corrigea le Français pour la millième fois.

Emilio avait italianisé son nom dès le premier jour, et cela avait sûrement contribué pour beaucoup aux réticences que François éprouvait à son égard. Quand le jeune homme s'était étonné de voir un Français comprendre l'italien et même s'exprimer un peu dans cette langue, François lui avait raconté sa traversée dans la cambuse du *Savannah* avec le maître coq italien. Emilio ne dissimula pas son admiration.

— Tu as dû économiser beaucoup d'argent, comme ça. Tu seras riche un jour, je parie. Moi aussi. Non que j'aie eu beaucoup de chance sur le bateau.

— Que veux-tu dire ?

— J'ai perdu gros.

— Comment ?

— Aux cartes. Je n'ai pas touché à ce qu'il me fallait pour arriver à Salinas. Mais toutes mes réserves y sont passées.

— C'est idiot, dit François.

— Eh oui ! convint Emilio de bon cœur. Mais je me rattraperai, tu verras. Encore une chance que la nourriture soit bon marché dans ce train.

Ils passèrent leurs journées à bavarder et à admirer le décor magnifique. Parfois ils restaient debout des heures entières sur la plate-forme arrière du wagon, pour profiter de la brise. Tous les jours, François passait beaucoup de temps à apprendre l'anglais. Son manuel et son dictionnaire ne le quittaient pas, et à chaque occasion il achetait un journal et le lisait de la première à la dernière ligne. Cette application faisait beaucoup d'effet sur Emilio, mais le jeune Italien n'avait nullement l'intention de suivre son exemple.

— Ça viendra tout seul quand je serai là-bas, disait-il. Et d'ailleurs il y aura des Italiens partout.

Parfois, quand François se plongeait dans son dictionnaire, Emilio allait observer les joueurs de cartes dans une autre partie du wagon. François s'attendait toujours à le voir revenir avec un visage décomposé, mais le jeune homme semblait capable de résister à la tentation de se joindre au jeu.

La plupart du temps, ils discutaient. En fait, Emilio parlait et François écoutait. Il raconta pourtant tant bien que mal au jeune Italien Sauveterre, le chemin de l'Espérance au coin du petit bois d'acacias, sa famille et le phylloxéra — et puis Thérèse et son intention de la faire venir en Californie. Emilio, comme Armand, avait eu des filles à la douzaine mais sans jamais éprouver de sentiment sérieux pour l'une d'elles.

— C'est beaucoup trop tôt pour penser au mariage, disait-il. Si tu savais combien de filles ont essayé de me mettre le grappin dessus ! Mais pas moi ! Non, pas Emilio ! Pas si bête. Je ne suis pas prêt. Il y a trop de pouliches dans le pré pour n'en choisir qu'une. Et puis je veux voir comment elles sont par ici. Je ne serai pas à court, fais-moi confiance. Et celle que j'épouserai, il faudra vraiment que ce soit une perle !

A Ogden, où ils arrivèrent quatre jours après avoir quitté Council Bluffs, ils montèrent dans le train de la Central Pacific Railroad. Les wagons étaient beaucoup plus confortables et il y avait des couchettes aménagées. Ce fut sans regret que François et Emilio abandonnèrent leur planche raboteuse et leur matelas informe, loués pour le trajet avec l'Union Pacific. François ne regretta pas non plus d'être un peu soulagé de la présence constante d'Emilio dont il ne pouvait jamais s'isoler, même la nuit. Les vantardises incessantes du jeune Italien commençaient à lui peser.

A ce stade du voyage, tout le monde était à bout de forces. Après l'épreuve de la traversée inconfortable de l'Atlantique, les émigrants avaient passé huit jours dans le train et il leur en restait encore quatre. Leurs vêtements s'étaient salis et fripés. La chaleur étouffante augmentait leur inconfort. L'odeur de transpiration rendait l'air irrespirable.

Tous devenaient plus nerveux, ne rêvant plus que d'une nuit de vrai sommeil, d'eau fraîche et peut-être d'un bain. Pourtant leurs cœurs bondissaient d'espoir quand ils montèrent dans le train qui les déposerait à leur destination finale.

Depuis les plaines du Nebraska, ils avaient traversé une région montagneuse, très élevée au-dessus du niveau de la mer, et maintenant, après avoir franchi le désert du Grand Lac Salé, le train s'essoufflait sur les pentes des Rocheuses et de la Sierra Nevada. Les panoramas qu'ils découvraient étaient extraordinaires, surtout pour un homme comme François, qui n'avait jamais vu que les douces collines de l'Aquitaine. Puis ils descendirent sans fin parmi les forêts de pins, dépassèrent d'anciens campements de mineurs, et tombèrent dans la vallée... Sacramento et enfin, très tôt le matin, la gare terminus d'Oakland.

Ils s'agglutinèrent sur le bac, impatients. Devant eux s'étalaient les eaux de la baie de San Francisco et dans le lointain, au-delà, scintillante sous les feux de l'aurore, se dressait la ville elle-même, masse d'immeubles s'accrochant aux collines et aux vallons. Au niveau de la mer s'étendait une mince nappe de brume et la ville semblait naître de ce tapis blanc comme un château de fées sorti tout droit d'une vieille légende. Les émigrants l'admirèrent d'abord sans parler — leur enthousiasme réduit soudain au silence par la prise de conscience que la fin de leur voyage était en vue, ainsi que par la beauté surnaturelle de cet endroit enchanté. Puis les bavardages reprirent, émaillés de rires et de cris.

— Telegraph Hill ! dit un des Italiens.

Des parents avaient dû tout lui expliquer dans leurs lettres. L'homme tendit le bras vers la station du télégraphe.

— Golden Gate est de l'autre côté sur la gauche, la *Porta d'Oro*.

— La Porte d'Or, murmura François.

Comme ce nom romantique convenait bien à cette matinée irréelle...

Il donna une grande claque sur l'épaule d'Emilio.

— San Francisco ! C'est gagné !...

Il était tout sourires.

# DEUXIÈME PARTIE

# 1

Le bac accosta au quai de San Francisco et ils débarquèrent. Emilio s'informa de la pension de la Signora Regazzoni. Ce n'était pas très loin et ils s'y rendirent à pied. La Signora, une femme tout en rondeurs, maternelle, attendait le jeune Magnani et, oui, elle pourrait loger aussi le jeune Pujol si cela ne les dérangeait pas de partager la même chambre. Et ils devaient avoir faim, n'est-ce pas ? Il y avait un grand plat de lasagnes, du pain qu'elle faisait elle-même et du café. C'était sûrement une heure inhabituelle pour prendre un repas de ce genre, mais elle savait par habitude ce que les gens ressentaient au creux de l'estomac en descendant du train. Et cela ne leur coûterait que 15 *cents*. Le repas serait prêt dans une demi-heure. Entre-temps, il y avait de l'eau bouillante sur le fourneau et si ces messieurs voulaient prendre un bain, ils n'en seraient plus pauvres que de 5 malheureux *cents*. S'ils avaient du linge sale, qu'ils le lui laissent, elle le leur rendrait lavé et repassé le lendemain matin, pour 10 petits *cents* par demi-douzaine d'articles.

Emilio la prit dans ses bras et posa sur ses joues quatre baisers sonores.

— Je vous adore, Signora. Vous êtes la meilleure logeuse de San Francisco. Rien d'étonnant à ce que mon oncle vous recommande.

La Signora Regazzoni éclata d'un rire en cascade. Ses grosses joues tremblaient — mais elle avait la main tendue pour recevoir l'argent d'avance. Et elle fit un clin d'œil à François pour bien lui signifier que les flatteries d'Emilio ne lui vaudraient aucun privilège.

C'était magnifique de chasser à coups de savon la crasse de l'interminable voyage, et bien qu'ils fussent contraints ensuite de remettre des vêtements sales et froissés, les deux jeunes gens se sentirent les plus heureux de la terre lorsqu'ils descendirent de leur chambre dans la salle à manger de la Signora Regazzoni. La nourriture était bonne, et les parts gargantuesques.

Après avoir terminé la dernière goutte de son café, Emilio se pencha en arrière, caressa son ventre plein et eut un bâillement de crocodile.

— Tu fais ce que tu veux, dit-il à François, mais moi, je m'offre une petite sieste avant de donner à cette ville la chance d'accueillir Emilio Magnani.

Le jeune Français, dont les paupières lourdes tombaient déjà, bâilla à son tour et acquiesça.

Avant de dormir, il songea à Thérèse. « Je suis ici, mon amour », lui dit-il dans sa tête, certain que d'une manière ou d'une autre ses pensées traverseraient les 12 000 kilomètres qui le séparaient de Sauveterre. « Demain je trouverai du travail, et avant longtemps nous serons de nouveau ensemble. » Puis il songea à sa mère et au reste de la famille. Il se souvint des recommandations de Marguerite, qu'il avait presque complètement négligées jusque-là, et il commença à dire en lui-même un « Notre Père ».

Les deux jeunes gens dormirent très tard le lendemain matin; malgré leur jeunesse et leur santé, ils étaient épuisés après tant de semaines sans une seule nuit de vrai sommeil. François jugea le lit de la Signora Regazzoni d'un confort suprême comparé aux couchettes et aux planches auxquelles il avait été condamné depuis son départ. Connaissant les besoins des émigrants qui arrivaient de l'autre bout du monde, la logeuse s'était bien gardée de les déranger.

Emilio se montra déçu :

— Je comptais bien passer une nuit en ville. *Mama mia* ! On se serait aperçu qu'Emilio Magnani était arrivé !

Il regarda la pendule posée sur une étagère.

— Aucune chance de voir la ville aujoud'hui. Il faut que je parte dans une demi-heure. Tu es bien sûr de ne pas vouloir venir avec moi à Salinas ?

— Oui. Je m'en tiens à la vallée de Napa. Vous savez comment on y va, Signora ?

— Bien sûr. Vous prenez le bac pour Oakland, puis le train jusqu'à Vallejo Junction, un autre bac pour traverser les détroits, puis un autre train qui remonte la vallée de Napa. Vous avez manqué le train du matin, mais si vous arrivez à Oakland d'ici une heure, vous pourrez prendre celui de l'après-midi.

— Non seulement c'est une cuisinière fantastique, s'écria Emilio en riant, non seulement ses lits sont en duvet de cygne, mais c'est un indicateur des chemins de fer ambulant.

— Toutes les logeuses de San Francisco savent ce genre de choses, répondit la Signora Regazzoni. C'est forcé. Nous faisons surtout le passage, comme on dit. Les gens restent une ou deux nuits, puis veulent savoir comment on va là où ils se rendent. Je connais tous les horaires par cœur.

— Et le renseignement ne vous coûtera que 5 malheureux *cents*, railla Emilio.

La Signora Regazzoni lui lança un regard furieux, mais décida vite de se joindre à son rire.

— Vous êtes de bons garçons tous les deux. J'espère vous revoir si vous repassez à San Francisco.

Ils le lui promirent, payèrent leurs petits déjeuners, récupérèrent leur linge propre et sortirent dans les rues ensoleillées de la grande ville californienne.

— Garde le contact, *Francesco*, dit Emilio en lui donnant son adresse à Salinas. Nous sommes amis, et les amis doivent se tenir les coudes. Si les choses ne marchent pas pour toi à Cinnabar ou Dieu sait où, descends à Salinas et je te donnerai un coup de main. On s'associera, hein ?

— Pour faire quoi ?

— Je te l'ai dit : n'importe quoi du moment qu'il y a de l'argent à gagner. On achètera des filles et on ouvrira un bordel... On trouvera une mine d'or...

— Tu es fou.

— Oui. Tout le monde est fou — et je suis le roi des fous.

François éclata de rire.

— C'est bien la première fois que je t'entends te vanter de quelque chose de vrai.

Il leva les yeux vers une pendule, au-dessus de la boutique d'un bijoutier.

— Il ne faut pas que je traîne. Bonne chance, Emilio. Garde le contact toi aussi. Envoie-moi un mot quand tu auras gagné ton premier million.


François trouva facilement son chemin jusqu'au quai où il avait débarqué la veille. Le voyage fut sans histoires, mais son cœur battait quand il monta, à South Vallejo, dans le train de la vallée de Napa. Enfin, il allait voir les terres où il passerait le reste de sa vie — il en avait la certitude intime.

Quand le train s'ébranla doucement en direction de Napa, puis Yountville et Sainte-Hélène, sa première réaction fut une déception profonde. Il s'était attendu à voir un paysage semblable aux vallées de la Dordogne ou de la Garonne, riantes, verdoyantes, bordées de coteaux, parsemées de villages et de fermes isolées se dissimulant à demi derrière leurs tilleuls et leurs pins francs. Ici, ce n'était plus qu'une plaine basse, et les collines rases n'étaient couvertes que de buissons épars. C'était beau, il faisait chaud, le climat serait sans doute idéal pour la vigne, mais il n'avait pas imaginé les choses ainsi. Le mal du pays l'assaillit et il se sentit tenté soudain de sauter du train et de reprendre le long chemin de retour vers son décor familier et Thérèse. Puis il aperçut les premières vignes, et tout sentiment de déception disparut, englouti par la curiosité. Comment les travaillait-on ici ? La voie ferrée obliqua et il les vit de plus près. Elles n'étaient pas attachées à des fils de fer pour former des rangs continus comme dans l'Entre-Deux-Mers. Les vignerons les taillaient en buissons ronds — chargés de lourdes grappes attendant le soleil d'août pour mûrir. La taille ne devait pas être du tout la même. Il ne pouvait reconnaître le cépage, mais c'était probablement du Zinfandel car il savait que les vignerons californiens appréciaient beaucoup cette variété.

Quand le train atteignit Sainte-Hélène, la vallée s'était rétrécie. Rien de commun avec Sauveterre mais au moins cela ressemblait à une vallée et non à une plaine bordée de collines. En passant la tête par la fenêtre, il aperçut la montagne qui semblait bloquer le fond de la vallée et la dominer, juste assez haute pour mériter le nom de montagne. Il y avait d'autres vignes, et certaines remontaient le long des pentes.

L'arrêt suivant était Cinnabar. L'après-midi s'achevait. Trop tard pour chercher du travail aujourd'hui, se dit-il. Il prendrait une chambre pour la nuit et commencerait ses recherches le lendemain. La gare de Cinnabar n'était qu'un hangar. Un employé vérifiait les billets des voyageurs. François attendit qu'il ait terminé et lui demanda dans un souffle :

— *Hotel, please.*

Tout son anglais soigneusement répété semblait l'avoir déserté sous la tension de la situation.

— *Main Street*, répondit l'homme avec un signe du pouce par-dessus son épaule.

— *Thank you.*

François prit sa valise et partit dans la direction indiquée. Main Street se trouvait à cent mètres. Quelques magasins, une banque, plusieurs maisons particulières, puis, juste devant lui, l'hôtel Cinnabar. La plupart des bâtiments avaient un étage, avec des façades plates; certains s'ornaient de galeries au-dessus du trottoir. Mais l'hôtel, construit en bois comme tout le reste de la ville, pouvait passer pour un immeuble avec ses trois étages décorés dans le style moderne. François traversa la rue et franchit la double porte battante. Il faisait très chaud dans le bar, enfumé et bruyant. Un long comptoir s'étendait sur tout un côté de la pièce. Quelques hommes s'y accoudaient. D'autres étaient installés aux tables. On jouait aux cartes, on bavardait. Un piano égrenait ses accords. François s'avança vers le bar. Tous les regards le suivirent. Le serveur se tourna vers lui et lui adressa un regard dénué d'expression. Les mots anglais vinrent presque tout seuls.

— Vous avez une chambre, s'il vous plaît ?

Le serveur ne répondit pas mais tendit la main vers une porte au fond de la salle.

François pénétra dans ce qui était visiblement le vestibule de l'hôtel, une vaste pièce déserte, mais il vit une clochette sur le bureau. Il sonna. Une femme entre deux âges parut aussitôt. Il lui expliqua ce qu'il désirait.

— Vous avez de la chance. Il m'en reste une de libre. Ce sera 2 dollars, avec le dîner et le petit déjeuner. On paie d'avance.

François jugea la somme énorme, mais après tout ce n'était que pour une nuit — s'il parvenait à trouver du travail le lendemain. Il paya et la femme sembla aussitôt devenir plus aimable.

— Suivez-moi, dit-elle.

Elle le précéda dans l'escalier jusqu'à une petite chambre nue, meublée d'un lit étroit, avec une unique chaise et, sur une table branlante, une cuvette et un broc d'eau froide.

— Dîner à sept heures. Vous avez peut-être envie de vous rafraîchir. Vous savez où est le bar, je pense. Le dîner est servi dans la salle à manger, de l'autre côté du vestibule sur la gauche. A propos, je m'appelle Harris. M$^{mc}$ May Harris.

— Merci. Je crois que je vais aller faire un tour... M$^{me}$ Harris ? Puis-je vous poser une question ?

Elle s'arrêta, la main sur la poignée de la porte. L'anglais de François ne semblait pas la déconcerter outre mesure. Il prit de l'assurance.

— Il y a des vignes ici ?

— Des vignes ? Oh ! remontez un peu la route, vous verrez trois ou quatre propriétés. Les autres sont du côté de Sainte-Hélène. Mais si c'est du vin que vous désirez, je n'en ai pas. De la bière et du whisky, c'est tout et c'est bien assez.

— Non. Je cherche du travail dans les vignes.

— Eh bien, il y a sûrement de quoi vous occuper.

La ville était petite, tassée sur elle-même, avec trois ou quatre rues latérales conduisant à d'élégantes demeures. Çà et là, de grands arbres dépassaient les toits des maisons, vestiges de la forêt qui recouvrait la vallée en des temps révolus. Très vite, François laissa la ville derrière lui pour se trouver en rase campagne. Des troupeaux paissaient dans les pâturages, autour de fermes de pierre recouvertes de toits d'ardoise en pente. A flanc de coteau on apercevait de temps en temps un abri de planches, peut-être la maison d'un mineur à l'époque de la Ruée vers l'Or. Partout au fond de la vallée la végétation était luxuriante, mais les crêtes semblaient presque nues, recouvertes par endroit de buissons, avec quelques langues de conifères descendant parfois jusqu'à mi-pente. En face de François, la cime dénudée du mont Sainte-Hélène fermait l'horizon.

Il arriva aux premières vignes à un peu moins d'un kilomètre de Cinnabar. Elles étaient belles, impressionnantes même. Lès rangs s'étendaient à partir de la route jusqu'au pied du coteau, sur 800 ou 900 mètres. Tout était différent de Sauveterre mais la simple présence de ces ceps donna à François un sentiment de bien-être qu'il n'avait pas éprouvé depuis son départ de France. De nouveau il était chez lui. La vallée avait acquis un charme et même une grandeur dont il n'avait pas pris conscience à son arrivée par le train. Le soleil couchant teintait d'or les crêtes des collines, et les feuilles de la vigne prenaient des verts profonds qui se détachaient sur le brun roux de la terre.

Il continua sur la route pendant 300 ou 400 mètres avant de parvenir à un chemin de terre qui semblait délimiter la propriété qu'il venait de longer. Elle lui parut immense : quatre ou cinq fois la taille du vignoble de son père à Sauveterre. Et elle était bien tenue, on voyait que les façons de printemps avaient été effectuées avec soin. Aucune herbe entre les ceps, la terre semblait légère et fertile, avec des cailloux qui devaient assurer un bon drainage. Les raisins lui parurent bien formés, les grappes déjà lourdes se dissimulaient sous les feuilles. C'était exactement le genre d'endroit qu'il cherchait : assez vaste pour employer un grand nombre de vignerons, et dirigé par un homme qui connaissait son affaire.

François s'engagea sur le chemin de terre. Presque aussitôt, il aperçut d'autres vignes sur la droite — la propriété était donc encore plus grande qu'il l'avait cru. A l'endroit où débutait la pente des collines, il trouva un large portail encadré par deux grands chênes. Sur la grille une pancarte carrée disait en lettres gravées : « Oak Valley Wines ». Au-delà, le chemin s'étirait jusqu'à un groupe de bâtiments où François crut deviner le chai et le dortoir des vignerons. Plus loin, une grande maison de bois, presque aussi vaste que l'hôtel Cinnabar. Elle était peinte en blanc, imposante et belle comme un palais, mais avec une allure avenante, confortable. Elle paraissait manifestement de construction récente — à l'inverse des autres bâtisses en bon état mais patinées par le temps. L'ensemble ne manquait pas de charme, et les vignes qui grimpaient à flanc de coteau derrière la maison lui rappelèrent Sauveterre avec une telle intensité que la nostalgie du pays lui serra la gorge. Il posa un genou au sol pour palper la terre. Un humus riche, générateur de vie, le genre de terre qu'un homme peut aimer de tout son cœur et de toute son âme, et qui vous rend cet amour au centuple par les fruits qu'elle mûrit.

Il n'aperçut personne et il revint sur ses pas. Il se rendit compte aussitôt que les vignes de l'autre côté du chemin ne faisaient pas partie de la même propriété. Les clôtures étaient différentes et la vigne elle-même ne paraissait pas, il s'en fallait, en aussi bon état. Au bout de la clôture, aux deux tiers environ du chemin à partir de la grande grille, s'ouvrait un sentier. François le prit. Ce deuxième vignoble était beaucoup plus petit, à peu près de la taille de celui de son père, mais il ne s'étendait que sur le fond de la vallée. Le pied du coteau n'était recouvert que d'herbe brunâtre et de buissons bas épars. Il aperçut bientôt des bâtiments, qu'une touffe d'arbres lui avait masqués jusque-là : une construction de pierre à un étage, blottie au pied même du coteau qui, à cet endroit-là, se dressait en pente presque verticale. A côté, une petite maison et un ou deux hangars. A la différence de l'autre propriété, celle-ci était dans un état assez lamentable. Les bâtiments avaient l'air solides, mais on les avait visiblement négligés pendant des années. La maison avait besoin de peinture, en bien des endroits le bois était nu. Une des planches bordant le toit était tombée et n'avait pas été remplacée. Dommage, songea François.

Il repartit vers l'hôtel, bien décidé à se rendre dès le lendemain matin à la belle propriété dans l'espoir qu'on y aurait besoin de vignerons. En cas de refus il se présenterait au petit vignoble — mais il y avait sûrement assez de main-d'œuvre pour le peu de terre cultivée. Ensuite, ma foi, il tenterait sa chance plus haut dans la vallée.

Cette décision ôta d'un seul coup un poids énorme de ses épaules. Il se rendit compte soudain que jusque-là, il avait simplement laissé les choses lui arriver. Il s'était montré passif et timide. Même ses actes de courage — son opposition au père, le départ de la maison, les péripéties de son voyage — lui avaient été imposés par d'autres.

Jamais il n'aurait quitté Sauveterre si Armand ne l'avait pas poussé à rompre ses attaches, jamais il n'aurait poursuivi son voyage au-delà de Londres si le Bayonnais n'avait pas tout organisé à sa place. Et même dans le train, il avait accepté dès le départ qu'Emilio prenne les initiatives. Mais à présent il ressentait une confiance en lui et une assurance toutes nouvelles. La vallée de Napa serait son foyer — il en ferait un endroit bien à lui. Il trouverait du travail et, à la force du poignet, il se taillerait un domaine comme Oak Valley — et pourquoi pas Oak Valley même, dont il était tombé amoureux au premier regard ? Il n'en doutait pas plus qu'il ne pouvait douter de son propre nom. Aucun obstacle ne l'arrêterait. Il était enfin devenu son propre maître.

Il sourit, redressa les épaules et allongea le pas, saisi d'allégresse. A son retour à l'hôtel il écrivit deux lettres. La première, très brève, à son père, pour apprendre à la famille qu'il était bien arrivé; et une autre, beaucoup plus longue, à Thérèse, où il put exprimer son optimisme et sa confiance de fraîche date. Il promit d'écrire de nouveau pour communiquer son adresse dès qu'il aurait trouvé du travail.

Après un dîner chaud et copieux — de la viande hachée et des haricots — il décida de s'offrir un verre de bière pour célébrer son arrivée. Le bar ne désemplissait pas, et chacun semblait connaître tout le monde. Quelques hommes lui adressèrent un signe de tête, mais il étaient tous en grande conversation et personne ne lui adressa la parole. Il resta devant sa bière aussi longtemps qu'il put, se refusant à monter dans sa chambre si tôt. Puis il décida de faire un petit tour dans la ville.

Il faisait déjà nuit et Main Street n'était éclairée que par la lueur des lampes à pétrole derrière les rideaux de certaines maisons. La façade de l'hôtel dessinait une tache plus claire. François s'éloigna lentement, comme pour mieux absorber l'atmosphère de cette petite ville où il avait résolu de vivre. Mais l'obscurité ne lui permettait pas de voir grand-chose. Il semblait la seule personne vivante dans un décor abandonné — les rues étaient désertes.

Il s'engagea dans une rue latérale qui débouchait sur la voie ferrée. C'était visiblement le quartier résidentiel de Cinnabar. Les maisons, neuves pour la plupart et toutes construites en bois, lui parurent harmonieusement espacées et d'un aspect cossu.

Un nuage bas qui dissimulait la lune s'écarta soudain et tout s'éclaira comme en plein jour. François aperçut devant lui deux personnes, un homme et une femme, debout face à face, et malgré la distance, il devina une certaine tension entre eux. Quand il se rapprocha, il vit l'homme tenter de prendre la femme dans ses bras. Elle recula et lui envoya la main en plein visage. Le bruit de la gifle résonna dans la rue vide. L'homme se frotta la joue d'une main tout en saisissant de l'autre le poignet gauche de la femme. Elle se débattit, mais sans parvenir à lui faire lâcher prise.

L'homme lança des insultes que François ne comprit pas. Puis il tordit le bras gauche de la femme dans son dos, et la plaqua violemment contre lui. Elle cria de douleur mais aussitôt l'homme lui recouvrit la bouche de ses lèvres. Il recula brusquement avec un petit cri : la femme l'avait mordu. Sans cesser de la maintenir avec sa main gauche, il se mit à lui frapper sauvagement le visage.

— Au secours ! cria la femme. Au secours !...

François s'était arrêté et s'apprêtait à rebrousser chemin. Il était étranger — dans la ville et dans le pays — et il n'avait aucune idée de ce qui lui arriverait s'il tentait de s'interposer. Mais quand la femme cria et qu'il vit la violence des coups qui s'abattaient sur son visage, il cessa d'hésiter. Il se précipita, saisit l'homme par les épaules et l'écarta de sa victime. Pris au dépourvu, l'homme trébucha et lâcha le bras de la femme, qui s'enfuit aussitôt de l'autre côté de la rue, assez loin pour échapper à toute poursuite, mais bien décidée à observer ce qui allait se produire.

L'homme devait avoir une vingtaine d'années de plus que François, mais il était plus lourd et plus carré. Il se retourna sans hâte et lança un coup de poing qui semblait très lent. Touché à la mâchoire, François s'écroula dans la poussière. L'homme cracha sur lui, suça ses phalanges meurtries, puis se dirigea vers l'autre côté de la rue. La femme se mit à courir.

François était étourdi mais non vaincu. Il se leva, rattrapa l'homme, le saisit de nouveau par l'épaule pour le faire pivoter et lui envoya son poing dans la mâchoire avant que le demi-tour fût complet. L'homme chancela, tomba en arrière, mais se releva aussitôt, manifestement peu touché. Il revint vers François, les poings brandis, les yeux luisant de fureur. François leva lui aussi les poings, certain de recevoir une correction mémorable : il avait l'avantage de la jeunesse et de l'agilité, mais l'autre était bâti comme un bœuf, et de toute évidence, il savait se battre. La seule chance du jeune homme était de faire s'étaler l'homme au plus vite, et il mit toute sa force dans un coup au creux de l'estomac. Sans grand succès. L'homme poussa un grognement, mais ne cessa d'avancer. Ils échangèrent quelques coups et pendant un bref instant, François parvint à esquiver les plus redoutables. Puis il sentit son visage exploser : le poing énorme de son adversaire avait touché exactement le même endroit de la mâchoire que son premier direct. Il s'écroula.

Cette fois l'homme ne s'éloigna pas : il se jeta aussitôt sur François qui crut que ses poumons éclataient. Il agita les jambes pour se libérer et, sans qu'il l'eût calculé, son genou remonta violemment et s'écrasa sur l'aine de son agresseur. Un cri de douleur, et l'étreinte se desserra. François roula sur lui-même, puis se remit sur ses jambes. L'homme était à genoux, cassé en deux par la souffrance. François revint vers lui. Tordu par la douleur et la haine, le visage de sa victime semblait le provoquer. Il ne le frappa qu'une fois, du pied. La pointe de sa botte toucha le menton de l'homme, qui tomba à la renverse et ne bougea plus.

François, à bout de souffle, se pencha sur lui, inquiet soudain. Et s'il l'avait tué ? Mais sa poitrine se soulevait et s'abaissait régulièrement, il n'était qu'évanoui. François se mit à épousseter ses vêtements et à masser sa nuque douloureuse.

— Hep !

C'était la femme. François se dirigea vers elle.

— Bon dieu ! Vous avez été formidable ! dit-elle. Tout va bien ?

— Je crois.

— Je vous dois une fière chandelle. Dites donc, un petit coup de brosse ne vous ferait pas de mal. Vous feriez mieux de venir là où j'habite.

— Et lui ?

— Quelle histoire ! Laissez-le donc où il est, ce salaud. Venez ! Vite ! Avant qu'il ne revienne à lui.

François s'était mis à trembler — réaction incontrôlable après la tension de la bagarre. Ses genoux lui semblaient de coton et la douleur dans sa nuque devenait plus vive. La femme — il constata qu'elle n'avait même pas son âge, presque une adolescente — lui prit le bras qu'elle passa par-dessus ses épaules pour le soutenir de son mieux, puis elle l'entraîna le plus vite qu'elle put vers l'autre bout de la rue.

— Vous l'avez drôlement soigné ! Vous savez qui c'est ?

— Non ?

— Un nommé Eichenbaum. Nous, les filles, nous le détestons toutes. C'est le plus grand salaud de la ville. Une personne de ma profession ne peut pas faire la fine bouche, pas vrai ? C'est ce que je dis toujours. Mais une fois m'a suffi. Jamais plus avec Friedrich Eichenbaum, non, monsieur ! Ça, jamais.

François avait du mal à suivre ce qu'elle racontait, il ne parvenait plus à maintenir sa tête droite, la douleur de son cou commençait à se répandre dans tout son corps, et surtout, elle parlait trop vite pour qu'il puisse distinguer autre chose qu'un torrent de mots.

— Vous allez bien ? demanda-t-elle. Ce n'est plus loin.

François hocha la tête.

— Et vous ? dit-il.

— Parfait. J'aurai un bleu sur le bras et ma robe en a pris un sacré coup, mais ça s'arrangera. Dieu merci, vous êtes arrivé à temps. Vous vous appelez comment ?

Il la regarda.

— Votre nom ? insista-t-elle. Je veux connaître le nom de mon bienfaiteur.

— François Pujol.

— Eh bien, enchantée de faire votre connaissance, monsieur Pujol. Je suis M$^{lle}$ Dora Malone. Mais vous pouvez m'appeler Dolly.

— Dolly ?

— C'est ça. Vous êtes un héros, monsieur Pujol. Jamais je ne pourrai vous dire à quel point je vous suis reconnaissante.

Sur ces paroles, ils arrivèrent au bout de la ville, juste à l'opposé de la direction prise par François en fin d'après-midi. Il vit une grande maison élégante, peinte en blanc, un peu isolée. Il semblait y avoir une lampe derrière chaque fenêtre. Ils passèrent sous la véranda. Dolly frappa quatre coups à la porte, qui s'ouvrit aussitôt. Ils entrèrent.

Ce n'était pas la première fois que François se trouvait dans une maison de passe, et il ne pouvait se méprendre sur les filles, dont les visages, maquillés à l'excès, s'ornèrent de sourires professionnels dès l'ouverture de la porte. Certaines portaient des peignoirs, d'autres des jupons courts et les froufrous des danseuses de revue. Une blonde aux formes débordantes n'avait que son corset baleiné, un pantalon bouffant et des bottines lacées. « Madame » était resplendissante dans sa robe de satin blanc toute scintillante de paillettes.

Les sourires se muèrent en bouches bées de surprise et d'émoi quand ces demoiselles purent constater le désordre de la tenue de Dolly. Sa robe s'était déchirée au cours de la dispute avec Eichenbaum, et sur un côté de sa tête, ses cheveux échappaient aux épingles et aux peignes pour retomber en désordre. De toute évidence, avec son visage meurtri et ses vêtements couverts de poussière, François n'avait rien du bon bougre venu, en ce début de soirée, offrir sa clientèle dans la meilleure (et unique) maison de plaisir de Cinnabar.

En deux mots Dolly raconta aux autres toute l'histoire et présenta François comme son sauveur. Les filles se précipitèrent autour de lui en caquetant toute leur sympathie et leur admiration, tandis que M$^{me}$ Bowen, la patronne, lançait ses ordres.

— Marylou, va chercher de l'eau chaude et une serviette, que nous puissions nettoyer ce sang. Ginger, tu trouveras de la pommade spéciale dans le petit placard de ma chambre. Harriet, sers une bonne rasade de scotch à M. Pujol. Ecartez-vous, les autres. Laissez ce pauvre garçon respirer un peu. Vraiment, Harriet, au diable l'avarice ! J'ai dit une bonne rasade, et tu lui donnes à peine de quoi noyer un moustique. Voilà... C'est ça. Avance donc !

Elle approcha le verre des lèvres de François comme s'il n'avait pas la force de le faire lui-même.

— Buvez, buvez. Vous vous sentirez mieux après. Et je dois dire que vous l'avez mérité.

François lui prit le verre des mains et but. L'alcool le brûla dès qu'il toucha le bout de sa langue, mais c'était une bonne chaleur.

— Cet Eichenbaum est une vraie plaie, s'écria M$^{me}$ Bowen, puis, se tournant vers Dolly : Mais pour l'amour de Dieu, petite, pourquoi l'as-tu laissé t'attraper ? Tu sais bien comment il est. Mademoiselle voulait peut-être faire son beurre en douce, hein ?

Dolly poussa les hauts cris, blessée par l'injustice de cette accusation.

— Oh ! non, madame Bowen ! Jamais je n'y ai songé. Et vous savez

90

très bien que pour rien au monde je ne laisserais ce salaud me toucher — pas après ce qu'il m'a fait la dernière fois qu'il est venu ici !

— Il est banni de cette maison, monsieur Pujol, expliqua M$^{me}$ Bowen. Je ne permets à aucun homme de faire du mal à mes filles. Je veille sur elles, pas vrai ?

Elle jeta un regard à la ronde.

— Oh ! oui, madame Bowen ! répondirent « ses filles » à l'unisson.

— Et puis c'est mauvais pour les affaires. Dolly est restée sans travailler pendant deux semaines. Pourquoi lui as-tu parlé, Dolly ?

— Je n'ai pas pu l'éviter, madame Bowen. Je rentrais de ma visite chez M... euh... le monsieur que je vais voir chez lui... A propos, voici l'argent, madame Bowen.

Elle fouilla dans son réticule et lui tendit quelques billets pliés. M$^{me}$ Bowen inclina aimablement la tête et glissa les billets dans son vaste décolleté.

— Je descendais Slater Street et il est apparu brusquement. Il m'a attrapée. Je me suis débattue mais je n'ai pu m'échapper... Jusqu'à ce que M. Pujol arrive. Je sais tout ce que je vous dois, monsieur Pujol.

Elle s'agenouilla près de François et leva vers lui des yeux pleins d'adoration. L'eau chaude venait d'arriver.

— Très bien, Dolly, dit M$^{me}$ Bowen d'un ton cassant. Tu ferais mieux de changer de robe et de remonter tes cheveux. Tu as une allure impossible.

— Oui, madame Bowen, répondit Dolly d'une voix soumise.

Elle disparut dans l'escalier.

— Cette fille est idiote, dit M$^{me}$ Bowen en se mettant à nettoyer doucement le visage meurtri de François. Je ne vais sûrement pas perdre mon temps à la plaindre. C'est une bonne nature, mais elle est beaucoup trop confiante.

Les contusions de la mâchoire étaient très douloureuses mais la combinaison du whisky et des soins de M$^{me}$ Bowen se révéla efficace, et François commença à se sentir un peu mieux. M$^{me}$ Bowen finit de lui nettoyer le visage, puis le sécha avec une serviette propre. Enfin elle étala un peu de pommade sur la mâchoire blessée.

— Et voilà un garçon tout neuf, dit-elle. Vous allez avoir un magnifique bleu demain matin. Mais la plaie est propre, et la pommade fera du bien. Ce ne sera qu'un petit bobo. Et maintenant, voyons un peu vos vêtements.

— C'est parfait, merci.

— Allons donc ! C'est la moindre des choses. Lily, Clara, allez chercher vos aiguilles et du fil. Suivez-moi, monsieur Pujol.

Elle l'entraîna vers une porte donnant sur une petite chambre, meublée d'un lit à une personne, avec une belle armoire, une coiffeuse garnie de pots et de flacons, une chaise de repos et un fauteuil. Il y avait aussi deux petites tables, dont une surchargée de photographies dans des cadres d'argent. La pièce semblait envahie par les meubles, mais il y régnait une atmosphère agréable d'intimité et de confort. Et tout était rose — depuis les nuances les plus pâles du couvre-lit jusqu'aux teintes chaudes, presque orangées, des lourdes tentures de velours et du tapis. François reconnut le parfum du muguet.

— Ma chambre, monsieur Pujol, dit M$^{me}$ Bowen en se dirigeant vers l'armoire-penderie, où elle prit une robe de chambre d'homme. J'espère qu'elle sera à votre taille. Otez vos vêtements, passez ceci, puis venez vous joindre à nous, au parloir. Je crois que nous trouverons bien une autre goutte de scotch.

Elle sortit et referma la porte derrière elle.

Une demi-heure plus tard, Lily et Clara revenaient au parloir avec les vêtements de François, brossés et reprisés avec soin. Les taches de sang avaient disparu de sa chemise, bien repassée. Dans l'intervalle, M$^{me}$ Bowen et les filles lui avaient posé mille questions, et dans son anglais incertain, il avait tenté de leur raconter son long voyage.

— Et vous vous arrêtez ici, à Cinnabar ? demanda M$^{me}$ Bowen.

— Je voudrais travailler dans les vignes, répondit François.

— Je crois bien que vous perdez votre temps... commença-t-elle.

Mais au même instant Lily et Clara étaient arrivées avec les vêtements de François, tandis que Dolly descendait de sa chambre, son maquillage refait et ses cheveux impeccablement coiffés. Elle portait un déshabillé de satin couleur pêche. Elle s'avança vers M$^{me}$ Bowen et lui chuchota quelques mots. Le regard de M$^{me}$ Bowen passa de Dolly à François, et elle haussa les épaules.

— D'accord, mon petit. De toute façon, il est encore trop tôt pour la clientèle.

Elle se tourna vers François.

— Dolly pense que vous aimeriez peut-être monter, pour qu'elle puisse vous remercier comme il faut, monsieur Pujol. C'est-à-dire, si cela vous dit. Sur le compte de la maison, bien entendu.

François ne comprit pas sur-le-champ. Puis, furieux contre lui-même, il sentit qu'il rougissait comme un gamin. Dolly lui sourit. Elle est vraiment très mignonne, se dit-il, avec ses cheveux châtains et ses grands yeux verts. Sa bouche généreuse s'entrouvrait sur deux belles rangées de dents blanches. Sa silhouette ne laissait rien à désirer non plus... Le déshabillé moulait sa jeune poitrine ferme... Et après son deuxième whisky, François se sentait redevenu lui-même.


La chambre de Dolly était nue — un cagibi minuscule avec un lit, une table de toilette et un bidet, deux chaises de bois et un petit placard dans un coin. Quel contraste avec l'opulence de la chambre de M$^{me}$ Bowen ! Dolly referma la porte et fit glisser le déshabillé de ses épaules.

— Enlève tes affaires, et puis un brin de toilette, mon chou, dit-elle en montrant le bidet. Il y a de l'eau chaude dans le broc en cuivre.

François la regarda, sans comprendre tout de suite ses paroles.

— T'en fais pas, lui dit-elle. Juste un coup d'éponge. C'est la règle de la maison, tu sais. Si ça te gêne, je tourne la tête.

Elle se dirigea vers le bidet et lui versa de l'eau.

Comprenant enfin, François fit ce qu'on lui disait. A chaque seconde, à présent, son désir s'amenuisait. Mais, quand il eut terminé et qu'il se retourna, il vit que la jeune femme s'était allongée sur le lit, entièrement nue, et il comprit soudain à quel point il avait besoin d'une femme — n'importe laquelle... Et il avait de la chance d'en avoir trouvé une aussi jolie que Dolly...

Elle le regarda des pieds à la tête.

— Mon dieu ! murmura-t-elle dans un souffle. Tu es beau gosse. Viens à moi, mon héros !

Elle lui tendit les bras.

Ce fut très rapide. Dolly frissonna d'extase feinte à l'instant où François parvenait au sommet, puis se glissa prestement hors du lit pour se livrer à ses ablutions.

— Tu es un monsieur pressé, je vois. Oh ! Je ne me plains pas, non, monsieur. Quel étalon ! Tu le sais, hein ? Dis donc, pourquoi ne passerais-tu pas la nuit ? Je peux tout arranger avec Madame, et j'aimerais bien donner à mon héros un peu de bon temps — je veux dire *vraiment* du bon temps.

François était allongé sur le lit, vidé. Les paroles de Dolly n'avaient plus aucun sens pour lui. Il se sentait soudain moulu jusqu'aux os. Le plafond commença à osciller au-dessus de sa tête et il ferma les yeux. Quelques secondes plus tard le sommeil l'avait pris. Dolly se glissa sur lui et le secoua pour le tirer de sa torpeur, si impatiente de lui témoigner sa gratitude qu'elle ne songeait même pas à le laisser se reposer. Elle se dirigea vers la table de toilette et revint avec une serviette imbibée d'eau fraîche. Tendrement, elle essuya la sueur de son visage et de sa poitrine, puis elle se mit à le caresser. Il ouvrit les yeux et la regarda de plus près. Elle n'était pas aussi jolie qu'il l'avait cru, il s'en fallait de beaucoup. Il pouvait lire une certaine dureté dans son regard et sa bouche trahissait un entêtement buté. Sous les fards, sa peau semblait grossière. Il songea à Thérèse. Sans aucun sentiment de culpabilité — il n'avait pas l'impression de la tromper : des relations comme celles-là ne signifiaient rien — mais avec un désir ardent de sa douceur, de son innocence. Il repoussa les mains avides de Dolly.

— Merci, dit-il en français. Merci beaucoup.

Et il se laissa reprendre par le sommeil.

Cette fois, elle n'insista pas. Un peu plus tard, il prit conscience d'une présence : M<sup>me</sup> Bowen se penchait au-dessus de lui.

— Ça ne me fait guère plaisir, monsieur Pujol, mais j'y suis forcée. Il est temps de partir. J'ai besoin de la chambre.

Tout étourdi il se leva, et avec l'aide de la femme enfila ses vêtements. Quand il descendit, la tête douloureuse, encore à moitié endormi, c'est à peine s'il aperçut les hommes qui bavardaient avec les filles dans le parloir. On buvait, on riait... Dolly s'avança vers lui.

— Désolé, mon chou. Mais il a fallu te mettre à la porte. Une fille doit gagner son pain. Tu seras toujours le bienvenu. Tu me demanderas, pas vrai ?

L'air frais de la nuit le réveilla peu à peu, et en revenant vers l'hôtel il avait les yeux grands ouverts. Il se demanda quelle heure il pouvait être. L'hôtel serait-il encore ouvert ? Quand il arriva, M<sup>me</sup> Harris fermait les portes.

— J'ai cru que vous ne rentreriez pas ce soir, lui dit-elle. Vous arrivez juste à temps.

Lorsqu'il s'avança dans la lumière, elle lança un regard curieux à son visage meurtri.

— Un accident... dit-il.

— Tu parles ! répondit-elle avec un clin d'œil complice. Petit déjeuner à sept heures, si vous vous sentez en appétit.

## 2

Le lendemain matin, François était raide et tous ses muscles lui faisaient mal. Le bleu de sa mâchoire s'auréolait de jaune, sa lèvre coupée semblait moins gonflée, mais le moindre sourire demeurait douloureux. Sans la pommade de M<sup>me</sup> Bowen, tout aurait sûrement été pire. Il n'avait vraiment pas belle mine, songea-t-il en se rasant devant le miroir. Mais il savait qu'il ne pouvait retarder d'un seul jour ses démarches pour trouver du travail. Les nuits d'hôtel auraient vite épuisé son petit pécule, et il lui faudrait payer ses repas en plus. Après le petit déjeuner, il prévint M<sup>me</sup> Harris qu'il reviendrait prendre ses bagages plus tard, et il s'élança sur la route du nord.

La vallée s'était tapissée de brume, mais le haut des collines restait dégagé. Il remonta jusqu'aux vignes d'Oak Valley et tourna dans le chemin qui conduisait aux bâtiments du domaine. Plusieurs hommes s'affairaient dans les rangs, et deux d'entre eux se trouvaient près de la route.

— Je vous demande pardon, dit François. Je cherche du travail.

Le plus vieux cracha par terre.

— Du travail ? Dans les vignes ?

— Oui.

— C'est ton jour de chance, petit. Le patron a justement besoin de quelqu'un.

Le cœur de François bondit de joie. Tout allait être facile.

Le vieil homme l'accompagna vers la maison.

— Les vignes sont belles, lui dit François chemin faisant. Du Zinfandel ?

— C'est ça. Tu t'y connais ?

— J'étais vigneron en France.

— Le patron sera sûrement content de te voir. Le personnel qualifié se fait rare.

Il tendit la main.

— Pete Howard, dit-il.

— François Pujol.

— Content de te connaître.

Ils échangèrent une solide poignée de main.

Quand ils parvinrent dans la cour de la maison, Pete demanda à François de l'attendre et entra. Quelques instants plus tard il ressortit avec un autre homme, grand, bien charpenté... et avec un œil au beurre noir assorti à la mâchoire de François !

En tout cas, il a eu son compte lui aussi, se dit le jeune homme en reconnaissant, sans en croire ses yeux, Friedrich Eichenbaum.

Dès qu'il le vit, Eichenbaum s'arrêta. Une rage froide se peignit aussitôt sur ses traits. François fit demi-tour et prit ses jambes à son cou.

— Attrapez-le ! Ne le laissez pas s'échapper ! cria le maître d'Oak Valley avec un fort accent allemand.

Pete regarda son employeur avec des yeux ronds, paralysé sur place.

— Rattrape-le, imbécile ! Ramène-le ici !

Le vigneron à ses trousses, François descendit l'allée vers la grille. Quand il l'atteignit, il entendit Pete crier quelque chose à son camarade, resté dans les vignes.

Les muscles de François protestaient contre l'effort imposé, mais il redoubla de vitesse en arrivant sur le chemin.

— Coupe-lui la route, Jim ! Le patron le veut.

Le nommé Jim sauta par-dessus la clôture, bloqua le passage et saisit François. Le jeune Français parvint à se libérer mais ces quelques instants de lutte avaient permis à Pete de rattraper son retard. Contre les deux vignerons, François n'avait aucune chance. Ils le ramenèrent à la maison.

Eichenbaum attendait, le sourire aux lèvres.

— Tenez-le. Comme ça. Tenez-le bien ! Je veux lui dire quelques mots.

Les deux hommes lui maintinrent les bras. François, lisant de la haine dans les yeux d'Eichenbaum, se prépara à la douleur qui allait suivre.

— *Ach ! Lieber Freund* ! Tu ne t'attendais pas à ce que l'on se retrouve si tôt, hein ? Ton nom ?

François ne répondit pas.

La main frappa son visage. A l'aller et au retour.

— Ton nom ? C'est malpoli de ne pas répondre.

— Il s'appelle François... commença Pete.

— Taisez-vous ! Je veux que ce soit lui qui réponde.

— François Pujol.

— *So*, monsieur François Pujol, vous cherchez du travail, à ce qu'on me dit. Il n'y a pas de travail pour vous, à Oak Valley. Tout ce qu'il y a, c'est ceci.

De nouveau, deux gifles cinglantes. Un coup de poing terrible dans le ventre. Puis, à toute volée, un crochet au menton. François s'écroula, sans conscience, et Eichenbaum lui lança sa botte en plein visage.

— Allez. Jetez-le dehors. Et ne le laissez jamais revenir.

Pete et Jim traînèrent François jusqu'à la grille et le laissèrent au bord du chemin. Si l'un d'eux ressentit quelque pitié, il ne se risqua pas à la laisser paraître. Personne ne tenait tête à Friedrich Eichenbaum.

François demeura longtemps dans le fossé avant de reprendre

conscience. Quand il recouvra ses esprits il demeura immobile un moment, les yeux fixés sur les brins d'herbe qui lui masquaient tout le paysage. Sa mâchoire le faisait atrocement souffrir. Il porta la main à sa joue, non sans précautions, et sentit du sang coagulé à l'endroit où les bagues de l'Allemand avaient déchiré sa peau déjà meurtrie. Une douleur en haut de la cuisse le surprit, puis il se dit qu'Eichenbaum avait dû tenter de prendre sa revanche, après qu'il se fut évanoui. Une chance que la chaussure ait frappé trop bas.

Il s'assit et fit l'inventaire des dégâts. Ses vêtements, brossés et ravaudés la nuit précédente, se retrouvaient en triste état. Il ne pouvait pas aller chercher du travail ailleurs comme ça. Il fallait qu'il rentre à l'hôtel, pour laver ses blessures et remettre de l'ordre dans sa tenue. Puis il songea à son argent. Il constata avec soulagement que la bourse de cuir était toujours à sa place, et son contenu intact. Péniblement il se leva et prit la route de Cinnabar.


A son retour à l'hôtel, ce n'était encore que le milieu de la matinée. Dans le vestibule désert, il agita la clochette et M<sup>me</sup> Harris parut.

— Oh ! mon dieu ! s'écria-t-elle en l'apercevant. Un autre accident ?

François hocha la tête et ébaucha un sourire.

— Oui, un accident. Vous avez de l'eau tiède ?

— Venez par ici.

François semblait destiné à être soigné par des dames maternelles. Il ne protesta que pour la forme et se laissa entraîner dans la cuisine. Elle le fit asseoir et nettoya son visage. Ce fut extrêmement douloureux : elle n'avait pas la main aussi légère que M<sup>me</sup> Bowen la veille. Quand elle eut terminé, elle poussa un soupir.

— Vous avez meilleure allure, mais si j'étais vous, monsieur Pujol, j'essaierais d'éviter d'autres accidents. Que s'est-il passé ?

Tant bien que mal, François raconta sa mésaventure en omettant toutefois de préciser que la « dame » sauvée la veille par ses soins était une prostituée et qu'elle l'avait entraîné dans la maison de passe. M<sup>me</sup> Harris l'écouta, émue. Elle connaissait Eichenbaum, elle aussi, et elle semblait partager l'opinion de Dolly à son sujet.

— Qu'allez-vous faire, à présent ? lui demanda-t-elle enfin.

— Nettoyer mes vêtements. Il me faudrait...

Il fit le geste de brosser. M<sup>me</sup> Harris se dirigea vers un placard et rapporta une brosse à habits.

— Merci, dit-il. Ensuite, je ressortirai. Chercher du travail.

— Dans cet état ?

— Il le faut. J'ai besoin de travailler. Et d'être payé.

— Vous feriez mieux de rester ici vous reposer.

— C'est impossible.

Elle soupira.

— Soit... Mais je ne vous laisserai pas partir sans une assiette de ragoût. Il est presque midi. Vous devez avoir le ventre creux.

Une odeur alléchante se répandait dans la cuisine. Il avait eu l'intention de se passer du repas de midi, pour économiser ses réserves, mais l'offre de M^me Harris lui fit venir l'eau à la bouche.

— C'est combien ?

— 25 *cents*. Mais si c'est l'argent qui vous tracasse, je crois que je peux tout de même vous donner une assiette pour rien.

— Vous êtes gentille, mais je n'accepte pas la... Je ne connais pas le mot. *Charité*, dit-il en français.

M^me Harris sourit.

— *Charity*. Très bien, monsieur Pujol. Je suis toujours prête à prendre l'argent d'un client. Montez dans votre chambre pour remettre de l'ordre dans votre tenue. Le ragoût sera prêt dans vingt minutes.

Quand il se vit dans le miroir, au-dessus de la table de toilette, François eut un choc. Il avait le visage boursouflé, la joue gauche d'un rouge violacé, avec la ligne sombre d'une coupure au milieu. Sa lèvre était enflée d'un côté, et son menton conservait la marque du coup de botte. M^me Harris avait raison : il n'avait pas la tête d'un homme à qui l'on a envie d'offrir du travail. Mais il n'avait pas le choix. Il brossa ses vêtements avec soin, soulagé de ne trouver aucun accroc. Le ragoût avait une saveur merveilleuse, et François soupçonna que l'hôtelière lui en avait donné davantage que pour ses 25 *cents*, car l'assiette était abondamment garnie de bonne viande et de légumes. Il se sentit aussitôt beaucoup mieux.

Il parcourut quelques kilomètres au-delà d'Oak Valley et tomba sur un autre domaine, un peu plus petit que celui d'Eichenbaum, mais tout de même de belle taille. Un panneau de bois lui apprit qu'il s'agissait de « Casa Rosa ». Un nom italien... François retrouva un peu de courage. Personne ne travaillait dans les terres — peut-être était-on en train de prendre le repas de midi — et il se dirigea vers les bâtiments de ferme, peints en rose pâle comme le laissait prévoir le nom de la propriété.

Il frappa à la porte. Un vieil homme sortit en essuyant les miettes de pain de sa moustache. Il était grand et sec, très voûté, le visage couvert de rides.

François le salua en italien et demanda à voir le patron. Les yeux du vieil homme s'éclairèrent.

— C'est mon fils, qui s'occupe du domaine, dit-il, mais il est à San Francisco. Que lui voulez-vous ?

— Je cherche du travail dans les vignes.

Et il parla de la propriété de son père de Sauveterre, du phylloxéra, de son voyage jusqu'au Nouveau Monde et des amis italiens qu'il s'était faits en route.

Le vieil homme l'écouta attentivement, l'aidant chaque fois qu'un mot lui manquait, ses yeux fureteurs ne quittant pas le visage du jeune homme. Quand François eut terminé, il lui demanda :

— Et qu'est-ce qui vous est arrivé ? Vous vous êtes battu ?

— Un homme... Il était ivre... Je n'ai pas compris ce qu'il a dit.. Il avait l'air de croire que je l'avais insulté, balbutia François, mal à l'aise dans son mensonge.

— Quand ?

— Hier soir. A Cinnabar. Il n'y avait pas trois heures que j'étais arrivé.

Le vieil homme sembla peu convaincu, mais il décida cependant de faire confiance au jeune homme. Oui, ils avaient besoin d'un vigneron, et surtout d'un homme aussi compétent que François. Il pouvait commencer à travailler sur-le-champ. On lui donnerait le couvert, un lit dans le logement des vignerons, et 5 dollars par semaine. Bien entendu, François pouvait retourner à Cinnabar chercher ses bagages.

— Je vais vous conduire au dortoir; vous ferez la connaissance d'Angelo. Et quand vous reviendrez avec vos bagages, vous irez le voir, il vous donnera de l'ouvrage.

Le dortoir où logeaient les vignerons, à quelques pas de là, était lui aussi peint en rose. Il ne s'agissait que d'un petit bâtiment d'une seule pièce, qui ne méritait guère son nom de dortoir car il ne contenait que deux lits. Une table, deux chaises, une commode et deux cuvettes émaillées sur des trépieds de métal complétaient le mobilier. Cela suffisait à occuper presque tout l'espace. Angelo, à peu près du même âge que le vieil homme, était attablé devant son repas. Il se leva.

— Angelo, voici un nouveau vigneron que je viens d'engager. Comment vous appelle-t-on, jeune homme ?

— François. François Pujol. Et votre nom, Signor ?

— Gregorio Corsini. Mon fils, le patron, s'appelle Salvatore Corsini. Et voici Angelo. Donne-lui un verre de vin, Angelo. Montre-lui ce que nous faisons ici.

Angelo trouva un verre et l'emplit.

— A votre santé ! dit François.

Les autres le regardèrent boire. C'était un vin rouge, beaucoup plus corsé qu'il ne l'avait cru à l'aspect.

— Très bon, vraiment très bon.

— Pas besoin de faire semblant, dit Corsini en souriant. Il n'a pas la qualité des vins de France ou d'Italie. Mais il est tout de même meilleur que l'on ne s'y attend quand on débarque d'Europe. Et nous progressons chaque année. Allez chercher vos bagages. Votre aide sera la bienvenue.

François revint à Cinnabar d'un pas léger. Sa confiance se trouvait justifiée — tout compte fait, sa recherche s'était avérée facile, et il pourrait écrire à Thérèse que leur séparation serait désormais l'affaire de quelques mois. 5 dollars ne représentaient pas un gros salaire, mais il pourrait les mettre de côté, jusqu'au dernier *cent*. Et il y aurait peut-être une place pour Thérèse dans la maison des Corsini — comme servante ou à la cuisine. Ce serait une solution idéale, car il ne devait pas seulement songer au billet de Thérèse, mais à leur logement. En tout cas, c'était un bon début et rien ne comptait davantage pour l'instant.

La nouvelle ravit M$^{me}$ Harris.

— M. Corsini est un brave homme. Vous avez de la chance d'avoir trouvé du travail chez lui.

François acquiesça, la remercia de sa gentillesse et lui promit de venir manger un autre ragoût un jour prochain. Puis il reprit le chemin de Casa Rosa.

Angelo lui montra où ranger ses affaires, puis lui donna une bêche et l'accompagna à la vigne. Le plus souvent, expliqua-t-il, le patron, Salvatore Corsini, travaillait avec eux, mais il n'était pas là et le vieux Corsini n'allait à la vigne que le matin. C'était tout ce qu'il pouvait faire, à son âge.

— Il est fini. Il a soixante-seize ans.

— Et vous ? lui demanda François.

— Soixante-quatorze, répondit Angelo en gloussant de rire. Mais encore plein de nerf.

Ils arrachèrent les mauvaises herbes jusqu'au soleil couchant puis revinrent à leur « dortoir », se lavèrent, et s'attablèrent devant un énorme plat de haricots, où avaient mijoté des saucisses et du poulet. C'était presque un cassoulet et François se sentit vraiment chez lui.

L'Italien se révéla bon compagnon, et tout en mangeant ils parlèrent : de vignes et de vins, et de phylloxéra. La seule chose qui surprit le jeune Français fut qu'Angelo semblait satisfait d'être resté toute sa vie « commis », comme on disait à Sauveterre. Quand François lui annonça son intention de devenir un jour propriétaire de ses propres vignes, le vieux vigneron n'en crut pas ses oreilles.

— Tu plaisantes ?

— Non. Pas du tout. J'aurai mes terres à moi un jour. Un domaine comme Oak Valley, plus bas sur la route.

— Oui, ce sont de belles vignes. Mais méfie-toi du bonhomme. Eichenbaum, on l'appelle. Une chance que tu ne sois pas allé là-bas. C'est un drôle de paroissien, tu peux me croire. Dans toute la vallée de Napa, personne n'a réussi aussi bien que lui. Et quand il ouvre la bouche, tout le monde file doux. Tu n'es pas près de lui acheter ses terres !

Ils reprirent le sujet de la vigne, et Angelo répondit de son mieux à toutes les questions de François. Il expliqua que plus on montait dans la vallée, plus le climat était chaud. Il changeait de façon étonnante sur de très courtes distances. Les coteaux rocailleux retenaient la chaleur de l'après-midi, et l'air restait tiède jusque très tard dans la soirée. Les raisins mûrissaient plus vite et avec moins de problèmes. Il lui parla des fortes pluies au cours des mois froids de l'hiver, et des brouillards qui se glissaient par-dessus les collines. Enfin ils discutèrent des soins donnés à la vigne dans la région — la taille en buisson, expliqua Angelo, permettait aux ceps de former des touffes rondes et l'on pouvait planter les pieds plus près que si l'on conservait des « astes » comme dans le Bordelais, pour aligner la vigne en rangs étroits et ininterrompus, soutenus par des fils de fer. On laissait pousser les ceps plus haut par rapport au sol qu'en Europe, parce qu'il y avait moins de risques de gelées tardives après le début de la croissance.

— Sauf en avril, précisa Angelo. Il y a parfois encore les gelées, et nous recouvrons les vignes avec du tulle léger pour protéger les jeunes pousses. Si le mauvais temps se prolonge, nous allumons des feux pour réchauffer un peu l'air.

Puis ils se couchèrent. La journée avait été épuisante et François sombra aussitôt dans un profond sommeil, sans rêves.


Vers le milieu de la matinée suivante, alors qu'ils travaillaient dans les vignes, ils virent un cavalier se diriger vers la maison.

— Qu'est-ce qu'il fait ici ? murmura Angelo. C'est un des hommes d'Oak Valley.

Peu de temps après, le cavalier redescendit l'allée et disparut. Le vieux Gregorio Corsini, que François n'avait pas vu depuis la veille, sortit de la maison.

— Pujol ! cria-t-il. Venez ici ! Angelo ! Toi aussi !

François se dirigea vers lui.

— Bonjour, Signor.

Gregorio lui lança un regard furieux.

— Vous êtes renvoyé ! dit-il. Prenez vos affaires et disparaissez. Nous n'employons pas les voleurs.

François le regarda, stupéfait.

— Les voleurs ? Je ne suis pas un voleur.

— N'essayez pas de le nier. L'homme d'Eichenbaum m'a raconté toute l'histoire. Vos coups sur la figure, c'était bien un ivrogne, n'est-ce pas ?

— Non, répondit François, s'apercevant qu'il était désormais inutile de dissimuler la vérité. Je me suis battu avec Eichenbaum parce qu'il frappait une dame... une femme. Et ensuite, il m'a passé à tabac.

— Oui. Parce que quand vous lui avez cassé la figure, vous lui avez volé tout l'argent qu'il avait sur lui et sa montre en or.

— C'est faux. Vous pouvez me fouiller si vous voulez.

— Bien sûr, je peux vous fouiller ! Je vous dis que je sais toute l'histoire. Ils ont repris l'argent et la montre quand ils vous ont donné la correction que vous méritiez. Sans ça, vous seriez en prison maintenant. Angelo, raccompagne-le. Et assure-toi qu'il n'emporte que ses affaires.

— Ecoutez-moi, je vous en prie. Je ne suis pas un voleur. Je n'ai pas volé M. Eichenbaum. Je peux le prouver. Dolly Malone était...

Mais Gregorio avait déjà tourné le dos. La porte de la ferme claqua.

François se tourna vers Angelo. Le vieux vigneron le regardait avec mépris. Il se dirigea vers la porte et frappa, mais elle demeura close. Ecœuré, il s'en alla vers le dortoir, puis, sous les yeux attentifs d'Angelo, il rassembla ses affaires et partit.

Cela paraissait impossible. La veille tout s'annonçait pour le mieux. Chacun à Casa Rosa se montrait sympathique, les vignes étaient belles et le vin bon. Il avait cru que son rêve deviendrait réalité — et maintenant son univers se désintégrait autour de lui. Et tout cela à cause de sa galanterie à l'égard d'une prostituée ! Il maudit Dolly dans sa tête — puis il retira sa malédiction : ce n'était nullement de la faute de cette fille. Il devait réserver toute sa haine à Eichenbaum. Un jour, il lui revaudrait ça.

Ses déceptions ne faisaient que commencer. Il continua vers Calistoga et se présenta dans quatre autres vignobles ce jour-là. Chaque fois, il fut accueilli à bras ouverts — il y avait toujours du travail pour un vigneron expérimenté — jusqu'au moment où il déclinait son nom. Aussitôt les visages se faisaient de pierre, les yeux durs et soupçonneux. On n'avait pas de travail pour un jeune Français du nom de Pujol, qui portait encore sur son visage les marques d'une correction bien méritée.

Un des propriétaires lui expliqua tout :

— Inutile d'espérer trouver une place dans cette vallée. Nous avons tous entendu parler de vous. Nous nous serrons les coudes quand il s'agit d'une chose pareille. Pas besoin d'aller à Somona non plus. Le message leur parviendra avant longtemps. Pas de quartier pour les voleurs.

Poussé par la colère et la déception, François fit un pas vers l'homme. Celui-ci leva la main et deux de ses employés saisirent le jeune homme sous les aisselles et le traînèrent jusqu'à la route.

Il passa la nuit dans un champ, avec la faim au ventre et le froid aux os. A son réveil, il frissonnait, trempé de rosée. La brume du matin semblait aussi opaque que son désespoir. Il n'avait nul endroit où aller. Il n'osait pas se présenter à M^me Harris et lui expliquer ce qui s'était passé, car même si elle détestait Eichenbaum, elle croirait peut-être les calomnies qu'il avait fait courir. Il n'avait aucun ami. Même Emilio était à l'autre bout de la Californie.

Puis il songea à Dolly.

En fin de matinée, il frappa à la porte de la maison de passe. Il attendit longtemps, mais on lui ouvrit enfin. C'était Lily.

— Bon dieu ! s'écria-t-elle. Mais qu'est-ce que vous voulez, hein ? C'est bouclé. Revenez ce soir, d'accord ?

Elle voulut refermer la porte, mais François glissa son pied.

— Je vous en prie. Dites à Dolly que François est ici. Je vous en supplie.

La fille lui lança un regard soupçonneux, puis le reconnut soudain.

— Oh ! c'est vous ! Mais je ne sais pas si elle va vouloir. Elle doit dormir. Attendez-moi là.

Elle referma la porte, laissant François dehors. Presque aussitôt Dolly parut en bâillant et l'invita à entrer.

— Il faut être cinglé pour venir à une heure pareille, tu t'en doutes, non ? Nous avons besoin de sommeil, nous, pour nous refaire une beauté. Je ne sais pas ce que M<sup>me</sup> Bowen va dire...

Elle tira les doubles rideaux. A la lumière du jour, la pièce paraissait sordide. Des verres vides sur la table et des taches sur les tapis. Une odeur de cigare refroidi, de bière éventée, de sueur et de parfum bon marché. L'apparence de Dolly l'écœura davantage encore : cheveux ébouriffés, peau grossière et tavelée; ses yeux, minuscules sans maquillage, manquaient d'éclat.

François lui demanda à manger. La fille lui lança un regard incrédule puis haussa les épaules, exaspérée, et s'en alla. Elle revint peu après avec un morceau de pain, du fromage et un verre de lait. François engloutit la nourriture et lui raconta ce qui s'était passé.

— Ce salaud ! Cette ordure ! Oh ! Je suis désolée, François ! Imaginer tous ces mensonges !

— Il est allé partout, dans toutes les propriétés de la vallée. Il a dit que je suis un voleur, et tout le monde l'a cru.

— Bien sûr ! dit Dolly. Ils le détestent tous, mais ils l'écoutent et ils font ce qu'il dit.

— Pourquoi ?

— Ne me demande pas, mon chou. Ça me dépasse. Tout ce que je sais, c'est qu'il ne faut pas s'y frotter. Et tu dois lui avoir drôlement fait mal.

— J'ai blessé son... *orgueil*, acheva-t-il en français.

— Si ça veut dire ce que je crois, j'ai vu ton coup de genou. Il ne va pas embêter les filles de sitôt, c'est sûr.

Elle gloussa de rire.

— Il faut les frapper où ça fait le plus mal, c'est ce que je dis toujours.

François la regarda, déconcerté. Puis il comprit.

— Je l'ai blessé là, oui. Mais c'est surtout son...

Il s'interrompit, redressa le menton et baissa les yeux d'un air de mépris.

— Tu veux dire sa fierté. Oui, je m'en doute. Oui. (Elle marqua un temps de silence.) Pourquoi es-tu venu ici ?

— J'ai pensé que tu prendrais ma défense. Que tu dirais la vérité.

Elle éclata de rire.

— Tu plaisantes ! Qui va m'écouter, hein ? Une demoiselle de ma profession ! Si tu veux mon avis, tu ferais mieux de rentrer en ville, à San Francisco. Tu pourras trouver du travail là-bas. Tu as manqué le train du matin, mais il y en a un dans l'après-midi. Tu veux que je te prête de l'argent ?

— Non, inutile. Merci.

— Eh bien, parfait.

Elle baissa les yeux sur l'assiette et le verre vide.

— Je vais payer la nourriture, dit François.

— Non. Ça ne compte pas. Non, c'est seulement que je suis fatiguée, mon chou. J'aimerais bien rester bavarder avec toi, mais j'ai une de ces envies de revenir au lit...

— Je peux rester un peu ici ?

— Bon dieu ! non ! Que dirait M<sup>me</sup> Bowen ? Une chance que nous ne l'ayons pas réveillée.

— Je regrette. Je m'en vais. Merci, Dolly. Tu es très bonne. Je me souviendrai de toi.

Elle se pencha vers lui et l'embrassa sur la joue.

— Bonne chance, François. Si tu repasses par ici, viens faire un tour, hein ?

La porte se referma derrière lui. Il alla attendre l'arrivée du train.

Et pendant cette longue attente, le désespoir en lui fit place à la colère et à la détermination. D'une manière ou d'une autre, tôt ou tard, il se vengerait d'Eichenbaum. Il reviendrait à Cinnabar, il en était certain. Eichenbaum ne pourrait pas lui interdire la vallée de Napa pour toujours. Oak Valley n'était pas le seul vignoble de la région. Il en trouverait un autre, et il en ferait un domaine magnifique qui éclipserait celui d'Eichenbaum. Oui, il saurait se tailler, ici même, une renommée et une puissance plus grandes que celles de l'Allemand. Il sourit. Ce n'étaient que des rêves fous. Non, pas tout, cependant : l'idée de revenir à Cinnabar et de s'y établir appartenait à la réalité. C'était une promesse qu'il tiendrait — et peu importait ce qu'il en sortirait. Il redressa les épaules et se mit à siffloter. Sa bonne humeur naturelle reprit le dessus et il refusa de considérer son retour à San Francisco comme une défaite. C'était simplement un revers mineur sur la voie de la réussite.

## 3

Quand il arriva à San Francisco, en début de soirée, François avait décidé de passer la nuit chez la Signora Regazzoni et d'aller le lendemain à Salinas, voir Emilio et son oncle. Puisqu'il ne pouvait trouver de travail au nord de San Francisco, la région de Monterey lui serait peut-être plus favorable. Et l'influence d'Eichenbaum ne s'étendait pas jusque là-bas...

Il avait bon espoir, mais à chaque secousse du train qui l'emmenait vers South Vallejo, ses douleurs semblaient s'aggraver. Sa tête bourdonnait, il avait l'impression d'étouffer et il grelottait. Le trajet du débarcadère de Market Street à la maison de la Signora Regazzoni lui parut interminable. Sa valise lui semblait si lourde qu'il avait du mal à la porter. Sa vue se troublait et parfois il avait l'impression que tout le décor autour de lui s'éloignait à l'infini.

La Signora Regazzoni avait une chambre et elle était ravie de la lui laisser, mais comme il était seul, expliqua-t-elle, elle était obligée de lui compter un petit supplément : 15 misérables *cents*. Ce fut à peine si François l'entendit. Avec un regard curieux à son visage ravagé, la logeuse lui demanda s'il voulait dîner. Il refusa. Il ne songeait qu'à s'allonger sur un lit.

Le lendemain matin, des coups frappés à la porte de sa chambre le réveillèrent.

— Monsieur Pujol ! criait la Signora Regazzoni. Il est plus de neuf heures. Vous ne voulez pas déjeuner ?

François ne sut jamais s'il avait répondu ou non. La question de la logeuse fut la dernière chose dont il eut vraiment conscience au cours des trois jours qui suivirent. Il sentit, plutôt qu'il ne vit, la présence de la Signora dans la pièce, puis celle d'un inconnu penché au-dessus de lui. L'homme lui prenait le poignet, disait quelque chose d'une voix grave, on approchait un verre de ses lèvres... Un liquide amer... De la nourriture. A un moment, il crut voir Emilio, mais ce ne devait être qu'un rêve.

Le quatrième matin, la fièvre tomba et il redevint lui-même.

— Dieu soit loué, et bénie soit la Madone ! s'écria la Signora Regazzoni en le voyant ainsi.

Elle fit demi-tour pour revenir aussitôt avec du pain trempé dans du lait sucré, et une autre dose de médicament amer.

— Dormez, à présent, dit-elle.

— Quel jour sommes-nous ? Depuis combien de temps suis-je ici ?

— Chut !

Et elle s'en fut. Il somnola toute la matinée, ne s'éveillant de temps à autre que pour prendre conscience de ses draps trempés par la transpiration.

Plus tard, quand elle lui apporta un peu de potage, la logeuse répondit à ses questions. Le médecin s'était beaucoup inquiété, mais il avait prédit que François se remettrait très vite une fois la fièvre tombée. Elle lui donna des draps propres et lui lava le visage et les mains. Il se sentit un peu mieux. Le médecin revint en fin d'après-midi et constata les progrès du jeune homme sur la voie de la guérison. Deux jours de lit, un bon régime fortifiant et il serait prêt à se lever. Mais il faudrait qu'il se ménage pendant quelque temps encore et il n'était pas question de travailler. Il avait de la chance d'être aussi solidement bâti.

Après son départ, François commença à réfléchir. Combien lui avaient coûté ces journées de maladie ? A cette allure ses réserves fondraient très vite. Il décida de se lever le plus tôt possible pour descendre à Monterey chercher du travail sans attendre.

Mais, le soir venu, la porte de sa chambre s'ouvrit et Emilio entra... François n'avait pas rêvé.

Emilio lui expliqua que quatre jours chez son oncle à Salinas lui avaient largement suffi.

— Je ne suis pas taillé pour la vie à la campagne, lui dit-il. On n'a rien à foutre, nulle part où aller. Rien ne se passe. Pas de filles, pas de musique, pas de rigolade. A huit heures du soir, tout est barricadé. Un seul endroit où mettre les pieds : le bar de l'hôtel, et c'est bourré de culs-terreux qui ne parlent que de choux et de betteraves. Et presque pas d'Italiens, en plus. L'oncle Camillo ? Un vieux constipé. (Il singea sa voix chevrotante.) « Les jeunes d'aujourd'hui, je ne sais pas ce qu'ils ont dans la peau. Aucun sens des responsabilités, aucun sens du *devoir*. Ah ! de mon temps... »

— On dirait mon père, répondit François.

— Et le mien. Merde ! C'est pour fuir tout ça que je suis venu ici. Alors j'ai bouclé ma valise et me voici. « J'écrirai à ton père, petit voyou ! » m'a crié l'oncle Camillo. Ma foi, qu'il lui écrive ! Maintenant que je suis là, je ne suis pas près de rentrer en Italie, et je ne passerai sûrement pas ma vie à Salinas. Et toi ? Qu'est-ce que tu as fabriqué ? Pourquoi es-tu rentré à San Francisco et qui t'a fait ces bosses et ces bleus ?

François lui raconta ce qui s'était passé à Cinnabar, qu'il avait décidé d'aller rejoindre Emilio à Salinas mais qu'il était tombé malade en·chemin.

— Tu voulais aller t'enterrer dans ce trou ?

— Ça ne me paraît pas si mal. Je suis de la campagne, moi, tu comprends ?

— Non, je ne comprends pas. Même toi, tu crèverais d'ennui. Il n'y a pas trois vraies rues. Et tout autour, des fermes, des fermes, des fermes...

— Et des vignes ? Tu en as vu beaucoup ? Tu crois que je pourrais trouver du travail là-bas ? N'importe quel travail ?

— Non, mentit Emilio.

Il savait très bien que son oncle Camillo avait besoin de quelqu'un.

— Qu'est-ce que je vais faire ?

Tous les projets de François s'écroulaient.

— Reste ici, avec moi. J'ai trouvé une place. A la voirie. C'est dur, mais bien payé : 6 dollars par semaine. Et je serai bientôt contremaître : 2 dollars de plus. Je suis sûr qu'on t'engagera si je parle pour toi. Il faut payer sa chambre et ses repas, bien sûr, mais le type avec qui je loge va bientôt partir et tu pourras prendre son lit. 35 *cents* la nuit, petit déjeuner compris. Et la Signora Regazzoni offre un merveilleux dîner pour 15 « misérables » *cents*. Tu ne mettras pas longtemps à économiser de quoi faire venir ta fiancée.

— Je vais y réfléchir. Il faut que je reste encore deux jours au lit.

François avait les yeux rouges, et même Emilio pouvait constater que son ami avait besoin de repos. Il s'en alla, en promettant de revenir le lendemain soir.

Le jour suivant, François se sentit si bien qu'il insista pour se lever. Ses jambes étaient encore un peu faibles mais il retrouverait rapidement toutes ses forces.

Il demanda à la Signora Regazzoni combien il lui devait, et le montant qu'elle lui annonça lui parut très amer : 5 dollars et 75 *cents*, avec les honoraires du médecin et les médicaments. Il paya, ajoutant le loyer de sa chambre pour les trois nuits suivantes.

Se sentant assez fort, il partit explorer un peu San Francisco. La journée serait très chaude et, en ce milieu de matinée, les rues envahies de voitures, de piétons et de bruit prenaient un air de fête sous un soleil joyeux. Au cours de ses déplacements précédents dans la ville, trop pressé par le temps, il n'avait pas pu découvrir sa beauté. Il suivit Dupont Street vers Telegraph Hill et s'aperçut soudain qu'il n'était plus en Amérique, mais dans un monde tout proche de sa Gascogne natale, un monde qu'il avait appris à aimer à travers les récits d'Attilio, le cuisinier du bateau, d'Emilio, son ami du train, et du vieil Angelo pendant l'unique soirée passée à Casa Rosa. Tout le monde autour de lui était italien, les vitrines des épiceries regorgeaient de pâtes, de saucissons et de bouteilles de vins italiens, les bribes de conversation qu'il entendait étaient toutes en italien, et il les comprenait. Il se sentit presque chez lui.

Il n'alla pas très loin — dans son impatience, il avait surestimé ses forces et ses jambes se fatiguèrent vite — , mais il vit assez de choses pour décider que cette ville lui plaisait. Il se sentait attiré par ses collines — Bordeaux, Londres et New York lui avaient paru tellement plates ! — et toutes ces maisons de bois entassées pêle-mêle avaient un aspect accueillant. Il s'arrêta dans un bar et commanda un verre de vin. Il s'assit. Qu'allait-il décider ? Rester ici à San Francisco avec Emilio, ou partir de nouveau chercher du travail dans des vignes ? Soudain, il sentit qu'il n'avait pas le cœur de se lancer encore une fois dans l'inconnu. Il fallait qu'il économise ses réserves et qu'il profite de la maigre sécurité que représentaient Emilio et la promesse d'un travail.

Il revint chez la Signora Regazzoni, se laissa tomber sur son lit et s'endormit comme une masse pour ne s'éveiller qu'à l'heure du dîner. Emilio était rentré de son travail, et François descendit le rejoindre dans la salle à manger. Ils se gavèrent de pâtes et de boulettes de viande, puis François annonça à l'Italien qu'il restait.

— C'est la fête ! s'écria Emilio ravi. On va sortir arroser notre association.

— Sûrement pas ! coupa la Signora Regazzoni d'un ton sec. Son appétit est peut-être redevenu normal, mais pas le reste. Il a été très malade. Il faut qu'il se repose.

— Demain, dans ce cas.

Le lendemain était vendredi. François écrivit à Thérèse et à son père. Il leur raconta peu de chose — simplement qu'il allait bien, qu'il n'avait pas trouvé de place dans la vallée de Napa, et qu'il était revenu à San Francisco où il travaillerait pendant quelque temps avant de se rendre dans une autre région viticole. Il leur donna l'adresse de la Signora Regazzoni, dans l'espoir de recevoir bientôt de leurs nouvelles. Quand il eut terminé, il s'aperçut, surpris et contrarié, qu'il était trop fatigué pour aller poster ses lettres. Elles attendraient jusqu'au lendemain. Comme la veille, il s'allongea sur le lit et s'endormit sur-le-champ. Cette fois, il ne se leva pas pour dîner. La fièvre semblait revenue, mais avec l'autorité d'une femme qui avait élevé cinq enfants et enterré deux maris, la Signora Regazzoni décida qu'il n'y avait pas lieu de s'inquiéter.

— Vous avez voulu en faire beaucoup trop et beaucoup trop tôt, lui dit-elle. Ne bougez pas, je vais vous monter votre dîner.

Il le dévora et regretta qu'il ne soit pas plus copieux.

Le jour suivant, il se sentit bien mieux, complètement rétabli, et dans la soirée il sortit avec Emilio dans un bar pour boire à leur avenir. Emilio maintint la bonne humeur en imitant son oncle, ses parents, le contremaître du chantier de la voirie — se vantant toujours de façon éhontée. Et François prit conscience soudain que, pour la première fois depuis son départ de la maison, il riait. Oui, il riait vraiment. La maison... Il pouvait entendre sa mère lui dire : « Promets-moi que chaque jour tu diras un " Notre Père " et un " Je vous salue Marie ". Et que tu iras à la messe toutes les fois que tu pourras. » Il ne l'avait pas fait. Mais le lendemain était dimanche et il résolut de remédier à cette négligence coupable.

La plupart des Italiens religieux du quartier de North Beach, à San Francisco, fréquentaient l'église Saint-François-d'Assise, au pied de Telegraph Hill. Le curé de la paroisse, le père Farinelli, déployait beaucoup d'énergie. C'était un homme rougeaud, à l'embonpoint généreux, qui donnait une fausse impression de bon vivant. Outre les œuvres charitables qu'il dispensait autour de lui, il possédait un don remarquable qui le rendait cher à ses ouailles : une mémoire extraordinaire pour les visages et les noms, les prénoms des enfants, les métiers des hommes, et toutes sortes de détails les concernant. Ses fidèles étaient ses enfants, il se sentait leur père. Clairement conscient de leurs forces et de leurs faiblesses, de leurs défauts et de leurs qualités, il les traitait avec compréhension, sagesse et amour — comme leur Père dans le Ciel. Son unique problème était le nombre de personnes qui passaient un instant à l'église au moment de la messe puis s'en allaient avant qu'il ait pu leur parler — car il avait besoin de quelques minutes de conversation pour tout fixer dans son esprit.

Ce dimanche-là, en parcourant des yeux l'assemblée de ses paroissiens, il remarqua François et fut ravi de voir qu'il restait jusqu'à la fin du service. Quand le jeune Français quitta l'église, le prêtre, debout près de la porte, lui adressa la parole. En très peu de temps il apprit qui il était et ce qu'il faisait à San Francisco.

— J'espère vous revoir, lui dit-il. Et pas seulement à la messe, mon fils. Venez quand vous voulez, surtout si vous avez besoin d'aide.

François le remercia et rentra dévorer le repas gargantuesque que la Signora Regazzoni avait préparé — selon la tradition, le déjeuner du dimanche devait être le meilleur de la semaine.


Le lendemain à l'aurore, François accompagna Emilio au bureau des Services publics où l'on engageait les terrassiers pour les travaux de la voirie. Pour une fois les vantardises d'Emilio ne semblaient pas sans fondement, et sa recommandation permit à son ami d'obtenir un emploi. On expédia les formalités et dix minutes plus tard, ils étaient en route vers un des chantiers.

C'était très dur. Le travail commençait à sept heures du matin pour ne s'achever qu'à sept heures du soir, avec simplement une demi-heure de pause à midi. Ils réparaient les rues de terre avec du tout-venant. Il fallait mettre le sol de niveau, boucher les nids-de-poule, puis damer le tout-venant pour faire une surface ferme et plane. C'était le genre de travail n'exigeant aucune qualification particulière qu'acceptaient uniquement les hommes acculés par la nécessité; d'autant que le salaire, juste suffisant pour une personne seule, ne pouvait permettre l'entretien d'une famille. Mais San Francisco ne manquait pas de gens sans emploi, les terrassiers en puissance abondaient, et François comprit vite qu'il avait eu de la chance d'obtenir ce travail. La plupart de ceux qui l'entouraient étaient de jeunes émigrants comme lui, de toutes les nationalités, avec une majorité de Chinois. Une rude équipe, et des bagarres éclataient souvent; mais comme il n'y avait pas d'autres Français, François ne fréquenta qu'Emilio et évita tout ennui. Personne ne pouvait échapper au regard du surveillant, et son contrôle très strict ne permettait aucun instant de repos.

Emilio avait annoncé que son camarade de chambre allait partir, mais c'était encore, semblait-il, un fruit de l'imagination effrénée du jeune Italien. Pourtant, deux semaines plus tard, l'homme déménagea et François put prendre sa place, ce qui lui permit une économie importante de loyer. Il rognait également sur la nourriture, se contentant à midi d'une pomme ou — fantaisie occasionnelle — d'un morceau de fromage. Les plats de pâtes à la viande de la Signora Regazzoni suffisaient, le soir, à combler son appétit. L'argent s'accumulait beaucoup moins vite qu'il ne l'avait escompté. Il avait dû acheter de nouveaux vêtements de travail ainsi qu'une paire de bottes — et plus d'une fois Emilio lui emprunta un dollar, qu'il ne remboursait jamais en dépit de ses fréquentes promesses.

Peu à peu François se détacha d'Emilio. Ils étaient toujours bons amis, mais leurs intérêts divergeaient beaucoup trop. Emilio ne pouvait comprendre l'ardeur avec laquelle il s'acharnait à apprendre l'anglais, ni pourquoi il préférait se plonger dans les journaux qu'il achetait de temps en temps plutôt que de sortir pour boire. Et le jeune Italien n'éprouvait aucune envie d'accompagner François dans les visites (assez irrégulières) que celui-ci faisait à l'église Saint-François-d'Assise. François, d'ailleurs, s'y rendait davantage par devoir que par piété, mais il sentait qu'en quelque manière cela le rapprochait de ce qu'il avait abandonné en quittant Sauveterre.

Le père Farinelli l'avait évidemment reconnu dès sa seconde apparition à la messe. Il l'avait salué par son nom et lui avait demandé des nouvelles de son travail. Flatté et surpris, comme tant d'autres avant lui, par l'intérêt que lui témoignait le curé, François avait répondu avec chaleur. Quelques semaines plus tard, quand le prêtre l'invita à venir au presbytère dans la soirée, le jeune Gascon accepta avec plaisir.

Il y avait cinq autres jeunes gens, du même âge que lui, et récemment arrivés en Californie. Le père Farinelli fit les présentations et leur servit des biscuits et du thé léger. Tandis qu'ils mangeaient et buvaient, le prêtre anima la conversation, et sa bonne humeur était si communicative que très vite tout le monde parla librement — chacun se demandant pourtant en lui-même ce qu'il faisait là et pourquoi le curé les avait fait venir : ce n'était sûrement pas pour parler du beau temps, de leurs familles en Europe, et des conditions dans lesquelles ils vivaient ici.

Enfin, il entra dans le vif du sujet :

— Je sais que vous vous posez tous des questions sur votre présence ici ce soir. Je ne vous ai pas invités pour vous faire un sermon, rassurez-vous. Ah ! je vois que vous êtes soulagés !

Ils éclatèrent de rire.

— Non, mais il m'a semblé nécessaire d'organiser quelque chose — quelque chose pour occuper des jeunes gens comme vous le soir, ou peut-être seulement un soir par semaine. Du sport, par exemple, ou une sorte de club où vous pourriez vous rencontrer et échanger des impressions, que sais-je ? C'est pour cela que je vous ai fait venir, pour voir si vous aviez des idées.

Les jeunes gens, surpris, gardèrent le silence. La nécessité d'une chose de ce genre ne leur était pas venue à l'esprit.

— Allons, dit le père Farinelli. Vous avez tout de même des aspirations...

François prit son courage à deux mains.

— Des cours d'anglais, mon père.

— Des cours d'anglais ?

— Oui. Nous n'avons pas beaucoup d'occasions d'apprendre l'anglais. Regardez, je suis français, autour de moi il n'y a que des Italiens, des Polonais et des Chinois. Même quand nous travaillons au milieu d'Américains, il y a d'autres émigrants et nous faisons bloc aussitôt. Résultat, je parle l'italien toute la journée et je ne fais aucun progrès en anglais. Pourtant c'est la langue du pays et nous devrions l'apprendre.


Les cours d'anglais commencèrent deux semaines plus tard. François y assistait tous les mercredis soirs et grâce aux bribes qu'il avait déjà apprises à Londres, puis tout seul, avec son dictionnaire, il devint bientôt la vedette de la classe. Son vocabulaire s'enrichit, il parla bientôt couramment. Il avait essayé de persuader Emilio de suivre les cours, mais le jeune Italien, comme la plupart de ses compatriotes à San Francisco, n'en voyait nullement la nécessité.

Le père Farinelli s'intéressa de très près aux cours. Il y assistait chaque fois que les obligations de son ministère le lui permettaient, et il félicita François de sa réussite. Il fut très déçu quand, quelques mois plus tard, le jeune homme vint au presbytère lui apprendre qu'il ne fréquenterait plus les cours.


Cette semaine-là, on avait envoyé François et Emilio sur le chantier de Grove Street, à l'ouest de la ville, près de Avenue Park, à plus de 5 kilomètres de la pension de la Signora Regazzoni. C'était par une fraîche matinée de mars et ils partirent pour ce long trajet dès l'aurore.

En traversant un quartier riche, ils passèrent devant une maison vraiment splendide, au milieu de vastes jardins. C'était une grande bâtisse moderne aux toits mansardés, avec une décoration surchargée, en fer et en bois : des tours et des chapiteaux partout, selon la grande mode de l'époque. Elle devait comprendre au moins trente pièces, songea François. Non loin, un bâtiment séparé pour les écuries et les remises. Tout avait l'air élégant — et très cher.

— C'est la maison de la « Joyeuse Emilie », lui dit Emilio.

— Pardon ?

— Elle porte le même nom que moi, mais c'est bien tout ce que nous avons en commun. Tu n'as pas entendu parler d'elle ? Emilie King. Son père est millionnaire.

Il baissa la voix.

— Elle est folle des hommes. Il paraît qu'elle a eu tellement d'amants qu'on ne saurait les compter en un mois entier. Elle passe souvent dans nos quartiers pauvres — à North Beach et ailleurs. On dit qu'elle va dans des hôtels bon marché avec le premier venu et qu'elle racole dans les rues. Pour une petite heure... Il y en a qui aiment ça.

Le lendemain, quand ils passèrent de nouveau devant la demeure des King, François remarqua sur la grille de fer forgé un écriteau disant : « On recherche un jardinier. S'adresser ici. »

Tout d'abord il ne réagit pas, mais tout en travaillant ce matin-là, il commença à se poser des questions. Depuis quelque temps, la vie qu'il menait était loin de lui plaire. Il ne se sentait pas à l'aise dans la ville. Il avait besoin de nature, de terre sous ses pieds et non de rues. Il voulait travailler au milieu de plantes vivantes, et non entre des tas de cailloux. Peut-être devrait-il tenter sa chance à Monterey ? Mais quelque chose le retenait, peut-être sa crainte de recevoir là-bas le même traitement que dans la vallée de Napa. Et s'il était forcé de revenir à San Francisco, il aurait sûrement du mal à retrouver un emploi. Il détestait son travail à la voirie, mais il savait qu'une place stable constituait une chance inespérée : nombre d'émigrants comme lui se voyaient contraints à cirer les chaussures ou à ramasser les ordures — quand ils en avaient l'occasion — et la plupart vivaient dans la misère la plus noire.

Au moins, il avait été capable de mettre un peu d'argent de côté, même si ses économies n'augmentaient qu'au ralenti. Il possédait un peu plus de 50 dollars, déposés à la banque selon les conseils de la Signora Regazzoni — mais cela ne lui ouvrait aucune possibilité. Faire venir Thérèse lui coûterait 120 dollars, uniquement pour le voyage, et beaucoup plus quand elle serait là — une fortune. Il avait passé des nuits sans sommeil à retourner le problème en tous sens. Que fallait-il donc faire ?

L'idéal serait d'acheter une parcelle de terre dans la vallée de Napa, à Sonoma, ou n'importe où, pourvu que l'on puisse y cultiver de la vigne et que cette terre lui appartienne en propre pour qu'il échappe à la vengeance d'Eichenbaum. Mais comment gagner suffisamment d'argent pour faire passer ce rêve dans les faits ? Il s'écoulerait des années — non : des dizaines d'années — avant qu'il puisse envisager une chose pareille. Au cours de ses nuits d'insomnie, accablé par le désespoir, il fut plus d'une fois tenté de retirer son argent de la banque et de prendre son billet de retour pour la France... Mais il n'avait même pas assez pour cela.

Ce matin-là, tout en travaillant aux côtés d'Emilio, il repassa tous ces arguments dans sa tête et se demanda si une place de jardinier ne lui offrirait pas une vie plus agréable et une meilleure chance de faire des économies. Bien sûr, il n'était pas jardinier, mais il connaissait certainement les plantes aussi bien, sinon mieux, que le revêtement des rues. Et l'idée d'être au service de la Joyeuse Emilie était captivante en soi. Cela valait bien un essai.

Mais comment se présenter pour la place ? Il ne pouvait pas quitter son chantier sans se faire renvoyer. Il ne pouvait pas s'y rendre pendant la demi-heure de pause, avec ses vêtements de travail sales. S'il attendait la fin de sa journée, il n'arriverait pas chez les King avant neuf heures, même s'il se privait de dîner, et aucun employeur ne recevrait un candidat jardinier à une heure aussi tardive.

Puis, comme si la destinée prenait les choses en main, ou peut-être parce que, perdu dans ses pensées, il s'était montré moins attentif à son travail, l'accident se produisit. François dérapa et tomba, les mains en avant. La dame de l'un des travailleurs rebondit sur le petit doigt de sa main gauche. Il eut du mal à convaincre le contremaître que la blessure était assez grave pour justifier une visite chez un médecin, mais l'homme finit par se laisser attendrir.

François s'éloigna, le visage livide de douleur :

— Et revenez dans une heure, hein ? lui cria le contremaître. De toute façon, on vous rognera votre paie.

Il trouva un cabinet médical non loin, et la chance voulut que le docteur le reçût sur-le-champ. Il examina le doigt blessé, dit que l'os était fêlé et non brisé (l'ouvrier, en voyant François tomber, avait retenu son outil), mais préféra mettre le bras du jeune homme en écharpe. Celui-ci tenta de s'y opposer.

— Je ne vais pas pouvoir travailler comme ça !

— Vous avez intérêt à faire ce que je vous dis. Ce ne sera pas long. Trois jours, pas plus.

— Mais je perdrai ma place. Il faut que je reprenne le travail tout de suite.

— Je vais écrire un mot à votre patron.

Le contremaître examina l'ordonnance du médecin avec mépris.

— A votre place, Pujol !

François essaya, mais avec une seule main c'était sans espoir. Le contremaître s'avança vers lui.

— Pendant combien de temps vous devez porter ça ?

— Jusqu'à demain, mentit François, espérant que cela suffirait.

— Une chance. Plus longtemps et c'était inutile de revenir. Rentrez chez vous ou allez au diable. Je vous retiendrai un jour de salaire, et si vous n'êtes pas ici à la première heure demain, vous êtes renvoyé.

C'était l'occasion rêvée. Son doigt lui faisait mal mais la douleur était supportable. Il rentra chez la Signora Regazzoni en toute hâte, se lava, se changea et se dirigea vers la demeure des King.

Il remonta l'allée de gravier, le cœur battant. Il se garda bien de frapper à la grande porte et fit le tour de la maison jusqu'à l'entrée de service.

Il expliqua son affaire à la servante qui lui ouvrit, puis on le conduisit à un maître d'hôtel, un Anglais qui le toisa avec mépris mais condescendit à lui poser quelques questions de routine.

Il nota le nom, l'âge et l'emploi actuel de François, puis demanda :

— Qu'est-il arrivé à votre bras ? Un jardinier manchot ne peut pas faire grand-chose.

— C'est seulement pour aujourd'hui, *sir*.

— Inutile de m'appeler *sir*. Attendez ici. Monsieur est sorti, mais je vais demander si Miss King peut vous recevoir.

Dès qu'il fut seul, François se hâta d'enlever son écharpe.

Peu après, le maître d'hôtel le conduisit dans un salon luxueusement meublé. La traversée de la maison, si brève qu'elle fût, l'avait plongé dans l'émerveillement — tapis épais, riches boiseries, abondance de plantes en pots, tableaux aux murs, bibelots de prix — mais rien ne l'avait préparé à la splendeur de cette pièce, tellement vaste que le piano à queue, dans un des angles, laissait assez d'espace pour une douzaine de fauteuils et une bergère, ainsi que toute une famille de petits guéridons et de consoles. Le plafond haut s'ornait de belles moulures dont le relief avait été rehaussé d'or. Au centre était suspendu un magnifique lustre de cristal taillé. De lourdes tentures d'un vert profond décoraient les hautes fenêtres ornées de lambrequins à franges, et la cheminée était drapée du même tissu. Le parquet, magnifique, était presque entièrement recouvert par un immense tapis persan.

Mais François ne remarqua tout ceci que plus tard. Dès son entrée, son regard avait été capté par la jeune femme debout devant la cheminée.

Emilie King, la Joyeuse Emilie... Grande, blonde, belle plutôt que jolie, une bouche large aux lèvres pleines. De grands yeux gris, presque saillants, bordés de cils fournis. Une robe de soie à la dernière mode, couleur lilas, et trois rangs de perles autour de son cou. Elle devait avoir vingt-trois, vingt-quatre ans.

Elle lui adressa un regard hautain. Il la salua de la tête. Elle le toisa pendant un instant, puis lui lança une question.

— Quelles sont vos qualifications ?

Elle avait la voix grave, forte et dure, mais non dénuée de charme. La brusquerie du ton déconcerta le jeune Français.

— Qualifications ?...

— Vous parlez anglais ?

— Oui, *Mademoiselle*.

— Eh bien, insista-t-elle, impatiente. Quelles qualifications avez-vous ? Que savez-vous faire dans un jardin ?

— Rien, *Mademoiselle*.

— Rien ! Mais pour l'amour du ciel !... Pourquoi vous présentez-vous pour cette place ? Vous vous moquez de moi ?

— Non, *Mademoiselle*, balbutia François. Je ne...

114

— Alors, pourquoi ?

— Je ne suis pas très compétent en matière de jardinage, *Mademoiselle*, mais j'ai passé toute ma vie à cultiver la vigne. Je sais m'occuper des plantes.

— La vigne ? Nous avons une treille, mais... Non, je ne crois pas que ce soit... Que savez-vous des rosiers ? des rhododendrons ? des dahlias ? du gazon ?

— Je sais ce dont toutes les plantes ont besoin pour pousser.

— Non. Raccompagnez-le, Simpson.

Elle lui tourna le dos.

— Je vous en prie, *Mademoiselle*, insista-t-il en français.

Elle se retourna vers lui. Quelque chose la faisait hésiter. Et de plus c'était la première personne qui se présentait depuis quatre jours qu'elle avait fait placer l'écriteau sur la grille. C'était une idée à elle et son père s'en était moqué, prétendant que s'adresser comme de coutume à une agence d'emploi serait plus facile et plus efficace. Emilie, qui aurait pu acheter toute l'agence avec son argent personnel si elle en avait eu envie, s'insurgeait à la pensée de débourser la commission exigée. Elle avait donc fait poser l'écriteau, mais depuis quatre jours son échec semblait inéluctable, et cela lui pesait.

— Simpson m'a dit que vous n'aviez qu'un bras.

— Il avait le bras gauche en écharpe, *miss*, dit le maître d'hôtel.

— Où est cette écharpe ?

Elle ouvrit un coffret posé sur l'appui de la cheminée, prit une cigarette, l'alluma et alla s'asseoir dans un des fauteuils. François se força à dissimuler son étonnement : c'était la première fois qu'il voyait une femme fumer. Sauf dans une maison de passe. C'était peut-être une traînée après tout, comme l'avait laissé entendre Emilio. Elle souffla la fumée et observa le jeune homme à travers le nuage bleuté.

— Elle va mieux, dit-il. Ma main va mieux.

La jeune femme éclata de rire.

— Guérison miraculeuse, sans doute.

— J'ai enlevé l'écharpe parce que j'ai pensé...

— Vous avez pensé que je n'engagerais pas un jardinier manchot. Et vous aviez bien raison. Sûrement pas. Mais qu'est-il arrivé à votre main ?

François lui raconta l'histoire. Elle ne le quittait pas des yeux. Un visage sain, agréable, de larges épaules. Un bel homme, séduisant et viril, ce jeune Français...

Elle l'interrompit au milieu de son récit.

— Quand pourriez-vous commencer ?

— Demain, *Mademoiselle*.

Le visage de François s'éclaira d'un sourire, et bien qu'il n'en eût pas conscience, ce fut justement ce sourire qui décida Emilie. Jusque-là il avait belle allure, mais soudain il était devenu réellement beau, et Emilie ne pouvait pas résister à un homme beau.

— Très bien, dit-elle. Je vous engage à l'essai. Vous avez des références ?

— Des références ?

— Non, bien sûr, puisque vous travailliez dans les rues. Je suis folle, mais je prends le risque. Vous serez aide-jardinier. Vos gages ? 6 dollars par semaine. Nourri et logé, bien entendu. Dimanche libre. Vous avez des vêtements de travail ?

— Oui, *Mademoiselle*, mais ils sont... euh... pas propres.

— Tenez.

Elle prit un billet de 5 dollars dans son sac.

— Achetez ce qu'il vous faut. Ce sera déduit de votre première semaine. Soyez ici demain matin à huit heures précises. Présentez-vous à Hamilton — c'est le jardinier.

Simpson, le maître d'hôtel, toussa discrètement.

— Oui, Simpson ?

— Si je puis me permettre, *miss*, mieux vaudrait peut-être que j'achète les vêtements de travail de cet homme.

— Vous voulez dire qu'il risque de partir avec les 5 dollars et que nous ne le reverrons plus ?

— C'est une possibilité.

François rougit de colère.

— Je ne le crois pas. N'est-ce pas, Pujol ?

— Non, *Mademoiselle*, non.

Elle sourit.

— Si c'était le cas, je veillerais à ce que personne à San Francisco ne vous donne jamais de travail. Jamais. Ne m'y forcez pas. J'en ai le pouvoir, n'est-ce pas, Simpson ?

— Sans le moindre doute, répondit le maître d'hôtel avec un petit sourire supérieur à l'adresse de François.

— *Mademoiselle*, j'achèterai les vêtements, je vous apporterai le reçu. Je serai là à huit heures demain matin. Et merci, *Mademoiselle*, merci.

— Très bien. Mais si vous tuez les rosiers de mon père... Que Dieu vous protège — et moi aussi !


François rentra chez la Signora Regazzoni en marchant sur les nuages. Quelle aubaine ! Quelle chance fantastique ! Chemin faisant, il acheta un bleu de travail et des bottes.

Après avoir satisfait sa curiosité sur la Joyeuse Emilie, Emilio fut partagé entre la colère — le départ de François l'obligeait à trouver un autre compagnon de chambre — et la joie mêlée d'envie que lui causait la bonne fortune du Français.

— Tu vas perdre ton salaire de la semaine.

— Ça m'est égal. Ecoute, je vais dire au père Farinelli que je ne reviendrai plus au cours d'anglais, et je rentre pour dîner. Ensuite, on sort. Il faut arroser ça.

# 4

John King avait soixante-cinq ans. Self-made man, il devait son succès et sa fortune à la croissance rapide de San Francisco. Comme presque toutes les maisons de la ville étaient en bois, il existait une grande demande de ce matériau de construction que l'on devait faire venir par bateau depuis les forêts du Nord. King avait débuté en louant un des voiliers qui effectuaient ce transport. En peu de temps ses bénéfices lui avaient permis d'acheter un bateau, puis un deuxième et, par la suite, toute une flottille. Des années avant d'en arriver à ce stade, il avait cessé de naviguer lui-même : il engageait des capitaines. Devenu un grand homme d'affaires à la tête d'un personnel nombreux, il avait amassé de plus en plus d'argent. Quand quelqu'un lui demandait comment il avait réussi, il répondait invariablement : « A la force du poignet, en travaillant comme un diable à toute heure du jour et de la nuit. » Et c'était vrai. Il s'était entièrement consacré au travail, comme une bête de somme.

Une seule chose avait exercé sur John King autant d'attrait que ses affaires : sa fille. Il ne s'était marié qu'à quarante ans — un mariage aussi raisonné que toutes ses autres entreprises. Son épouse, Maud, venait d'une des familles les plus aristocratiques de San Francisco, et le mariage avait permis à King d'accéder aux cercles les plus fermés de la ville, tout en redorant le blason de la famille appauvrie de sa jeune épouse. Il ne fut jamais beaucoup question d'amour entre eux, mais ils s'entendirent très bien. Maud se montrait tolérante à l'égard de l'obsession de son mari pour les affaires; et il lui offrait le temps et l'argent qui lui permettaient de tenir salon — l'un des plus courus de San Francisco. Elle avait une armée de domestiques, toutes les toilettes et tous les colifichets qu'elle pouvait désirer, et une maison splendide pour recevoir.

John avait fait construire la maison comme cadeau de mariage. Sans regarder à la dépense, il y avait installé tout le confort moderne — pas moins de six salles de bains — et il l'avait meublée de façon princière, comme elle le méritait. Leurs amis, par raillerie mais non sans envie, l'avaient baptisée le « Palais » — après tout c'était la demeure d'un King, c'est-à-dire d'un roi.

Trois ans après leur mariage, Maud mourut en couches. L'enfant vécut, et John King nomma sa fille Emilie Maud : le premier prénom était celui de sa propre mère, il y adjoignit le second en souvenir respectueux, sinon aimant, de son épouse.

Et il trouva soudain le temps de prodiguer à l'enfant toute l'affection et l'amour que, trop occupé, il n'avait jamais accordés à Maud. Plusieurs membres de la famille de sa femme lui avaient proposé d'élever la fillette, mais il avait refusé. Il tenait à s'occuper de tout lui-même — avec l'assistance d'un chapelet de nourrices, pour la plupart mises à la porte du jour où elles essayaient d'inculquer quelque discipline à l'enfant qui leur était confiée. Emilie, bien entendu, fut atrocement gâtée et n'eut pas l'avantage de voir ses ailes rognées et ses angles arrondis par la fréquentation d'une école. Son père préféra lui donner une éducation privée, à la maison, et il engagea une veuve, ancienne institutrice diplômée, pour enseigner à la fillette ce que lui-même jugeait bon qu'elle apprît — très peu de chose en fait : lire et écrire, bien sûr, un vernis de dentelle et de musique, mais surtout, surtout, l'arithmétique, car il voulait qu'elle sache jongler, comme lui, avec les chiffres. La gouvernante s'avéra un choix excellent, car elle ne manquait ni de patience ni de dons pédagogiques : elle eut le talent d'intéresser son élève indisciplinée. Par bonheur, Emilie était naturellement douée pour le calcul — héritage, sans doute, de son père — et elle prit beaucoup de plaisir aux leçons.

Mais M$^{me}$ Allen, l'institutrice, eut plus d'une occasion de pousser des soupirs. La jeune Emilie avait beau se montrer appliquée à son travail, jamais elle ne serait une *dame*. Naturellement, John King avait désiré un fils. Il avait escompté que Maud lui donnerait des enfants jusqu'à ce qu'il ait au moins deux garçons pour faire vivre après lui son nom et ses multiples intérêts commerciaux. Mais son unique enfant était une fille : elle hériterait de sa fortune mais son sexe l'empêcherait de prendre la tête de ses affaires. Pourtant il n'éprouva aucun désir de se remarier.

Il adorait Emilie et se montrait très fier de sa féminité, mais il ne pouvait cependant s'empêcher de lui inculquer les qualités qu'il aurait voulu trouver dans un fils. Certes, il ne l'encourageait pas à devenir un garçon manqué, bien qu'il lui eût appris dès son jeune âge à monter à cheval à califourchon, à pêcher et à nager, mais il flattait son indépendance d'esprit, il lui faisait comprendre qu'elle était une personne au plein sens de ce terme, avec des droits et des devoirs, et il cultivait en elle un esprit de décision et un sens de son propre destin qui ne formaient point, aux dires de M$^{me}$ Allen, l'apanage d'une vraie *dame*.

Emilie se moquait bien d'être ou de ne pas être une *dame*. Elle vivait selon ses propres normes, et tant qu'elle conservait le respect d'elle-même, le reste du monde pouvait aller se faire pendre. Enfant précoce et turbulente, elle était devenue une jeune fille éveillée, très bien de sa personne. Bon nombre de ses attitudes semblaient peut-être extravagantes pour son temps — elle surprenait souvent ses amies en refusant de prendre des airs de sainte nitouche, et elle décontenançait ses galants, non seulement en consentant au flirt mais en prenant l'initiative au cours de leurs aventures sexuelles, sans dissimuler le moins du monde le plaisir qu'elle y trouvait — mais tout le monde convenait que la Joyeuse Emilie savait s'amuser.

Elle avait découvert la sexualité très jeune. Au moment de la puberté, M^{me} Allen avait abordé prudemment le sujet avec les allusions classiques, décentes et approuvées, aux petits oiseaux et aux abeilles, mais elle s'était bientôt trouvée acculée à décrire dans tous ses détails l'acte sexuel humain — ce qui l'aurait affreusement gênée si toute autre personne qu'Emilie l'avait écoutée.

Il y avait en Emilie une sorte de franchise ardente et terre à terre qui dépouillait ces questions de tout caractère graveleux, et elle ne trouva la description de M^{me} Allen ni dégoûtante ni risible. (Ces deux réactions auraient paru normales à l'institutrice, avec une préférence pour la première, plus convenable pour une jeune *dame*.) Au contraire la jeune fille considéra tout cela comme extrêmement mystérieux, et brûla d'envie de faire l'expérience elle-même. Et ce fut ainsi qu'au cours d'un bal, l'été suivant, elle perdit sa virginité — mais pour tout dire, le jeune Tommy Lewis devait conserver, sa vie entière, l'impression que dans l'aventure c'était lui, et non elle, qui s'était vu arracher sa vertu au fond du jardin... Heureusement, car elle n'avait nul désir d'avoir des enfants, elle semblait stérile — et au cours des sept années qui suivirent, elle s'accorda suffisamment d'occasions de concevoir pour en être certaine. Son surnom de Joyeuse Emilie avait pris du même coup un sens plus ambigu.

Voyant l'indépendance d'esprit dont témoignait sa fille, et l'assurance que trahissait toute son attitude, John King se demanda si, faisant un pas de plus dans le mépris des conventions, il ne pourrait pas lui confier un poste élevé dans ses affaires et la préparer à lui succéder un jour.

Trois ans avant que François ne vienne travailler dans son jardin, John King avait été victime d'une crise cardiaque sans gravité.

— Je vous le dis comme je le pense, s'était écrié le D^r McLaren, un vieil Écossais aux manières brusques, vous l'avez mérité. Surmenage. Continuez donc comme ça et j'irai à votre enterrement d'ici deux ans. Avertissement. Que ceci vous serve de leçon. Dieu merci, l'attaque a été bénigne. La prochaine sera plus grave, et à la troisième, bonsoir. Mettez le frein et vous vivrez encore des années. Sinon, clac !

— Mettez le frein ! Mettez le frein ! Facile à dire... avait grommelé John King.

Mais il savait que l'Écossais ne lui avait pas menti. Il rapporta à Emilie les paroles du vieux médecin et supplia la jeune femme d'entrer dans ses affaires et de commencer à le soulager de ses responsabilités.

— Non, répliqua-t-elle. Cent fois non. Désolé, papa chéri, mais ce n'est pas du tout ce que j'ai en tête.

— Et qu'avez-vous en tête ? Le mariage ?

— Pas de sitôt, j'espère.

Elle éclata de rire.

— Non, non. Tout ce que je sais, c'est que je n'ai pas l'ambition de devenir femme d'affaires.

— Alors vous vous moquez de mes entreprises ? Permettez-moi pourtant de vous dire que vous en avez bien profité. Et si je continue, McLaren affirme que cela me tuera.

Il sourit et ajouta d'un ton faussement pathétique, essayant de dissimuler le chagrin sincère qu'il ressentait :

— Vous ne voulez rien faire pour que votre pauvre vieux papa continue de vivre ?

— Oh ! mais si ! La solution est très simple. Si vous continuez, vos affaires vous tueront; mais si vous ne continuez pas, votre départ ne tuera pas vos affaires. Il faut que vous affrontiez la réalité. Vendez tout. Il y a des années que vous auriez dû le faire. Bien sûr, vous vouliez que l'affaire reste dans la famille pour moi. Mais puisque je n'en veux pas, quelle importance ?

La brutalité de l'argument d'Emilie le choqua et le blessa. Mais au cours des jours suivants, il fit le tour de toutes les solutions et il comprit qu'elle avait raison. Jusque-là, contre toute sagesse, il avait conservé dans sa tête le faible espoir qu'un jour Emilie lui succéderait à la tête de l'entreprise, et maintenant qu'elle avait refusé avec une détermination inébranlable, il ne ressentait plus soudain le même intérêt, la même passion. John King avait l'habitude des décisions rapides. Il n'hésita pas. Il vendit tout, et au lieu d'être un homme riche il devint un homme très riche, un multimillionnaire.

Bien entendu, il s'ennuya. Au début, il eut du mal à ne pas revenir au bureau, à ne pas offrir ses services à titre de conseiller. Puis il s'installa dans de nouvelles habitudes : chaque jour il se rendait à son club, où il discutait avec ses amis de politique et de bourse, avant de se lancer dans une ou deux parties de billard. Au moins une fois par semaine, il passait la matinée avec son agent de change, décidant des actions à acheter et à vendre, gagnant à chaque opération davantage d'argent. Il avait du mal à admettre l'idée qu'il devait éviter toute fatigue physique, et on l'apercevait souvent en train d'arpenter d'un pas vif les trottoirs du quartier des affaires — silhouette longiligne, très droite — toujours impeccablement vêtu, portant une barbe grise en broussaille qui encadrait son visage osseux sans parvenir pour autant à dissimuler sa mâchoire agressive.

Il continua évidemment à gâter Emilie. Elle bénéficiait d'une mensualité extrêmement généreuse. Il avait en outre acheté à son nom un gros paquet de valeurs sûres, pour qu'elle dispose d'un revenu bien à elle en dehors de l'argent qu'il lui donnait directement. Il ne lui imposait aucune restriction, et bien que parfaitement au courant de ses débordements, il n'y faisait jamais allusion et ne cherchait jamais à la dissuader. Il lui avait appris qu'elle était seule maîtresse de son destin; son corps lui appartenait aussi bien que son âme et ce qu'elle en faisait ne regardait qu'elle. Peut-être n'aurait-il pas adopté une attitude aussi confiante s'il n'avait pas été sûr et certain qu'elle gardait en toute circonstance la tête sur les épaules. Ils s'étaient toujours entendus à merveille et depuis l'adolescence d'Emilie leurs relations s'étaient transformées en une amitié pleine de tendresse.

L'entrée de François dans la domesticité de John King marqua ses premiers moments de bonheur depuis son arrivée aux États-Unis. Comparé aux travaux de la voirie, le jardinage était presque une sinécure : deux hommes n'avaient aucun mal à tenir le jardin en ordre, bien qu'il fût très vaste. Au début, Hamilton, le jardinier en titre, avait traité François avec une certaine froideur — vexé peut-être de ne pas avoir eu son mot à dire sur le choix de ce jeune idiot — et s'était moqué ouvertement de son ignorance du nom des plantes. « Il ne sait même pas distinguer une fleur d'une herbe folle », grommelait-il entre ses dents. Mais le temps passant, il reconnut vite que le Français avait « la main verte » : un sens inné des soins à donner aux plantes et les principes de base de l'art de tailler, repiquer, greffer, traiter tous les arbustes et toutes les fleurs, annuelles ou vivaces. Hamilton était un homme âgé qui avait perdu une bonne partie de sa vigueur. François accomplissait tous les travaux de force et le jardinier apportait sa science : à eux deux ils formaient une bonne équipe. L'Américain dut aussi reconnaître que le Français était à la fois dur à la tâche et vif à apprendre. A la fin de la période d'essai, ce fut en toute sincérité qu'il confirma à M. King les qualités de François.

Le jeune homme était logé dans une pièce minuscule sous les toits : un lit, une chaise et une petite armoire. Des murs nus, aucun espace, mais c'était à lui seul. Il y passait la plupart de ses heures de liberté. Non que ses rapports avec les autres domestiques de la maisonnée fussent tendus ou déplaisants. A vrai dire, il s'était senti étranger au début, mais les valets s'étaient montrés amicaux à son égard, et ils l'amusaient beaucoup. Pourtant, il se plaisait dans la solitude de sa chambre où il pouvait étudier son anglais et le livre de jardinage qu'il avait acheté. Et puis, il pouvait écrire régulièrement à Thérèse et à sa famille.

Les réponses demeuraient plus rares que ses propres lettres. Thérèse, qui n'avait pas la plume facile, se limitait à quelques lignes rapides : elle allait bien et Armand envoyait ses meilleurs vœux. Elle était heureuse que François eût trouvé un bon travail. Elle semblait incapable d'exprimer son amour pour lui autrement que par la phrase terminant invariablement ses lettres : « Je prie pour toi la Sainte Vierge et saint Christophe. Avec mon amour, Thérèse. » Une fois, il lui avait écrit en plaisantant qu'il était inutile, à présent, d'invoquer l'intercession de saint Christophe puisqu'il ne voyageait plus. Elle lui répondit qu'il ne devait jamais rire de ce saint, qui, elle en était certaine, le protégeait personnellement. Ce fut l'une des plus longues lettres qu'il reçut d'elle. Il se hâta de la rassurer : il éprouvait le plus grand respect pour saint Christophe et il portait toujours le médaillon qu'elle lui avait offert.

Pendant quelque temps, l'apparente froideur de la jeune fille ne laissa pas de l'inquiéter, et il se serait peut-être tourmenté, persuadé qu'elle avait trouvé un autre galant, sans les lettres que lui adressait Lydie. Elle avait été désignée — ou elle s'était désignée — comme le scribe de la famille.

« Cher François, écrivait-elle, merci pour ta lettre. Ton nouveau travail semble te convenir mieux. J'en suis contente. J'ai un nouveau travail, moi aussi. La vie a été très difficile ici depuis ton départ. Tu manques beaucoup à papa. Il ne parle jamais de toi, mais quand Henri fait des bêtises, il dit : "Enfin, je n'ai plus affaire qu'à un seul idiot, maintenant que ton frère est parti", et nous savons tous qu'il pense en réalité : " François aurait compris du premier coup, sans que j'aie besoin de tout lui mâcher ". Maman et moi parlons souvent de toi, nous essayons d'imaginer comment tu vas, comment est ta vie. Nous t'appelons entre nous "l'américain" ! Mais je crois que c'est à moi que tu manques le plus. Il n'y a plus personne pour s'amuser maintenant. Plus de blagues. Papa est très inquiet pour l'argent, et j'ai l'impression que nous ne parlons jamais d'autre chose. Alors, le mois dernier, je l'ai pris de front et je lui ai dit que je voulais me placer. Tu imagines l'orage ! Je suis surprise que tu n'en aies pas entendu les échos en Californie ! Mais j'étais bien décidée et il a fini par céder, puisque Fanchon est en âge, à présent, d'aider maman et même d'aller à la vigne. Je suis quatrième femme de chambre au château de Baleyssagues. C'est splendide, et je suis dans mes petits souliers du matin au soir. Le travail n'en finit pas, mais la maîtresse est aimable et toutes les autres servantes sont très gentilles. Je gagne 10 francs par semaine. J'en donne la moitié à papa et je mets de côté tout le reste. Qui sait, j'aurai peut-être un jour de quoi partir en Amérique, moi aussi.

« Je vois souvent Thérèse le jour où je suis libre. Je crois qu'elle est très malheureuse. La dernière fois, elle m'a dit à quel point elle t'aime, mais elle est persuadée qu'elle ne te reverra jamais. Elle sort de temps en temps avec Armand, mais ça ne semble guère lui plaire. Tu ferais bien de lui écrire pour la remonter un peu.

« Henri vient de se fiancer à Lucette Burlet : tu te souviens, celle qui est tout en os avec une tête de bonnet de nuit. Papa et maman sont très contents, d'autant plus qu'elle aura une belle dot. Mais vraiment, avec Henri, elle fait bien la paire !

« Tiens bon ! Ta sœur qui t'aime, Lydie. »

La lettre rassura François sur les sentiments de Thérèse mais l'inquiéta au sujet de son père. Dans une lettre précédente Lydie lui avait appris que Raphaël avait reçu ses porte-greffes américains et les avait écussonnés avec des greffons de cépages français. Les plants poussaient bien, « mais c'est très lent, disait-elle, il faudra des années avant de pouvoir produire de nouveau. On a beaucoup de mal. » François imaginait très bien ce que cela signifiait : son père devait passer sa rage sur tout le monde et il fallait économiser sur la nourriture, la boisson, les vêtements, et avant toutes choses sur les petits luxes auxquels, malgré leur vie très frugale, les membres de la famille s'étaient habitués.

François alla voir John King, lui expliqua la situation et demanda une heure de liberté pour aller à la banque retirer 50 dollars et les envoyer à son père. Au moins, la moitié de sa dette serait remboursée. King accepta et lui donna de bons conseils sur la façon de procéder. Peu de temps après, il reçut un petit mot de Raphaël qui accusait réception de l'argent, sans remerciements débordants, mais François connaissait trop bien son père pour attendre de lui ce genre de chose.


A l'automne 1879, quinze mois environ après l'arrivée de François chez les King, Hamilton, le jardinier en titre, annonça son intention de se retirer. John King fit appeler François.

— Hamilton s'en va, comme vous devez le savoir, jeune homme. Croyez-vous pouvoir faire son travail ?

François avala sa salive.

— J'essaierai, monsieur.

— Il dit que vous avez beaucoup appris depuis votre arrivée. Il ne pense que du bien de vous. Et je dois dire qu'il est assez bon juge. Ce vieux bougre en sait plus long sur le jardinage que Dieu le Père. Je vous garde donc trois mois à l'essai. 10 dollars par semaine. Ça vous va ? Nous nous occuperons de vous trouver un aide.

— Ce n'est pas nécessaire, monsieur.

— Pardon ?

— Je pourrai m'en sortir tout seul, monsieur. Je travaillerai plus longtemps, mais ça m'est égal, je n'ai rien d'autre à faire. De toute manière, depuis mon arrivée j'ai fait le plus gros de l'ouvrage. Je ne veux pas dire que Hamilton ne travaillait pas, mais il est âgé. La plupart du temps il me donnait des indications et j'exécutais.

— Nous avons toujours eu deux jardiniers depuis que nous sommes ici.

— Un gaspillage, monsieur.

— Je vois. Vous voulez que je vous paie davantage.

— Non, monsieur. 10 dollars font un bon salaire. Mais je suffis au travail.

John King regarda le jeune homme debout devant lui et ce qu'il vit lui plut. Il y avait de l'obstination dans la mâchoire de François, mais aucune avidité dans son regard — la fierté sincère de ses capacités, rien de plus.

— Très bien, dit-il lentement. Nous ferons un essai. Je vous surveillerai. Si vous n'êtes pas à la hauteur, j'engagerai quelqu'un d'autre, et vous vous retrouverez peut-être aide-jardinier.

— Non, monsieur. Cela n'arrivera pas.

— Vous ne manquez pas d'assurance, Pujol.

— Non, monsieur, répondit François.

Et il sourit.

Travailler seul avait des inconvénients mais aussi des avantages, et François en profita pleinement. Il fit des erreurs : il faillit tuer la pelouse par excès d'engrais chimique, et les dahlias, dont Hamilton avait la passion, ne fleurirent jamais aussi bien après le départ du vieux jardinier; mais d'une manière générale le jardin était aussi bien tenu, sinon mieux, qu'au temps où deux hommes s'en occupaient. A la fin de la période d'essai, John King, satisfait, fit passer le salaire hebdomadaire de François à 12 dollars.

Emilie fut enchantée, elle aussi. Elle adorait les fleurs et elle tirait vanité de la beauté de son jardin, plus attrayant que ceux de la plupart des autres riches propriétaires de San Francisco — certains n'avaient qu'une méchante pelouse grossière entre le trottoir et le pas de leur porte. Elle allait régulièrement cueillir des bouquets pour les salons, étroitement surveillée autrefois par le vieil Hamilton et maintenant par François qui lui montrait quelles fleurs il fallait couper pour ne pas gâcher l'allure de la plante tout en préservant sa croissance.

Par un après-midi chaud et ensoleillé, elle vint dans le jardin où François travaillait. Son apparition le surprit. Elle n'avait pas déjeuné à la maison, et il avait entendu dire par les femmes de chambre que ni la jeune femme ni M. King ne rentreraient avant l'heure du dîner. Comme ses employeurs étaient absents, il avait ôté sa chemise et travaillait torse nu. Emilie cueillit quelques roses, puis vint le regarder travailler. Il s'était précipité pour endosser sa chemise, mais elle lui avait dit : « Oh ! Inutile de vous formaliser pour moi ! Vous devez avoir très chaud au soleil. » Il avait une conscience aiguë de sa demi-nudité et il savait que de temps à autre ses aisselles dégageaient des senteurs lourdes. Il haussa les épaules. En tout cas, c'était de la sueur honnête.

Emilie ne pouvait manquer de s'en rendre compte, elle aussi. Très soigneuse de sa personne, elle entendait que les autres veillent à ne pas l'offenser par leur odeur. Mais les senteurs musquées dégagées par le corps du jeune Français n'étaient ni âcres ni déplaisantes, stimulantes au contraire, excitantes. Elle regarda ses larges épaules; sa peau mate qui frissonnait sous l'effort de ses muscles, sa taille étroite.

Elle lui tendit les fleurs qu'elle venait de cueillir.

— Venez avec moi, dit-elle brusquement.

Elle partit d'un pas vif vers la maison et François la suivit. Non sans surprise, il la vit traverser le grand vestibule et monter l'escalier. Craignant qu'elle ne désire pas être accompagnée plus loin, il hésita sur la première marche.

— Allons ! Venez... dit-elle d'une voix impatiente.

Elle le précéda jusqu'à sa chambre. Bien entendu François n'y était jamais entré et le décor l'étonna. Il s'attendait à une pièce très féminine, un peu comme la chambre de M^{me} Bowen dans la maison

124

close de Cinnabar, mais il fut frappé aussitôt par une simplicité inattendue, d'ailleurs très belle. Les couleurs de base étaient le blanc et l'or. Comme dans le reste de la maison, tout n'exprimait que luxe et richesse. Les murs revêtus de cuir blanc s'ornaient dans chaque angle de motifs dorés à la feuille. Sur le lit à colonnes tendu de mousseline fine, une courtepointe piquée de fils d'or. Le nécessaire de toilette, sur la coiffeuse d'angle, lançait lui aussi des reflets dorés. On eût dit une chambre de conte de fées.

— Posez les roses ici, ordonna-t-elle en montrant une console. Et asseyez-vous.

Il obéit.

— Parlez-moi de vous, je vous prie, dit-elle en se laissant tomber dans un fauteuil.

— De moi ?

— Est-ce que je me fais mal comprendre ? D'où venez-vous ? Votre famille ?

Elle l'écouta attentivement, l'interrompant souvent pour poser des questions. Jamais ses yeux ne se détachaient de lui, parfois fixés sur son visage, mais errant le plus souvent sur son corps. Elle semblait s'intéresser surtout à ses origines et à son milieu, et elle hocha la tête d'un air approbateur quand il lui dit que les Pujol étaient propriétaires de leurs terres et, sinon riches du moins respectés à Sauveterre.

— C'est un joli nom. Est-ce qu'il est mérité ?

— Oh ! oui, *Mademoiselle*.

Il décrivit le village et sa maison sur le coteau.

— On dirait que votre cœur est resté là-bas.

— Oui, *Mademoiselle*.

— Et il y a une autre raison, n'est-ce pas ? Une jeune fille ?

— Oui, *Mademoiselle*.

Il crut qu'elle allait lui poser des questions sur Thérèse, mais elle changea de sujet.

— Pourquoi m'appelez-vous ainsi ? Pourquoi ne dites-vous pas « miss » ou « miss Emilie » comme les autres domestiques. Vous parlez pourtant très bien l'anglais.

— Je suis désolé, miss.

— Ne soyez pas désolé. Cela me plaît. Ne m'appelez jamais autrement.

Elle se leva.

— Venez ici.

— *Mademoiselle* ?

— Venez vers moi.

Il se leva et s'avança vers elle, se doutant bien de ce qui allait se passer, mais craignant de commettre un impair. Quand il fut debout devant elle, elle avança la main et toucha son bras nu — une caresse lente qui commença à l'épaule, glissa sur son biceps, puis sur son avant-bras, son poignet et sa main. Et elle saisit cette main et la posa brusquement sur ses seins.

— Embrassez-moi, dit-elle.

Et comme François hésitait, elle prit son visage et l'attira contre ses lèvres entrouvertes.

Peut-être n'était-ce encore pour elle qu'un jeu, mais François cessa de douter quand elle commença à déboutonner son corsage, et il fut pleinement convaincu lorsqu'il sentit la main de la jeune femme se glisser sur son aine en une caresse avide. Puis elle ouvrit son pantalon.

— Enlevez vos vêtements.

Elle le regarda puis l'entraîna jusqu'au lit.

Il y avait longtemps que François n'avait pas eu de femme, mais elle ne parut pas regretter que leur union eût été brève et explosive. Elle attendit, en lui dispensant ses caresses, qu'il soit de nouveau prêt. Cette fois ce fut lent, beau, extatique.

Quand les frissons de la passion s'estompèrent enfin, elle le repoussa et s'étira paresseusement.

— Vous avez beaucoup de talent, Pujol — ou bien dois-je vous appeler François ? Vous êtes beau et... talentueux.

Ce mot, dans sa bouche, avait des accents étrangement érotiques.

Elle fit courir ses doigts sur la poitrine du jeune homme.

— S'il nous arrive de recommencer, ce sera à mon initiative. Et inutile de le préciser, pas un mot à qui que ce soit. J'ai bien dit *à qui que ce soit.*

François sourit.

— Bien, *Mademoiselle*. Je suis heureux de vous avoir donné satisfaction.

Il porta la main à son front en un geste de déférence ironique.

Pendant un instant il crut avoir dépassé les bornes, mais elle éclata de rire et lui lança une claque joyeuse sur les hanches.

— Pas de ces libertés avec moi, mon mignon ! Pas *davantage* de libertés, je veux dire. Et maintenant, vous feriez aussi bien de filer.

Il se leva et s'habilla, sans quitter des yeux sa silhouette allongée sur le lit luxueux. Comme elle était belle ainsi, se dit-il, avec ses longues jambes et toutes les douces courbes de son corps. Ses cheveux blonds s'étalaient en désordre sur l'oreiller, et même la dureté naturelle de son visage volontaire semblait adoucie par le sentiment de passion repue. Ses lèvres sensuelles s'entrouvraient en un demi-sourire, et ses yeux gris le regardaient. Quel supplice de Tantale ! Pendant un instant il fut tenté de revenir dans ses bras, mais un ordre était un ordre, et les King n'avaient pas pour habitude de répéter leurs ordres deux fois Elle lui avait dit de partir, et il fallait lui obéir à la lettre. Il lui adressa un petit salut de la tête et quitta la pièce.


L'expérience se renouvela. Plusieurs fois, mais non avec une fréquence permettant à François de croire qu'il était le seul homme de sa vie, ni qu'elle le préférait à tous les autres. Leurs rencontres avaient toujours lieu dans l'après-midi, et chaque fois un jour où Mademoiselle Emilie était supposée sortir, afin que les autres domestiques —

bien qu'à sa disposition à tout instant — ne fussent pas dans les couloirs comme lorsqu'on la croyait à la maison.

Certains d'entre eux soupçonnèrent visiblement ce qui se passait, mais François se refusa à tout aveu.

— Mademoiselle Emilie et moi ? s'écriait-il en feignant l'étonnement. Quelle drôle d'idée ! Je vais porter des fleurs dans sa chambre, c'est tout.

— Bravo ! lui dit un des valets. Mais si tu ne fais que porter des fleurs, pourquoi restes-tu si longtemps là-haut ?

— Elle me parle du jardin. De ce qu'elle veut ici et de ce qu'elle veut là.

— Et comment !

Il se tourna vers les autres, fit un clin d'œil et singea l'accent français de François :

— Ce qu'elle veut ici, et ce qu'elle veut là ! répéta-t-il avec des gestes obscènes.

— Ça suffit ! lui lança Simpson, le maître d'hôtel, d'un ton sec. Qu'est-ce que tu cherches ? Tes huit jours ?

L'incident était clos, mais non sans que l'un des autres valets eût marmonné entre ses dents :

— Elle vise un peu bas, non ? C'est bien la première fois qu'elle va avec l'un d'entre nous.

François savait qu'ils ne le croyaient pas, mais en tout cas, il avait protégé l'honneur de Mademoiselle Emilie — autant que faire se pouvait. Car pour tout dire, les séances dans la chambre duraient plus longtemps depuis quelque temps. Après leurs ébats, Emilie montrait de plus en plus le désir de bavarder, allongée sur le lit, satisfaite, tandis que ses doigts jouaient avec les poils de la poitrine de François. Elle parlait de tout et de rien, lui racontait son enfance, ses inquiétudes pour la santé de son père, ou bien elle lui posait des questions sur sa vie passée. Si égoïste et égocentrique qu'elle fût, elle savait écouter avec compréhension et sympathie. Franche et directe de nature, elle ne se contentait jamais de réponses vagues ou ambiguës, et les questions pressantes se succédaient jusqu'à ce qu'elle apprenne la vérité, quel que fût le sujet de la conversation. Pour extraordinaire qu'il y parût, tout se passait comme s'ils étaient devenus amis. Bien entendu, elle ne le traitait ainsi que dans l'intimité de sa chambre. Lorsqu'elle le rencontrait dans le jardin, ou parfois dans la maison, rien dans l'attitude de la jeune femme ne trahissait qu'il était pour elle davantage qu'un simple domestique parmi les autres. Et pourtant, il avait souvent l'impression qu'elle le connaissait mieux que personne d'autre au monde — y compris Thérèse.

## 5

Un soir d'octobre, vers la fin du dîner, Simpson entra dans l'office et appela François.

— On vous demande à la salle à manger.

Les King possédaient une treille : quelques vieux ceps taillés de façon à couronner la véranda, sur l'arrière de la maison. C'était l'unique plante qu'Hamilton n'avait jamais comprise, et en général elle ne produisait qu'une maigre récolte. Les raisins se formaient mais les grains restaient petits ou bien pourrissaient avant de mûrir. Bien entendu, François s'était aussitôt occupé de la treille. Il l'avait taillée sévèrement, l'avait épamprée avec soin et lui avait assuré un bon arrosage quand il le fallait. Ainsi traitée, la vigne avait fourni dès la première année ses meilleurs raisins depuis toujours. L'année suivante, la récolte fut encore plus belle et John King et sa fille venaient de goûter les premières grappes de la saison.

— Ah ! Pujol ! s'écria John King le sourire aux lèvres. Mademoiselle Emilie et moi tenons à vous féliciter pour ces excellents raisins. Les fruits de vos œuvres, pourrait-on dire. Emilie ?

La jeune femme sourit à son tour.

— Je ne peux pas m'arrêter d'en manger. Oui, vous méritez nos félicitations, Pujol.

Elle ne l'appelait François que dans l'intimité de sa chambre.

— J'imagine que vous les avez goûtés ? demanda John King.

— Quelques grains, monsieur, pour être sûr qu'ils étaient à point.

— Ils le sont. Servez-vous.

Il poussa la coupe de raisins vers François.

— Merci, monsieur. J'ai dîné.

— Allons, allons ! Il vous reste sûrement de la place pour un raisin de votre cru. Asseyez-vous. Il faut que je vous parle.

François voyait souvent son employeur, mais sans jamais avoir avec lui de conversation suivie. Il lui avait toujours paru distant et hautain, sans être cependant inaccessible, mais ce soir-là il semblait vraiment d'humeur communicative. Emilie et lui terminaient un bon dîner et dans le carafon de vin, sur la table, il restait à peine trois doigts. King avait un ballon de cognac près de son verre à bordeaux et il fumait un gros havane.

D'un geste timide, François prit une chaise et s'assit à table. Emilie lui tendit une assiette à dessert et il coupa un grappillon.

— Combien avons-nous de grappes comme celle-ci ? Une cinquantaine ?

— Non, monsieur. Entre vingt-cinq et trente.

— Beaucoup trop pour ma fille et moi. Qu'adviendra-t-il du reste ?

— Avec votre permission, monsieur, certaines pourraient être servies à la table des domestiques. Je suis sûr qu'ils apprécieraient. Peut-être le reste pourrait être donné à l'hôpital.

— A l'hôpital ? Bien entendu. Et l'an prochain ?

— Il y en aura davantage, monsieur. Bien traitée, la treille produira beaucoup.

— C'est bien ce que je pensais. Vous vous y entendez en vin, je crois. Ma fille me dit que votre père est propriétaire d'un vignoble en France.

— Oui, monsieur.

— Bien. Ce que je veux savoir, c'est si nous aurons assez de raisin pour faire du vin.

François eut envie de rire, mais s'en garda bien.

— Non, monsieur.

— Pourquoi ? Une bouteille ou deux...

— Ce ne sont pas des raisins à vin, monsieur, mais des raisins de table.

François regarda Emilie. Elle hochait lentement la tête en souriant, comme si elle avait déjà expliqué cela à son père, mais sans le convaincre.

— On *peut* bien entendu faire du vin avec ces raisins — on peut faire du vin avec n'importe quel fruit — mais il ne sera pas très bon.

— Je vois. C'est-à-dire, non. Je ne comprends pas. Expliquez-moi donc la fabrication du vin.

François parla longtemps. Des divers cépages de vigne, de la teneur des raisins en sucre et de leur goût, de la façon dont on les plantait, les taillait, les traitait, de la saison des vendanges, comment on foulait le raisin rouge et pressait le raisin blanc, comment on faisait fermenter le moût avec la râpe ou sans la râpe, dans des cuves ou des fûts, comment le vin se séparait de la lie, comment on soutirait d'un fût dans un autre jusqu'à ce que, débarrassé de ses impuretés, le vin puisse enfin être mis en bouteilles.

Quand il se tut, John King prit le carafon et lui servit un verre.

— Tenez. Vous devez avoir la bouche sèche et vous méritez bien d'y goûter.

François prit le verre et huma le vin. C'était de toute évidence un bourgogne, et en dehors des bordeaux ses connaissances restaient limitées.

— C'est vous l'expert, insista King. Dites-moi ce que vous en pensez.

— C'est un bourgogne, mais je ne saurais préciser lequel.

— Nuits-Saint-Georges. Vous allez boire des dollars liquides, Pujol.

— Il est très bon. Presque aussi bon que nos vins de Bordeaux.

John King éclata de rire.

— Et moi qui espérais produire ce genre de nectar ici, au beau milieu de San Francisco ! Tout à fait idiot, non ?

— Si vous voulez boire du vin de vos vignes, répondit Emilie, il vous suffit d'acheter un vignoble.

— Quoi ? Comment ? Un vignoble. Quelle idée saugrenue. Qu'ai-je besoin d'un vignoble ?

— Réfléchissez. Vous n'aimeriez pas boire votre propre vin ?

Elle leva son verre, le huma et s'écria d'un ton ironique :

— Ah ! Château King 1880, si je ne me trompe !

John King éclata de rire, puis se tut, comme s'il étudiait l'idée dans sa tête.

— Dites-moi, Pujol, est-ce que ces choses-là gagnent de l'argent ?

— Oui, monsieur. Quand les vignes sont bien tenues.

François sentit un picotement d'excitation au bout des doigts.

— Mon vignoble et mon vin... murmura King presque à lui-même.

Un certain intérêt courait en filigrane sous le ton ironique de sa voix.

— Ce qu'il faudrait, poursuivit-il, c'est acheter une entreprise en état, une propriété qui connaisse déjà le succès. Mais comment en être sûr ? La comptabilité, je pense, s'il y a une comptabilité en règle. Mais je gage que la plupart de ces vignobles sont des affaires de famille, sans un seul livre de comptes bien tenu. Comment saurais-je ce que j'achèterais ?

— Pujol peut certainement vous conseiller, suggéra Emilie.

— Oui... répondit son père distraitement, toujours perdu dans ses pensées. Eh bien, Pujol, qu'en dites-vous ? Dois-je acheter un vignoble ?

— La culture de la vigne et la fabrication du vin sont des affaires sérieuses, monsieur. Vous ne pouvez pas acheter une vigne par... Je ne connais pas le mot en anglais... par *caprice*.

— *A whim !* traduisit Emilie en riant. Eh bien, papa, je crois que nous voici remis à notre place !

— Je suis désolé, monsieur. Je n'avais pas l'intention de me montrer grossier, se hâta de dire François.

John King le fusillait des yeux. Exactement comme Raphaël avant une explosion de rage, se dit-il, et il se prépara à recevoir ses huit jours. Mais King n'était pas homme à perdre son calme. Après un long silence, il répondit :

— Vous avez tout à fait raison, Pujol. Mais si vous me connaissiez mieux, vous sauriez que je ne fais jamais rien par caprice.

— Je suis désolé, monsieur. J'ai dit une sottise.

— Non, c'était la voix du bon sens. Maintenant, à supposer que j'envisage sérieusement l'idée folle de Mademoiselle Emilie, seriez-vous capable de me conseiller ? Pourriez-vous me garantir les coûts, les recettes, les revenus probables ?

— Oui, monsieur.

— Et cela vous plairait ?

— Oui, monsieur, dit François d'une voix neutre.

— Eh bien, vous ne montrez guère d'enthousiasme.

John King avait eu trop d'employés dans sa vie pour ne pas savoir interpréter les réactions de ses interlocuteurs, et il savait que souvent une réponse réticente dissimulait une objection intéressante.

— Qu'est-ce qui vous chiffonne ? insista-t-il.

— Rien, monsieur.

— Allons... Répondez-moi.

François sentit qu'il avait tout gâché : il pouvait aussi bien tout dire.

— C'est que... J'aurais envie... Pas seulement de vous conseiller, monsieur.

Son anglais devenait de plus en plus mauvais à mesure qu'il se débattait avec ses idées.

— Je suis vigneron. Si vous achetez des vignes, je voudrai les travailler. Et cela ne vous plaira pas. Vous voulez que je reste jardinier ici. Et si vous achetez une exploitation en état, il n'y aura pas de place pour moi.

John King l'écouta sans réagir. Quand François se tut, il dit simplement :

— Je vois... J'y songerai.

Il fixa le jeune homme pendant quelques instants. François eut l'impression que les yeux gris le transperçaient jusqu'aux replis les plus secrets de sa conscience et lisaient toutes ses pensées.

— Merci, Pujol... dit John King enfin.

François comprit que c'était un congé. Il se leva, remercia pour le vin, s'inclina devant lui puis devant Emilie, et sortit. Avant de revenir à l'office, il s'arrêta, se redressa et fixa une expression insouciante sur son visage. Il ne voulait pas laisser voir aux autres qu'il venait de frôler la catastrophe.


Quand il eut quitté la pièce, John King se tourna vers sa fille.

— Un jeune homme intéressant. Il n'a pas peur de dire ce qu'il pense.

— Il tremblait dans ses bottes !

— Sans doute, mais ça ne l'a pas arrêté. Vous semblez en savoir bien long sur lui...

— Il m'arrive de lui parler quand je vais cueillir des fleurs.

Il lui lança un regard curieux, mais il ne vit sur le visage d'Emilie qu'un sourire serein, et si certaines questions passèrent dans sa tête, elles ne franchirent pas ses lèvres.

— Alors, papa. Cette vigne ? dit-elle.

— Oh ! des bêtises ! Ai-je besoin d'une vigne ? Mais si j'en achetais une, je suis sûr que ce garçon ferait tout à fait mon affaire.

De nouveau Emilie sourit.

Au cours des jours suivants, John King se rendit compte, non sans surprise, que l'idée de posséder ses vignes continuait de lui trotter dans la tête. Il acheta du vin de Californie et le trouva meilleur qu'il ne l'avait escompté. Il mit à profit la bibliothèque de son club pour apprendre que la vigne avait été introduite en Californie dès 1771 : des moines franciscains avaient apporté les premiers plants d'Espagne et les avaient cultivés autour de leurs missions. Le climat, disait le livre, était idéal pour la vigne; mais il ne put glaner aucun autre renseignement qui lui fût utile. Il demanda à plusieurs de ses amis du club ce qu'ils savaient du marché des vins en Californie.

— En plein essor, lui dit l'un d'eux. Souvenez-vous de mes paroles, King, un de ces jours le vin jouera un rôle capital dans l'économie de l'Etat !

— J'ai des intérêts dans une cave près de Santa Cruz, lui apprit un autre. Au nom d'Amy. Un peu d'argent de poche, quoi. Mais à vrai dire, c'est de très bon rapport.

Emilie, découvrant que son idée en l'air semblait avoir éveillé l'intérêt de son père plus que toute autre chose depuis qu'il avait renoncé aux affaires, l'encouragea à toute occasion. Le projet la passionnait elle aussi, et elle se mit à lire les annonces immobilières dans le journal.

Peu après Noël, elle fit appeler François.

— Je veux que vous vous rendiez à Cinnabar, dit-elle.

— A Cinnabar !

Il ne put retenir une exclamation de surprise.

— Oui. C'est dans la vallée de Napa.

— Je sais, *Mademoiselle*. Vous avez oublié : je vous ai dit, il y a longtemps, que c'était le premier endroit où j'étais allé en Californie.

— Ah oui ! répondit-elle d'un air distrait. Il se trouve qu'un vignoble est à vendre aux enchères. Je veux que vous y jetiez un coup d'œil pour conseiller mon père. Il se nomme San Cristobal. Vous pourrez prendre le premier bac demain matin. Examinez bien l'endroit, faites une estimation de sa valeur et apprenez tout ce que vous pourrez à son sujet. Je pense qu'il vous faudra passer la nuit là-bas. Voici 10 dollars pour vos frais.


Il arriva à Cinnabar à midi, déjeuna à l'hôtel et demanda l'adresse de San Cristobal. M<sup>me</sup> Harris ne le reconnut pas : sa précédente visite datait de plus de deux ans et il était alors un étranger timide, sans le sou, à peine capable d'aligner quelques mots d'anglais.

— Un peu plus haut près de la route, lui dit-elle. A main gauche. Vous voulez jeter un coup d'œil, j'imagine. Vous ne pouvez pas vous tromper : il y a à l'entrée une affiche annonçant la vente aux enchères. C'est une vieille propriété un peu délabrée, mais vous jugerez par vous-même.

— Elle montera à quel prix ?

M<sup>me</sup> Harris haussa les épaules.

— Qui sait ? Les gens d'ici parlent de 10 000 à 11 000 dollars. Peut-être davantage.

Il prit la route et tous ses souvenirs refirent surface : les replis des coteaux, la couleur brune des pentes avec les taches vert foncé des buissons. Il arriva à la hauteur du chemin menant à Oak Valley et il vit un panneau neuf indiquant « San Cristobal » avec une flèche. Il comprit soudain que ce devait être la petite exploitation attenante au vignoble d'Eichenbaum. Eh bien, cela risquait de devenir une situation intéressante — mais même si John King achetait San Cristobal il n'y avait aucune raison pour que François, jardinier à San Francisco, entre un jour en rapport avec l'Allemand... Il continua son chemin, prit l'allée de la ferme et passa devant l'affiche indiquée par M$^{me}$ Harris : « Douze hectares de vignes plantées en Zinfandel premier choix, avec les bâtiments et le cheptel mort, maison d'habitation, chai et hangars, le tout en état de production. » Les enchères seraient ouvertes à l'hôtel Cinnabar deux semaines plus tard.

Il frappa à la porte de la ferme et une femme âgée lui ouvrit. Elle était seule propriétaire, lui dit-elle, depuis la mort de son mari. Elle lui fit faire le tour des terres. Cela prit du temps, car François avait décidé de feindre l'ignorance et de laisser M$^{me}$ da Silva lui expliquer les choses en détail. Lorsqu'il partit, ayant appris tout ce dont il avait besoin, il n'était plus question de prendre le train de San Francisco. Il retint une chambre à l'hôtel.

Le lendemain soir, la bibliothèque de la demeure des King fut le siège d'une grande conférence.

— C'est un beau vignoble, leur dit François. Petit : 12 hectares, mais il y a bien 4 hectares de plus, sur le versant du coteau, qui pourraient être défrichés et plantés. Les vignes sont d'un bon cépage et devraient bien « donner », mais voici deux ou trois ans qu'elles sont négligées. Il faudra beaucoup de travail pour les remettre en état. Les ceps ont été mal taillés. Les bâtiments sont vétustes et ont besoin de réparations. Mais il y a tout le nécessaire. Je ne crois pas cependant que vous puissiez considérer San Cristobal comme une exploitation en bon état de marche. Il n'y a ni patron ni régisseur, puisque le propriétaire est mort. Deux hommes travaillent les vignes en ce moment, mais je ne les crois pas très capables. Il vous faudrait engager du personnel. C'est dommage, car c'est un beau vignoble. C'est...

Il s'arrêta.

— Continuez, lui dit John King.

— C'est un endroit que j'achèterais si j'en avais les moyens. Juste la bonne taille pour débuter — assez grand pour rapporter, assez petit pour être tenu bien en main.

King acquiesça.

— Si ce n'est pas en bon état, dit-il, le prix devrait rester abordable.

Comme la plupart des hommes d'affaires de talent, il flairait aussitôt les bonnes occasions.

Etes-vous sûr qu'on puisse tout remettre d'aplomb ? demanda-t-il.

— Oui. Certain.

— Et à quel prix ?

— Avant tout, un travail acharné.

— Vous savez ce que nous devrions faire, papa ? intervint Emilie. Nous devrions l'acheter et donner à Pujol l'occasion de prouver ce qu'il dit.

— Hum ! Il vaut mieux attendre qu'une propriété en parfaite condition vienne sur le marché.

— Vous ne savez pas combien de temps il vous faudra patienter. Je lis les annonces tous les jours : les vignobles mis en vente sont rares.

C'était vrai, malgré tout ce que François avait pu lire dans les journaux français sur les vignes à vendre pour une bouchée de pain. La plupart des exploitations existantes, comme celle d'Eichenbaum, semblaient être en de bonnes mains.

— D'un autre côté, poursuivit Emilie, vous n'aurez jamais rien de bon pour le prix qu'atteindra cette propriété. Qu'en pensez-vous, Pujol ?

François avait écouté avec un intérêt croissant.

— *Mademoiselle,* ce n'est pas à moi de parler.

— Mais si, c'est à vous ! Pour l'amour de Dieu, aimeriez-vous faire marcher cette affaire ? Est-ce que vous *pourriez,* d'abord ?

— Oui. Oui, *Mademoiselle.*

— Et le jardin, ici ? dit King.

Mais il y avait une lueur de malice dans ses yeux.

— Nous trouverons toujours un autre jardinier, papa. Vous ne voyez donc pas ? Normalement, acheter ce vignoble n'aurait aucun sens, parce qu'il vous faudrait trouver un homme compétent, capable de remettre la propriété en état. Mais nous avons déjà cet homme...

Cet argument ne fut pas sans effet sur John King.

— Cela vaut la peine d'y réfléchir. Dites-moi, Pujol, quels seraient les coûts d'exploitation d'un endroit comme celui-là ?

— Avant tout, la main-d'œuvre. Trois hommes — les salaires et la nourriture. Des vendangeurs pour la récolte. Puis les engrais, le soufre...

— Le soufre ? coupa King.

— Oui. Pour lutter contre le mildiou. Il faut en poudrer la vigne trois ou quatre fois à partir de la fleur jusqu'à la fin des pluies. Ensuite il faudra des bouteilles, des étiquettes et des bouchons, à moins de vendre en fûts aux négociants. Il y a une agence d'expédition à Cinnabar, M^{me} da Silva m'a dit qu'elle lui cédait tout son vin. Cette agence négocie la majeure partie de la production des environs.

Les questions se succédèrent. Dépenses, économies, fonds de roulement. John King griffonnait des chiffres sur un bout de papier, faisait des additions, posait d'autres questions, élaborait des estimations, se rappelait que la première année le revenu serait minime, et recommençait ses calculs à zéro. Enfin il hocha la tête.

— L'affaire ne mérite pas plus de 10 000 dollars, 12 000 à l'extrême limite. Je monterai jusqu'à 10 000. Et il va falloir songer à engager un autre jardinier.

Quand François quitta la pièce, Emilie se leva elle aussi, disant qu'elle avait besoin de prendre un peu l'air. Elle sortit avec lui.

— Je suis idiote, vous savez. Pourquoi ai-je accepté de me priver de vos talents ? Je ne comprends pas. Mais cela me fait plaisir de voir papa s'intéresser de nouveau à quelque chose. L'idée de boire son propre vin a vraiment frappé son imagination. Il ne vous laissera pas en paix tant que vous n'aurez pas produit la première bouteille.

— Il devra patienter. Et me faire confiance.

— La confiance est acquise, mais ne lui demandez pas d'attendre trop longtemps. Songez à son âge.


Un jour de la semaine suivante, John King convoqua de nouveau François. Assis dans un fauteuil confortable, le millionnaire fumait son cigare d'après dîner.

— J'arrive de Cinnabar, dit-il. J'ai jeté un coup d'œil à ces vignes. Ce n'est certainement pas la place qui manque, mais pour moi quelle calamité ! Toutes ces mauvaises herbes !

— Les mauvaises herbes s'arrachent, répondit François. Le vrai problème c'est que la vigne a été mal taillée et insuffisamment traitée.

— Vous en savez plus long que moi sur ce point. Mais l'un dans l'autre, c'est tout de même mieux que je ne l'escomptais. Le coin m'a plu. Nous irons à cette vente — je préfère que vous veniez aussi — et nous verrons si nous pouvons l'obtenir pour un prix raisonnable. Mais une chose est· certaine : je ne mettrai pas plus de 10 000 dollars.


Au jour dit, John King, Emilie et François firent le voyage de Cinnabar. L'heure de la vente aux enchères avait été calculée de façon que les acquéreurs éventuels puissent venir de San Francisco le matin et rentrer le jour même.

On avait débarrassé de ses tables la salle à manger de l'hôtel Cinnabar et aligné quelques rangs de chaises. A deux heures, presque tous les sièges étaient occupés. Eichenbaum était là, et François crut reconnaître plusieurs propriétaires à qui il avait demandé du travail. Il passa très près d'Eichenbaum mais les yeux de l'Allemand glissèrent sur lui comme s'il le voyait pour la première fois.

Le commissaire-priseur, un petit bonhomme tout rond tiré à quatre épingles, fit claquer son maillet pour réclamer le silence, décrivit la propriété et invita les assistants à proposer leurs enchères. Une voix avança 2 500 dollars. Le commissaire-priseur fit la sourde oreille.

— Allons, messieurs, vous pouvez faire mieux que ça.

Il y eut un temps de silence, puis, à 4 500 dollars, la lutte commença pour de bon, à coups de 500 dollars, puis de 250, jusqu'à 8 000...

— 500, dit Eichenbaum.

— 750, annonça un homme au visage morne dans un angle de la salle.

— 9 000, renchérit Eichenbaum.

Le silence se fit.

— 9 000 dollars, une fois, dit le commissaire. 9 000 dollars...

— 250, insista l'homme morne.

— 500, tonna Eichenbaum.

— 9 500 dollars, répéta le commissaire.

Il regarda l'homme morne et celui-ci secoua la tête, plus triste que jamais.

— 9 500 dollars une fois.

Il s'arrêta, souleva son maillet...

— 9 500 dollars deux fois.

Jusqu'ici, John King n'avait pas parlé, mais la vitesse avec laquelle les enchères étaient montées à une somme aussi élevée lui avait fait une forte impression. Si les vignerons de l'endroit estimaient que la propriété valait ce prix-là, il avait dû en sous-estimer les possibilités dans ses calculs. Il leva la main et dit :

— 10 000.

Emilie, enthousiaste, lui serra le bras.

Eichenbaum lui lança un regard furieux et décida d'écraser d'un coup ce nouvel adversaire.

— 11 000, dit-il.

John King n'hésita pas.

— 12 000.

Eichenbaum devint écarlate.

— Un moment ! dit-il au commissaire-priseur.

Et il se mit à griffonner des chiffres au dos d'une enveloppe tandis qu'un murmure assourdi parcourait la salle. Au bout d'un instant, il annonça :

— 13 000.

— Papa, murmura Emilie, nous le tenons. C'est sa limite. Il ne montera pas plus haut.

— Et je ne devrais pas monter plus haut, moi non plus. Ça ne les vaut pas.

— Mais si, ça les vaut. Vous voulez avoir votre vignoble, non ?

— 13 500, dit King, ajoutant à l'adresse d'Emilie : Je suis fou !

Le commissaire-priseur se tourna vers Eichenbaum. L'Allemand ne répondit pas : il vérifiait ses calculs.

— 14 000, laissa-t-il tomber enfin, les joues en feu.

John King croisa les bras.

— Suffit, dit-il. Je suis peut-être fou, mais sûrement pas à ce point. Ça ne vaut pas plus de 10 000 dollars, bien que je sois ravi de voir M<sup>me</sup> da Silva obtenir un gros prix.

Eichenbaum, voyant que son adversaire inconnu renonçait, arbora un sourire de triomphe.

— A 14 000 dollars pour M. Eichenbaum. 14 000 dollars une fois... Deux fois...

— 16 000 !

C'était la voix d'Emilie.

La salle explosa. Le commissaire-priseur, bouche bée, fixait la jeune femme. Eichenbaum semblait pétrifié.

John King regarda sa fille avec des yeux ronds.

— Vous avez perdu la tête !

— J'ajoute 6 000 dollars de mon argent personnel aux 10 000 que vous étiez prêt à payer. C'est mon argent, non ? Je peux en faire ce qui me plaît, vous me l'avez assez dit.

Comprenant qu'Emilie avait parlé au nom de son père, le commissaire-priseur interrogea John King du regard. Il hocha la tête, résigné. Le commissaire se tourna vers Eichenbaum, mais l'Allemand s'était levé et quittait déjà la pièce.

— 16 000 dollars une fois... Deux fois... Trois fois... Adjugé... se hâta de dire le commissaire.

Et il abattit son maillet pour qu'on ne puisse plus retirer l'enchère.

Emilie sauta au cou de son père.

— Nous avons un vignoble, s'écria-t-elle.

Elle se tourna vers François et lui serra la main.

— Et je crois que vous voici avec un nouvel emploi.


A la porte de l'hôtel, M^{me} da Silva les attendait. Les larmes aux yeux, elle remercia John King et lui promit toute l'assistance en son pouvoir.

— Quand comptez-vous partir ? lui demanda-t-il.

— Fin mars, avec votre acccord. (C'était deux mois plus tard.) Je sais que c'est un long délai, mais j'ai tant à faire. Quitter une maison où j'ai vécu plus de vingt ans...

Elle se mit à pleurer de plus belle.

— Cela ira très bien, répondit King.

Il savait qu'elle abusait de lui, mais elle lui faisait pitié.

Eichenbaum aussi les attendait.

— Je vous paierai 17 500 dollars pour cette terre, monsieur, lui dit-il. Mais il faut me laisser un peu de temps. Je peux réunir 14 000 dollars tout de suite et le reste d'ici un an. Je ne sais pas qui vous êtes ni pourquoi vous voulez San Cristobal, mais moi je suis Friedrich Eichenbaum d'Oak Valley. J'ai besoin de ces vignes. Je les attends depuis que cet imbécile de da Silva est mort. La propriété ne vaut 17 500 dollars pour personne d'autre que moi, mais je les paierai.

— Elle n'est pas à vendre, dit Emilie. A aucun prix.

Eichenbaum la fixa, puis regarda son père et enfin François. Ses yeux se rétrécirent, ses lèvres se crispèrent en un ricanement muet : il l'avait reconnu. Il parut sur le point de parler, mais se maîtrisa, lança un dernier regard incendiaire et s'éloigna à grands pas.

— Il est vraiment fou de rage, dit Emilie.

John King avait évidemment remarqué l'intensité du regard lancé par Eichenbaum à François.

— Il vous en veut, dit-il. Pourquoi ?

— Nous sommes ennemis, répondit François.

— Et son domaine touche San Cristobal ? Pour l'amour de Dieu, Pujol, pourquoi ne m'avez-vous rien dit ?

— C'est une affaire personnelle, monsieur.

— Ne faites pas l'imbécile, Pujol. Il faut que je sache. C'est important. Que s'est-il passé ? Je veux connaître toute l'histoire.

Sur le chemin de la gare, François lui raconta son premier séjour à Cinnabar. Il était sûr que toutes ses espérances allaient s'écrouler. Quand il eut terminé, le silence se prolongea.

— Je ne veux pas d'histoires, dit King enfin. Vous m'avez bien compris ?

— Oui, monsieur. Je ne ferai pas d'histoires.

— Mais Eichenbaum risque de vous en faire. Si c'est le cas, je veux le savoir aussitôt. Je vous interdis d'entreprendre quoi que ce soit de votre propre chef à ce sujet. Et si jamais je découvre que vous l'avez provoqué d'une manière ou d'une autre, tout est fini. J'accepte son argent et je lui laisse San Cristobal. C'est clair ?

On ne discuta plus du sujet pendant le trajet de retour à San Francisco, mais une partie de la joie semblait s'être éteinte. Il y avait d'autres voyageurs dans leur compartiment. King accepta leurs félicitations pour son acquisition de San Cristobal, mais tout le monde comprit très vite qu'il se refusait à discuter des raisons qui l'avaient poussé, et de ses projets pour les vignes. Emilie et lui n'échangèrent que des banalités avec les autres voyageurs.

François se laissa absorber par ses propres pensées. Il pensait que King avait toujours l'intention de lui confier la direction de San Cristobal, malgré l'hostilité d'Eichenbaum et surtout le fait qu'il ne lui en avait rien dit à l'avance. Mais il n'en était pas certain. Jamais ils n'avaient discuté du salaire, de la liberté d'action dont il disposerait, et de tous les détails. Il se souvint par exemple qu'en évoquant les dépenses courantes quelques semaines plus tôt, il n'avait pas songé aux gages d'une cuisinière pour les deux vignerons et lui-même. M. King lui permettrait-il de faire venir Thérèse ? Si elle désirait encore venir... Si sa mère lui permettait de quitter la maison...

De retour à San Francisco, King le prit à part.

— Nous avons beaucoup de choses à voir ensemble, Pujol, mais pas ce soir. Je me fais vieux et la journée a été épuisante. Je vous verrai demain ou... De toute façon très bientôt.


Quelques jours s'écoulèrent avant l'entrevue.

— Ecoutez, Pujol, dit John King d'un ton résolu. Voici comment vont se passer les choses. Je vous confie San Cristobal. Vous en serez le régisseur. Vous me tiendrez au courant de façon régulière et j'attends de vous une comptabilité impeccable. Je prendrai des dispositions pour que vous puissiez retirer de la banque de Cinnabar jusqu'à 50 dollars par semaine. Cela devrait couvrir vos gages, ceux des vignerons, votre nourriture à tous les trois et les frais de roulement du vignoble. Si vous avez des dépenses en excédent pour du matériel ou quoi que ce soit, vous devrez me consulter, et je mettrai les sommes requises à votre disposition si je le juge nécessaire. Est-ce clair ?

— Oui, monsieur, mais...

— Une minute. Votre salaire sera de 15 dollars par semaine, mais il ne s'agit que d'une période d'essai de trois mois...

— Non, monsieur.

— Pardon ?

— Trois mois ne suffiront pas, monsieur. Il n'y aura pas de résultats positifs à San Cristobal avant deux ou trois ans.

— Je ne suis pas idiot, Pujol. Je comprends tout ce qu'il y a à faire, mais en trois mois je compte bien découvrir si vous êtes à la hauteur, si vous savez gérer convenablement l'argent et diriger les hommes qui travailleront avec vous. Et surtout si vous pouvez éviter tout ennui avec cet Allemand, Eichenbaum. Si je suis satisfait sur tous les plans, votre salaire passera à 20 dollars par semaine, et vous aurez deux ans pour remettre la propriété sur pied. Ai-je répondu à votre question ?

— Oui, monsieur. Merci.

— Très bien. Mais n'oubliez pas que je dois être informé et consulté en toutes circonstances. Ne vous montez pas la tête. Vous êtes le régisseur, mais San Cristobal ne vous appartient pas. C'est *moi* le propriétaire, avec Mademoiselle Emilie, et c'est moi qui prendrai les décisions.

— Non, monsieur.

— Comment ?

King devint brusquement écarlate. C'était la deuxième fois que François le contredisait sans ménagement.

— C'est moi qui prendrai les décisions, monsieur. Vous ne connaissez rien à la vigne. C'est mon métier. Je vous présenterai les problèmes, je vous expliquerai toutes les solutions possibles, et celle que je choisirai. Mais je prendrai les décisions.

Pendant un instant les deux hommes se toisèrent, King visiblement blessé, François plein de défi. Puis John King esquissa un sourire.

— Vous avez raison. Vous prendrez les décisions. Mais je veux tout savoir, tout. Je veux comprendre vos options et en discuter avec vous. Cela me permettra de vous accorder mon appui. Jamais vous n'aurez de mal à me convaincre, si vous êtes vraiment sûr de votre fait. Dans deux ans, je veux en savoir aussi long que vous sur ce fichu carré de vignes. Compris ?

— Oui, monsieur. Merci, monsieur, s'écria François avec un soupir de soulagement. Et puis, monsieur, ce que j'ai dit, ce n'était pas par manque de respect.

Les yeux de King pétillèrent de malice.

— Je crois que nous nous comprenons, Pujol. Rien d'autre ?

— Le jardin, monsieur.

— J'ai déjà trouvé un homme. Il commencera la semaine prochaine et vous aurez le temps de lui montrer le travail. Il paraît très compétent... Très bien, Pujol, ajouta-t-il après un instant de silence, je crois que c'est tout pour l'instant.

— Puis-je vous demander quelque chose, monsieur ? Quand nous avons parlé de San Cristobal, nous n'avons pas songé au problème de la cuisine. Nous n'avons prévu personne.

— J'ai supposé que vous feriez votre cuisine vous-même avec les vignerons. Je ne paierai pas un salaire supplémentaire. Il faudra vous débrouiller.

— J'ai l'intention de me marier, monsieur.

— Vraiment ? Eh bien, c'est une manière comme une autre d'avoir une cuisinière à la maison, répondit King en souriant. Qui est-ce ? Une des femmes de chambre ?

— Non, monsieur. Elle s'appelle Thérèse Listrac. Elle est en France, à Sauveterre, mon village natal. Cela ne coûtera rien, monsieur, et si elle vient, je paierai sa nourriture et tout le reste avec mon salaire.

King regarda le jeune homme, à la fois sérieux et passionné. Il sourit de nouveau.

— Vous avez quitté la France depuis quand ?

— Deux ans et demi, monsieur.

— Et vous ne l'avez pas oubliée après tout ce temps ?

— Non, monsieur.

— Très bien. Si elle vient, j'accepte qu'elle vive à San Cristobal. Sinon, ma foi, il faudra vous contenter de haricots et de pommes de terre.

— Oui, monsieur. Merci, monsieur. Merci beaucoup.


François quitta la pièce plus heureux qu'il ne l'avait jamais été de toute sa vie. Il n'arrivait pas à croire que ses rêves fussent en train de se réaliser.

Il écrivit aussitôt à Thérèse une longue lettre débordant d'enthousiasme où il raconta tout ce qui s'était produit au cours des derniers jours. Il décrivit San Cristobal en long et en large, et il promit de lui envoyer l'argent du voyage — ou plutôt un billet — dès qu'il recevrait sa réponse. Il cacheta la lettre, puis s'aperçut qu'il n'avait fait aucune allusion à leur mariage. Il la déchira et recommença, sans oublier cette fois non seulement de présenter sa demande dans les règles, mais de préciser qu'il arrangerait tout avec le père Farinelli pour que la noce soit célébrée le plus tôt possible après son arrivée — et en lui assurant qu'elle n'avait nul besoin de songer à une dot. Le plus gros problème, il le savait, serait le chaperon de la jeune fille pendant le voyage, car sa mère refuserait sans doute de la laisser partir jusqu'en Californie toute seule. Une autre personne de Sauveterre émigrerait-elle en Amérique ? Il faudrait peut-être attendre longtemps, mais il patienterait...

La réponse à sa lettre arriva peu avant qu'il ne quitte San Francisco pour la nouvelle vie dont il avait si longtemps rêvé.

« Cher François, lui écrivait Thérèse, merci pour ta lettre. Oui, je viendrai en Californie si tu m'envoies l'argent. J'en suis très heureuse. J'espère que je serai une bonne épouse pour toi et que tu ne changeras pas d'avis en me voyant après une aussi longue séparation. Si je peux venir, c'est parce que maman ne va pas bien. Elle abandonne le magasin pour aller vivre avec Louis et Félicie. Félicie a perdu sa pauvre mère il y a quatre mois, et ils ont de la place pour maman. Elle aurait voulu qu'Armand continue de tenir l'épicerie, mais il a refusé. Il va venir en Californie avec moi, alors tu vois que je serai bien chaperonnée pendant le voyage. Dès que tu enverras l'argent, j'écrirai pour te dire quand j'arrive. Avec tout mon amour, Thérèse. »

Et elle avait ajouté en post-scriptum : « Armand demande s'il pourra t'aider à San Cristobal. Y aura-t-il une place pour lui là-bas ? »

Les jours suivants allaient paraître très courts. Il lui fallait retirer de l'argent, prendre le billet et l'envoyer à Thérèse — un billet non daté qu'elle pourrait utiliser quand cela lui conviendrait le mieux. (Elle irait au Havre par le train et ferait la traversée du Havre à New York en deuxième classe, il pouvait lui offrir cela et il tenait à lui éviter les incommodités d'un voyage dans l'entrepont.) Ensuite, il lui fallait rendre visite au père Farinelli pour prendre les dispositions nécessaires à leur mariage. Mais avant tout il devait parler à John King, lui annoncer la nouvelle, lui demander du temps libre pour régler ses affaires, et obtenir la permission de prendre Armand à San Cristobal.

King se montra réticent d'emblée, persuadé sans doute que le jeune homme lui forçait la main.

— Ce n'est pas seulement une question de place pour loger votre ami, Pujol. Nous n'avons pas besoin d'un autre homme. j'ai déjà promis à M$^{me}$ da Silva de continuer à employer ses deux vignerons.

— Ils sont âgés tous les deux, répondit François. Et peu compétents.

— Mais ils peuvent tout de même travailler sous votre direction, et il n'est pas question de les remplacer. Il n'y a pas de travail pour votre ami.

— Je le sais, monsieur. Mais peut-il rester avec nous jusqu'à ce qu'il trouve du travail ailleurs ? Cela ne vous coûtera rien. Il paiera sa nourriture. Et un loyer. Je lui demanderai un loyer.

John King sourit.

— Soit. Mais que ce soit bien clair entre nous : plus de surprises de ce genre. Je ne dirige pas un centre d'accueil pour émigrants français.

Dans l'après-midi, François prit le billet de Thérèse et le lui envoya.

# 6

François arriva à Cinnabar dans l'après-midi du 31 mars. M<sup>me</sup> da Silva devait avoir déménagé la veille et laissé les clés de la maison à Hank et à Don, les deux vignerons.

Le soir tombait lorsqu'il remonta l'allée, qu'il connaissait bien, entre les vignes de San Cristobal. Il fut surpris de n'apercevoir aucune lumière dans le bâtiment des ouvriers, mais sur le seuil de la ferme, il vit une feuille de papier dépassant d'une grosse pierre. Il la ramassa. Les clés se trouvaient au même endroit. Une main maladroite avait griffonné : « Partis aider M<sup>me</sup> da S. Hank. » Quel accueil ! se dit-il.

Il ouvrit la porte et pénétra dans la ferme déserte. Son cœur battait. C'était peut-être la maison de John King sur le papier, mais dans la pratique ce serait la sienne, et il la partagerait avec Thérèse. M<sup>me</sup> da Silva avait emporté toutes ses affaires hormis deux ou trois meubles dont elle n'avait plus l'usage, mais John King avait déjà acheté l'indispensable — un grand lit, une table de cuisine et des chaises, ainsi que divers ustensiles de ménage livrés la veille. Quelqu'un avait tout déposé dans la maison. Les casseroles, les poêles et les couverts neufs s'étalaient sur la table de cuisine et, à l'étage, les couvertures et les draps, encore empaquetés, gisaient sur le grand lit de la chambre principale.

François se rendit dans le logement des vignerons. C'était la première fois qu'il y entrait : une odeur épouvantable, une saleté repoussante. Il décida d'imposer à Hank et à Don un nettoyage sérieux. Il revint dans la maison et se prépara une omelette piperade avec les provisions qu'il avait apportées de San Francisco. Puis il rangea le reste des ustensiles de cuisine, et déballa ses maigres effets personnels. N'ayant rien de mieux à faire, il se coucha, impatient de voir le soleil se lever pour prendre vraiment possession de la propriété et se mettre à l'ouvrage.

Réveillé à l'aurore, il se prépara un petit déjeuner, puis se dirigea vers les vignes. Les deux vignerons n'avaient pas encore donné signe de vie. Il jura à mi-voix et se promit de mettre tout le monde au pas à l'avenir. Il prit un sécateur et partit au travail.

Ils arrivèrent au milieu de la matinée, Hank, le plus âgé, faisait figure de porte-parole.

— Monsieur Pujol, dit-il d'un ton plein de défi. Don et moi venons chercher nos affaires. Nous partons.

— Comment ?

— Ouais. Nous allons travailler chez M. Eichenbaum.

— Mais enfin ! s'écria François, vous ne pouvez pas. Vous avez accepté de rester ici.

— Après avoir aidé M^me da Silva à emménager dans sa nouvelle maison, hier soir, nous sommes allés prendre une bière à l'hôtel Cinnabar, Don et moi. M. Eichenbaum était là, il nous a fait une proposition très avantageuse. Vraiment impossible à refuser, vu que vous ne nous offrirez jamais autant, à Don et à moi, pas vrai ?

— Que vous a-t-il offert ?

— Quinze dollars par semaine.

— Logé, nourri, ajouta Don.

François savait qu'il ne pouvait pas leur donner l'équivalent. D'accord avec John King, il avait décidé de leur offrir dix dollars par semaine, salaire habituel d'ouvriers agricoles plus compétents qu'eux. Il en conçut moins de regret que de colère — contre Eichenbaum, car il s'agissait manifestement d'une attaque personnelle. La perte de Hank et de Don n'était pas grave en elle-même : il engagerait des hommes plus jeunes et plus capables pour un salaire largement inférieur à celui que leur offrait Eichenbaum, et cela lui permettrait peut-être de persuader King de prendre Armand à San Cristobal.

A midi, il partit à pied, en sifflotant, rendre visite à M^me Harris à l'hôtel Cinnabar : sa situation la mettait en contact avec tous les vignerons cherchant une place.

— Je veux deux hommes qui connaissent la vigne, lui dit-il. Ni des garçons que je devrais surveiller du matin au soir, ni des vieux.

— Vous êtes terriblement exigeant, dites donc ! lui répondit-elle. Je ne sais pas si je pourrai vous aider beaucoup, mais j'essaierai volontiers.

Il la remercia, rentra à San Cristobal et fixa à la clôture, sur le bord du chemin, un carton disant : « On demande vignerons. » Puis il se remit à l'ouvrage.

Le lendemain matin, l'écriteau avait été arraché... A moins que le vent ne l'eût emporté — il y avait eu un orage dans la nuit, mais il aurait fallu un véritable cyclone pour détacher le carton de la clôture. François chercha une planche et de la peinture, puis confectionna un véritable panneau, qu'il cloua à la même place. Le matin suivant, la planche, arrachée, traînait sur le chemin. Ce ne pouvait être qu'un coup d'Eichenbaum. Il remit le panneau en place. Le lendemain, il ne restait que les trous des clous dans le piquet de la clôture. Que faire ? Il hésita. Une confrontation avec Eichenbaum demeurerait sans effet, car il n'avait aucune preuve permettant d'impliquer l'Allemand ou ses hommes. Et remettre l'écriteau en place ne serait qu'une perte de temps s'il devait disparaître chaque nuit. De toute façon, persuadé que les gens de passage susceptibles de lire l'annonce ne seraient pas le genre de personnes dont il avait besoin, il décida de s'en tenir à M^me Harris.

Cela faisait quatre jours qu'il était à San Cristobal lorsque, en fin de matinée, il entendit le trot d'un cheval et le roulement d'une voiture. C'était Emilie. Il courut lui ouvrir la grille, et elle vint s'arrêter sur le terre-plein devant la maison. Il l'aida à descendre.

— Où est tout le monde ? demanda-t-elle.

— Tout le monde est là. Je suis tout le monde.

Et il lui raconta l'histoire.

— Je vais parler à papa, s'écria-t-elle, furieuse. Il saura comment réagir.

— Il n'y a rien à faire.

— Oh ! que si. Vous ne comprenez pas ? L'argent donne beaucoup de pouvoir.

— Je ne veux pas qu'il se serve de ce pouvoir-là.

— Et pourquoi pas ? On l'a attaqué. Eichenbaum lui a déclaré la guerre. Il faut qu'il riposte.

— Mais ce n'est pas M. King qu'Eichenbaum attaque. C'est moi. Voilà pourquoi je ne veux pas que votre père intervienne. Je vous en prie, ne lui dites pas que les hommes sont partis.

— Il faudra bien qu'il l'apprenne.

— Je préfère que ce soit de ma bouche.

Emilie se rembrunit.

— Vous aurez intérêt à jouer franc-jeu avec mon père, François. Il entrera dans une fureur noire s'il découvre que vous lui mentez.

— Si je lui raconte tout, il croira que j'ai volontairement provoqué Eichenbaum. Il pensera que j'ai chassé Hank et Don. Je lui dirai simplement qu'ils sont partis. J'aurai bientôt d'autres vignerons. Mais je dois résoudre mes problèmes par moi-même. Je ne veux pas m'abriter sous l'aile de votre père. Si j'échoue, c'est *moi* qui aurai échoué. Si je réussis, c'est *moi* qui aurai réussi.

— Vous êtes stupide. Mon père a plus de bon sens que vous ne lui en accordez. Et prenez garde ! Il posera des questions et vous aurez tout intérêt à fournir les bonnes réponses. Je crois que je ferais mieux de tout lui dire.

— Je vous en prie, *Mademoiselle*. Laissez-moi agir à ma manière.

Elle poussa un soupir.

— Très bien. Je me tairai. Mais croyez-moi, François, ne péchez pas par excès de fierté.

— Je suis un homme. Je dois me conduire en homme.

Elle ne put retenir un petit rire de gorge.

— Oh ! oui, vous êtes un homme !

Elle s'avança et lui prit le bras.

— Montrez-moi l'intérieur de la maison, lui dit-elle. Je veux admirer vos aménagements.

Il n'y avait pas grand-chose à voir, car la maison était simple et nue. Mais le vide même trahissait le besoin de décoration.

— Vous n'avez rien fait, s'étonna-t-elle. C'est plus petit que je ne le pensais.

François ne répondit pas. Habituée à avoir une armée de serviteurs à sa botte, Emilie ne comprendrait probablement pas qu'il n'avait pas de temps à consacrer à la maison, et que de toute façon c'était sans importance à côté des vignes qui exigeaient tous ses soins. D'autre part la présence de la jeune femme le troublait, et il n'avait nul désir d'entrer en discussion avec elle.

Ils montèrent à l'étage, regardèrent la grande chambre où trônait le lit double, non fait, neuf et resplendissant. Puis ils allèrent dans la petite pièce où François avait dormi, dans un lit d'une personne hérité de M$^{me}$ da Silva. Les draps étaient froissés, dans l'état où il les avait laissés en se levant le matin. Il s'avança pour les tendre.

— N'y touchez pas, dit Emilie.

Il se retourna. Elle vint près de lui, le prit dans ses bras et lui offrit ses lèvres. Il la serra très fort, ne relâchant son étreinte que pour glisser ses mains sur la poitrine de la jeune femme et défaire les boutons. Elle ne résista pas et, les doigts tremblants, commença à ôter les vêtements de François. Devant leur hâte les lacets, les crochets et les boutons refusaient de lâcher prise. Emilie s'écarta de lui et se déshabilla vivement. Nu, lui aussi, François la prit dans ses bras et ils se laissèrent tomber sur le lit.

Ce fut leur plus belle étreinte — peut-être, songea François, parce qu'il était sur son propre territoire. Cette maison avait beau appartenir au père d'Emilie, au même titre que le « Palais » de San Francisco, le jeune Français avait le sentiment qu'elle était à lui.

Quand ce fut fini, ils demeurèrent allongés quelque temps, épuisés, incapables de parler. Puis Emilie se leva et se mit à s'habiller.

— Vous avez quelque chose à manger, ici ?

— Des œufs, du pain, du fromage, des flocons d'avoine, des fruits, des légumes. Et des boîtes de ragoût de haricot.

Elle fit une moue dégoûtée.

— Je crois que je déjeunerai à l'hôtel. Il faut que je prenne le train de l'après-midi. Dommage que Cinnabar soit si loin. J'ai bien envie de demander à papa de vous rappeler à San Francisco.

Elle sourit en voyant sa mine déconfite.

— Oh ! ne vous inquiétez pas ! Je n'en ferai rien. Mais il faudra que je le persuade de m'envoyer ici assez souvent, simplement pour... garder un œil sur vous.

Elle le regarda. Il était immobile, nu sur le lit, et les yeux de la jeune femme descendirent lentement sur son corps. Gêné soudain, il se retourna sur le ventre.

— Ne venez pas me raccompagner à la grille, lui dit-elle. Dans cette tenue vous choqueriez les voisins.

D'un geste sec, elle lui fouetta les hanches avec ses gants, puis quitta la pièce en riant aux éclats. Il entendit son rire s'égrener dans l'escalier, puis s'éloigner vers Cinnabar parmi les grelots du cheval.

Quelques jours plus tard, lorsqu'il alla à San Francisco faire son rapport à John King, François vécut une heure fort désagréable. King écouta avec intérêt ses commentaires sur l'état des vignes et parut satisfait d'apprendre qu'elles avaient déjà l'air un peu moins négligées. Mais lorsque le jeune homme en vint au problème de Hank et de Don, King se redressa brusquement sur son fauteuil.

— Vous voulez me faire croire qu'ils sont partis le tout premier jour ? demanda-t-il d'un ton agressif. Pourquoi, bon dieu ? Pourquoi ? Je sais qu'ils ne valaient pas grand-chose, mais j'avais promis à M$^{me}$ da Silva de les garder.

— Ils étaient trop vieux pour le travail. Ils n'entendaient rien à la vigne. Ils ne servaient à rien.

King le fixa. Ses yeux gris, étincelants de rage, fouillèrent le visage du jeune homme.

— Ouais !... Et je parie que vous ne leur avez pas caché ce que vous pensiez d'eux ! Vous leur avez forcé la main pour qu'ils partent. Et bien sûr, simple coïncidence, votre ami arrive de France dans quelques semaines et n'a pas de travail. Quelle aubaine ! *Monsieur* Pujol manque justement de bras à San Cristobal ! « Aucun problème : je persuaderai John King de t'engager. Fais-moi confiance. John King est un idiot, il n'y connaît rien et je le mène par le bout du nez. » C'est ça que vous aviez dans la tête, hein ?

— Non, monsieur ! répondit François d'un ton indigné, blessé par les sarcasmes de son employeur et l'injustice de ses accusations.

— Oh ! mais c'est bien l'impression que j'ai, et cela ne me plaît pas, Pujol. Mais alors, pas du tout. Continuez dans cette voie, et je ne tarderai pas à trouver quelqu'un d'autre pour diriger le vignoble. Où sont-ils allés ?

— Ils travaillent pour Eichenbaum.

— Ah ! Nous y voilà ! Allez, Pujol, ne tournez pas autour du pot avec moi. Je veux toute l'histoire, et la vérité, s'il vous plaît.

Le récit de François ne prit pas longtemps. Le vieil homme l'écouta sans l'interrompre, comprenant que cette fois il entendait le bon son de cloche.

— Vous êtes bien sûr que c'est tout ? dit-il quand François eut terminé. Vous n'avez pas rencontré Eichenbaum ou l'un de ses hommes le jour de votre arrivée à Cinnabar ?

— Non, monsieur.

— Vous n'avez rien fait pour susciter sa fureur ?

— Non, monsieur.

— Bien. Dans ce cas j'irai à Cinnabar toucher deux mots à cet Eichenbaum.

— Non. Non, monsieur, je vous en prie...

François expliqua qu'il ne désirait pas que John King intervienne. Ce fut difficile de le persuader mais il finit par accepter de laisser les choses en l'état pendant une semaine ou deux. Etait-il vraiment convaincu qu'il valait mieux abandonner à François le soin de régler ses propres querelles, ou bien avait-il compris que sans preuves tangibles, il aurait du mal à démontrer qu'Eichenbaum avait débauché les deux vignerons de San Cristobal par pure méchanceté ?

— Plus d'ennuis, hein ? dit-il enfin. Je vous avais déjà prévenu. Et je ne veux pas que vous gardiez la place vacante jusqu'à l'arrivée de votre ami le Français. Si un bon vigneron se présente, je tiens à ce que vous l'engagiez, même si votre ami se retrouve à la rue. Compris ?

— Oui, monsieur.


Quel soulagement de rentrer à Cinnabar ! Il s'arrêta à l'hôtel pour voir si M^{me} Harris n'avait pas de nouvelles pour lui.

Elle secoua la tête.

— Ils viennent au bar, voyez-vous, et ils se mettent à parler. En général, il y a un ou deux hommes d'Eichenbaum, qui les abordent et leur font la leçon. De toute façon, ils ne sont pas si nombreux que ça à chercher du travail, surtout avec les compétences que vous exigez. Pourquoi ne prenez-vous pas des Chinois ?

— Ils n'auraient pas peur d'Eichenbaum ?

— Comme les autres.

— Merci, madame Harris. Continuez tout de même à chercher. Je n'ai pas l'intention de me laisser battre.

— A la bonne heure ! répondit M^{me} Harris, sans conviction.


Trois semaines après son arrivée à San Cristobal, M^{me} Harris l'accueillit enfin avec une bonne nouvelle : elle avait trouvé un homme qui accepterait de travailler pour lui.

— Je ne sais pas s'il a les qualifications que vous demandez, mais en tout cas, il veut bien vous parler.

Elle montra une des tables. L'homme était seul, penché sur son verre de bière.

— Un Noir ? s'écria François. Je n'ai jamais vu un Noir travailler dans les vignes.

— Moi non plus, avoua M^{me} Harris, mais pourquoi pas ? Les Chinois viennent bien tous les ans faire les vendanges. La couleur de leur peau ne change pas la couleur du vin. Je ne crois pas que celui-ci risque de déteindre...

— Bien sûr, convint François.

Il avait souvent travaillé avec des Noirs à San Francisco, dans les rues. Mais l'attitude de M^{me} Harris le surprit tout de même un peu.

— Ça ne vous gêne pas qu'il soit ici ?

— Non ! lui répondit-elle, pleine de défi. Et pourquoi donc cela me gênerait-il ?

— Vos autres clients risquent de se plaindre.

— Qu'ils essaient. Je leur montrerai la porte. Et vous, cela vous gêne ?

— Je vais lui parler.

Il se dirigea vers le fond de la salle, se présenta et demanda au Noir comment il s'appelait.

— Absalon.

— Absalon quoi ?

— Absalon tout court.

— Il paraît que vous cherchez du travail.

— Ça se peut.

— Déjà travaillé la vigne ?

— Non. Le coton...

Il raconta qu'à l'âge de seize ans, au début de la guerre de Sécession, il s'était enfui de la propriété de Caroline où il était né. A son arrivée dans le Nord il s'était engagé dans l'armée et on l'avait envoyé dans l'Ouest, faire la guerre des Blancs contre les Indiens. Il avait été blessé, une balle indienne lui avait brisé le fémur. Sa jambe avait guéri, mais demeurait plus courte que l'autre. L'armée n'avait pas de place, dit-il, pour un nègre boiteux, et on l'avait réformé. Depuis lors, il était passé d'un emploi à l'autre, sans jamais trouver un travail qui le satisfasse ni des amis susceptibles de le retenir plus de quelques mois au même endroit.

Le récit fut d'autant plus long que François éprouvait beaucoup de difficultés à comprendre l'accent d'Absalon — le Noir ayant d'ailleurs le même problème avec l'accent du Français. Et tandis qu'ils parlaient, François se prit de sympathie pour cet homme qui lui racontait l'histoire de sa vie avec franchise et humour, sans tenter de dissimuler son handicap physique ni de s'apitoyer sur son sort. On sentait qu'après sa jeunesse passée dans la servitude il appréciait sa liberté plus que tout.

— Vous aimeriez travailler pour moi ?

— Pourquoi pas ? Si vous voulez bien d'un « pauv'nèg »...

François hésita un instant, puis décida qu'Absalon devait savoir clairement où il mettait les pieds.

— Il y a dans la vallée un homme qui me déteste. Il essaye d'empêcher tout le monde de travailler pour moi. Il essaiera de vous en empêcher vous aussi.

— Ça me semble intéressant, dit Absalon en souriant.

François lui rendit son sourire et lui tendit la main.

— Très bien. Je paierai 10 dollars par semaine. Logé, nourri.

— Ça me va, patron.

La main d'Absalon serra énergiquement celle du jeune homme.

— Autant venir tout de suite avec moi. Vous voulez aller chercher vos affaires ?

Absalon ramassa dignement un petit baluchon.

— Les voici.

Ils rentrèrent ensemble à San Cristobal, et François montra au nouveau venu où il dormirait. Le lendemain matin, aux premières lueurs de l'aurore, quand le jeune Français se leva, il trouva Absalon déjà au tavail dans les vignes, poursuivant le désherbage qu'il avait lui-même commencé. Bien qu'il n'eût jamais cultivé la vigne, le Noir comprenait d'instinct ce qu'il fallait faire et François, ravi, s'aperçut très vite qu'il lui suffisait de donner des instructions ou de montrer un tour de main une seule fois : le travail était exécuté ensuite aussi bien que par lui-même. En outre, et peut-être parce que les deux hommes se respectaient mutuellement, le travail au coude à coude dans les vignes créa entre eux des liens de camaraderie très solides. A la fin de la journée, quand ils avaient terminé leur dîner, Absalon se retirait dans le logement des vignerons et laissait François seul — jamais il ne songea à abuser de leurs relations au point de passer une soirée en compagnie du patron — mais une véritable amitié les unit peu à peu. Ils ne mettaient jamais leur nez dans les affaires l'un de l'autre : François ne demandait jamais à Absalon ce qu'il faisait le dimanche, quand il filait à Cinnabar, et Absalon ne montrait aucune curiosité à l'égard des voyages de François à San Francisco pour rendre compte à John King. Il lui demandait en deux mots si tout s'était bien passé, et cela lui suffisait.

Ils firent un tel travail que François cessa de chercher un autre ouvrier. Il faudrait plus de bras, et plus avant dans la saison ce serait dramatique, mais avec un peu de chance, Armand arriverait bientôt. Il n'était pas très compétent, mais il avait déjà travaillé dans les vignes à Sauveterre pendant les vendanges, et en tout cas l'intimidation et les menaces d'Eichenbaum ne le toucheraient pas.

La seule crainte de François était en réalité qu'Absalon l'abandonne. Un matin où ils travaillaient chacun à un bout de la propriété — Absalon près de la route — deux hommes s'étaient approchés du Noir et lui avaient parlé. François n'avait rien pu entendre depuis l'endroit où il se trouvait, mais il avait cru reconnaître le chef d'équipe d'Eichenbaum et un de ses vignerons. Il se détourna aussitôt, certain de ce qui allait se passer : comment aurait-il pu l'empêcher ? Mais Absalon ne parla pas de partir au cours de la journée. Le soir, à table, François demanda au Noir ce que les hommes lui voulaient.

— Ils m'ont proposé du travail. Ils m'ont offert beaucoup d'argent.

— Et... ?

— Et quoi, patron ? lui demanda Absalon avec de grands yeux innocents.

— Que leur as-tu répondu ?

— Moi ? Rien. J'ai dit : « Hum ! », et j'ai continué de dire : « Hum ! » Il n'y a pas plus muet qu'un « pauv'nèg » quand il ne veut pas parler.

Il gloussa de rire.

— Et au vingtième « Hum ! » que je leur ai lancé, ils ont fait demi-tour.

De nouveau il éclata de rire.

— Je me plais bien ici, conclut-il.


Tout le mois de mai, François et Absalon travaillèrent très dur dans la vigne, épamprant, levant, rognant, faisant de leur mieux pour réparer les dégâts de la mauvaise taille d'hiver. Quelques semaines plus tôt, les bourgeons avaient gonflé et éclaté, de petites feuilles venaient d'apparaître et les pousses tendres devaient être traitées. C'était une culture très spécialisée, mais Absalon en avait vite compris les principes, et François pouvait le laisser travailler sans surveillance.

Au cours d'une de ses visites au « Palais », King demanda au jeune homme s'il avait engagé un autre vigneron. Il répondit qu'il n'en voyait pas la nécessité pour l'instant, car Absalon fournissait un travail énorme.

— Bon, répondit King sans discuter.

Mais François avait lu le doute dans ses yeux.


Emilie n'était pas revenue depuis sa visite du début d'avril. Peut-être pensait-elle que la présence d'Absalon l'empêcherait de passer du temps en tête à tête avec François. Ou peut-être son père lui avait-il interdit de se rendre à Cinnabar, pour que son régisseur puisse travailler en ayant les coudées franches.

Fin mai cependant, le cheval et le cabriolet apparurent pour la deuxième fois. François s'avança à sa rencontre.

— Quelle est cette odeur ? demanda-t-elle en guise de salut.

— Les fleurs de la vigne commencent à s'ouvrir.

C'était un parfum étrange, inoubliable, encore très délicat mais qui remplirait bientôt toute la vallée de ses effluves lourds.

— Vous avez avancé. Tout a l'air très différent. Où est votre employé ? J'ai du travail pour lui.

Il appela Absalon et le présenta.

— J'ai apporté de quoi manger, des serviettes et des rideaux, lui dit Emilie. Tout est à la gare. Vous savez conduire un cabriolet comme celui-ci ?

— Oui, Mademoiselle.

— Alors, prenez-le et allez chercher les paquets. Vous direz que M$^{lle}$ King vous envoie. Tenez, voici 2 dollars, profitez-en pour prendre un verre en passant.

— Oui, Mademoiselle.

Ils le regardèrent s'éloigner. Puis, d'un geste familier, Emilie glissa son bras sous celui de François. A la surprise du jeune homme, elle ne l'entraîna pas vers la maison.

— Montrez-moi ce que vous avez fait de ces vignes, lui dit-elle. Racontez-moi tout.

150

Ils marchèrent dans les « tournées » et François lui expliqua les façons de printemps, s'arrêtant pour couper un pampre ici, une pousse trop haute là, prenant entre ses doigts les feuilles délicates pour montrer leur beauté à la jeune femme, se penchant pour humer de plus près l'odeur douce des fleurs qui s'ouvraient. Ils regardèrent les fleurs ensemble, et il lui montra comment les cinq pétales se détachent pour ainsi dire à l'envers des fleurs classiques : soudés à leur extrémité supérieure, ils forment une sorte de capuchon que les étamines, une fois parvenues à maturité, poussent et écartent.

La journée était chaude et le ciel sans nuages. Emilie portait un manteau de voyage léger qu'elle ôta et confia à François. Tout ce qu'elle voyait semblait l'intéresser prodigieusement. Elle partageait pleinement la joie et la fierté du jeune homme. Puis elle s'arrêta, le prit dans ses bras et l'embrassa. Un long baiser tendre qui semblait en harmonie avec la gaieté de cette journée.

— Etendez mon manteau par terre, dit-elle. Personne ne peut nous voir.

Il lui obéit. Elle s'assit sur le manteau et l'attira près d'elle. Cette fois son baiser fut passionné, exigeant.

Ce jour-là, François trouva aux gestes de l'amour une intensité étrange. Comme s'il ne s'unissait pas à Emilie mais à la terre elle-même, à ce sol riche, fertile, en qui il répandait sa semence à travers une extase appartenant à la vie même — croissance, floraison, vendange, et par-delà le raisin, le vin... C'était comme s'il faisait sienne cette terre. Oui, exactement comme l'époux prend possession de l'épouse.

— Revenez ! disait Emilie. Eh bien, revenez, François ! Où étiez-vous ? Pas avec moi.

Comment aurait-il pu lui expliquer ce qu'il avait ressenti. Cela lui aurait paru trop absurde.

— Je suis désolé, balbutia-t-il.

— De quoi ? C'était très bien.

Elle s'étira, satisfaite, les yeux clos, les lèvres souriantes.

— Je pourrais demeurer ainsi toute la journée, murmura-t-elle.

Ils restèrent allongés côte à côte un moment.

— Absalon va bientôt rentrer. Nous ne pouvons nous attarder...

— Oh ! Absalon ! Et pourquoi croit-il que je lui ai donné un pourboire, grands dieux ?

Elle se leva, mit de l'ordre dans sa toilette et la brossa de la main.

— J'ai failli oublier, dit-elle. Vous avez reçu une lettre. C'est la véritable raison de ma visite; la voici.

Elle fouilla dans son réticule et lui tendit une enveloppe cornée et froissée.

Elle était de Thérèse. François l'ouvrit et la lut sur-le-champ. Thérèse et Armand arriveraient à San Francisco le 27 juin. Elle espérait qu'il pourrait les rejoindre là-bas, mais dans le cas contraire, ils se rendraient à Cinnabar par leurs propres moyens. Il la relut aussitôt.

— Bonne nouvelle ? demanda Emilie en sondant son visage.

— C'est Thérèse. Elle vient.

Il la regarda, les joues en feu — de confusion et de honte.

— Nous allons nous marier, ajouta-t-il.

Elle éclata de rire.

— Bienheureuse Thérèse !

Elle se détourna brusquement puis s'éloigna vers la maison sans interrompre son rire.

— Je vais me refaire une beauté, cria-t-elle.

François lut la lettre encore une fois. Il faudrait qu'il aille à San Francisco. Voir M. King, prendre les dernières dispositions avec le père Farinelli, retenir des chambres chez la Signora Regazzoni pour tout le monde. Son cœur battait plus vite à la pensée de revoir Thérèse. Mais d'une manière ou d'une autre, il fallait qu'il mette un terme à ses relations avec Emilie.

Absalon revint avec les paquets et il l'aida à les décharger. Emilie sortit de la maison, aussi impeccable qu'à son arrivée. Elle remercia Absalon, qui reprit son travail dans la vigne.

— Vous croyez que vous pourrez poser les rideaux tout seul ? demanda-t-elle à François.

Il ne répondit pas à sa question.

— Quand Thérèse sera là, commença-t-il maladroitement. Vous et moi... Non...

Sous la tension du moment, les mots anglais ne voulaient plus venir sur ses lèvres.

— Vous et moi... Non ! répéta-t-elle sans en croire ses oreilles. Et elle éclata de rire de nouveau.

— Oh ! François ! Comme vous êtes mignon, s'écria-t-elle. Loin de moi la pensée de m'interposer entre mari et femme, mais nous verrons... Nous verrons...

Elle monta dans le cabriolet, fit claquer les rênes et s'en fut.


A son retour de San Francisco, François remarqua qu'Absalon avait une étrange attitude. D'habitude, le Noir l'accueillait par un large sourire, mais cette fois il ne tourna même pas la tête vers le jeune Français.

— Regarde-moi donc ! s'écria celui-ci.

Ce qu'il vit lui coupa le souffle. Le visage d'Absalon était couvert de sang séché. Il avait un œil complètement fermé et les lèvres fendues.

— Que s'est-il passé ?

Au début, Absalon refusa de répondre, puis il déballa toute l'histoire. Il était allé à Cinnabar la veille au soir et deux hommes lui avaient sauté dessus. Il ne les avait pas très bien vus, car c'était arrivé dans une rue sombre, mais il était persuadé qu'il s'agissait des hommes d'Eichenbaum, ceux-là même qui lui avaient proposé un meilleur salaire s'il voulait travailler chez l'Allemand. Le plus grand des deux l'avait tenu par-derrière tandis que l'autre le frappait — exactement comme François avait été traité par Eichenbaum à Oak Valley. Bien entendu, Absalon s'était défendu, mais quelques minutes plus tard il gisait, inconscient, au milieu de la rue. Quand il était revenu à lui, il s'était traîné jusqu'à San Cristobal, avait nettoyé ses plaies et ses bosses, et s'était endormi.

François était furieux.

— Viens avec moi, s'écria-t-il. Nous allons voir Eichenbaum et en finir une bonne fois.

Absalon secoua la tête.

— Non, patron. Inutile. Nous sommes deux, ils seront toute une bande. Nous n'avons pas la moindre chance.

— Allons chez le shérif. Il faut porter plainte. On ne peut pas laisser Eichenbaum faire des choses pareilles. Il y a des juges et...

— Nous n'avons aucun témoin, patron. Aucune preuve de l'identité de ces hommes. Et puis, personne ne croira un « pauv'nèg ».

Il secoua la tête tristement, comme pour signifier à François qu'il acceptait la situation sans amertume.

— Oubliez tout ça, patron. Patience. Un jour, notre tour viendra.

François comprit qu'il avait raison. Il fit taire sa rage, mais la flamme continuait de brûler en lui. Il résolut d'éviter tout conflit avec Eichenbaum pour l'instant, et s'il allait en ville le soir, il ne quitterait jamais la rue principale et il éviterait de se retrouver tout seul. Il recommanda à Absalon de faire de même. Le Noir se borna à sourire sans rien promettre, mais il n'y eut plus aucun ennui. Chaque soir, ils tiraient les verrous.


Toutes les vignes étaient en fleur à présent et leur parfum lourd emplissait la vallée. François et Absalon passaient de longues heures à les traiter. Ils saupoudraient régulièrement les feuilles de soufre, le matin très tôt pour que la rosée de la nuit retienne la poudre jaune à l'heure où la brise se lèverait. Ils travaillaient aussi dans le chai. Le vin de l'année précédente — il n'y en avait guère — mûrissait dans des foudres. François, après avoir vérifié sa qualité (plutôt médiocre), décida de le laisser en l'état six mois de plus. Il suffisait d'« ouiller » les fûts de temps en temps, et il leur restait assez de vin de l'année précédente pour le faire. Il vérifia les cuves et les fûts qu'il utiliserait pour la nouvelle récolte, il les mit à tremper pour faire gonfler le bois et assurer l'étanchéité, puis il nettoya le cuveau où se ferait le foulage. Combien de seaux d'eau fallut-il tirer au puits de la cour, puis faire bouillir sur le fourneau à bois, puis apporter jusqu'au chai pour détartrer les cuves et les fûts, en se brûlant chaque fois les mains !...

Un soir où ils étaient assis à table dans la cuisine vide, Absalon regarda autour de lui et hocha la tête.

— Je vais vous dire une chose, Monsieur François...

Il avait adopté depuis peu cette formule, compromis entre la familiarité et la déférence.

— ... Vous allez faire venir une dame ici, mais ce n'est pas prêt pour une dame. Nous devrions donner un coup de torchon.

Absalon avait raison, et le soir, après leur journée de travail dans les vignes ou au chai, ils se mirent à nettoyer toute la maison, à blanchir ses murs à la chaux, et à tenir tout plus propre — allant jusqu'à laver les serviettes et les draps de lit !

François savait que Thérèse aimerait la maison. C'était une demeure à un étage, agréable et ensoleillée. Presque tout le rez-de-chaussée était occupé par une vaste salle commune, avec une petite cuisine attenante. Au-dessus se trouvaient les deux chambres. L'absence de meubles faisait résonner leurs pas dans les pièces vides, et quand ils nettoyaient, les seaux tintaient gaiement. Ils posèrent les rideaux apportés par Emilie et, dans l'un des greniers, François trouva un vieux tapis qui, une fois bien battu, donna à la salle commune un petit air intime. Du moment que la maison était propre, Thérèse ne serait nullement gênée par son côté très simple — elle n'avait pas été élevée dans le luxe comme Emilie King. François regarda avec fierté le grand lit que M. King, généreux, leur avait acheté. Les montants de cuivre étincelants contrastaient avec le côté miséreux de l'armoire, rescapée d'un grenier du « Palais ». François avait dormi jusque-là dans le lit étroit de l'autre chambre, qui allait devenir celle d'Armand. Il resterait un lit de libre dans le logement d'Absalon pour un autre vigneron, s'il parvenait à en trouver un.

Le mois s'écoula très vite. L'après-midi du 26 juin, François endossa son plus beau costume et partit pour Oakland. Ils s'attendaient à le trouver au débarcadère du bac à San Francisco, mais il lui parut absurde d'aller jusque là-bas puisqu'il devait de toute façon passer par Oakland. Il prit une chambre dans un hôtel. Il eut du mal à dormir, car il était à la fois ému et plein d'appréhension. Thérèse serait-elle différente ? Il était certain, quant à lui, d'avoir énormément changé. Ce serait la rencontre de deux inconnus. En un bref instant de panique, il eut presque envie qu'elle ne fût pas au train le lendemain. « *Cap dé Diou !* se dit-il à mi-voix. Je l'aime. Elle m'aime. Nous serons heureux comme aucun couple ne l'a jamais été avant nous. Tout va bien quand on fait ce qu'il faut, où que l'on soit dans le monde. Et nous ferons ce qu'il faut pour être heureux ici, en Californie, dans notre San Cristobal. »

## 7

En attendant le train, le lendemain à l'aube, François se souvenait du jour de son arrivée. Quelle différence extraordinaire ! Au lieu d'être seul et sans amis (Emilio n'était alors qu'une vague connaissance), il avait une situation et même une maison où emmener son épouse.

Le train apparut enfin, rampant au milieu d'un nuage de fumée blanche, comme épuisé après son long voyage à travers la moitié du continent. Quand il s'arrêta, les voyageurs se déversèrent des wagons en une foule compacte qui enveloppa complètement François. Il se souleva sur la pointe des pieds, essayant de voir par-dessus les têtes. Là ! Elle était là ! Il avait presque oublié sa beauté, son visage d'elfe, ses grands yeux sombres, sa bouche charnue — exactement semblable à la dernière image qu'il conservait d'elle. Mais elle semblait être avec une autre jeune femme, qui l'aidait à décharger les bagages qu'Armand, encore invisible, leur tendait par la portière. François joua des coudes pour les rejoindre.

— Thérèse ! cria-t-il dès qu'il fut à portée de voix.

Elle se retourna. Soudain, il y eut un espace libre entre eux. Il courut vers elle, les bras tendus, la souleva comme un fou, la fit tournoyer autour de lui, l'enlaça, l'embrassa — leurs larmes se mêlèrent à leurs rires. Il ne parlèrent ni l'un ni l'autre : les mots ne seraient pas venus. Puis un mouvement derrière la jeune fille accrocha le regard de François. Il se figea, bouche bée.

— Lydie !

Thérèse s'écarta et Lydie se jeta dans les bras de son frère. Elle pleura, elle aussi. Enfin Armand sauta du wagon, prit la main de François et se mit à la secouer en distribuant de grandes claques sur les épaules de son ami. Soudain, tous furent réunis en une seule étreinte, riant et pleurant à la fois. Les échos de leur joie et de leur émotion attirèrent l'attention des autres voyageurs sur le quai, et leur enthousiasme sembla se communiquer. Bientôt toute la gare résonnait de l'allégresse des nouveaux émigrants et des parents et amis venus à leur rencontre.

François, se souvenant brusquement que le bac de San Francisco ne les attendrait pas, prit Thérèse à son bras, s'empara de la plus lourde valise, et partit vers l'embarcadère, suivi de Lydie et d'Armand, accablé par le reste des bagages. Le bonheur donnait des ailes à François et à Thérèse — si fatiguée qu'elle fût — et les autres durent les supplier de ralentir un peu le pas.

— Ton train avait une heure de retard, tu sais ? dit François en marchant. Tu as fait bon voyage ?

Il ne trouvait à dire que des banalités de ce genre, et Thérèse ne pouvait pas parler du tout. Elle lui serra le bras, et quand elle le regarda, il y avait tellement d'adoration dans ses yeux que le cœur de François bondit de joie. Toutes ses appréhensions se révélaient sans fondement. Elle était toujours la même. Elle l'aimait. Il l'aimait... Il libéra son bras, défit les premiers boutons de sa chemise et sortit, pour les lui montrer, la chaîne et le Saint-Christophe.

— Elle ne m'a pas quitté, tu vois ? L'autre, la Vierge, c'est Fanchon qui me l'a donnée. Mais c'est la tienne qui compte vraiment pour moi.

— Oh ! François... s'écria-t-elle, tandis que des larmes de bonheur inondaient ses yeux sombres.

Pendant la traversée de la baie, sous la caresse de la brise tiède, François se tourna vers Lydie, sans lâcher pour autant la taille de Thérèse.

— Et que fais-tu ici ? Pourquoi ne m'as-tu pas écrit que tu viendrais ?

— Nous avons préféré te faire la surprise, répondit Armand.

— Oh ! c'est *toi* qui as préféré, corrigea Lydie.

— J'aurais dû me douter que tu étais à l'origine de tout, s'écria François. Pour une surprise, c'est une surprise. Comment t'es-tu débrouillée pour partir, Lydie ?

— J'ai eu du mal, répliqua-t-elle. Après ton départ, tu ne peux pas savoir ! Papa ne cessait de ronchonner. A cause du phylloxéra et parce que tu lui manquais.

— Je lui manquais ? Pas possible.

— Oh ! que si ! Il parlait sans cesse de toi, et figure-toi qu'une fois loin, tu avais soudain toutes les qualités ! Chaque fois que l'un de nous faisait une bourde, il criait : « Ah ! si François était là ! Il valait autant que vous tous réunis ! » ou bien : « Vous feriez mieux d'aller en Californie et de me renvoyer François à votre place ! »

François éclata de rire, prit Lydie par les épaules avec sa main libre, la serra contre lui et l'embrassa sur les joues. Puis il embrassa Thérèse à son tour, un peu pour ne pas faire de jaloux, et beaucoup parce qu'il aimait l'embrasser.

— Ensuite, reprit Lydie, Henri s'est fiancé à cette chipie de Lucette. Tu sais comment il était déjà ? Eh bien, il est devenu pire. Il s'est pris pour un homme, comme ça, brusquement, et il a commencé à nous donner des ordres à Fanchon et à moi — plus prétentieux que jamais. Finie la rigolade ! On avait tous l'air de revenir d'un enterrement. Ça s'est un peu égayé quand papa a reçu ses nouveaux porte-greffes américains. Henri et lui se sont mis à écussonner à tour de bras. A propos, ça pousse très bien, à présent. Ensuite...

Elle reprit son souffle.

— Ensuite Henri et Lucette se sont mariés et, comme de bien entendu, elle s'est installée chez nous — la goutte d'eau qui fait déborder le vase... Si tu la voyais ! Elle prend de ces airs ! Elle ne se risque pas à croiser le fer avec maman, mais cinq minutes à peine après son arrivée, elle me menait déjà une vie d'enfer. Jamais un torchon à la main, mais toujours la critique à la bouche. Dans mon dos, bien sûr, parce qu'en face c'était tout sourire et guimauve. « Ma chère Lydie, quelle robe ravissante ! Elle te va vraiment bien. Tu as même l'air mince. Ne veux-tu pas que je délace un peu le corset ? » Comme si j'étais serrée dedans !

Lydie avait pris un air si indigné qu'ils éclatèrent tous de rire, et au bout d'un instant, la jeune fille consentit elle aussi à prendre l'affaire à la blague.

— Je sais que je ne suis pas maigre comme un échalas, mais ma robe neuve n'était pas trop juste. Et même si elle l'était, cela ne regardait pas cette petite garce.

Elle tira vainement sur la veste de son costume de voyage pour amincir sa ligne.

— Et sur ces entrefaites, Thérèse m'a parlé de ta lettre et de son départ avec Armand.

— Je n'en ai pas cru mes oreilles, dit François en se tournant vers son ami.

— Mais je t'avais toujours dit que je viendrais, répliqua Armand. Rien n'aurait pu me retenir à Sauveterre.

— Surtout quand tu as su qu'Aurélienne Filet attendait un enfant, s'écria Lydie en riant.

— Vraiment ? répliqua Armand le sourire aux lèvres. Rien à voir avec moi. Rien qu'elle puisse prouver en tout cas. Alors j'ai décidé de tenir ma promesse et de venir t'aider. Et j'étais un chaperon idéal pour ces deux demoiselles.

— Je n'en jurerais pas. Heureusement qu'elles ont pu veiller l'une sur l'autre, répondit François. Continue, Lydie.

— Eh bien, comme Thérèse partait, c'était l'occasion rêvée de ficher le camp moi aussi, n'est-ce pas ?

— Mais qu'a dit papa ?

— Il a poussé des hauts cris, tu penses. Une tempête ! Et Lucette et Henri n'ont pas manqué d'ajouter leur grain de sel. A les entendre, j'étais une ingrate, et qu'allais-je faire en Amérique : le trottoir ? J'ai répondu : « Oui, s'il le faut, plutôt que de rester ici. » Et bien sûr, ça ne leur a pas cloué le bec. Au contraire. Un vrai spectacle. La plus belle colère de papa depuis ton départ, François.

Elle eut un rire bref, puis elle baissa soudain le ton.

— Non. C'est faux. C'était horrible. Mais plus ils m'attaquaient et plus je m'entêtais. J'avais décidé de partir envers et contre tous. Je me suis enfuie de la maison. Je suis allée chez les Listrac. Je savais que j'avais assez d'argent pour le voyage. J'avais économisé tout ce que je gagnais au château de Baleyssagues, sauf bien sûr ce que je donnais à papa. Le lendemain j'ai tout organisé. Il a fallu que j'aille à Bordeaux me faire faire un passeport à toute vitesse. Je suis revenue à la maison. Nouvel orage. J'ai dit que je partais le vendredi. Papa m'a enfermée à clé dans ma chambre.

Elle était au bord des larmes...

— Nous n'étions pas au courant, intervint Armand. Nous l'attendions le vendredi matin. Elle devait venir très tôt pour prendre son passeport à la mairie, et nous serions partis tous les trois ensemble.

— Le vendredi matin, poursuivit Lydie, maman est entrée dans ma chambre. Elle m'a regardée, puis elle m'a dit : « C'est bien aujourd'hui que tu devais partir, n'est-ce pas ? » Je n'en croyais pas mes yeux : pourquoi me tourmentait-elle ainsi ? Ce n'était pas dans son caractère. « Tu ferais mieux de te préparer, a-t-elle ajouté. Les hommes sont partis aux vignes de Genfaut et j'ai envoyé Lucette et Fanchon les aider. Tu passeras par-derrière. Tu ne pourras pas tout emporter à travers bois, mais prends tout de même une valise. » Je l'ai regardée, bouche bée. « Qu'est-ce qui te prend ! m'a-t-elle dit. Tu ne veux pas partir ? Si ? Alors dépêche-toi. Tu embrasseras François pour moi... — Mais papa ? lui ai-je demandé. Je m'occuperai de papa. » Et elle m'a embrassée, elle m'a donné un peu d'argent et elle a tracé le signe de croix sur mon front.

Elle éclata en sanglots.

— Pauvre maman, qu'est-ce qu'elle a dû entendre !...

— Bah ! Elle aura laissé papa tempêter, puis elle aura dit : « Raphaël, ça suffit », et il se sera calmé.

— Oui, convint Lydie, essayant de sourire à travers ses larmes.

— Tout ira bien pour maman. Elle s'arrange toujours.

— Je sais, s'écria Lydie. Et c'est bien ce qui me rend tellement... tellement triste !

François se tourna vers Thérèse.

— Et ta mère est enfin partie à Sigoulès ? Elle a vendu l'épicerie ?

— A la mort de papa, je crois qu'elle avait l'intention de continuer jusqu'à la fin de ses jours. Mais en réalité elle détestait le commerce. Quand Louis et sa femme lui ont proposé de venir vivre chez eux, elle a aussitôt parlé de laisser l'épicerie à Armand.

— Elle était bouleversée quand je lui ai annoncé que je n'en voulais pas, dit Armand. Et quand elle a appris que je partais en Amérique avec Thérèse, nouvelle crise. Mais je lui ai expliqué qu'avec l'argent de la vente du magasin, elle serait à son aise. Elle n'y avait même pas songé, et ça l'a un peu remontée. Elle est partie à Sigoulès et nous voici. La meilleure épicerie de Sauveterre n'est plus l'épicerie Listrac.

— Es-tu triste, toi aussi ? demanda François à Thérèse qui secoua la tête en souriant. Comment s'est passé le voyage ? C'était dur sur le bateau ?

Il se mirent à parler tous les trois en même temps : des autres passagers, de la nourriture, du mal de mer, des difficultés avec les services d'immigration à Castle Garden, du long trajet en train, de tout...

Ils n'avaient pas encore épuisé le sujet quand le bac accosta à San

Francisco. Fier de bien connaître la ville, François les conduisit chez la Signora Regazzoni en leur montrant tout ce qu'il y avait à voir en chemin. Il avait retenu des chambres lors de son dernier passage, et bien qu'il n'eût demandé qu'une chambre à une personne pour Thérèse, la Signora put installer un lit de plus pour Lydie. Brusquement, François prit conscience qu'un autre problème, beaucoup plus grave, l'attendait : comment John King allait-il réagir en apprenant la présence de Lydie ? Qu'avait-il dit ? « Je ne dirige pas un centre d'accueil pour émigrants français... »

La Signora Regazzoni avait préparé un grand plat de pâtes, du fromage et du vin, et ils se mirent tous à table de bon cœur. Puis, se souvenant de l'état dans lequel il se trouvait à son arrivée à San Francisco, François insista pour que les nouveaux émigrants aillent dormir sans attendre.

Le lendemain matin, il leur fit visiter la ville, les présenta au père Farinelli, puis les conduisit au « Palais », qui les confondit par sa taille et sa magnificence.

Il leur demanda d'attendre à la grille pendant qu'il allait voir si M. King pouvait le recevoir. Il eut de la chance. Simpson lui apprit que M. King était là, mais que Mademoiselle Emilie avait dû sortir.

— Ah ! Pujol, lui dit King. Je ne m'attendais pas à vous voir. Je vous croyais avec votre jeune épouse.

— Elle est arrivée hier, monsieur. Ainsi que mon ami Armand Listrac. Et...

Il hésita, puis avoua tout :

— Et ma sœur Lydie.

King ne put retenir un rire bref.

— Pujol, vous dépassez les bornes. Je me demande si vous êtes idiot ou très malin.

Son visage se durcit.

— A quoi jouez-vous ? Je croyais vous avoir dit que je ne voulais pas transformer San Cristobal en une colonie française en Californie.

— Oui, monsieur, mais j'ignorais que Lydie viendrait. Ils voulaient me faire une surprise.

— En comptant sur moi pour lui fournir le gîte et le couvert ! C'est inimaginable !

— Elle ne vous coûtera rien, monsieur.

— L'argent ! L'argent ! Ce n'est pas seulement une question d'argent. Vous semblez croire que rien d'autre ne compte pour moi. Il y a les principes.

— Oui, monsieur. Mais Lydie se rendra utile à San Cristobal. Elle nous fera la cuisine et travaillera dans les vignes. Il y a une chambre et un lit pour elle. Je vous en prie, monsieur... Voulez-vous la voir ? Elle est à la grille, avec ma fiancée et mon ami Armand. Voulez-vous les connaître ?

— Parlons un peu de votre ami Armand. Si je ne me trompe, vous allez me demander de l'engager à San Cristobal.

François baissa la tête, incapable de soutenir le regard dur de son patron.

— Oui, monsieur, murmura-t-il d'un ton coupable où se mêlait de la crainte.

— Je m'en doutais. Mettons bien les choses au point, Pujol. D'abord vous me dites qu'Absalon vous suffit, et maintenant vous avez soudain besoin de votre ami en plus. Pourquoi ?

Il fallait tout dire.

— Quand Hank et Don sont partis, monsieur, j'ai essayé d'engager deux vignerons. Personne n'a voulu travailler à San Cristobal. Ensuite j'ai trouvé Absalon. Nous avons besoin de deux hommes, mais il travaille si bien que j'ai cru, c'est vrai, pouvoir tenir avec lui seul jusqu'à l'arrivée d'Armand. Il y aurait alors une place pour lui. Armand est mon ami. Nous avions toujours prévu de travailler ensemble en Californie.

Il baissa de nouveau la tête, incapable d'affronter la colère de son employeur.

King demeura longtemps sans répondre.

— Merci, dit-il enfin. Je suis heureux d'entendre la vérité. Dites-moi toujours la vérité, Pujol. Vous vous apercevrez que cela rapporte davantage. Et maintenant, pourquoi personne n'a-t-il voulu travailler à San Cristobal ? Sans mensonge.

— Je crois que c'est Eichenbaum, monsieur.

Il parla de l'écriteau arraché à la clôture, et des déclarations de M$^{me}$ Harris sur la façon dont les hommes d'Eichenbaum décourageaient les vignerons sans travail quand ils les rencontraient au bar de l'hôtel Cinnabar.

— Etes-vous sûr que tout ceci ne s'est pas passé dans votre imagination ? Si je comprends bien, vous n'avez pas de preuves.

— Non, monsieur.

— Et comment se fait-il que vous ayez pu engager et conserver Absalon ?

— Je ne sais pas, monsieur. C'est un drôle de bonhomme.

Devait-il parler de l'agression dont Absalon avait été victime ? Il préféra s'en tenir au récit des deux hommes qui avaient tenté de débaucher le Noir.

King ne put s'empêcher de rire en apprenant quelle réponse leur avait fournie Absalon, mais il reprit aussitôt son sérieux.

— Je ne supporterai pas une chose pareille. Le diable m'emporte si je laisse passer ça ! Je vous ai dit, quand j'ai acheté, que je ne voulais pas d'histoires. Il faut que je touche deux mots à ce M. Eichenbaum. La dernière fois que j'en ai parlé, vous m'en avez dissuadé, mais ça ne peut plus continuer. Et si les choses ne s'arrangent pas, Pujol, tant pis : je trouverai quelqu'un d'autre pour diriger San Cristobal.

A n'en pas douter, ce n'était pas une menace en l'air, et François sentit le sang quitter ses joues.

— Non. Non, monsieur, je vous en prie, balbutia-t-il. Il n'y aura plus d'ennuis. Il n'y en a déjà plus. Je vous demande...

— Que voulez-vous dire : il n'y en a déjà plus ? Vous ne pouvez engager de main-d'œuvre parce qu'Eichenbaum a une dent contre vous : si ce n'est pas un ennui, je me demande ce qui...

— Je veux dire que nous pourrons tout régler, monsieur. Absalon est un très gros travailleur, et il comprend la vigne... Il apprend très vite. Et maintenant, avec Armand en supplément, Thérèse et...

Il laissa sa phrase en suspens.

— Et le reste de votre famille. Ça ne me plaît pas, Pujol. Vous abusez de moi, et je ne me laisserai pas faire.

— Je vous en prie, monsieur. Ecoutez-moi. Je n'ai pas demandé à ma sœur de venir. Ni à mon ami Armand. J'ai fait venir uniquement ma fiancée. Et si je veux engager Armand, ce n'est pas parce que je ne peux trouver personne d'autre, c'est parce qu'il travaille bien. Lydie travaillera aussi. Elle connaît la vigne. Et pour Eichenbaum, je vous en prie, je vous en conjure, ne faites rien. Ce n'est pas votre problème, c'est le mien, et c'est à moi de le résoudre. Jusqu'ici rien de ce qu'il a pu faire n'a porté tort au vignoble. S'il y a d'autres histoires et que je ne puisse les régler, je ferai appel à vous, je vous le promets. Mais je vous en prie, monsieur, laissez-moi faire mes preuves. Cette année, la récolte sera médiocre et il y aura beaucop de travail pour mettre le chai en ordre. Nous ferons peu de vin. Mais l'année prochaine sera meilleure.

John King alluma un cigare et se mit à arpenter la pièce. François ne pouvait deviner si sa supplique le convaincrait. Quand il reprit parole pour persuader King d'adopter ses vues sa voix tremblait de désespoir.

— Venez à San Cristobal, monsieur. Je vous montrerai ce que j'ai fait. Je vous expliquerai le travail. Je vous dirai ce qu'il reste à entreprendre et comment j'en viendrai à bout.

Il s'arrêta, quêtant une réaction.

King continuait de marcher de long en large, les sourcils froncés, perdu dans ses pensées. Puis il se rassit et tira sur son cigare, toujours silencieux.

— Il y a des hommes, dit-il enfin, qui ont connu le succès à force de soupçons, en ne faisant confiance à personne, en renvoyant leur personnel au premier signe de duplicité ou d'inefficacité — démontré ou non. Je n'ai jamais adopté cette méthode. Mais veillez à ne pas abuser davantage de la confiance que j'ai placée en vous, Pujol. Vous me proposez d'aller à San Cristobal, poursuivit-il sans laisser à François le temps de répondre. J'irai sous peu. Mais sachez bien que je ne suis pas resté sans renseignements sur votre travail dans la propriété.

— Mademoiselle Emilie... commença François.

— Oui, j'ai entendu ce que Mademoiselle Emilie avait à dire. Mais d'autres personnes m'ont également appris les améliorations que vous avez apportées là-bas. Et la façon dont vous avez travaillé. Ces rapports sont ce qui vous sauve, Pujol.

Il s'interrompit pour rallumer son cigare.

— Très bien. Restons-en là jusqu'à votre prochain compte rendu. En attendant, engagez votre ami. Et que votre sœur vive à San Cristobal avec votre femme.

— Je vous promets que vous ne le regretterez pas, monsieur. Merci... Merci...

— Très bien. Nous nous reverrons dans deux semaines.

— Oui, monsieur... Monsieur King ?

François hésitait à poser la question.

— Qu'y a-t-il encore ?

— Thérèse, Lydie et Armand sont à la grille. J'aurais aimé vous les présenter.

King allait refuser, il avait été suffisamment dérangé pour la journée, mais comprenant quelle importance revêtait ce geste pour François, il décida d'accéder à sa requête.

— Faites-les entrer dans le jardin.

— Merci, monsieur.

François courut à la grille et expliqua aux autres que leur installation à San Cristobal n'avait tenu qu'à un fil. Ils devaient exprimer leur gratitude.

Quand John King sortit, Armand s'inclina profondément et les deux jeunes filles firent la révérence, saluant leur bienfaiteur par un chœur de « Merci mille fois ! » François, près d'eux, semblait rayonnant.

— Vous avez l'air de M. Loyal présentant sa troupe, Pujol...

Il retint son rire, serra la main d'Armand et de Lydie puis sonda Thérèse du regard.

— Vous avez beaucoup de chance, Pujol, dit-il.

— Oui, monsieur !

A cet instant, un cabriolet s'arrêta à la porte, et Emilie parut. Elle portait une robe à la toute dernière mode. Le corsage de soie bleu pâle était ajusté et la jupe, très froncée à la taille, tombait par-devant en une courbe douce. A côté de Thérèse et de Lydie, dans leurs vêtements de laine grossière, elle offrait une image d'élégance raffinée et de grâce.

— François ! s'écria-t-elle. Quelle surprise de vous voir ici !

— Vous arrivez juste à temps pour faire la connaissance de la future M^me Pujol, lui dit John King.

Emilie plissa le front un instant et exprima un intérêt poli.

— Comme c'est captivant ! dit-elle.

On fit les présentations. Emilie regarda longuement Thérèse, tout comme son père, mais avec une vague lueur d'amusement dans les yeux.

— Vous parlez anglais, chère amie ? Non ?

Elle se tourna vers François.

— Mais elle est charmante. Tellement... Tellement virginale. Vous avez de la chance de l'emmener loin d'ici. Si elle restait à San Francisco, toutes vos anciennes bonnes fortunes lui arracheraient les yeux.

— Que dit-elle ? demanda Thérèse en français.

— Elle dit que tu es très belle, se hâta de répondre le jeune homme.

Thérèse ne le crut pas. Instinctivement elle avait deviné les griffes sous le velours de la voix d'Emilie. Elle lui sourit et lui adressa un petit hochement de tête orgueilleux, qui remerciait la jeune Américaine de son compliment — si compliment il y avait — tout en affirmant sa position de future épouse. Emilie lui rendit son sourire, surprise de se sentir vaincue en quelque manière par ce geste insignifiant d'une petite Française naïve, sortie tout droit d'une épicerie de campagne.

Elle se reprit aussitôt.

— Quand partez-vous ?

— Demain après-midi, *Mademoiselle*. Après le mariage.

— Vous vous mariez demain ? Pas possible ! Et vous passerez votre *honeymoon* à San Cristobal ?

— *Honeymoon* ?

— Ne dit-on pas en français « lune de miel » ?

— Oui, en effet.

François prit son courage à deux mains :

— Nous ferez-vous l'honneur d'assister à notre mariage, monsieur ? C'est demain matin à dix heures, à l'église Saint-François-d'Assise.

— Demain à dix heures ? Pourquoi pas ? Qu'en pensez-vous, Emilie ?

— Je ne voudrais le manquer pour rien au monde, répondit-elle avec un sourire. C'est très aimable de nous inviter, François.

Ses yeux glissèrent sur Armand et Lydie.

— Serait-ce un double mariage, par hasard ?

— Non. Lydie et Armand seront demoiselle et garçon d'honneur.

Emilie sourit, regarda Armand de la tête aux pieds, puis s'éloigna vers la maison.

— A demain, Pujol. N'oubliez pas ce que je vous ai dit.

John King salua tout le monde de la tête et suivit sa fille.

Sur le trottoir, Thérèse se tourna vers François.

— Je n'aime pas cette femme, dit-elle. Le vieil homme est très bien, mais elle... Pourquoi t'appelle-t-elle François ?

— Elle appelle tous les domestiques par leur prénom. J'ai été jardinier ici.

— Elle te regardait comme si tu lui appartenais. J'aurais préféré que tu ne l'invites pas au mariage.

— Mais pourquoi ? Son père et elle sont nos employeurs. C'était la moindre des politesses. Je suis flatté qu'ils aient accepté. Et je ne lui appartiens nullement. Je ne suis rien pour elle, et elle n'est rien pour moi.

— Je ne l'aime pas, répéta Thérèse, têtue. C'est une...

— ... garce, lui souffla Lydie.

Elle pinça les lèvres, leva le nez en l'air et se lança dans une parodie ridicule de la démarche gracieuse d'Emilie.

Armand éclata de rire et François sourit, mais Thérèse rougit. Elle n'aurait jamais osé prononcer un mot comme celui-là, mais il était dans ses pensées.

— Moi, je la trouve fantastique, dit Armand. Une vraie femme.

— Parce que nous ne sommes pas de vraies femmes ? s'écria Lydie.

— Tu es une princesse et Thérèse une reine. Mais elle est tout de même fantastique.

— Allons prendre un café, proposa François.

Il se sentait étrangement jaloux de l'attrait manifeste que ressentait Armand à l'égard d'Emilie.

— Inutile de vous mettre dans tous vos états au sujet de Mademoiselle Emilie. Et nous avons besoin de rester dans ses petits papiers.

— Elle viendra à notre noce dans ses beaux habits et les gens n'auront d'yeux que pour elle, se plaignit Thérèse.

— C'est stupide. On ne regarde jamais que la mariée.

— Un jour... Un jour j'aurai des robes comme les siennes. Et tu penseras à moi et non à elle.

— Qu'est-ce que tu racontes ? Je penserai toujours à toi. Et un jour je t'achèterai les plus belles robes du monde, si c'est là ton désir.

— J'aimerais avoir une belle robe demain au lieu de ces vieilleries. Regarde, dit-elle en montrant sa tenue de voyage. C'est ce que j'ai de mieux. Elle est toute froissée et sale. Ce n'est pas une robe de mariage.

— C'est toi que j'épouse, dit François. Pas ta garde-robe.

Thérèse ne répondit pas, mais elle serra plus fort le bras du jeune homme. Pendant le reste de la journée, elle garda un silence morose, et il comprit que l'ombre d'Emilie restait entre eux.

— Nervosité prénuptiale, dit Armand comme s'il faisait autorité en la matière.

Thérèse aurait-elle oublié sa jalousie le lendemain matin ? Le costume que porterait Emilie à l'église ne ternirait-il pas le bonheur de la mariée ? François, quant à lui, avait décidé que ce qui s'était passé entre Emilie et lui était bien mort, enterré et oublié pour toujours. Il ne songeait et ne songerait jamais qu'à Thérèse.

S'ils s'étaient mariés à Sauveterre, tout le village aurait assisté à la noce. A San Francisco, ils ne seraient que tous les quatre, avec le père Farinelli. A dix heures, les King n'avaient pas paru. François était arrivé le premier à l'église. Tout seul. Il comptait sur Armand pour l'accompagner, mais la veille, quand ils s'étaient rendus auprès du père Farinelli, le prêtre avait demandé :

— Qui conduira la mariée à l'autel pour la remettre à l'époux ? La question les avait pris au dépourvu.

— Je pense que ce doit être moi, avait dit Armand. Puisque je suis son frère.

— Tu es garçon d'honneur, lui répliqua François. Tu ne peux pas être mon garçon d'honneur et conduire Thérèse à l'autel.

— Pourquoi pas ? Quand je te l'aurai confiée, je traverserai l'allée pour me mettre à tes côtés. Explique-le au curé.

Le père Farinelli avait éclaté de rire.

— Ce n'est pas banal, mais rien ne s'y oppose s'il n'y a personne d'autre.

Les minutes s'égrenèrent, interminables, puis François entendit le prêtre tousser; il était à la porte de la sacristie. Le jeune homme se retourna : Thérèse avançait lentement entre les prie-Dieu, au bras d'Armand et suivie de Lydie. Elle portait les mêmes vêtements que la veille, mais elle avait ajouté un voile et elle tenait un bouquet de roses blanches — où avait-elle déniché ces fleurs ? Ils avaient dû les acheter en quittant la maison de la Signora Regazzoni. Le cœur de François battit plus vite, il sentit que ses genoux tremblaient.

Le service commença avec les paroles habituelles, qu'ils avaient tous si souvent entendues en français. Ils en étaient au moment où le père Farinelli demandait à toute personne connaissant une raison ou un obstacle empêchant qu'ils soient unis par les liens sacrés du mariage de parler sur-le-champ ou de se taire à jamais, quand ils entendirent des pas dans l'église. François jeta un coup d'œil par-dessus son épaule. C'étaient John King et Emilie qui essayaient de se glisser sans bruit sur des sièges. Pendant une fraction de seconde, il craignit qu'Emilie n'intervienne pour révéler leurs rencontres. Mais bien entendu, elle n'en fit rien, et la cérémonie se poursuivit sans interruption. A peine conscient des paroles du prêtre, François ne songeait qu'à son amour pour Thérèse : oui, il l'aimerait et la chérirait à jamais. Il se tourna vers elle et elle le regarda. Un sourire hésitait sur ses lèvres. Elle était si belle qu'il en eût le souffle coupé.

Le père Farinelli se tut, puis François et Thérèse, se tenant par le bras, sortirent de l'église. Ils s'arrêtèrent un instant, et leurs amis vinrent les féliciter.

Emilie était vêtue très simplement, d'une robe marron foncé qui ne l'avantageait guère. C'était, en fait, la raison de leur retard. Elle était descendue dans un costume des plus fracassants, et en la voyant, John King lui avait demandé de se changer pour mettre une tenue qui ne porterait pas ombrage à la mariée.

— La pauvre petite n'a pas une robe décente, mais c'est sa journée, non la vôtre.

Et il avait refusé d'assister au mariage si Emilie ne s'inclinait pas. Après un premier geste de dépit, la jeune femme avait accepté de porter quelque chose de moins voyant.

La voiture des King attendait dans la rue, et John King alla y chercher un sac contenant deux bouteilles de vin. Il les glissa dans les mains de François.

— J'ai pensé que cela mettrait un peu de gaieté dans votre repas de noces. Ce n'est pas de l'entre-deux-mers, mais tout de même un bordeaux.

Le vin était du pomerol. Il devait s'être donné beaucoup de mal pour trouver à San Francisco un vin de leur région et quand il le remercia, François avait les larmes aux yeux.

— Voulez-vous vous joindre à nous, monsieur ? Ce n'est qu'une petite fête...

— Non. Je vous remercie de votre invitation, mais un mariage se célèbre en famille, et nous aurions mauvaise grâce à nous imposer. De plus, Emilie et moi avons d'autres obligations.

François se garda d'insister, sachant bien que Thérèse n'apprécierait pas la présence de la jeune femme. Mais il remercia les King une seconde fois avant que la voiture ne les emportât.

— Et maintenant, à table ! cria Armand.


La veille au soir, ils avaient discuté de la question et décidé de faire le repas de noces dans un des modestes restaurants de Dupont Street. Armand avait déclaré qu'il serait plus sage de réserver pour être sûr d'avoir une bonne table et un bon menu, puis il avait quitté le salon de la Signora Regazzoni sans permettre à François de l'accompagner.

— Tout est réglé, avait-il déclaré à son retour.

Armand prit donc la tête du petit groupe... et le ramena devant la porte de la Signora Regazzoni.

— Entrez vous montrer à elle, dit-il à François et à Thérèse. Elle veut voir les mariés pour leur présenter ses vœux de bonheur, et elle m'a fait jurer de vous ramener ici en sortant de l'église.

Ils entrèrent dans la maison. La Signora Regazzoni les embrassa, puis les conduisit dans la salle à manger. La table était décorée comme aux jours de fête. Il y avait un énorme plat de hors-d'œuvre : saucissons, anchois, salade, tomates, olives, radis et céleri. Et deux bouteilles de vin. De la cuisine provenait la plus savoureuse odeur de poulet rôti à la marjolaine, qu'accompagneraient des artichauts et des pommes sautées. François et Thérèse n'en croyaient pas leurs yeux. Armand et Lydie éclatèrent de rire devant leur surprise et leur joie.

— C'est un cadeau de noces de Lydie, de la Signora Regazzoni et de moi, expliqua Armand.

Il avait tout arrangé la veille, non sans redouter que les nouveaux mariés ne découvrent son secret.

— Cela a dû coûter une fortune, s'écria François.

— Une vraie fortune ! répondit Armand en riant. C'est pourquoi nous n'avions prévu que deux bouteilles de vin. Une chance que notre patron se soit montré généreux.

Ils s'installèrent, mangèrent, burent, bavardèrent et rirent. Puis la Signora apporta sa spécialité : une génoise imbibée de sirop de rhum et recouverte de crème fouettée. Ils la félicitèrent, la remercièrent et burent ensemble à la mariée, au marié, à la famille Pujol dans leur petit bourg de France, aux Listrac, à la Signora Regazzoni, à San Cristobal, à John et à Emilie King.

— J'aurais aimé qu'ils se joignent à nous, dit François.

166

— Je suis ravie qu'elle ne l'ait pas fait, répliqua Thérèse, et pendant un instant, son sourire s'estompa.

Bientôt la dernière bouteille fut vide, la maîtresse de maison mille fois remerciée, et il fallut partir. Ce fut un vrai défilé de carnaval. La Signora, tantôt radieuse, tantôt fondant en larmes de sympathie, déclara qu'elle les accompagnerait jusqu'à l'embarcadère du bac, et sa cuisinière, Adelina, voulut en faire autant. Tout au long de Dupont Street les deux Italiennes expliquèrent au voisinage que Thérèse et François venaient de se marier et partaient pour Cinnabar : lorsqu'ils arrivèrent au bac d'Oakland, un vrai cortège de noce les suivait. Tout le monde trouvait la mariée très belle et le marié très beau. Quand le bac s'éloigna sur la baie de San Francisco des dizaines de mouchoirs s'agitèrent et toutes les bouches leur crièrent de bons vœux — sauf la Signora Regazzoni, beaucoup trop émue pour continuer à les regarder à travers ses larmes.


En arrivant à Cinnabar, Lydie proposa de rester avec Armand une heure ou deux à l'hôtel, pour laisser les deux jeunes mariés découvrir San Cristobal ensemble.

— Pourquoi ? demanda Armand.

— Parce que c'est le jour de leurs noces, parce que San Cristobal est la nouvelle maison de Thérèse, parce qu'ils ont besoin d'un peu de temps à eux et parce que tu es un idiot ! Combien de raisons te faut-il de plus ? Ah ! les hommes !

Elle insista pour que leurs bagages restent à l'hôtel et qu'Absalon vienne les chercher.

— Et, ajouta-t-elle, je veillerai à ce qu'il ne se hâte pas trop de rentrer.

François et Thérèse partirent, main dans la main. La journée était très chaude et pas un nuage ne voilait le soleil. Ils marchèrent lentement, et François montra à sa jeune femme les bâtiments qu'ils dépassaient et l'énorme masse du mont Sainte-Hélène dans le lointain. Après un dernier virage de la route, Oak Valley leur apparut.

Thérèse retint son souffle.

— C'est ici, François ? Comme c'est beau.

— Oui, c'est beau. Quand je suis arrivé en ce même endroit, la première fois, j'ai décidé que ces vignes-là seraient à moi un jour. Elles sont belles et bien tenues, et elles me rappellent un peu la propriété de papa à Sauveterre. Mais ce n'est pas San Cristobal. C'est le vignoble d'Eichenbaum.

Il lui avait déjà raconté ses problèmes avec l'Allemand, non sans modifier légèrement l'histoire — il ne pouvait guère avouer qu'il avait attaqué Eichenbaum pour défendre une prostituée, et sa fierté ne lui permettait pas d'évoquer la correction qu'il avait reçue le jour où il avait demandé du travail à Oak Valley.

— Je ne vois pas comment ce domaine pourrait m'appartenir un jour, ajouta-t-il, mais rien ne me plairait davantage. Non que je sois mécontent de San Cristobal, mais je dois avouer qu'Oak Valley est la plus belle propriété de toute la région.

Ils poursuivirent leur chemin.

— Voilà, dit François. San Cristobal...

Thérèse demeura longtemps silencieuse.

— Tu as tort, dit-elle enfin. Oak Valley n'est pas la plus belle propriété de la région. C'est San Cristobal. Oui, c'est le plus beau vignoble du monde.

Ils aperçurent une petite silhouette travaillant dans les vignes de l'autre côté de la maison.

— C'est Absalon, dit François.

Et quand ils furent à portée de voix, il appela le Noir qui se dirigea vers eux en courant malgré sa jambe à la traîne.

— Bienvenue à San Cristobal, madame Pujol, s'écria-t-il. Heureux de vous voir de retour, Monsieur François.

— Pourquoi ? Des ennuis, Absalon ?

— Non, m'sieur.

Ils envoyèrent Absalon à Cinnabar, pour aider Lydie et Armand à rapporter les bagages.

— Ils parlent anglais, Monsieur François ?

— Non, bon dieu ! Je n'y avais pas pensé.

— Ça ne fait rien. Nous nous comprendrons très bien. Je voulais juste savoir.

Il partit en riant sous cape.

Quand elle entra dans la maison, Thérèse ne dissimula pas sa surprise. Elle était aux anges.

— C'est tellement grand, François ! Tellement propre, ensoleillé !

Après le minuscule logement au-dessus de l'épicerie de Sauveterre, ce devait être pour elle un palais...

— Il n'y a pas beaucoup de meubles, s'excusa-t-il. Un jour nous en achèterons, ainsi qu'un tapis... et de belles choses. Un jour, cet endroit m'appartiendra — ou un autre comme celui-là, et alors, tu verras... Tu auras tout ce que tu voudras.

— J'ai déjà tout ce que je veux.

— Non. Je te donnerai davantage. Tu as vu Oak Valley ? Je vais réussir, Thérèse, et gagner assez d'argent pour racheter Eichenbaum. Tu auras la plus belle maison de Cinnabar, et nous serons riches et libres.

Il rit aux éclats, emporté par son enthousiasme.

— Et j'aurai une voiture avec deux chevaux, dit-elle avec la même allégresse. J'irai jusqu'à San Francisco, je sonnerai à la grille de Mlle King et je lui montrerai que je suis aussi bien qu'elle.

— Mieux. Plus belle. Viens, montons.

Il lui montra la pièce qui allait être leur chambre nuptiale. Thérèse rougit et se détourna pour ne pas voir le lit, immense au milieu du parquet. François la prit dans ses bras et l'embrassa tendrement.

— Je t'adore, et je t'adorerai toujours.

— Je t'aime, murmura-t-elle. Et je te promets d'être une bonne épouse.

Et soudain ses yeux s'emplirent de larmes, elle se serra contre François et appuya son visage contre la poitrine du jeune homme.

— Qu'y a-t-il ? Je t'en prie...

— Ce n'est rien. Je suis trop heureuse, c'est tout.

Elle lui sourit et chassa ses larmes.

— J'ai du mal à le croire... dit-elle. Tout ça ! Là-bas, à Sauveterre, je me disais tous les jours que ça n'arriverait jamais, que je n'entendrais plus jamais parler de toi, et maintenant... Montre-moi le reste de la maison, François.

Il aurait mieux aimé demeurer dans la chambre, profiter de leur solitude, mais il ne savait pas combien de temps il leur restait avant le retour des autres. Et puis, il fallait laisser à Thérèse le temps de se préparer. Ils parcoururent le reste de la maison et sortirent dans les vignes; François lui expliqua le travail qu'il avait accompli avec Absalon et ce qu'il restait à faire dans le chai; il lui montra les vignes qu'il devrait replanter et le coin de terre où il avait l'intention d'établir une pépinière pour les nouveaux plants. Chacune de ses paroles était ponctuée de baisers et de tendres caresses. Le soleil resplendissait dans un ciel bleu intense, et c'était le plus beau jour de leur vie.


Ils virent bientôt Lydie, Armand et Absalon remonter l'allée de la maison et ils les accueillirent comme s'ils ne s'étaient pas vus depuis des années. On fit un nouveau tour de la maison, puis les femmes mirent le nez dans le placard pour voir ce qu'il y avait à manger. Lydie avait toujours aimé cuisiner, elle préparerait le repas, tandis que Thérèse s'occuperait des chambres pour la nuit. François entraîna Armand dehors pour lui montrer le logement des vignerons qu'il partagerait avec Absalon (reparti aussitôt au travail dans les vignes). Armand remarqua la table avec les couverts en fer-blanc et les plats émaillés.

— Absalon mange ici ? demanda-t-il.

— Il a toujours mangé avec moi. Et il continuera.

A leur retour dans la maison une odeur appétissante se répandait dans toute la pièce.

— Prêt dans dix minutes, cria Lydie depuis la cuisine.

— J'appelle Absalon, dit François.

Absalon vint à la cuisine un peu plus tard, après avoir fait sa toilette dans son logement. Il portait l'une des assiettes émaillées.

— Pourquoi apportes-tu ça ? demanda François. Il y a des assiettes ici.

— Non, Monsieur François. Maintenant, Absalon mange chez lui. Vous êtes en famille, à présent. Manger avec la famille, c'est pas la place d'un « pauv'nèg' ».

Il n'y avait pas à discuter. Lydie lui versa une belle portion du *corned beef* et de la purée qu'elle avait préparés, et il l'emporta. Les autres s'assirent autour de la table de cuisine. Lydie emplit les assiettes et tout le monde se mit à manger.

— Formidable ! dit Armand.

— Demain, promit Lydie, je vous ferai un vrai cassoulet, avec des montagnes de haricots. Mon pauvre François, tu es maigre comme un râteau. Tu as besoin d'un peu de cuisine gasconne. Il va falloir que je trouve de la graisse d'oie. Dieu sait ce que cette espèce de... créature toute noire a dû te donner à manger.

— Nous faisions la cuisine chacun à notre tour. Et Absalon est meilleur cuisinier que moi. C'est même un cordon-bleu.

— Oui, eh bien, qu'il ne vienne pas fourrer son nez dans la cuisine quand j'y suis ! Il nous empoisonnerait tous.

— Lydie, ne traite pas Absalon ainsi, je te prie ! répliqua François. Ce n'est pas seulement un ouvrier agricole. Il a travaillé aussi dur que moi depuis son arrivée ici, et c'est mon ami. S'il n'est pas à cette table, c'est parce qu'il l'a désiré; jamais je ne la lui aurai interdite.

Lydie parut un peu désemparée.

— C'est bon, j'essaierai, dit-elle.

Puis elle éclata de rire.

— Il a l'air tellement *noir* ! S'il frappe à la porte la nuit, comment saurai-je qu'il est là ? Et puis je ne comprends pas un mot de ce qu'il raconte.

— Il te faut apprendre l'anglais, répondit Fançois. Et vous aussi, ajouta-t-il à l'adresse de Thérèse et d'Armand. Nous pouvons parler français entre nous, mais nous vivons en Amérique à présent, nous devons parler comme les Américains. Et nous commencerons dès ce soir.

Il montra la nourriture, les meubles, les couverts, leur dit les mots anglais et les leur fit répéter jusqu'à ce qu'ils s'en souviennent. Armand et Thérèse se montrèrent bons élèves, ardents à apprendre, mais Lydie trouvait tous les mots plus difficiles et plus absurdes les uns que les autres et ne tarda pas à pouffer de rire. Sa joie était contagieuse et très vite la leçon s'acheva en une farce confuse.

— Il est temps de se coucher, dit François.

Le silence se fit brusquement. Thérèse baissa les yeux sur son assiette vide, Armand fit un clin d'œil polisson à François, et même Lydie se tut.

— Montez tous les deux, dit-elle enfin. Armand et moi allons ranger la vaisselle. Allez, « Moussu » Listrac. Au travail !

— Viens, murmura François à Thérèse.

Elle se leva, le visage rouge comme une pivoine. Elle regarda les autres sans pouvoir articuler un mot. Elle se détourna et quitta la pièce. François allait la suivre, mais Lydie l'arrêta.

— Laisse-la un peu seule. Quelques minutes.

Il se rassit, avec un sourire gêné. Lydie et Armand se mirent à débarrasser la table.

Lorsqu'il entra dans la chambre, un peu plus tard, Thérèse était déjà couchée. Elle le regarda s'avancer. Ses yeux paraissaient immenses et effrayés dans la pénombre. Quand il commença à se déshabiller, elle se tourna vers le mur. En entrant dans le lit, il sentit qu'elle tremblait.

Il tendit la main et la toucha doucement. Sa peau semblait brûlante sous la chemise de nuit de toile grossière. Elle frissonna légèrement sous la caresse et se tourna vers lui.

— Sois doux, lui dit-elle.

Il fut doux mais — inévitablement — il lui fit mal. Pour lui, c'était tellement différent de ses expériences passées ! Jamais auparavant il n'y avait eu d'amour, d'adoration, dans cet acte. La sensation exaltante, éclatante, d'une passion qui chassait toute autre pensée de son esprit, le fit accéder à une extase qu'il aurait crue impossible. Après le dernier frisson, après les derniers soupirs, il demeura immobile, ne percevant que le battement de son cœur contre le sein de Thérèse, et la douceur de la chair offerte au-dessous de lui submergea son esprit d'une vague de tendresse. Il essaya de la regarder dans les yeux, pour s'assurer que sa douleur n'avait pas été trop vive et pour deviner si elle avait partagé son bonheur, mais la nuit était trop sombre.

— Tu es mon seul amour, murmura-t-il. Tu le seras toujours. Thérèse, ma Thérèse, ma femme.

Elle lui sourit.

— Je t'aime, je t'adore.

— Thérèse, je veux te voir.

Pendant un instant, elle ne comprit pas. Puis elle tenta de s'évader de ses bras.

— Non, François, ce n'est pas bien. C'est impudique.

— Rien n'est mal, maintenant que nous sommes mari et femme. Rien.

Il se pencha vers la bougie posée à côté du lit, et l'alluma. Sa lumière douce jetait de longues ombres sur les murs et teintait d'or les draps blancs du lit. Elle révéla aussi les grands yeux de Thérèse, agrandis par la crainte. Il se tourna vers elle et l'embrassa doucement. Quand il se recula, il lut une immense tendresse dans le regard de la jeune femme. Toute appréhension avait disparu. Lentement, il baissa les draps. Sa chemise de nuit était remontée jusqu'à ses épaules. Il tira sur le ruban du col puis la fit passer par-dessus la tête de Thérèse. Un de ses bras recouvrait ses seins et l'autre main défendait ses cuisses. Doucement il écarta les deux bras, et la contempla enfin dans toute sa gloire.

— Thérèse... Tu es tellement belle. Jamais je n'ai rien vu d'aussi beau de toute ma vie.

Elle lui sourit. Il enfouit sa tête entre ses seins, exalté par sa douceur, étourdi par la senteur douce de sa peau, et par cette splendeur qui lui appartenait, maintenant et à jamais.

Malgré l'allusion d'Emilie King à une lune de miel, aucun d'eux n'avait songé que le lendemain pourrait être différent d'un jour de travail ordinaire. François, debout à l'aurore, éveilla toute la maisonnée. Nul ne fit allusion à la nuit passée, au cours du petit déjeuner, mais quand ils sortirent, Armand annonça avec un clin d'œil qu'il ferait le gros travail ce jour-là, car le jeune marié devait avoir besoin de repos...

Au cours des semaines qui suivirent, de nouvelles habitudes s'instaurèrent. Armand travaillait à la vigne avec François et Absalon; Thérèse se joignait souvent à eux car Lydie s'était couronnée reine de la cuisine, bien résolue à ne laisser personne empiéter sur son territoire — ni Thérèse ni surtout Absalon.

Quand François se rendit de nouveau à San Francisco, John King le pressa de questions. Il voulait savoir s'il y avait eu de nouveaux ennuis avec Eichenbaum, et comment Armand travaillait dans les vignes. Satisfait des réponses du jeune homme, il le confirma à son poste de régisseur de San Cristobal et porta son salaire à 20 dollars par semaine. François en fut évidemment enchanté, mais en même temps surpris : il s'attendait à une prolongation de sa période d'essai, étant donné tous les incidents qui s'étaient produits.

En réalité, King était beaucop moins inquiet qu'il ne l'avait laissé paraître. Dès le début, il avait accordé au jeune Français une confiance absolue. Il lui avait suffi de quelques instants d'entretien pour le juger : un homme ambitieux, dur au labeur et foncièrement honnête. Mais John King ne se fiait pas uniquement à son flair. Il avait souvent donné leur chance à ses principaux collaborateurs sur des intuitions, mais il les avait tous surveillés longtemps de très près avant de se convaincre définitivement que son instinct ne l'avait pas induit en erreur. Lorsqu'il ne pouvait pas vérifier par lui-même le travail d'un homme, il se tenait informé par d'autres moyens. Les amis qui lui avaient déjà confirmé que San Cristobal était en de bonnes mains avaient continué d'envoyer des rapports favorables.

Sa seule inquiétude grave se rapportait à l'acquisition de la propriété elle-même. Il se passerait sûrement plusieurs années avant que les revenus soient intéressants et il était toujours hanté par la pensée qu'il l'avait achetée par caprice — et payée beaucoup trop cher, même si une partie de l'argent appartenait à Emilie.

Il se souciait beaucoup moins d'Eichenbaum et d'éventuelles attaques auxquelles François ne pourrait faire face. Il était persuadé de pouvoir écarter tout danger de ce côté-là. Après le mariage, une fois remonté en voiture, il avait dit à sa fille :

— Un beau couple. Elle le stabilisera. Elle l'empêchera de faire des sottises.

— De toute façon, il n'en aurait pas fait.

— Oh ! je sais bien que vous êtes de son côté, même si c'est à présent un homme marié.

Il lui lança un regard à la dérobée, et elle éclata de rire.

— Une seule question demeure, ajouta-t-il. Ne pourrait-on pas le pousser à commettre quelque stupidité ?

— Vous songez à l'Allemand ?

— Oui. Cela ne tardera pas à nous tomber sur la tête. Je crois que je ferais aussi bien de réunir quelques petits renseignements sur cet Eichenbaum.

Il entreprit quelques enquêtes, dont les résultats l'intéressèrent vivement. Ensuite il téléphona à un vieil ami qui se trouvait être le président d'une banque de San Francisco. Leur conversation fut très révélatrice.


Au cours des jours qui suivirent, Armand ne cessa de supplier François de l'emmener à San Francisco la prochaine fois qu'il irait faire son rapport. Il avait plus de mal que les autres à s'adapter — le travail était épuisant, et avec son mauvais anglais, il n'avait guère fait de progrès auprès des jeunes filles de Cinnabar. Il ne s'était même pas fait d'amis avec qui prendre un verre le soir. De plus, bien qu'il n'eût rien à reprocher à Absalon, le fait d'être relégué dans le logement du personnel lui déplaisait, alors que le reste de la famille vivait en propriétaires dans la maison.

— Pourquoi veux-tu m'accompagner ? demanda François. M. King va s'étonner.

— Supposons que tu tombes malade, répondit Armand. Si je t'accompagne maintenant, je connaîtrai les ficelles, et le jour où tu ne pourras pas faire ton rapport, j'irai à ta place. Je paierai mon billet.

— Il y a trop de travail. Nous sommes loin d'être prêts pour les vendanges.

Mais Armand, sans se laisser rebuter, revenait chaque jour à la charge. François finit par céder. John King accepta ses explications sur la présence d'Armand — il serait peut-être obligé de l'envoyer à sa place un jour — et ils se mirent à étudier les comptes et tous les détails de l'exploitation.

Bientôt, comme Armand l'avait espéré, Emilie vint se joindre à eux. Elle écouta avec attention. Avec un pincement de jalousie, François remarqua que ses yeux se posaient sur Armand, exactement comme la première fois qu'elle l'avait dévisagé.

Pendant leur voyage de retour, avec toute la vertu d'un époux fidèle, il prévint Armand des dangers d'Emilie.

— On l'appelle la Joyeuse Emilie, tu sais. Prends garde : elle croque les garçons comme toi au petit déjeuner.

— Tu parles par expérience personnelle ?

— Quoi ? Non. Non, bien sûr.

— Vraiment ? s'écria Armand en riant. Alors, tu as laissé passer ta chance, mon vieux. Je veux bien qu'elle me croque, moi ! Et à n'importe quelle heure du jour ou de la nuit...

Un soir, au moment où ils finissaient tous les quatre de dîner autour de la table de cuisine de San Cristobal, ils entendirent le trot d'un cheval et le roulement d'un cabriolet remontant vers la maison. François sortit à la rencontre des visiteurs. Un homme et une femme s'avançaient dans leur voiture. L'homme remit les rênes à la femme, descendit et s'approcha de François, la main tendue.

— Je m'appelle Corsini, Salvatore Corsini, dit-il en anglais. Vous êtes français ?

— Oui, de la région de Bordeaux. Mais je parle un peu italien.

— Ah ! vous avez deviné ! Nous... c'est-à-dire... mon père est venu du Piémont. C'est tout près de la France. Je suis propriétaire des vignes, un peu plus haut sur la route. Casa Rosa. J'ai cru qu'il était temps de vous rendre visite avec ma femme et de nous présenter.

François fut ravi de le voir. Il n'avait pas rencontré Salvatore Corsini pendant les quelques heures où il avait travaillé dans ses vignes, lors de son premier séjour à Cinnabar, mais il le reconnut comme l'un des hommes présents à la vente aux enchères de San Cristobal. Il se demanda si le père de Salvatore était encore en vie. Devait-il parler de sa rencontre avec le vieil homme ? Il décida de n'en rien faire pour l'instant. Les explications auraient été trop longues et trop complexes. Plus tard, cet homme découvrirait la vérité et on en resterait là, mais pourquoi aller au-devant des histoires ?

— Nous finissons justement de dîner, dit-il. Vous accepterez bien une tasse de café, ainsi que madame Corsini ? Si vous voulez bien vous donner la peine d'entrer.

Mme Corsini descendit du cabriolet, on donna au cheval son « pochet » d'avoine et François fit entrer ses visiteurs. Il fit les présentations et Lydie servit le café.

— Je jette un coup d'œil en passant sur ce que vous faites, chaque fois que je descends en ville. C'est un plaisir de voir ces vignes remises en état. Quand j'ai appris qu'un millionnaire de San Francisco avait acheté, j'ai eu peur que tout reste à l'abandon. Mais il a eu manifestement le bon sens de les confier à quelqu'un de capable.

— Je suis flatté de votre opinion.

174

— Oh ! s'écria Corsini en riant, avant de prononcer un jugement définitif, nous attendrons de goûter votre vin ! Vous êtes très jeune.

— Vingt-six ans.

— Mon dieu, nos enfants ont presque votre âge !

— C'est que Caterina va sur ses vingt-trois ans et Lorenzo en a vingt et un, dit Agnese Corsini.

— Vous avez l'air beaucoup trop jeune pour que ce soit vrai, dit Thérèse.

Rien n'aurait pu plaire davantage à Agnese, si conventionnel que le compliment parût aux autres. Agée de quarante-cinq ans, Agnese ne ressentait qu'angoisse à la perspective de vieillir, et comme elle ne pouvait guère mentir sur l'âge de ses enfants, sa seule consolation restait son illusion de paraître plus jeune que son âge. C'était une femme plus grande que la moyenne, fortement charpentée et puissante, mais on devinait des fils d'argent dans ses cheveux noirs, et Thérèse ne put s'empêcher de remarquer les pattes d'oie aux coins de ses yeux, la peau molle sous sa mâchoire, et desséchée sur les tendons de son cou. Mais voyant que sa remarque banale avait enchanté sa voisine, elle poursuivit :

— Je n'aurais jamais cru que vous ayez des enfants adultes.

— Quand Salvatore m'a épousée, je n'étais qu'une gamine, répondit Agnese en souriant.

C'était loin de la vérité, car elle avait en réalité un an de plus que son mari, mais comme les cheveux de celui-ci avaient grisonné très tôt, elle pouvait se réfugier derrière cette fiction innocente. Salvatore, grand et large d'épaules lui aussi, se gardait bien de la contredire. En fait, quand elle était présente, il n'ouvrait guère la bouche. Et pourquoi troubler la douce harmonie de leur mariage en la blessant pour un détail aussi insignifiant ?

Ils restèrent une heure et, au moment de se séparer, tous décidèrent qu'ils se plaisaient et qu'ils deviendraient amis. Le récit des aventures des jeunes gens, de Sauveterre à Cinnabar, avait enthousiasmé les Corsini.

— Mon père a fait un peu la même chose, dit Salvatore. Il a eu de la chance. Il avait une certaine somme d'argent — il était beaucoup plus âgé que vous, bien entendu — il a pu acheter Casa Rosa d'emblée et s'installer. Il a travaillé jusqu'au jour de son décès.

François retint un soupir de soulagement. Le vieil homme était mort. Inutile donc de parler de son passage à Casa Rosa — du moins pour l'instant.

Agnese avait eu une conversation animée avec Thérèse et Lydie — de grands gestes ponctuant les mots gascons, italiens, anglais et français. On convint que le samedi suivant les Pujol et Armand se rendraient chez les Corsini où ils feraient la connaissance de Lorenzo et de Caterina.

Caterina, comme sa mère, ne manquait ni de carrure ni de formes généreuses. Elle avait un visage assez quelconque, avec une grande bouche qui révélait des dents longues et larges. Ses sourcils très hauts, en accent circonflexe, lui donnaient en toutes circonstances un petit air surpris. Elle avait la voix stridente et les gestes brusques, presque gauches. Elle possédait le don de faire parler les gens, et en très peu de temps elle sut tout sur eux, mais son intérêt était si sincère et si compatissant que personne ne se formalisait jamais de ses questions. Elle avait toute une cour de galants, qu'elle traitait tous avec la même gentillesse banalement fraternelle.

Lorenzo, en revanche, se montrait beaucoup plus timide. C'était un jeune homme d'une beauté étonnante : « Un véritable Apollon », disaient les gens. « Et quels yeux ! soupiraient plusieurs jeunes personnes du voisinage. Ah ! les boucles qui retombent sur son front ! Ses lèvres !... » Certaines n'hésitaient pas à affirmer qu'un jeune homme d'aussi belle allure n'avait nullement besoin, en plus, d'un esprit vif. Quel dommage, prétendaient d'autres, qu'il eût un physique et pas de cerveau, alors que pour la pauvre Caterina, c'était précisément le contraire.

Pourtant quand on les voyait ensemble, on s'habituait vite au beau visage de Lorenzo, et aussitôt Caterina l'éclipsait. Il ne pouvait pas en être autrement : elle était si pétillante d'intelligence, toujours prête à se joindre à n'importe quelle conversation, alors qu'il gardait en tout temps le silence. Mais ceux qui le croyaient stupide se trompaient, car parfois, seul avec Caterina, il discutait de problèmes sérieux — la religion, la politique, la difficulté pour les enfants à communiquer avec leurs parents — et ses arguments ne manquaient pas d'éloquence. Bien entendu, plus d'une fille des environs avait tenté de le prendre dans ses rets; il passait volontiers du temps avec elles, mais aucune ne semblait avoir touché son cœur.

— Ce qui me rend malade, avait-il dit un jour à Caterina, c'est de les voir toutes papillonner autour de moi.

Son unique passion dans la vie était les cartes. En toute occasion il poussait la famille à jouer au poker, au black-jack ou même au whist. S'ils refusaient de jouer avec lui, il faisait des patiences, ou répétait des tours : il battait et donnait d'une seule main, il lançait les cartes en éventail devant lui et les rattrapait comme un jongleur.

Les Corsini avaient un train de vie beaucoup plus raffiné que les occupants de San Cristobal. La maison, meublée luxueusement, s'ornait d'un jardin avec une petite pelouse et des plates-bandes de fleurs. On avait acheté récemment un jeu de croquet et Lorenzo et Caterina proposèrent une partie. Comme la vie est étrange ! songea Thérèse : François et elle n'étaient mariés que depuis quelques semaines, mais ils se trouvaient naturellement exclus de l'invitation. Le croquet était réservé aux jeunes, aux non-mariés. Les vieux et les couples s'installeraient non loin et suivraient le jeu d'un œil indulgent... Elle fut forcée de subir la conversation de M^{me} Corsini, mais comme elle aurait aimé se joindre aux cris et aux rires qui fusaient tandis que Lorenzo et Caterina enseignaient à Lydie et à Armand les règles de base du jeu ! Non que parler à Agnese lui déplût, d'ailleurs : elle et son mari étaient des gens charmants et pleins de chaleur. Thérèse et François avaient beaucoup moins d'expérience qu'eux dans la plupart des domaines, mais les Corsini ne se montraient pas condescendants à leur égard, au contraire : ils leur demandaient leur opinion, voire des conseils, et ils écoutaient leurs réponses avec une extrême politesse.

Au bout d'un moment, Salvatore proposa à François de lui montrer ses vignes. Ils partirent ensemble tandis que Thérèse et Agnese continuaient de bavarder de tout et de rien : Thérèse chanta les louanges de la cuisine gasconne de Lydie, M$^{me}$ Corsini lui proposa des recettes italiennes, puis toutes deux commentèrent les dernières modes présentées dans un magazine féminin qu'Agnese avait acheté. Bientôt la conversation tarit et Thérèse se tourna vers la partie de croquet.

Agnese devina la tentation dans les yeux de la jeune femme.

— Pardonnez-moi, chère amie, lui dit-elle après un bref instant d'hésitation, mais je vois bien où vont vos pensées en ce moment. Vous aimeriez être sur la pelouse en train de jouer au croquet, n'est-ce pas, plutôt que d'écouter les sornettes d'une femme en âge d'être votre mère. Ne le niez pas par politesse. Je sais que je ne me trompe pas — c'est tellement naturel. Vous pensez tout d'un coup que vous avez perdu votre jeunesse, que les plaisirs et les jeux sont finis pour vous. N'ai-je pas deviné ?

Thérèse se tourna vers M$^{me}$ Corsini, troublée — pouvait-elle avouer ses pensées les plus intimes à une amie de si fraîche date ? Elle lut tant de générosité et de compréhension dans le regard d'Agnese qu'elle hocha la tête en murmurant :

— Oui.

— J'en étais sûre. Et savez-vous pourquoi je connais aussi bien vos sentiments ? Parce que je me suis retrouvée en vous. J'ai éprouvé exactement les mêmes inquiétudes au début de mon mariage. C'est pour cette raison, je crois, que je déteste la perspective de vieillir — oui, j'ai l'impression que l'on m'a volé ma jeunesse. Je ne crois pas que la vie soit très généreuse avec nous, Thérèse, je veux dire avec nous, les femmes. Peut-être en sera-t-il autrement un jour. Mes petites-filles, qui sait ?... Ou les vôtres... Aujourd'hui, la règle veut que le mariage tire un trait sur les plaisirs et la gaieté, ainsi que sur la révolte intérieure. Mais il y a des compensations, vous verrez. D'abord l'amour d'un homme honnête et bon, et la sécurité d'un foyer. Et je crois que votre François, comme mon Salvatore, est un homme bon. Et puis, si Dieu le veut, il y a la bénédiction des enfants. Vous n'êtes pas...

— Non, répondit Thérèse en rougissant. Pas encore.

— Oh ! vous avez bien le temps. Mais quand vous saurez sans aucun doute que vous l'êtes, il vous faudra me le dire, et nous ferons les préparatifs ensemble. Je ne suis pas du tout prête à jouer les grand-mères, et je suis ravie que mes enfants ne se hâtent pas de me faire ce cadeau, mais le bébé de quelqu'un d'autre... c'est différent. Je suppose qu'ils se marieront bien un jour, je veux dire Caterina et Lorenzo. Lorenzo attendra qu'une fille l'assiège jusqu'à ce qu'il capitule. Il est comme son père...

Et elle se lança dans un long récit de la cour assidue qu'elle avait faite à Salvatore pour l'amener progressivement à la demande en mariage — tout en lui laissant croire qu'il prenait toutes les initiatives, bien sûr ! C'était très amusant et Thérèse oublia son désir de jouer au croquet. Elle comprit que malgré la différence d'âge, Agnese serait pour elle une excellente amie et que ce genre d'amitié, justement, faisait partie des compensations de la vie adulte dans laquelle son mariage venait de la plonger.

Pendant ce temps, François posait à Salvatore une question qui le tourmentait depuis longtemps. Décidant qu'il ne pouvait pas fonder une amitié sur un mensonge, il avait raconté à Salvatore que ce n'était pas sa première visite à Casa Rosa, et qu'il y avait travaillé comme vigneron pendant quelques heures.

Salvatore n'en crut pas ses oreilles.

— C'était du temps de mon père. J'étais à San Francisco à l'époque. Je me souviens d'avoir entendu parler effectivement d'un vigneron mis à la porte quelques heures après avoir été engagé. Jamais je ne suis entré dans les détails. Que s'est-il passé ?

François lui raconta l'histoire, puis posa sa question.

— Pourquoi Eichenbaum a-t-il tant de pouvoir dans la région ? Tout le monde semble avoir peur de lui.

Salvatore garda le silence un instant avant de répondre.

— Je savais que vous étiez un ennemi d'Eichenbaum.

— Non. Absolument pas. Il croit peut-être que je le suis, mais je n'ai aucun désir de lutter contre lui.

— Que cela vous plaise ou non, vous êtes sur la liste noire.

— Que voulez-vous dire ?

— Il y a quelques semaines, il a fait savoir que votre présence dans le voisinage ne lui plaisait pas. Et il a suggéré à tous les autres propriétaires de la vallée de ne pas se lier d'amitié avec vous, eux non plus.

— Mais vous êtes mon ami.

Salvatore sourit.

— Oui. Mon père n'a jamais osé s'élever contre Eichenbaum en quoi que ce soit, mais je commence à en avoir assez de ses directives, et j'ai décidé de me rendre compte par moi-même de ce que vous valiez.

— Mais comment Eichenbaum réagira-t-il ? Que peut-il faire ? Sur quoi repose sa puissance ?

— Avant tout, il est le viticulteur le plus important de la région.

— Pourtant Oak Valley n'est pas tellement plus vaste que Casa Rosa...

— Non. Il a un peu plus de 24 hectares, et j'en ai presque 21. Mais il possède 12 hectares de plus au sud de la ville. Vous n'étiez pas au courant ? C'est pour cette raison qu'il a tellement de personnel. Ensuite ce personnel, justement, est une bande de vrais durs — il les choisit pour cela — et il se sert d'eux pour intimider tous ceux qui lui mettent des bâtons dans les roues. Mais surtout, il est propriétaire de l'agence d'expédition de vin de Cinnabar et d'une affaire de vins en gros à San Francisco.

— M^me da Silva ne me l'a pas dit...

— C'est que probablement elle l'ignorait. Il se sert d'un homme de paille, un nommé Helmut Reinhardt, allemand lui aussi. Nous vendons tous notre vin à sa maison de gros, par l'intermédiaire de son agence. Je reconnais que nous obtenons de meilleures conditions qu'ailleurs. Mais si vous vous opposez à Herr Eichenbaum, vous découvrez vite que les Vins Reinhardt ne s'intéressent pas à votre récolte. Et vous risquez également d'avoir des ennuis avec son personnel. C'est pour cela que les gens ont peur.

— S'il possède tout cela, il doit être très riche. Pourquoi n'a-t-il pas pu réunir assez de fonds au moment de la vente de San Cristobal ?

— Je ne sais pas. Sur le moment cela m'a étonné. Peut-être s'est-il endetté plus que de raison...

— Qu'allez-vous faire s'il refuse d'acheter votre vin ?

— Je le livrerai à Sainte-Hélène pour le vendre à d'autres négociants. Il y a l'embarras du choix.

— Et vous serez obligé de faire ça à cause de moi ? Parce que vous m'avez traité en ami ?

— Non. Je le fais pour moi-même. Parce que je n'aime pas les menaces. Parce que j'en ai assez des gros bras d'Eichenbaum. Parce qu'il faut bien qu'un jour ou l'autre quelqu'un se dresse contre des gens comme lui. Il vous veut du mal. Et si vous voulez mon avis, faites donc comme moi : achetez une arme et gardez-la sur vous quand vous allez à Cinnabar le soir. Ne sortez jamais seul, surtout si vous avez à passer par des rues sombres.

François lui raconta comment Absalon s'était laissé surprendre.

— Ça ne m'étonne pas, lui répondit l'Italien. Vous avez là un brave homme, mais prenez garde, sinon vous risquez de retrouver un Noir mort dans votre annexe un de ces quatre matins.

— Eichenbaum n'irait tout de même pas jusque-là ! s'écria François, stupéfait.

— Peut-être pas. Mais c'est un individu très dangereux. Et quand ses hommes ont un verre dans le nez, rien ne les arrête.

— Mais la justice ? Le shérif ?

— Linc Walker ? C'est un faible. « Pas de vagues », voilà sa devise. Jamais il n'oserait entreprendre quoi que ce soit contre Eichenbaum.

Salvatore s'interrompit pour examiner une grappe de raisin.

— Elles « viennent » bien, cette année, n'est-ce pas ?

Ils firent quelques pas en silence.

— Il y a tout de même de l'espoir, dit-il enfin. Quand Eichenbaum est arrivé ici, il y a quatorze ou quinze ans, la loi n'avait guère son mot à dire à Cinnabar, comme partout dans la vallée de Napa. Il avait donc les coudées franches. Mais nous devenons un peu plus civilisés. Les gens comme Eichenbaum sont finis. Ils ne pourront plus continuer longtemps. Du courage, François. Vous aurez peut-être des ennuis avec lui, mais je ne crois pas que la vie de quiconque soit réellement en danger. Cela ne m'empêcherait pourtant pas d'acheter un revolver, si j'étais vous... Mais nous ferions mieux de rejoindre ces dames. Et n'ayez donc pas l'air si sombre. A quoi bon s'inquiéter à l'avance ?

Leur visite chez les Corsini les avait enchantés. François parla peu sur le chemin du retour — il réfléchissait à sa conversation avec Salvatore : ne devrait-il pas la rapporter à John King ? Il n'avait pas le choix, car si Salvatore avait raison, il serait obligé de prendre des dispositions pour livrer le vin et le vendre en dehors de Cinnabar. Les autres ne remarquèrent pas son silence. Thérèse ne tarissait pas d'éloges sur Agnese, et Armand et Lydie, visiblement ravis d'avoir trouvé des amis aussi sympathiques que Lorenzo et Caterina, ne cessaient de parler du jeu de croquet et du plaisir qu'ils y avaient pris.

En quelques semaines l'amitié entre les familles se consolida, et bientôt Lydie et Armand passèrent toutes leurs heures de liberté avec Caterina et Lorenzo : promenades, pique-niques, parties de croquet. Un soir, ils allèrent même ensemble à un bal public à Cinnabar. Agnese commença à se demander si ses deux enfants n'allaient pas se marier rapidement. Elle serait peut-être grand-mère avant que Thérèse ait pu lui annoncer l'arrivée d'un petit-fils « adoptif » — ce qui aurait été beaucoup plus agréable pour elle. Elle passait des heures à parler des « jeunes » avec Thérèse, se demandant si leurs relations dépassaient la simple amitié, convenant qu'ils formeraient deux couples bien assortis et louant toutes leurs qualités. Bien entendu, jamais leurs conversations ne venaient aux oreilles des intéressés. Et même à François, Thérèse n'en disait rien. Elle apprenait comment doit se conduire une femme mariée — et elle apprenait vite.

Lydie remarqua cette évolution de sa belle-sœur : une plus grande maturité, la conscience de sa situation d'épouse. Non que Thérèse prît de grands airs, et les deux amies s'entendaient à merveille — d'autant que Thérèse était enchantée d'abandonner complètement à Lydie le domaine de la cuisine. Pourtant François — oh ! elle l'adorait, et c'était le plus merveilleux des maris et des amants — François la traitait toujours en objet précieux et délicat qu'il faut protéger et défendre contre la vie quotidienne.

Timidement, elle demanda à Agnese un jour :

— Est-ce que votre mari... Est-ce que M. Corsini discute des choses avec vous ?

Agnese comprit d'emblée ce qu'elle voulait dire. Elle ne répondit pas directement à la question.

— Soyez patiente, chère amie. Il s'apercevra avec le temps que vous avez cessé d'être une fiancée pour devenir une épouse. Nous en passons toutes par là, vous savez. Les hommes ont parfois l'esprit si lent !

# 9

Un matin du début d'octobre, François sortit comme de coutume regarder les raisins sur quelques ceps de la pièce de vigne la plus proche de la maison. A son retour pour prendre le petit déjeuner, il annonça que l'on pourrait commencer les vendanges dans trois jours : les raisins seraient prêts. A Sauveterre, il leur aurait accordé plus longtemps, mais ici, en Californie, le soleil était plus intense, et les coteaux semblaient conserver la chaleur, le soir, plus longtemps que dans l'Entre-Deux-Mers.

— Monsieur François ! Monsieur François !

C'était Absalon, courant aussi vite que le lui permettait sa jambe blessée.

— Monsieur François ! Venez voir !

Sans prendre le temps de s'expliquer, il fit demi-tour et repartit aussitôt.

Le ton de sa voix était si pressant que de toute évidence il avait dû se produire quelque chose de très grave. Ils sortirent tous de la maison en courant, et suivirent le Noir vers les pièces de vigne longeant la route de Calistoga.

On aurait pu croire qu'un ouragan avait dévasté la vigne. Les branches, les pousses et les feuilles d'une vingtaine de ceps étaient saccagées. Des grappes gisaient sur le sol; certaines avaient été piétinées et la pulpe des fruits juteux se mêlait à la terre.

François jura entre ses dents. Les autres se regardèrent, sans voix.

Ils examinèrent les ceps avec soin. De toute évidence les dégâts avaient été provoqués intentionnellement, pour le plaisir de détruire. On avait utilisé un couteau, et les pieds eux-mêmes étaient tailladés, mais le vieux bois, très dur, avait offert trop de résistance : on n'avait pu les couper à la base.

— Eichenbaum ? demanda Armand.

— Qui d'autre ? Jamais je n'aurais cru possible une chose pareille. Il ne peut pas me haïr à ce point, après plusieurs années...

Tuer un pied de vigne était sacrilège.

Ils regardèrent, impuissants, cet acte de vandalisme. Les ceps endommagés ne pourraient être sauvés.

— Rentrons à la maison, dit François au bout d'un instant. Toi aussi, Absalon. Nous devons prendre des décisions.

De nombreuses questions se posaient. Fallait-il vendanger tout de suite pour éviter d'autres dégâts, ou valait-il mieux attendre les quelques jours nécessaires à la pleine maturité des fruits, même si cela supposait une surveillance de tous les instants ? Quand et comment informerait-on M. King ? Comment réagirait-on à ce vandalisme, étant donné qu'il n'existait aucune preuve permettant d'incriminer qui que ce fût ? François avait demandé à tout le monde de participer à la discussion, mais en fait c'était lui qui devrait prendre les décisions. Après tout, il était le régisseur directement responsable devant King, et surtout, le seul d'entre eux ayant assez d'expérience pour savoir exactement quand les raisins devaient être cueillis.

Et c'était encore trop tôt, décida-t-il — comme il aurait aimé que Raphaël fût là pour confirmer son jugement ! Il était certain que les raisins avaient encore besoin de deux jours. Pendant deux nuits, ils monteraient donc la garde dans les vignes à tour de rôle.

— Lorenzo pourrait nous aider, dit Lydie.

— Oui, et Salvatore aussi, ajouta Thérèse.

— Je ne leur demanderai pas, répliqua François. Ils ont leur propre récolte à rentrer. Ce ne serait pas juste de leur imposer une charge supplémentaire. Nous sommes trois : Armand, Absalon et moi. Ce sera suffisant. Il ne s'agit que de deux nuits et nous nous partagerons les heures de garde.

— Je prends le dernier tour, dit Armand. J'avais prévu d'aller à Cinnabar ce soir, et maintenant, je ne risque pas de changer mes plans.

— Que veux-tu dire ?

— Je verrai peut-être Eichenbaum ou ses hommes. Et si c'est le cas, je leur toucherai deux mots.

— Non.

— Pourquoi pas, François ? On ne peut pas continuer comme ça. On ne peut pas toujours courber l'échine. Il y a un moment où il faut tenir tête.

— C'est à moi de le faire. Mais il faut d'abord que j'en parle à M. King.

— Mais il n'y peut rien ! Il est à San Francisco.

— C'est lui le propriétaire, ne l'oublions pas. Si nous ne le mettons pas au courant, nous nous retrouverons tous à la porte, jusqu'au dernier.

— Quand iras-tu lui parler ?

— C'est impossible avant la récolte. Il faut que je sois là.

— Tu veux dire que tu ne vas rien faire avant que le raisin soit rentré ?

François lut du mépris dans la voix de son ami. Il serra les mâchoires pour soutenir sa colère.

— Je parlerai au shérif de Cinnabar.

— C'est du temps perdu. Ce qu'il faut, c'est aller chez Eichenbaum et lui donner une leçon.

— Nous n'avons aucune preuve. Sois raisonnable, Armand. Il nous rira au nez.

— Si je l'attrape, je ferai sauter son rire de sa figure, et son nez avec.

— Non, Armand. Pas de violence.

— Mais pour l'amour de Dieu, François ! La vigne a été saccagée et tout ce que tu sais dire, c'est : asseyons-nous en rond et croisons les bras ! Mais qu'est-ce qui te prend ? C'est ma petite sœur qui t'a ramolli ? C'est le mariage qui a fait de toi un poltron, un lâche ?

— Tais-toi ! cria Thérèse.

L'instant suivant, ils criaient tous à tue-tête. Absalon écoutait le torrent de paroles, les yeux agrandis d'étonnement. Il ne comprenait pas un mot de leur français, mais les sentiments exprimés ne faisaient pas l'ombre d'un doute.

François parvint enfin à les calmer tous et leur expliqua de nouveau l'attitude très ferme de John King au sujet de tout conflit avec Eichenbaum.

— Très bien, dit Armand d'un ton sombre. Mais je descends tout de même à Cinnabar ce soir. Je ne me livrerai à aucune violence, tu as ma parole, mais j'ai quelques questions à poser — et je verrai bien s'il y a quelque chose à découvrir.

Ils repartirent au travail tandis que François descendait en toute hâte à Cinnabar pour signaler les dégâts au shérif. Thérèse l'accompagna. Elle avait besoin de fil et d'aiguilles, lui dit-elle, et elle les achèterait pendant sa visite à Walker — jamais elle n'allait à Cinnabar toute seule. C'était la première fois depuis leur mariage que l'attitude de Thérèse impatientait François. Il ne pouvait guère lui refuser de l'accompagner, mais cela ralentissait son pas, et surtout elle ne cessait de parler des dégâts de la vigne alors qu'il était d'humeur à ressasser ses pensées en silence. Quand ils arrivèrent à Cinnabar, il la laissa devant la vitrine du bazar et, non sans un soupir de soulagement, il poursuivit son chemin jusqu'au bureau du shérif.

Linc Walker l'écouta avec force hochements de tête et claquements de langue compatissants.

— Des vandales ! s'écria-t-il. De foutus vandales ! Ça nous arrive de temps en temps, vous savez. Ici aussi bien qu'en ville. Et il n'y a rien à faire. On ne se rend compte de leur passage que quand ils ont tourné le dos. Ne vous en faites pas, je vais jeter un œil sur deux ou trois personnages suspects. Mais avec tous ces vendangeurs chinois dans la vallée, comment savoir ? C'est peut-être l'un d'eux. Et pas moyen de distinguer ces vermines-là l'une de l'autre.

Il ne put retenir un rire asthmatique.

— Vous avez noté que je porte plainte ?

— Mais oui. Contre un ou plusieurs inconnus.

— Et vous ne pouvez rien faire ?

Walker haussa les épaules et François, comprenant que c'était sans espoir, quitta rapidement le bureau, impatient de rentrer à San Cristobal.

Thérèse n'attendait pas devant le bazar comme elle l'avait promis. Il jeta un coup d'œil dans la boutique, mais elle n'y était plus. Il décida de lui accorder cinq minutes : si elle ne revenait pas avant, elle remonterait toute seule à San Cristobal, que cela lui plût ou non. Il avait trop à faire dans le chai pour passer toute la matinée à Cinnabar.

Elle n'arriva qu'un quart d'heure plus tard. Il avait failli partir plusieurs fois, mais s'était toujours résigné à lui accorder quelques minutes de plus. Et le temps passant, il avait commencé à s'inquiéter.

Elle avait le sourire aux lèvres, fort peu préoccupée de l'avoir fait attendre.

— Où étais-tu passée, bon sang ?

— Je t'expliquerai plus tard. Et ton entrevue avec le shérif ?

Chemin faisant, il lui raconta le peu d'utilité de sa démarche. Sa fureur ne cessait de monter, et il marchait si vite qu'elle devait courir pour rester à sa hauteur. Ils étaient presque arrivés à San Cristobal quand il se souvint qu'elle avait quelque chose à lui raconter.

— Alors, où étais-tu ? Qu'est-ce qui t'a pris tellement de temps ? grogna-t-il.

— Je suis allée chez le médecin.

— Le médecin ? Pourquoi ? Tu n'es pas malade ?

— Non. Et tu ne devines pas pourquoi ?

Il s'arrêta.

— Bon dieu ! Non ! Tu ne vas tout de même pas me dire que tu attends un enfant ?

Elle hocha la tête affirmativement, heureuse.

— Il ne manquait plus que ça ! s'écria-t-il d'une voix amère. Il ne me manquait plus que ça ! Et qu'est-ce que je vais raconter à M. King ? Il croit déjà que j'ai abusé de sa patience. Maintenant, il va y avoir une bouche de plus à nourrir et tu ne pourras plus travailler à la vigne à cause du bébé !

Elle le regarda et ses yeux s'emplirent de larmes.

— François ! Je croyais que tu serais tellement heureux...

Elle enfouit son visage dans ses mains et se mit à courir sans rien voir.

Pendant un instant il la suivit des yeux, puis il prit brusquement conscience de ce qu'il avait fait et dit. Il la rattrapa d'un bond. Quand il voulut la prendre dans ses bras, elle le repoussa.

— Je te demande pardon, s'écria-t-il. Je ne le pensais pas. Je te demande pardon.

Elle se tourna vers lui.

— Je n'aurais pas dû te le dire.

— Je suis heureux que tu l'aies fait. Thérèse, je regrette tant ! Je ne voulais pas te blesser. C'est une nouvelle merveilleuse. Cela compense tout le reste. Raconte-moi. C'est pour quand ? Est-ce que tout va bien ? Que t'a dit le médecin ?

Ils remontèrent l'allée la main dans la main. Thérèse lui raconta tout ce que le docteur lui avait dit, et il ne cessait de lui répéter qu'il était heureux.

— Une seule chose, mon amour, dit François quand ils parvinrent à la grille de San Cristobal, nous n'en parlerons à personne aujourd'hui. Non parce que je suis malheureux — je te jure que je ne le suis pas — mais parce que je ne veux pas que M. King l'apprenne encore. Il faut d'abord lui parler des dégâts de la vigne.

A leur arrivée à la maison, Lydie les accueillit avec la nouvelle qu'une lettre de France venait d'arriver. Elle était de la main de Lucette, la femme d'Henri, et elle répondait à celle que Lydie avait adressée à la famille pour annoncer son arrivée sans encombre avec Thérèse et Armand, ainsi que le mariage de François et de Thérèse et leur installation à San Cristobal.

« Chère Lydie, lut François, Mère et Père me prient de vous remercier pour votre lettre et de vous dire qu'ils ont été contents d'avoir de vos nouvelles. Ils vous envoient leurs vœux de bonheur, en particulier à François et à leur deuxième belle-fille. Père envoie un message spécial à François pour lui souhaiter de bonnes vendanges. Nous allons tous bien, et nous ferons un peu de vin cette année. Vous serez heureux d'apprendre qu'Henri et moi attendons un enfant pour janvier. Nous espérons que ce sera un garçon — Henri aimerait un fils et héritier. Votre sœur affectionnée, Lucette. »

— La garce ! s'écria Lydie. Une bonne gifle, oui — « Leur *deuxième* belle-fille » — pour que personne n'oublie qu'elle est la première ! Et l'allusion à son morveux : « fils et héritier » !

François était davatange touché par l'ironie du message de son père.

— « De bonnes vendanges. » Quelle plaisanterie !

Ce fut une journée sombre, sinistre. Tendus à craquer, ils se prenaient à partie pour des riens. Même Absalon, si joyeux en toutes circonstances, ne cessait de ronchonner entre ses dents. Dès la fin de la journée de travail, il se dirigea vers son logement en boitant, après avoir lancé par-dessus son épaule qu'il ne dînerait pas parce qu'il descendait à Cinnabar.

A la fin du repas, François prit le gourdin qu'il avait taillé ce jour-là et se prépara à monter la garde dans les vignes.

— Tu n'as pas acheté de fusil ? fit observer Armand.

— Je te l'ai déjà dit. Ce n'est pas moi qui décide de ce genre de choses. Nous n'aurons un fusil que si M. King nous y autorise.

Il se maudissait de ne pas avoir soulevé la question des armes de défense au cours de son dernier voyage à San Francisco, bien que Salvatore Corsini lui eût déjà conseillé de s'armer.

— M. King ! M. King ! Tu ne peux pas penser un peu avec ta propre tête ? Tu as tellement peur de ton M. King !

— C'est mon patron. C'est ton patron. Sans lui, nous serions en train de casser des cailloux dans les rues de San Francisco, toi et moi. Et Thérèse et Lydie ne seraient pas ici avec nous. Et si tu crois que je ne sais rien décider par moi-même, dis-moi : qui est venu en Californie le premier ? Qui, au lieu de partir avec moi, a préféré obéir à sa maman et rester à la maison comme un bon petit garçon ?

Armand leva les poings et se jeta sur François.

Lydie comprit qu'elle était probablement la seule personne capable d'arrêter la violence sur le point d'éclater à San Cristobal. Elle prit bien soin de reposer sur la table la cafetière presque vide, puis poussa un cri perçant et s'écroula sur le sol, feignant l'évanouissement. François et Armand se retournèrent et se précipitèrent vers elle. Ils aidèrent Thérèse à l'asseoir sur une chaise, l'un lui prit le poignet, l'autre courut chercher un verre d'eau. Quand les esprits lui parurent calmés, Lydie ouvrit lentement les yeux et demanda d'une voix éteinte :

— Où suis-je ?

Deux minutes plus tard, elle affirmait que tout allait à merveille. Thérèse, très inquiète, parlait d'aller chercher le médecin, mais Lydie écarta aussitôt cette idée en lui adressant un petit clin d'œil — ce qui, loin de rassurer Thérèse, l'intrigua davatange — jusqu'au moment où elle put lui expliquer qu'elle ne s'était pas évanouie du tout.

La fausse pâmoison de Lydie avait dissipé la tension, mais sans chasser la colère profonde de François et d'Armand. François partit pour son tour de garde en souhaitant presque le retour des vandales pour pouvoir leur briser le crâne avec son gourdin. Et quand Armand prit la route de Cinnabar avec dans les oreilles un dernier avertissement de François : « Pas de violence, souviens-toi ! » ses poings se serrèrent, prêts à exploser contre le premier menton hostile.

En fait, la veille de François fut paisible. De temps à autre passait sur la route un homme à pied ou un cabriolet, et tous ceux qui l'apercevaient lui lançaient un salut ou quelques phrases banales, lui demandaient la cause des dégâts et ajoutaient quelques mots de sympathie. Mais aucun vandale ne parut. Il ne s'attendait d'ailleurs pas à les voir revenir si tôt dans la soirée. S'ils attaquaient de nouveau, ce serait aux petites heures du matin. Armand devait assurer la relève à minuit, mais François avait déjà décidé de continuer sa garde toute la nuit.

Vers dix heures et demie, il entendit des pas remonter la route. L'homme courait. C'était Absalon.

— Monsieur François ! appela-t-il de loin. Monsieur François ! Venez vite ! Ça va très mal à Cinnabar. Vite !

Sans hésiter, François se mit à courir vers le village, et chemin faisant Absalon, hors d'haleine, commença le récit de ce qui s'était passé.

Il était assis au bar de l'hôtel Cinnabar, dit-il, et il avait tout vu. Un homme était mort et on accusait Armand de l'avoir tué. Armand était entré dans le bar, plus tôt dans la soirée, avait commandé une bière et s'était installé tout seul à une table, sans un mot à l'adresse d'Absalon. Quelques hommes d'Oak Valley, qui se trouvaient là, avaient lancé des phrases insultantes au sujet d'Armand, qui avait paru ne pas les remarquer, peut-être simplement parce qu'il ne les avait pas comprises. Ensuite, un des hommes d'Oak Valley s'était avancé vers la table d'Armand. « Comment tu préfères les raisins, mon gars ? lui avait-il demandé. Sur les pieds de vigne ou par terre ? » Et il avait bousculé la table d'Armand pour renverser sa bière. Qu'Armand eût compris ou non les paroles de l'homme, il ne pouvait se méprendre sur son attitude et son geste délibéré. Il avait bondi et les deux hommes s'étaient battus. Les chopes de bière avaient volé, les tables et les chaises s'étaient renversées, les autres clients s'étaient écartés. Le serveur avait appelé M$^{me}$ Harris et pris le fusil qu'il gardait toujours sous le comptoir. Mais tout s'était passé le temps d'un éclair, et avant qu'il ait pu tirer en l'air pour rétablir l'ordre, l'homme d'Oak Valley était allongé sur le sol, mort, un couteau enfoncé dans la poitrine.

— Ils sont allés chercher le shérif, conclut Absalon, et je crois que personne n'a eu le droit de sortir. Moi, je me suis faufilé par-derrière avant l'arrivée de Walker.

Quand ils entrèrent dans le bar de l'hôtel, Armand était maintenu, les mains dans le dos, par deux des hommes d'Eichenbaum. Tout le monde semblait parler en même temps, et Armand clamait son innocence en un torrent de français incompréhensible pour ses accusateurs. En apercevant François et Absalon, son visage s'éclaira.

— Dieu merci ! s'écria-t-il, soulagé. Vous êtes là. Explique-leur, François. Ce n'est pas moi. C'était son couteau. C'est lui qui l'avait à la main. Je ne l'ai pas touché. On se battait et il a glissé. Il est tombé et le couteau s'est enfoncé dans sa poitrine. Je ne l'ai pas tué.

— Oui, Armand, oui. Calme-toi, répondit François. Je suis ici. Il ne va rien t'arriver. Absalon a tout vu.

Le shérif Walker, agenouillé près du corps, vérifiait que l'homme était bien mort. Il se releva et imposa le silence.

— Qui a vu ce qui s'était passé ?

— Moi.

Le chef d'équipe d'Eichenbaum s'avança — un grand gaillard efflanqué répondant au nom de Jed Bastin.

— Cet espèce de Français a insulté le pauvre Clint, là, et quand Clint lui a répondu, le Français s'est jeté sur lui et a tiré son couteau. Avant qu'on ait pu les séparer le pauvre Clint était mort. Des rapides, tous ces Français, ils poignardent un brave type en moins de deux.

— C'est faux, protesta Absalon. Il n'y a pas un mot de vrai dans tout ça. C'est ce type, là par terre, qui a attaqué Monsieur Armand. Et c'est le couteau du type. C'est lui qui l'a sorti, et quand ils se sont mis à se battre, il a glissé et il est tombé dessus.

— Vous n'allez pas écouter un nègre, hein ? demanda Jed.

— Ce n'est pas le couteau d'Armand, dit François. Il n'a jamais de couteau sur lui.

— C'est le couteau de Clint, ajouta l'un des autres clients. Je l'ai vu s'en servir plus de vingt fois. Il l'avait toujours à portée de la main.

— Ce n'est donc pas cet homme qui l'a sorti, dit le shérif à Jed Bastin en montrant Armand.

— Peut-être. J'avais cru le voir. Mais il a dû s'en emparer pendant le combat. C'est sûr qu'il l'a planté dans les côtes de Clint.

— Vous avez pu vous tromper, Jed. Où étiez-vous assis ?

— Là-bas.

— C'est bien loin. Vous avez pu vous tromper.

— J'étais beaucoup plus près, intervint Absalon. J'ai tout vu très bien.

Le shérif Walker ne parut pas convaincu.

— Quelqu'un d'autre a pu voir ce qui s'est passé ? demanda-t-il.

D'une voix hésitante, un homme commença à dire qu'il avait vu Clint renverser la bière du Français.

— Ouais, peut-être. Mais après ? demanda Jed avec un regard appuyé à l'adresse de l'homme.

— Je... Je ne suis pas sûr, balbutia l'homme. Je crois que j'ai tourné la tête. Je ne voulais pas être mêlé à ça.

— C'est bien ton genre, Bob ! s'écria l'un de ses compagnons en riant.

Mais il se tourna vers Jed pour quêter son approbation, et François comprit qu'aucun des témoins ne dirait la vérité en présence de l'homme d'Eichenbaum, qui les menaçait du regard.

— Je crois que je vais l'arrêter, dit Walker en s'avançant vers Armand. Ça vaut mieux. J'ai l'impression que nous allons avoir à le juger.

— Un procès ? A quoi bon ? demanda Jed. Une corde suffit. C'est comme ça qu'il faut traiter les assassins.

— Nous sommes dans une ville civilisée. Nous ne pendons pas les gens sans procès équitable.

François ne comprenait pas ce qui se passait, et Armand, incapable de suivre la conversation rapide des deux Américains, fut stupéfait de voir Walker s'approcher de lui avec une paire de menottes à la main.

— Il m'arrête ! cria-t-il à François. Pourquoi m'arrête-t-il ? Je n'ai rien fait.

Sa voix tremblait de panique.

— Vous ne pouvez pas l'arrêter. Il est innocent, protesta François à l'adresse du shérif. Absalon peut le prouver. Il a tout vu depuis l'endroit où il se trouvait.

— Nous n'allons pas le juger tout de suite, répondit le shérif. En attendant, je le garde sous clé.

Absalon et François se placèrent de chaque côté d'Armand. Walker continua d'avancer, mais lentement, comme s'il craignait que les deux hommes fussent armés et dégainent leurs revolvers.

— Vous n'allez pas empêcher un représentant de la loi de faire son devoir ? demanda-t-il. Je ne l'arrête pas. Je le mets en prison pour sa propre sécurité. Vous voulez que cette bande le pende à un arbre ?

François se tourna vers Armand et lui expliqua que le shérif était déterminé à l'emmener en prison. Si inquiet qu'il fût pour sa sécurité, Armand, plus furieux qu'effrayé, voulut résister à Walker, mais son ami le retint.

Enfin Armand parut comprendre, et François lui expliqua ce qu'il allait faire entre-temps. Le shérif Walker passa les menottes au jeune Français et l'emmena. M^me Harris sortit de derrière le bar, d'où elle avait tout suivi, et ordonna à tout le monde de disparaître.

— On ferme. A partir de maintenant. Filez, tous tant que vous êtes ! Dehors...

Bastin et ses compagnons s'en furent, suivis par le reste des clients. François et Absalon étaient les plus éloignés de la porte.

— Qui va payer pour tout ça ? demanda M^me Harris, en constatant les dégâts.

— Eichenbaum, dit François. Ce sont ses hommes qui ont commencé.

Le regard qu'elle lui lança trahissait ses doutes.


Sur le chemin du retour à San Cristobal, François interrogea de nouveau Absalon. Le Noir demeura inébranlable dans son témoignage et François put se convaincre qu'il disait la vérité. Quand ils arrivèrent à la maison, les deux femmes étaient couchées. François les fit descendre dans la cuisine et leur raconta ce qui s'était passé. Il coupa court à leurs exclamations éplorées et à leurs questions sans fin. Il allait reprendre la garde, leur dit-il. Absalon le relèverait à trois heures du matin. Après avoir dérobé quelques heures de sommeil, il sauterait dans le premier train pour San Francisco. Elles ne devaient quitter la maison sous aucun prétexte et Absalon monterait la garde jusqu'à son retour.

Le visage sombre, il partit vers les vignes.

## 10

François eut la chance de trouver John King chez lui à son arrivée. Le millionnaire l'écouta attentivement, sans l'interrompre, et quand il eut terminé ne lui fit aucun reproche.

— Est-ce tout ? Vous ne m'avez rien caché ? demanda-t-il.

— Il y a autre chose, monsieur. Mais qui n'a rien à voir avec hier soir : j'ai découvert qu'Eichenbaum est propriétaire de l'agence d'expédition de vins, à Cinnabar, et du commerce en gros de San Francisco à qui je comptais vendre la récolte.

— Je le sais, dit King.

François le regarda, surpris, mais le vieil homme ne fit aucun commentaire.

— Je vous ai déjà parlé de Salvatore Corsini, reprit François. C'est le propriétaire du domaine au-dessus de San Cristobal... Il pense que nous serons obligés d'apporter le vin à Sainte-Hélène et de l'envoyer de là-bas.

— Le sien également ?

— Oui. Ce n'est pas un ami d'Eichenbaum.

— Hum ! Nous verrons. Je rentre avec vous à Cinnabar sur-le-champ. Sonnez Simpson, je vous prie.

Au cours du trajet en chemin de fer, il demanda à François de lui raconter de nouveau toute l'histoire, et il l'interrogea méticuleusement sur chaque détail. Quand il fut bien certain d'avoir clairement en tête le déroulement des faits, il en vint au problème de San Cristobal. François avait appris depuis longtemps à respecter les capacités de John King : il comprenait d'instinct les principes économiques de base d'une affaire, il enregistrait tous les facteurs dans sa tête et les reliait les uns aux autres. Il pouvait alors poser la question cruciale qui révélerait la faiblesse ou la force de l'opération sans que son interlocuteur ait la possibilité de le tromper. A leur arrivée à Cinnabar François était épuisé, moins par les événements de la nuit précédente et ses inquiétudes au sujet d'Armand, que du fait de l'interrogatoire serré qu'il venait de subir.

— Je vais me rafraîchir un peu à l'hôtel, lui dit King. Allez chercher Absalon. Je veux entendre l'histoire de sa propre bouche. Pendant que je lui parlerai, vous me louerez un cheval et un cabriolet.

Une heure plus tard, les trois hommes s'installaient dans la voiture.

Après son entretien avec King, Absalon roulait les yeux sans dire un mot. Quand ils parvinrent là où le chemin séparait les vignes d'Oak Valley de celles de San Cristobal, King prit les rênes et demanda aux deux hommes de descendre et de rentrer au domaine.

— Je vous rejoindrai très bientôt. Dans une heure au plus tard. Absalon, je vous remercie pour votre déclaration. Vous avez été d'un grand secours.

King continua jusqu'à la grille de la propriété d'Eichenbaum. Il appela l'un des vignerons.

— Ouvrez cette porte, je vous prie. Et allez dire à M. Eichenbaum que M. John King demande à le voir.

L'homme obéit sans discuter. King poursuivit sa route jusqu'à la maison et attendit dans le cabriolet.

Eichenbaum sortit presque aussitôt.

— Entrez donc, dit-il de mauvaise grâce.

John King n'était pas sans curiosité et la façon dont Eichenbaum vivait l'intéressait fort. La maison lui parut vaste, confortable, avec des pièces spacieuses meublées avec goût. On le conduisit dans le salon. Une femme s'y trouvait, et se leva lorsqu'ils entrèrent. King lui adressa un salut poli, quoiqu'un peu raide, mais Eichenbaum, sans songer à la présenter, la congédia d'un signe de tête, et elle disparut de la pièce sans un mot.

— Votre épouse pouvait rester, dit King. Je n'ai rien à dire qui puisse choquer ses oreilles. A moins qu'elle ne s'intéresse pas aux affaires.

— Ce n'est pas mon épouse, répliqua Eichenbaum. C'est. . ma gouvernante. Ma femme est morte il y a dix ans.

— Je vois.

— Asseyez-vous.

King prit un fauteuil et posa les deux mains devant lui, sur sa canne à pommeau d'or. Il lança à Eichenbaum un regard interrogateur.

— Eh bien, monsieur ? demanda Eichenbaum après un instant de silence.

— Je croyais que vous auriez quelque chose à me dire.

Eichenbaum parut surpris.

— Je ne vois pas ce que... commença-t-il. A moins... Vous ne songez pas à vendre San Cristobal ?

— Non. Et même si je le désirais, ma fille, qui est en partie propriétaire, demanderait un prix trop élevé... pour vous.

Eichenbaum devint écarlate.

— Je peux payer tout ce que votre fille demandera.

King leva les sourcils sans répondre.

— Je veux ces vignes, monsieur. Elles sont le complément naturel d'Oak Valley.

— J'ai peur qu'elles ne soient pas à vendre, monsieur Eichenbaum.

Mais je suis ravi — quoiqu'un peu surpris — que vous n'ayez plus de difficultés à réunir autant d'argent... Mais ce n'est pas pour cela que je suis venu vous voir. Je croyais que vous auriez autre chose à me dire.

De nouveau Eichenbaum parut intrigué.

— Non ? poursuivit John King. Vous me surprenez. Je pensais que vous désiriez exprimer vos condoléances à un propriétaire de votre voisinage qui a subi des dégâts commis de propos délibéré sur ses vignes. Je suis sûr que vous déplorez autant que moi ce genre de vandalisme.

Eichenbaum lui lança un regard soupçonneux, mais ne dit rien, bouillonnant intérieurement de voir King se jouer de lui.

— En outre, monsieur, reprit John King, je m'attendais à vous voir évoquer les événements déplorables d'hier soir. Si je comprends bien, un de vos employés a été victime d'un accident. Quelle malchance !

Eichenbaum gardait toujours le silence.

King attendit un instant, prit son chapeau et ses gants, puis se leva.

— Si vous n'avez rien à me dire, monsieur, il vaut mieux que je prenne congé.

— Vous avez fait le chemin de San Francisco uniquement pour ça ?

Le rire de King parut très sec.

— Oh non ! bien entendu ! J'allais oublier... dit-il en reprenant son siège. Comme c'est aimable à vous de me rafraîchir la mémoire. Je voulais vous dire effectivement autre chose. Je me demandais ce que vous penseriez d'un projet que j'envisage. J'ai l'intention d'installer une agence d'expédition de vins à Cinnabar. Puisque je suis producteur ici, c'est bien normal, non ? Et de me lancer dans le commerce de gros, en montant une société en ville. Bien entendu, cela porterait tort à l'agence qui existe déjà. On m'a dit — mais je ne parviens pas à le croire — que le propriétaire de cette agence et de la maison de gros à qui la plupart des producteurs locaux vendent leur vin éprouve certaines difficultés en ce moment. D'ordre financier, bien sûr. S'il a obtenu, par exemple, un prêt important d'une banque, une réduction des bénéfices risque de l'empêcher de rembourser ses amortissements aux dates voulues. Il sera alors obligé de fermer et ses sociétés se trouveront... euh... en faillite. Ce serait dommage, mais en affaires, je suis sûr que vous en conviendrez, monsieur Eichenbaum, on ne peut se laisser aller à des sentiments. J'y trouverais fort bien mon compte.

Il s'arrêta. Le silence se prolongea. Le visage d'Eichenbaum était devenu blême.

— Mais vous n'avez aucune compétence pour la vente des vins, dit-il enfin.

— Ce n'est pas nécessaire, répliqua King. Je dois peut-être vous avouer, si vous ne le savez déjà, monsieur, que je suis passablement riche. Un millionnaire, comme on dit. Et même, sans vouloir me vanter, un multimillionnaire. Quand on possède beaucoup d'argent, non seulement on bénéficie de beaucoup de puissance, mais on a la possibilité d'acheter tout ce dont on a besoin, qu'il s'agisse... d'une canne à pommeau d'or comme celle-ci, ou bien... du gérant et du personnel nécessaires au succès d'un négoce de vins en gros. Je suis sûr qu'il y a, à Cinnabar même, des hommes ayant les connaissances requises pour acheter des vins à mon compte. Peut-être pourrez-vous me recommander un négociant à San Francisco chez qui je serai à même d'engager du personnel compétent ? La plupart des hommes ont leur prix, vous savez. Et en leur offrant ce qu'il faut, on s'étonne de voir avec quelle facilité on peut les convaincre de quitter leur employeur de la veille et de travailler pour un autre. C'est une technique que vous avez eu l'occasion de mettre en pratique, je crois ?

De nouveau il se tut et sourit aimablement à Eichenbaum.

L'Allemand passa la langue sur ses lèvres.

— Je ne suis pas un imbécile, monsieur King. Vous avez peut-être autre chose à me dire. Par exemple les conditions qui vous feraient changer d'avis et renoncer à ce projet ?

— Vous raisonnez vite, monsieur Eichenbaum. Oui, on pourrait peut-être me convaincre d'abandonner mes plans. Mais j'exigerais un certain nombre de garanties. Tout d'abord, je veux bien croire que vous regrettez autant que moi les dégâts subis par mes vignes. Et il me faudrait votre promesse de faire l'impossible pour empêcher que des actes de vandalisme du même genre se renouvellent.

Voyant que l'Allemand allait protester, il leva la main.

— Je ne suggère pas du tout que vous ayez le pouvoir de le faire, mais je serais très rassuré si vous me faisiez part de vos regrets au sujet des problèmes que San Cristobal et mon régisseur, François Pujol, viennent de vivre, et si vous exprimiez votre désir sincère de voir ces histoires se terminer une fois pour toutes. Connaissant votre influence dans cette vallée, je suis sûr que votre autorité pourrait opérer un changement de situation favorable.

Eichenbaum ne répondit pas. King reprit.

— Je vois que vous avez besoin d'un peu de temps pour étudier le problème... Permettez-moi de poursuivre.

— Je ne comprends pas pourquoi vous me parlez de ces choses-là, bredouilla Eichenbaum. Je ne peux pas mettre fin à l'action de vandales...

— Allons, monsieur Eichenbaum. J'ai voulu éviter les grands mots mais mon message est clair. Je ne formule aucune accusation, je dis simplement à quelles conditions je ne mettrai pas à exécution mes projets d'expansion de mes intérêts commerciaux dans la vallée de Napa et à San Francisco. Je continue donc. En deuxième lieu, j'aimerais que vous me confirmiez, d'après ce que vous en savez vous-même, que l'organisation actuelle de transport et de vente donne toute satisfaction. Et que l'agence de Cinnabar prendra à un prix équitable le vin produit à San Cristobal — ou d'ailleurs dans toute autre propriété de la région, celle de M. Corsini par exemple. Troisième point, je voudrais vous suggérer de parler à l'un de vos employés — il se nomme Jed Bastin, je crois — pour qu'il témoigne de la vérité dans l'affaire d'hier soir. Je ne sous-entends nullement, se hâta-t-il d'ajouter, que sa version est forcément inexacte. Je vous demande seulement de l'interroger à ce sujet, de vous faire une juste idée des choses et de veiller à ce que la procédure contre Armand Listrac soit menée à son terme — ou abandonnée. Après tout, ce Bastin a pu se tromper. Si Listrac est coupable, qu'il en subisse les conséquences, mais s'il existe un doute raisonnable sur sa culpabilité — et il existe d'autres témoins pour l'affirmer...

— Le nègre ! coupa Eichenbaum d'un ton cinglant.

— Oh ! je vous crois capable de découvrir qu'Absalon n'est pas le seul à pouvoir témoigner à l'appui d'une mort accidentelle. Si c'est bien le cas, Listrac doit être innocenté. C'est tout, monsieur Eichenbaum, j'en ai terminé. Je me demande si nous nous sommes bien compris.

Pendant longtemps, l'Allemand se tut. King attendit patiemment, un sourire aimable sur les lèvres. Eichenbaum acquiesça enfin.

— Très bien, dit-il.

— Parfait. Je vais mettre de côté les projets dont je vous ai parlé. Bien entendu, je les mettrais à exécution si jamais l'on m'en offrait le prétexte. J'ai pris beaucoup de plaisir à notre petite conversation, monsieur.

Il prit son chapeau, sa canne et ses gants.

— Avant de partir, dit-il en se levant, je voudrais vous donner un dernier conseil, Eichenbaum.

Sa voix, perdant toute douceur, se fit rude et incisive.

— Laissez mes biens tranquilles. Laissez mes employés tranquilles. Il n'y a aucune raison pour que nous n'établissions pas de relations de bon voisinage entre nous. Mais si vous préférez la guerre, soyez sûr que mes armes sont plus fortes que les vôtres. Et je n'hésiterai pas un instant à les utiliser. Bonne journée.

Quand il arriva à San Cristobal, Thérèse et Lydie sortirent de la maison dans leurs plus belles robes et François revint de la vigne en courant. King salua les deux jeunes femmes, et accepta l'invitation que lui fit Thérèse de partager leur déjeuner.

— Je crois que vous n'aurez plus d'ennuis avec Eichenbaum, dit-il à François. Et je gagerais que votre jeune ami sera rentré à San Cristobal dans quelques heures.

— C'est magnifique, monsieur, répondit François. Comment avez-vous réussi ?

— C'est mon affaire. Vous savez traiter les vignes et le vin, je sais comment on traite avec les hommes comme Eichenbaum. Maintenant, voyons la propriété. Où sont ces dégâts ?

Ils firent le tour du vignoble. François lui montra les ceps saccagés, mais expliqua également le travail qu'il avait accompli et répondit à toutes les questions que John King lui posa.

— Comment savez-vous que les raisins sont prêts à vendanger ?

— La règle veut que le raisin soit mûr cinquante jours après la

« véraison » — le moment où ils changent de couleur. Mais regardez !

François prit un grain sur une grappe voisine et le pressa doucement entre le pouce et l'index. La peau éclata et il montra à King le fin réseau en étoile de la pulpe, et le jus qui se mettait aussitôt à suinter.

— La façon dont la peau éclate montre qu'ils sont presque prêts. Nous commencerons après-demain, je pense.

Tandis qu'ils parlaient ainsi, ils virent un cheval et un cabriolet s'avancer vers la maison.

— C'est Corsini, dit François. Je suis enchanté qu'il soit venu. Je voulais que vous fassiez sa connaissance. Il m'a beaucoup aidé. C'est le seul homme de la région qui n'ait pas peur d'Eichenbaum.

— Ah ! dit King. Nous sommes donc deux.

Lorenzo et Caterina accompagnaient Salvatore. Ayant appris l'arrestation d'Armand, ils venaient aux nouvelles. François leur raconta toute l'histoire et King les rassura : Armand serait libéré sous peu et Eichenbaum cesserait de provoquer des ennuis.

— A propos, monsieur Corsini, ajouta-t-il, je crois pouvoir vous affirmer sans grands risques que vous n'éprouverez aucune difficulté à vendre votre vin comme de coutume à l'agence d'Eichenbaum — si vous le désirez, bien entendu.

— Vraiment ? Comment le savez-vous ?

— Je l'ai appris par hasard au cours de ma conversation avec lui. De toute évidence, il ne dirait rien de plus.

— Je vous suis très reconnaissant, répondit Salvatore. Effectuer les expéditions à Cinnabar est beaucoup plus commode pour nous.

— Et vous obtiendrez un prix équitable.

— Merci.

Le repas était presque prêt et Thérèse invita les Corsini — tout en se demandant comment Lydie parviendrait à faire faire aux plats le tour de la table. Le refus de Salvatore la soulagea : Agnese les attendait pour déjeuner et ils avaient encore beaucoup de travail au chai. Mais Caterina n'avait pas envie de repartir sans avoir vu Armand sain et sauf à la maison, et l'on convint qu'elle resterait déjeuner et rentrerait à Casa Rosa plus tard, à pied.

— Il n'était pas trop bouleversé ? demanda-t-elle à François. Qu'a-t-il dit quand on l'a arrêté ? Où l'a-t-on emmené ? Comment est la prison ? Vous croyez qu'on lui a donné à manger ? Pourquoi a-t-on cru ce que disait l'autre homme ?

Tandis que François tentait de répondre à son déluge de questions et que Lydie et Thérèse finissaient de préparer la table, Salvatore entraîna John King dans la cour.

— Je suis heureux de faire votre connaissance, monsieur King, dit-il. Je dois vous apprendre, au cas où vous ne le sauriez pas encore, que vous avez trouvé en Pujol un jeune homme plein de qualités. Avec le temps, il fera des merveilles pour ces vignes.

— Je me garderai bien de le lui dire, monsieur Corsini, mais c'est aussi mon avis.

— Il travaille comme si la propriété lui appartenait.

— Tous les bons employés agissent ainsi.

— Oui. Le seul ennui, ajouta Salvatore après un temps de silence, c'est que ce genre d'employés ne tarde pas à s'en aller pour s'établir à son propre compte.

— Cherchez-vous à m'apprendre quelque chose de précis ? Quelque chose que je devrais savoir à propos de Pujol ?

— Non. Non, je ne crois pas que ce problème puisse se poser avant bien des années. Il n'est pas prêt pour l'indépendance totale, et au plus profond de son cœur, je crois qu'il le sait. Mais cela viendra un jour. C'est tout ce que je voulais dire.

— Bien entendu. Je suis heureux de connaître votre opinion, Corsini. Et je vous en suis reconnaissant. Si j'ai bien compris, vous avez donné à ce jeune homme des conseils précieux.

— De temps à autre. Mais une montagne de conseils ne sauraient faire un bon vigneron. On a ce don dans le sang, ou on ne l'a jamais. Je crois que François le possède. Je devrais déjà être parti. Lorenzo !

— Votre fils est un beau garçon, Corsini.

— Oui, répondit Salvatore en riant. J'aurais préféré qu'il tienne de moi à d'autres égards.

Lorenzo sortit et monta avec son père dans la voiture. Il fit claquer les rênes sur la croupe du cheval.

— Au revoir ! Bon appétit ! cria Salvatore tandis qu'ils s'éloignaient.

King apprécia beaucoup le repas et il félicita Lydie pour ses talents de cuisinière, en particulier son canard au verjus. Les joues en feu, Lydie ne tenait plus en place sur sa chaise... Peu après, King repartit pour San Francisco.

François s'étonna que son employeur ait pu résoudre les problèmes aussi vite et apparemment sans difficultés. Mais il savait que tout n'était pas forcément terminé entre Eichenbaum et lui — un jour ou l'autre, il leur faudrait vider leur querelle.

Il rentra dans la maison. Caterina mettait son bonnet.

— Je descends au village. Il faut que je voie Armand. Peut-être en parlant au shérif...

— Non, dit François. Attendez ici. Nous devons tous attendre ici. M. King a pris des dispositions, et ce n'est pas à nous d'intervenir.

Caterina était toujours prête à discuter quand son père ou sa mère lui donnaient des ordres, mais à la grande surprise de tous, elle ôta son bonnet, douce comme un agneau, et s'assit pour attendre. Peut-être un peu de l'autorité de M. King avait-elle déteint sur François.

Ils ne tardèrent pas à entendre un cri d'Absalon qui travaillait dans les vignes. Ils sortirent aussitôt : Armand s'avançait dans l'allée. Cette fois, rien n'aurait pu retenir Caterina. Elle courut vers le jeune homme et se jeta dans ses bras.

— Eh ? Qu'est-ce que c'est ? s'écria Armand, presque irrité.

Caterina, qui ne lui avait jamais témoigné son attachement aussi ouvertement, rougit et s'écarta de lui, comme si rien ne s'était passé. Tous les autres l'entourèrent et l'assaillirent de questions.

Armand semblait surpris et assez bouleversé.

— Tout ce que je sais, c'est que le shérif est venu. Il a ouvert ma cellule et m'a dit que j'étais libre. Je lui ai demandé ce qui s'était passé et il m'a répondu quelque chose comme « le témoignage contre vous a été retiré ». Il m'a rendu mon argent et mon couteau.

— Ton couteau ! Bon dieu, quel couteau ? s'écria François. Je croyais que tu n'avais jamais de couteau sur toi.

— Seulement celui-ci, répondit Armand en montrant son petit canif de poche. Je n'aurais guère fait de dégâts avec ça ! De toute façon, je suis parti et me voici. Qu'est-il arrivé ? Comment m'avez-vous fait sortir ?

François lui parla de la visite de John King à Cinnabar et de la mystérieuse conversation avec Eichenbaum — cause probable de sa libération. Mais il ignorait qu'en début d'après-midi, Jed Bastin s'était rendu dans le bureau du shérif et avait avoué, d'un air penaud, qu'il avait réfléchi aux événements de la veille, et que plus il y songeait moins il était certain de sa version de l'affaire. Il avait très bien pu se tromper, dit-il, quand il avait cru voir Armand sortir le couteau et le plonger dans les côtes de Clint. Le vieux Clint avait toujours été un sacré maladroit — c'était bien dans son style de glisser et de se tuer sur son propre couteau. Deux autres habitants de Cinnabar l'accompagnaient, tous deux membres du personnel d'Eichenbaum. Ils attestèrent qu'ils étaient dans le bar la veille au soir, qu'ils avaient tout vu, et que les choses s'étaient déroulées exactement comme le Noir, Absalon, l'avait expliqué. Ils acceptaient, ainsi que Bastin, de témoigner en justice dans ce sens — mais, bien entendu, l'affaire n'irait jamais aussi loin.

Ce retournement de la situation ne manqua pas d'étonner Walker.

— Que pense Eichenbaum de tout ça ? murmura-t-il à Bastin.

Le chef d'équipe répliqua que le patron était au courant. En découvrant les doutes de Bastin, il l'avait encouragé à se rendre au bureau du shérif sans attendre.

Personne à San Cristobal ne savait ce qui s'était passé. Armand ne savait en fait qu'une chose : il ne sentait plus ses jambes et il fallait qu'il s'asseye. On l'entraîna jusqu'à la maison, on lui donna à manger, on apporta du vin et tout le monde but à son retour et à l'habileté de M. King. Le bonheur était sans mélange.

Mais le soir venu, nul ne s'endormit vite. François pensait à Einchenbaum et aux vendanges imminentes; Lydie rêvait de Lorenzo; Thérèse pleurait en silence au souvenir de la réaction de son mari quand elle lui avait parlé du bébé; et Armand ne cessait de se tourner et de se retourner dans son lit en revivant les affres de la nuit précédente.

Plus tard dans sa vie, chaque fois que François songeait à cet épisode, c'était pour constater qu'Armand en était sorti un autre homme. Extérieurement, il avait aussitôt retrouvé son ardeur naturelle, mais il semblait avoir beaucoup perdu de sa spontanéité et de sa fantaisie. Bientôt, François se surprit à comparer Armand à son propre frère Henri, toujours grave et pondéré.

# 11

Le lendemain de la visite de John King, ils eurent beaucoup trop à faire pour songer à leurs inquiétudes. Il fallait en terminer avec la préparation du chai. Il n'y avait pas de pressoir comme celui qu'utilisait Raphaël à Sauveterre. On se servirait d'un immense cuveau ouvert, à l'ancienne, sur lequel se fixait le « fouloir », grande caisse où trois hommes fouleraient le raisin aux pieds tandis que le moût coulerait dans la cuve. Depuis un mois le cuveau avait été nettoyé par Absalon et mis en eau pour assurer son étanchéité. On procéda aux derniers rinçages, puis on fixa le fouloir en place : deux barres de fer solidaires de sa base se fixaient sur les bords du cuveau et le maintenaient. On installa l'échelle, et on fixa une corde au-dessus pour que les « fouleurs » puissent s'y accrocher et conserver leur équilibre.

C'était pittoresque, mais lent et pénible. François avait demandé à John King d'acheter un véritable pressoir, mais il avait refusé — il avait dépensé assez d'argent en matériel essentiel pour la première année, et il voulait attendre le résultat de la vente de la récolte précédente avant de remettre la main à sa poche.

— Quelle est la différence ? demanda-t-il. Pouvez-vous faire du vin en foulant les raisins ?

— Oui.

— Aura-t-il un goût différent du vin obtenu avec un pressoir moderne ?

— Non.

— J'envisagerai cet achat l'an prochain, avait répondu King d'un ton définitif.

Au début du mois d'octobre, toute la vallée avait été envahie par une armée de Chinois. Ils venaient chaque année pour les vendanges, avait expliqué Salvatore. Tout comme les vendangeurs de France, c'étaient des pauvres gens qui avaient du mal à survivre avec des salaires de misère toute l'année durant, et qui complétaient leurs ressources par ce travail saisonnier dans les vignes. Après avoir choisi son équipe, Salvatore s'était rendu à San Cristobal et avait aidé François à trouver les meilleurs travailleurs qu'il connaissait pour les avoir employés les années précédentes. Les Chinois étaient venus de San Francisco avec des tentes qu'ils installaient dans les « tournées » des vignes. L'air était empli du parfum étrange et alléchant de leur cuisine, et leur parler chantant était devenu un son familier.

Un matin les Chinois arrivèrent à San Cristobal à l'aurore. On donna à chacun un panier et on les répartit dans les pièces de vigne pour commencer la récolte. François, inquiet, les regarda se mettre au travail, mais c'étaient des coupeurs expérimentés, qui veillaient à ne pas écraser les grains, et qui savaient qu'un bon coup de couteau à la naissance de la grappe valait mieux que tenter de l'arracher en la faisant tourner. Ils étaient payés au panier et ils travaillaient vite — plus ils apporteraient de raisin au chai, plus élevé serait leur salaire de la journée. Ils savaient, bien sûr, que le contenu de leurs paniers serait examiné sommairement au moment où ils le videraient dans le fouloir : des grappes mal cueillies ou écrasées leur vaudraient une retenue d'un ou deux *cents* sur leur paie.

Quand leurs paniers étaient pleins — une vingtaine de kilos de raisin — ils les apportaient au chai. Dès qu'il y en eut assez pour que le foulage puisse se faire sans discontinuer, on versa les raisins dans le fouloir et l'opération commença. Le chai s'emplit aussitôt de l'odeur aigrelette, très particulière, du raisin écrasé, et l'on commença à entendre le moût couler dans le cuveau. Quand celui-ci commença à se remplir, on soutira le moût car on ne pouvait le laisser séjourner en cuve entièrement ouverte; et d'ailleurs, si énorme qu'il fût, le cuveau n'aurait pas suffi à loger tout le moût. Le liquide brut, alourdi de pulpe, était transvasé dans les fûts où la fermentation commencerait. De temps en temps on enlevait la râpe et les peaux vides du fouloir et l'on versait quelques peaux de raisin dans les tonneaux où le vin fermenterait : ils formeraient une sorte de croûte sur le moût et lui donneraient de la couleur.

Malgré le travail harassant de tous les instants, la récolte, quelle qu'elle soit, est un moment de joie — et c'est particulièrement vrai pour les vendanges. Toute la famille y participait, comme il se doit. Bien qu'elle fût médiocre, François ne pouvait s'empêcher d'éprouver un sentiment de plénitude fantastique à chaque panier qui arrivait, tandis que pour Thérèse, comblée par la prise de conscience de sa propre fécondité, les vendanges prenaient une signification particulière. Lydie et Armand furent ravis de voir Lorenzo et Caterina se joindre à eux, dès le début de la matinée. Salvatore et Agnese seraient venus eux aussi mais ils allaient vendanger bientôt, et il y avait encore beaucoup à faire à Casa Rosa. Dans quelques jours, Thérèse, Lydie et Armand iraient les aider à leur tour. Le ciel était sans nuages en ce début d'automne, et les derniers rayons de l'été auréolaient les vignes de reflets dorés. Un parfum entêtant émanait de la cuve... Tout semblait inviter à la danse et au chant. Les femmes allaient et venaient joyeusement de la maison au chai et aux vignes, avec du pain, du fromage et des pichets de vin de l'année précédente. Les hommes riaient entre les moments d'effort, et juraient en soulevant les paniers de raisin. Même les Chinois, d'habitude silencieux et sérieux au travail, souriaient et babillaient de leurs voix flûtées.

200

Le soir, tout était terminé. Il faudrait au moins deux jours pour ramasser et presser la récolte de Casa Rosa, mais cette année-là, San Cristobal n'avait produit que quelques dizaines d'hectolitres de moût. Cela représentait tout de même un dur labeur.

François s'assit dans la salle commune, épuisé. Les vendangeurs chinois, leurs salaires reçus, s'étaient retirés sous leurs tentes. Absalon était descendu à Cinnabar. Lydie et Lorenzo, Caterina et Armand avaient décidé d'aller à l'hôtel célébrer l'événement. Thérèse et François étaient seuls.

Thérèse le regarda. Il avait la tête penchée en arrière et les yeux clos. Il semblait fatigué — plus âgé aussi, se dit-elle, comme si cette journée marquait une ligne de partage très nette dans sa vie : l'acceptation définitive de la maturité et de la responsabilité. Et pourtant, il était encore le jeune homme qu'elle avait chéri à Sauveterre, le mari aimant qu'elle avait épousé, le père de l'enfant qu'elle portait dans son sein. Elle s'avança vers lui.

— François ?

Il ouvrit les yeux et lui adressa un sourire.

— Tu n'es pas vraiment en colère, pour l'enfant ? Tu n'as rien dit depuis que je t'en ai parlé. Je sais que tu étais furieux au début. Tu l'es encore ?

— Non. Bien sûr que non. Comment pourrais-je l'être ?

— Mais tu ne t'en réjouis pas.

— Oh ! si.

— Tu n'en as pas l'air.

— Comment te convaincre ? Tiens... Un verre ! Buvons à la santé de notre enfant.

Il versa deux verres de vin.

Thérèse sourit et parut heureuse tandis qu'ils buvaient, mais si François avait bien regardé au fond de ses yeux, il se serait aperçu qu'elle conservait encore des doutes.

— Je veux te donner un fils, murmura-t-elle. Je prierai pour que ce soit un garçon. Comme ça, tu cesseras de penser à ce que Lucette a écrit.

Sur le moment, il ne comprit pas ce qu'elle voulait dire. Quand elle le lui expliqua, il répondit aussitôt :

— Il y a des années que j'ai cessé de songer aux terres de papa. Mes terres, à présent, ce sont celles-ci. Eh oui, un fils — un fils pour hériter de San Cristobal ! Un jour cette propriété sera à moi, je le sais.

Il prit Thérèse dans ses bras et la fit tourner autour de lui, puis, se souvenant qu'il fallait la traiter avec douceur à présent, il la reposa délicatement dans le fauteuil.

Elle le regarda avec amour, et avec ce petit air amusé que prennent toutes les femmes la première fois que leur mari les traite comme des plantes fragiles sous prétexte qu'elles attendent un enfant.

— Quand le diras-tu à M. King ?

— Bientôt.

— Gardons encore un peu le secret pour nous deux. Tout le monde s'en apercevra vite, mais ne disons rien à Lydie et Armand, ni aux Corsini — pas encore.


Bien entendu, la première fois qu'elle revit Thérèse, Agnese Corsini s'aperçut qu'elle était enceinte. Mille petits signes le trahissaient. Elle faillit en parler à sa jeune amie, mais se souvenant de sa première grossesse et de son désir de garder le secret le plus longtemps possible entre Salvatore et elle-même, elle décida de se taire. Et Thérèse, devinant qu'Agnese savait, lui fut reconnaissante de son silence. Puis elle se dit qu'elle avait mal jugé son amie : à sa visite suivante à Casa Rosa, elle cueillit un bouquet de fleurs des champs en guise de pénitence et de remerciement.

Les deux familles se rapprochaient de plus en plus. Outre l'intérêt qu'ils ressentaient pour les jeunes Corsini, Lydie et Armand sentaient qu'ils devaient améliorer leur anglais, et la conversation avec leurs amis leur en offrait l'occasion rêvée. Thérèse, davantage refermée sur elle-même et préoccupée par l'enfant qu'elle portait, s'en souciait beaucoup moins, mais elle était toujours satisfaite de pouvoir parler. Se fiant à l'opinion de John King, François sentait qu'il pouvait laisser San Cristobal à la garde d'Absalon en toute sécurité : les vignes ne seraient plus saccagées. Aussi, deux ou trois fois par semaine, les quatre jeunes Français partaient-ils à Casa Rosa après le dîner pour une heure ou deux. En général les leçons se terminaient en éclats de rire — Lydie trouvait toujours l'anglais très burlesque — et les deux jeunes couples sortaient faire une promenade.

Thérèse et Agnese passaient beaucoup de temps ensemble, et Thérèse avoua bientôt sa prochaine maternité. Agnese, ravie, se lança dans des discussions et des conseils sur la layette, la durée de l'allaitement au sein, ce qu'il fallait faire en cas de coliques, et quand annoncer à François qu'il ne pourrait plus bénéficier de ce qu'elle appelait « ses droits ».

Quand elles ne parlaient pas du bébé, la conversation tombait en général sur « les jeunes ». Malgré ses craintes avouées de devenir grand-mère trop tôt, Agnese se félicitait de les voir s'entendre si bien.

— Je crois vraiment que Lorenzo est amoureux de votre belle-sœur, dit-elle un jour. C'est une jeune fille si gentille. Elle aurait besoin de surveiller sa ligne, c'est certain, mais on ne peut pas tout avoir, et c'est tellement nouveau pour lui de rencontrer une fille qui lui plaise. Je commençais à me demander si nous pourrions lui trouver un parti convenable. Il lui faut bien entendu une fille qui comprenne l'existence d'un vigneron. Elle n'aurait pas besoin de dot, vous savez. Lorenzo aura ses vignes plus tard, et il peut offrir beaucoup à une jeune fille, sans attendre d'elle autre chose que de l'amour. Vous croyez qu'ils songent à se marier ?

— Je le souhaite, répondit Thérèse. Je sais que Lydie l'aime beaucoup.

— Oui. Je le souhaite aussi. Mais, chère amie, bien qu'il soit votre frère, je ne suis pas sûre qu'Armand convienne à Caterina. Je n'ai rien contre lui, entendez-moi bien, mais ils sont tous les deux si instables. Ils se ressemblent trop. Je ne crois pas qu'un mariage entre deux personnes trop semblables soit une bonne chose.

Cette fois Thérèse ne répondit pas. Elle avait rarement besoin de parler quand Agnese commençait un discours. Il suffisait d'un hochement de tête ou d'un sourire de temps en temps pour que les mots continuent de couler. C'était très reposant pour elle.

— Bien entendu, poursuivit Agnese, ce que j'en pense n'y changera rien. Des caractères obstinés comme ces deux-là n'en feront jamais qu'à leur tête. Et si vous me demandez mon opinion, je vous dirai que Caterina a déjà pris sa décision. Si je ne me trompe pas, ce que pensera Armand, têtu ou non, ne comptera guère. Elle sait très bien parvenir à ses fins, une fois sa résolution prise.

Armand, en fait, s'intéressait beaucoup à Caterina et la trouvait très séduisante. Mais malgré tous les encouragements de la jeune fille, il n'avait nullement l'intention de l'épouser. Il aimait beaucoup trop sa liberté. Il voyait souvent une fille qui servait parfois au bazar de Cinnabar, et une autre qui travaillait dans une ferme des environs. Et il en connaîtrait d'autres — y compris Emilie King. Même si François ne lui avait rien dit de la réputation de la Joyeuse Emilie, Armand n'avait pu se méprendre : le regard qu'elle lui avait lancé le jour où il avait accompagné son beau-frère au « Palais » était clair, il s'agissait d'une invite. Il espérait qu'un jour prochain, il aurait l'occasion d'aller seul faire son rapport à John King — et si King devait partir soudain et qu'il reste seul avec Emilie... Son imagination battait la campagne. Caterina était une compagne agréable — et sans aucun doute le meilleur parti possible pour lui à Cinnabar — mais il n'allait pas se forger des chaînes tant qu'il y avait des femmes comme Emilie King à conquérir.

L'occasion de voir Emilie seule survint plus tôt qu'il ne l'avait espéré. Fin novembre, François lui demanda d'aller présenter le rapport habituel à King, pendant qu'il s'occuperait lui-même du premier soutirage du vin nouveau. Armand sauta sur l'occasion. Outre l'éventualité de rencontrer Emilie, il avait l'intention de demander à King s'il accepterait une extension des bâtiments de ferme : il aurait aimé disposer d'une chambre pour quitter le logement des ouvriers. Non point qu'il eût quelque reproche à formuler à l'encontre d'Absalon, et il y avait en fait certains avantages à ne pas se trouver à tout instant sous les yeux du reste de la famille, mais Armand jugeait infamant qu'un parent loge dans les dépendances avec un employé salarié.

Simpson, le maître d'hôtel, lui ouvrit la porte du « Palais », et après lui avoir demandé la raison de sa visite, le laissa debout dans le vestibule. Il revint presque sur-le-champ.

— Attendez ici. Mademoiselle Emilie descendra dans quelques minutes.

— Mademoiselle Emilie ? Mais je suis venu voir M. King.

Le maître d'hôtel, glacial, haussa les sourcils et sortit sans répondre.

L'attente exalta l'enthousiasme d'Armand. Il semblait bien que tout serait plus facile qu'il n'avait osé l'espérer.

Puis une des portes du vestibule s'ouvrit et Emilie l'appela.

— Listrac ! Venez.

Dès son entrée dans la pièce, il sentit que l'occasion ne se prêterait guère à autre chose qu'aux affaires. Emilie portait une toilette très sobre, corsage blanc uni à col montant et manches longues, avec une jupe longue de drap noir. Ses cheveux tirés en arrière, réunis en un chignon plat sur sa nuque, lui donnaient un air sévère. Elle semblait lasse et inquiète.

Elle s'assit derrière un bureau à dessus de cuir.

— Vous vous attendiez, bien entendu, à rencontrer mon père. Il est souffrant.

Finis tous mes espoirs, songea Armand en maudissant sa malchance.

— J'espère que ce n'est pas grave, dit-il poliment.

— Il a eu une attaque.

Voyant qu'il ne comprenait pas, elle ajouta :

— C'est très grave. Le médecin lui a ordonné le repos absolu. Une autre attaque... une autre crise cardiaque pourrait le tuer.

— Je suis désolé, Mademoiselle.

— Le plus inquiétant, c'est que cela n'a pas affecté que son corps.

Les yeux d'Emilie s'emplirent de larmes.

— Il est faible physiquement, évidemment, mais le docteur assure qu'il pourra se rétablir sur ce plan avec du repos et des soins. Mais son esprit... C'est le problème. Son esprit ne parvient à prendre aucun repos — il se tourmente à en mourir, oui littéralement à en mourir. Il s'est mis dans la tête que s'il meurt, je resterai sans ressources suffisantes. Il a connu récemment quelques revers financiers mineurs et il est persuadé qu'il a trop de capital investi dans des biens immobiliers sans rapport immédiat important. Nous avons discuté de tout avec lui, nous lui avons rappelé que la terre et les immeubles sont les meilleurs placements. J'ai essayé de le convaincre que j'ai suffisamment de revenus personnels pour mes besoins. Mais non, il s'est abandonné à son obsession irrationnelle : il croit que s'il ne liquide pas tout pour le transformer en argent comptant, je me retrouverai à la rue. Je ne peux m'empêcher de pleurer en voyant un cerveau aussi lucide que le sien réduit à cet état.

Les larmes glissaient sur ses joues.

Extrêmement gêné, Armand ne savait que faire.

— Je ne sais pas pourquoi je vous parle de tout ceci, Listrac.

Elle prit un petit mouchoir bordé de dentelle et se tamponna les yeux.

— Si, je le sais, reprit-elle. Je vous en parle parce que cela touche San Cristobal. Il veut vendre. Pour l'instant, j'ai pu l'en dissuader sans le bouleverser, au moins à ce qu'il m'a semblé, mais s'il continue d'insister, je serai peut-être obligée de céder. J'espérais que François viendrait aujourd'hui. Je l'aurais prévenu. Mais vous lui transmettrez mon message.

Armand n'avait pas compris chacune de ses paroles mais il avait très bien senti la substance de ce qu'elle disait — et il était terrifié. Il lui demanda de répéter pour être bien certain de tout retenir correctement.

— Je croyais que vous étiez en partie propriétaire de San Cristobal, Mademoiselle Emilie, dit-il quand elle se tut.

— Oui. Mais si mon père veut vendre, si sa santé en dépend, je vendrai aussi.

— Oui. Je comprends. Je le dirai à François.

Pendant un instant, ils se regardèrent sans bouger. Leurs visages n'exprimaient que le désespoir.

— Désirez-vous voir les comptes ? demanda Armand.

— Non. Non. Vous pouvez partir.


Quand Armand rentra à Cinnabar ce soir-là, François comprit au premier regard que quelque chose allait très mal. Il apprit toute l'histoire. Les autres demeurèrent comme frappés de stupeur. Leur foyer, leur gagne-pain, tout leur échappait. Et pour François, la situation était d'autant plus amère que San Cristobal tomberait certainement entre les mains d'Eichenbaum.

— Crois-tu que M. King nous vendrait la propriété ? demanda Lydie au bout d'un moment. Si nous mettions tout notre argent ensemble et si nous empruntions le reste à une banque, est-ce qu'il accepterait de nous vendre San Cristobal ?

— Et combien as-tu, hein ? lui lança François d'un ton brusque. 10 000 dollars ? Nous n'avons pas plus de 200 ou 300 dollars à tous les quatre, et quand M. King a acheté, San Cristobal lui a coûté 16 000 dollars. Je suis sûr qu'il réclamera au moins cette somme, et probablement davantage. Aucune banque ne nous prêtera tout ce qu'il nous faudrait.

— Mais n'as-tu pas dit que Mademoiselle Emilie a mis une partie de l'argent ? 6 000 dollars ? demanda Thérèse. Si elle ne veut pas vendre, nous n'aurons peut-être besoin de trouver que les 10 000 dollars payés par M. King.

— Je vous ai dit, intervint Armand, que si son père insiste pour vendre, elle vendra elle aussi.

— Oui, mais nous pourrions la convaincre.

— Et où trouverons-nous les 10 000 dollars ? L'argent ne pousse pas sur les pieds de vigne !

La voix de François était si sèche que Thérèse se mordit les lèvres, quitta la table et se mit à ramasser les couverts pour les ranger sur l'évier.

— J'ai eu une idée en revenant, dit Armand. Salvatore ! Si nous pouvions le persuader d'acheter la propriété, il n'aurait personne pour s'en occuper et il nous laisserait peut-être ici. Peut-être pourrions-nous nous entendre autrement. Il nous prêterait l'argent et nous le rembourserions sur les bénéfices.

— Il n'est pas riche à ce point, répondit François d'un ton sombre. C'est bon pour M. King, un millionnaire. Salvatore n'a pas les moyens d'immobiliser des milliers de dollars et d'attendre les revenus sans savoir quand ils arriveront. Non, et d'ailleurs, je suis sûr que Salvatore ne peut pas se permettre d'investir une somme pareille.

— On peut toujours lui en parler, non ?

Salvatore écouta d'une oreille bienveillante les explications de François, mais ne put lui garantir son aide.

— J'aimerais bien être propriétaire de San Cristobal, bien entendu. Surtout maintenant que les vignes commencent à ressembler à des vignes. J'aurais aimé l'acheter quand M$^{me}$ da Silva l'a mis aux enchères, mais je n'avais pas l'argent à ce moment-là, et je ne l'ai pas davantage à présent. Je pourrais en réunir une partie, je pense, et obtenir probablement de la banque un prêt pour couvrir le reste. Mais dans ce cas, je me retrouverais sans réserves — et je ne peux pas me mettre, ainsi que ma famille, dans une situation aussi dangereuse. Que se passerait-il s'il survenait une mauvaise année, je veux dire une année vraiment mauvaise ? Comme l'année qu'a connue votre père avec le phylloxéra... Mais je vais tout de même y réfléchir, François. Je verrai s'il y a un moyen de vous aider.

François dut se contenter de cette réponse. Pour le moment, il n'y avait rien d'autre à faire — sauf peut-être une chose. Il s'assit pour écrire une lettre.

« Chère *Mademoiselle*, écrivit-il. Je suis infiniment désolé de la maladie de votre père. Je vous prie de bien vouloir lui présenter mes meilleurs vœux et de lui dire qu'à San Cristobal nous prions tous pour son rétablissement. Dès que ce sera possible, je lui enverrai un peu de son vin. Je vous en prie, *Mademoiselle,* si vous devez vous séparer de San Cristobal, veuillez ne pas vendre sans m'en faire part. Sincèrement vôtre, François Pujol. »

Il ne reçut pas de réponse.

Lorsqu'il se rendit à San Francisco, quinze jours plus tard, John King était encore malade, et ce fut Emilie qui discuta affaires avec lui. Elle ne parla pas de la vente de San Cristobal, et lorsqu'ils eurent terminé la révision des comptes, François l'interrogea.

— Par bonheur, mon père ne s'est pas inquiété à ce sujet depuis quelque temps. J'espère qu'il a tout oublié. Je me souviens très bien de votre lettre, et je vous tiendrai au courant s'il insiste pour vendre.

— Vous ne vendrez pas à Eichenbaum, n'est-ce pas ? Vous le connaissez...

— Si mon père décide de vendre, il voudra obtenir le meilleur prix. Peu lui importera qui achète.

— Pardonnez-moi, *Mademoiselle,* mais je n'en crois rien. Je crois que cela comptera pour lui.

— Peut-être. Mais je ne le tourmenterai pas avec des problèmes de ce genre. Je suis désolée, Pujol, mais s'il s'obstine à vendre, mon seul souci sera de pouvoir lui dire que le chèque a été déposé à la banque. Je ne lui parlerai pas de la signature au bas de ce chèque.

François ne dissimula pas sa déception.

— Oui. Je vois... murmura-t-il, désespéré.

— Ne vous inquiétez pas, Pujol. Vous ne mourrez pas de faim. Si San Cristobal doit être vendu, un emploi vous attendra ici. Le jardinier qui vous a succédé ne s'est pas montré aussi efficace que vous. Et nous trouverons quelque chose pour votre femme — à la cuisine peut-être. Je ne peux pas offrir de travail à votre sœur et à votre beau-frère — cela n'est vraiment pas de mon ressort. Mais ils pourront certainement subvenir à leurs besoins.

Sa voix était froide, implacable. François reconnut à cet instant la personnalité de John King.

— Thérèse... Ma femme est enceinte, dit-il.

Elle le fixa longuement.

— Pour l'amour de Dieu ! s'écria-t-elle enfin. Vous ne pouviez pas attendre ?

Elle rassembla ses papiers.

— Je vous reverrai dans deux semaines, dit-elle.

Elle sortit rapidement de la pièce, en claquant la porte derrière elle.


Ce soir-là, en proie au découragement, il se montra irascible. Thérèse s'approcha de lui et lui prit la main. Elle ne dit rien, se bornant à exprimer sa sollicitude par la douce pression de ses doigts. Sans un regard, il retira sa main et sortit parler à Absalon.

Thérèse se sentait de plus en plus seule et abattue. Elle avait la certitude que depuis le jour où elle avait annoncé sa grossesse, François ne cessait de s'éloigner d'elle. Elle aurait aimé parler de tout cela à quelqu'un, mais vers qui se serait-elle tournée ? Il n'y avait pas de prêtre catholique à Cinnabar. Elle pouvait toujours se confier à Agnese, mais si aimable que fût son amie, elle savait qu'elle n'obtiendrait d'elle que des paroles rassurantes sans portée réelle. Pourquoi les gens plus âgés croient-ils toujours que le temps guérit toutes les blessures ?

Quelques jours s'écoulèrent sans nouvelles, puis les jours devinrent des semaines, et à San Cristobal il fallait que la vie continue. Ils passaient tous de longues heures dans les vignes, à redresser les échalas, à fumer la terre, à arracher les vieux ceps. François décida qu'il était temps de réparer le chai. Il aurait fallu faire ces travaux l'été précédent, avant que le vin ne soit en fûts, mais Absalon et lui avaient eu trop de besognes plus urgentes. Il avait également songé à agrandir la ferme — ils auraient besoin de davantage de place quand le bébé serait là — mais dans les circonstances présentes, c'était bien inutile. Ils se mirent donc à réparer le chai.

C'était un bâtiment construit sur deux niveaux, adossé à la colline; et sur la façade arrière on pouvait entrer de plain-pied au premier étage. Le cuveau avait été installé en haut de sorte que le moût recueilli pouvait être réparti par simple gravité dans les fûts du niveau inférieur. Le rez-de-chaussée s'étendait profondément sous la colline même — Salvatore leur avait appris que la roche avait été creusée en caverne artificielle par des Chinois une vingtaine d'années plus tôt. Le bâtiment avait été entièrement construit en pierre brun clair, et couvert d'un grand toit d'ardoise.

L'état de l'un des murs extérieurs inquiétait François depuis quelque temps. Les blocs de pierre avaient été liés par un mélange de sable et de chaux — beaucoup moins chère que le ciment et plus facile à préparer. Le problème, c'était que ce mortier se rongeait, et en un endroit le mur paraissait sur le point de s'écrouler. Pour le restaurer, ils devaient enlever une partie des blocs de pierre — en étayant le mur, au-dessus, avec de solides poteaux de bois — puis les remettre à la même place avec un autre mortier. C'était une opération difficile qui exigea toute leur ingéniosité et toute leur force. Salvatore et Lorenzo vinrent les aider, et l'on fit même appel à Thérèse et à Lydie pour les travaux les moins pénibles. A la fin de la première journée, presque tout était terminé et l'on convint que les Corsini n'auraient pas besoin de revenir le lendemain matin.

Après le petit déjeuner, la famille et Absalon se remirent à la tâche. Le mortier était prêt, les hommes n'avaient plus qu'à remettre en place le dernier bloc de pierre. Au moment où ils le glissaient dans sa niche, Lydie et Thérèse devaient ôter les étais soutenant la maçonnerie. Le premier étai glissa facilement mais le second semblait coincé. Les deux jeunes femmes tirèrent dessus. Il se libéra brusquement et Thérèse bascula à la renverse. Le poteau tomba sur elle. Elle poussa un cri de douleur.

Laissant Armand et Absalon finir de placer la pierre, François courut vers elle.

— Oh ! mon dieu ! cria-t-il. Thérèse ! Oh, mon dieu ! Armand ! Vite !

Ils enlevèrent l'étai, François souleva la tête de la jeune femme.

— Elle s'est évanouie. Vite ! Il faut la ramener à la maison.

Il la souleva doucement dans ses bras et se dirigea vers la ferme. En chemin elle reprit conscience. Elle porta les mains à son ventre.

— François, je souffre... murmura-t-elle.

— Lydie, de l'eau-de-vie ! Absalon, cours chercher le médecin.

Quand ils la déposèrent dans la chambre, elle saignait déjà.

Le D$^r$ Daniels, lorsqu'il arriva enfin, ne put faire que peu de choses. Il nettoya le sang avec l'aide de Lydie, et donna à Thérèse une potion pour la faire dormir.

— Je crois qu'elle ira très bien, dit-il, mais évidemment, c'est une fausse couche. Heureusement, elle ne semble pas blessée par ailleurs. Que s'est-il passé ?

François lui expliqua.

— Vous êtes un imbécile, un inconscient ! Jamais elle n'aurait dû faire une chose pareille, surtout au quatrième mois. Vous avez perdu l'enfant, et c'est de votre faute. Je reviendrai la voir demain. Laissez-la se reposer. Elle devra rester couchée quelque temps.

François s'assit près du lit de Thérèse. Tout allait de travers. Il n'avait eu que des ennuis depuis son arrivée à San Cristobal. Peut-être vaudrait-il mieux, tout compte fait, que John King vende le domaine, qu'il cesse d'espérer devenir vigneron, qu'il retourne en ville et qu'il essaie de gagner sa vie là-bas. Dès que Thérèse fut de nouveau assez forte pour l'écouter, il lui dit tout cela.

Elle lui prit la main.

— Non, François, non. Nous ne pouvons pas renoncer simplement parce que deux ou trois petites choses tournent mal. Nous aurons d'autres enfants. Il y aura bien un moyen quelconque de rester ici. Tu ne peux pas renoncer. Tu ne peux pas.

Elle lui prit la tête dans ses mains et la serra contre sa poitrine.

— Je t'aime, murmura-t-elle. Je t'adore. Du courage, François. Du courage.

## 12

Lentement, la vie redevint normale. Au bout d'une semaine Thérèse fut autorisée à se lever. Le D^r Daniels affirma que rien n'empêcherait la jeune femme d'avoir encore des enfants — il recommanda cependant à François d'attendre quelque temps avant de songer de nouveau à fonder une famille.

Thérèse parut accepter ce qui s'était passé plus facilement qu'on ne l'avait escompté. De temps à autre, elle se refermait sur elle-même, les yeux pleins de tristesse, totalement absente de la conversation générale, et pendant un instant elle semblait dans un autre monde. Mais ces moments de dépression demeuraient brefs et peu fréquents, et la plupart du temps rien ne la distinguait de la Thérèse d'autrefois.

La principale raison en était l'attitude de François à son égard. Au moment de l'accident, il avait cru pendant quelques instants que Thérèse allait mourir, et il avait ressenti une telle douleur que toutes ses craintes pour l'avenir de San Cristobal, insignifiantes en comparaison, s'étaient évanouies aussitôt. Et la perte du bébé était pour lui un choc terrible. Il se rendit compte qu'au fond de lui-même il avait désiré cet enfant, mais qu'il avait permis bêtement à ses autres angoisses de prendre le pas sur sa fierté et sa joie — au point d'en avoir voulu à Thérèse de sa grossesse, et d'avoir laissé un fossé se creuser entre eux.

Thérèse ne pouvait comprendre le cheminement des pensées de son mari, et au début elle crut que le regain d'affection dont elle était l'objet tenait au fait qu'elle n'était plus enceinte et que la menace de paternité avait cessé de peser sur les épaules de François. Mais il la persuada qu'il n'en était rien : dès que le D^r Daniels le permettrait, ils essaieraient de fonder leur famille de nouveau. Cette promesse et la chaleur de l'amour de François permirent à Thérèse d'oublier la plupart du temps son enfant perdu et de vivre pour le présent — et l'avenir.

Son rétablissement rapide ravit naturellement tous les membres de la famille et l'atmosphère de San Cristobal retrouva sa gaieté. Thérèse avait la conviction intime et totale que jamais ils ne seraient forcés de quitter la propriété et sa confiance se fit communicative.

François se plongea de nouveau dans le travail. Il tira des plans pour défricher le coteau derrière la maison. En arrachant les arbres et les buissons, on pouvait en faire une belle pièce de vigne. Il ne comprenait pas pourquoi personne n'avait entrepris cela auparavant. Les vignes poussent très bien sur les pentes, même abruptes, une fois que les plants ont bien pris — ce qui suppose des mois épuisants d'arrosage cep par cep. Certains prétendent que c'est parce que les vignes se plaisent dans les mauvaises terres, mais ce n'est pas la vraie raison : en fait, les ceps ont la possibilité de lancer des racines très profondes dans le sol, certaines même jusqu'à plus de trois mètres, et ils parviennent à recueillir toute l'humidité qui leur est nécessaire, même dans le cas d'une pente très raide qui entraîne un drainage rapide en surface. En outre, les vignes des versants bien exposés craignent moins la gelée que celles des fonds de vallée. François demanda à Salvatore s'il savait pourquoi San Cristobal était entièrement planté en terrain plat.

— Peut-être uniquement parce que nettoyer le coteau exigeait trop de travail. Je crois qu'il y avait des noyers autrefois, sur le plat. Les enlever pour planter de la vigne était plus facile que de débuter par le coteau. Mais vous n'allez pas planter maintenant, n'est-ce pas ? Vous n'êtes même pas certain de pouvoir rester ?

— Non, répondit François. Non, pas encore. Mais Thérèse est sûre que de toute façon nous ne partirons pas et à ce moment-là mes plans seront prêts. San Cristobal est trop petit. Le coteau nous donnera 4 hectares de plus. Et je sais cultiver les vignes en pente. A Sauveterre, le vignoble de mon père était à flanc de colline.

De temps à autre, non sans nostalgie, il pensait à Sauveterre. Comme tout était facile quand le père prenait les décisions ! Il ne regrettait pas d'être venu en Californie, mais parfois il se demandait si, tout compte fait, il n'était pas aussi fou qu'Henri l'avait affirmé. Malgré la confiance de Thérèse, l'avenir demeurait sombre.


Lydie trouvait Lorenzo déconcertant. Il ne dissimulait pas son affection pour elle, riait à ses plaisanteries, et lorsqu'elle était là, ne la quittait pas une seconde. Elle le taquinait en l'appelant le « vilain », et cela l'enchantait. Il aimait aussi qu'au lieu de seulement s'extasier sur sa beauté, elle conversât longuement avec lui. Elle lui demandait son avis, écoutait attentivement ses opinions et les discutait parfois. Elle ne semblait jamais tout à fait sérieuse mais il voyait bien que sa désinvolture n'était le plus souvent que façade. Quant à Lydie, elle se rendait compte qu'il prenait plaisir à sa compagnie, mais ne parvenait pas à comprendre pourquoi leurs relations ne paraissaient jamais dépasser le stade de l'amitié.

Rien ne pouvait, semblait-il, inciter le jeune homme à la prendre dans ses bras et à l'embrasser. Le moindre contact paraissait l'effrayer, et si par hasard leurs mains s'effleuraient, il retirait la sienne comme si celle de Lydie le brûlait. Elle l'avait encouragé à lui enseigner certains de ses tours de cartes, et quand il guidait parfois les doigts de la jeune fille, le contact demeurait totalement impersonnel. Une fois, elle avait même feint de s'évanouir, espérant qu'il la prendrait dans ses bras et la ferait revenir à elle d'un baiser. Au lieu de cela, il l'avait éventée avec un mouchoir — dont la propreté laissait d'ailleurs à désirer — jusqu'à ce qu'elle ouvre les yeux et se redresse. Inquiet, il avait insisté pour la raccompagner chez elle sur-le-champ, toujours sans la toucher. Elle s'était précipitée dans la maison en courant, avait gravi l'escalier quatre à quatre, claqué la porte de sa chambre et, se jetant sur le lit, s'était mise à marteler le traversin avec rage.

Lydie fut donc stupéfaite quand, après un très long silence, sur le chemin du retour à San Cristobal à la fin d'une soirée à Casa Rosa où elle avait écouté Agnese bavarder sans fin d'amis et de connaissances qu'elle n'avait jamais rencontrés et qui se confondaient tous dans sa tête, Lorenzo se pencha vers elle et lui dit brusquement d'une voix presque inaudible :

— Lydie, voulez-vous m'épouser ?

Il ne parlait pas sérieusement. C'était impossible...

— Bien sûr, répondit-elle. Demain à dix heures et demie, ça vous va ?

Au bout d'un instant il murmura :

— Je savais bien que vous vous moqueriez.

— Vous n'étiez pas vraiment sérieux, n'est-ce pas ?

— Si. Mais n'y pensons plus. Peu importe.

— Redites-le.

— Quoi ?

— Redites-le. Demandez ma main de nouveau. Je ne me moquerai plus, cette fois.

— Voulez-vous... Voulez-vous m'épouser ?

Pendant un instant, elle eut l'impression que la tête lui tournait, exactement comme si elle allait s'évanouir pour de bon. Et elle s'aperçut soudain qu'elle était aussi timide et gênée que le jeune homme. Sa voix avait disparu Dieu savait où, et ne lui obéissait plus.

Il ne la regardait pas. Les yeux baissés, il lançait des coups de pied dans les cailloux du chemin comme si c'était la chose la plus importante qu'il pût faire en cet instant.

— Je sais que je ne suis pas très... commença-t-il. Mais un jour les vignes m'appartiendront, et je... je crois que je vous aime.

Ces derniers mots étaient très faibles, comme s'il les avait prononcés avec les lèvres mais sans voix. Pourtant Lydie les entendit comme un coup de clairon.

— Oh ! Lorenzo ! Je t'aime aussi. Je t'aime depuis si longtemps — depuis le premier jour où nous nous sommes rencontrés.

Il la regarda, incrédule. Puis un large sourire se peignit sur son beau visage et il ouvrit les bras. Un peu plus tard, Lydie le repoussa et remit de l'ordre dans sa coiffure.

— Je n'ai pas encore répondu, dit-elle.

— Mais je croyais...

— Oui, bien sûr.. Oui, oui et oui.

Lorenzo l'attira vers lui et l'embrassa de nouveau. Serrés l'un contre l'autre, ils firent quelques pas sur la route.

— Je suppose que j'aurais dû en parler d'abord à votre frère, dit-il. Je peux difficilement faire ma demande à votre père. Vous croyez que tout ira bien ? Je veux dire, François accordera-t-il son consentement ? Et est-ce que ce sera suffisant ? Peut-être faut-il que j'écrive tout de même à votre père.

— Ecrivez au Président de la République française, si ça vous chante. Peu importe ce qu'on nous dira. Et si quelqu'un essaie de nous faire obstacle, je sors l'épingle de mon chignon, et je transperce le premier qui s'y frotte ! Et vos parents ?

— Ils seront ravis. Maman ne cesse de me répéter quelle fille adorable vous êtes — comme si j'avais besoin d'elle pour le voir. Je suis sûr qu'elle l'espère depuis longtemps. Et papa aussi vous aime beaucoup, je le sais.

Il passa le bras autour de la taille de la jeune fille et ils s'avancèrent lentement vers San Cristobal.

— Pourquoi vous a-t-il fallu si longtemps, Lorenzo ? Vous ne m'avez jamais touchée, et je mourais d'envie que vous me preniez dans vos bras. Je commençais à croire que j'avais la lèpre.

— Vous allez me juger stupide, mais je croyais que vous vous mettriez à rire. Et puis je craignais de vous faire fuir de peur. Jamais je n'aurais cru trouver le courage de vous demander en mariage un jour.

Elle s'arrêta et passa les bras autour du cou du jeune homme.

— N'ayez jamais peur de me demander quoi que ce soit, lui dit-elle doucement en le regardant dans les yeux. Ou de me dire quoi que ce soit. Jamais. Promis ?

— Je vous le promets.

Elle effleura ses lèvres d'un baiser.

— Jamais de secrets entre nous. Jamais.


La nouvelle enchanta François et Thérèse, bien que François, au début, feignît d'être surpris et demandât un délai de réflexion avant d'accorder ou de refuser son consentement.

— Mais une minute ! dit-il à Lydie. Cela signifie que je vais être obligé de te conduire à l'autel pour te donner à ton époux. Ça, c'est un heureux événement ! Ah ! Lorenzo, cela fait des années que j'essaie de me débarrasser d'elle !

— C'est moi qui suis censée faire les plaisanteries, ici, protesta Lydie.

— C'est vrai. Elle ne vous apportera peut-être pas grand-chose dans sa corbeille de mariage, mais au moins, elle vous fera rire.

— Cesse de les taquiner, lui dit Thérèse. Elle le rendra très heureux. Vous serez un couple merveilleux. Va chercher du vin, François. Il faut boire à leur bonheur.

François alla chercher du vin et ils burent, rirent et parlèrent tous en même temps.

— Je viens tout juste d'y songer, dit François, sérieux soudain. La dot. Lydie n'a pas de dot. A quoi votre père s'attend-il, Lorenzo ?

— Je ne veux pas de dot. Je veux Lydie, c'est tout, répondit Lorenzo, joyeux.

Et il embrassa Lydie de nouveau.

— Bien entendu, mais Salvatore...

— Il ne s'attend à rien, dit Thérèse. Agnese me l'a dit.

Tous s'arrêtèrent, les yeux fixés sur elle.

— Tu veux dire que vous en avez déjà discuté ?

— Il y a des siècles.

— Avant même que j'aie fait ma demande ? s'étonna Lorenzo.

— Bien entendu. Nous la sentions venir. Nous autres, femmes mariées, savons ces choses-là.

Les Corsini furent sincèrement enchantés quand, ce soir-là, Lorenzo leur annonça que Lydie consentait à devenir son épouse. Le lendemain matin, Agnese arriva à San Cristobal.

— Ma chère future belle-fille ! cria-t-elle en se précipitant dans la cuisine.

Elle enveloppa Lydie de ses bras sans prêter garde à ses mains couvertes de farine. Puis elle éclata en sanglots, répétant sans discontinuer qu'elle était au comble du bonheur. Il fallut la faire asseoir sur une chaise et lui offrir une tasse de café. Quand elle eut suffisamment recouvré ses esprits, et après s'être attendrie un instant, nostalgique, sur ses propres noces, elle dit :

— Il faut faire une fête. Vous viendrez tous dîner samedi — un dîner spécial — et nous pourrons préciser les détails : la date du mariage, où nous le célébrerons et tout. Oh ! je suis si heureuse...


Deux jours plus tard, le vendredi, alors qu'il travaillait dans les vignes, François vit un cheval et une voiture remonter le chemin. C'était Emilie, et en la reconnaissant son cœur se brisa. Sa visite ne pouvait avoir qu'une seule raison. Elle avait les traits tirés, fatigués. Elle salua François brièvement, d'un air absent, comme si elle avait trop de choses en tête pour se soucier de paraître aimable comme de coutume.

— Comment va M. King ? demanda François.

— Pas bien. Pas bien du tout. Je ne peux supporter de le voir ainsi. Lui qui était toujours si... si puissant. Ce n'est plus qu'un petit vieillard affaibli. Cela me brise le cœur.

François la fit entrer et Lydie courut mettre une bouilloire sur le feu.

— Le pire, c'est de voir son intelligence se dégrader, reprit Emilie. Il est de plus en plus obsédé par l'idée que je resterai sans le sou, et ni moi ni personne n'avons pu le convaincre du contraire. Dès que nous discutons avec lui, il se prend de colère et s'enflamme. Le médecin assure qu'il ne faut pas s'opposer à ses desseins, car cela pourrait provoquer une nouvelle attaque, et dans son état de santé actuel... il n'y survivrait probablement pas.

Elle se mit à pleurer. Tous s'étaient rassemblés autour d'elle, impuissants, sans savoir que répondre. Au bout de quelques instants, Emilie sécha ses larmes et prit une gorgée de café, que Lydie venait de servir.

— J'avais promis de vous en parler en premier, François, dit-elle. Il est absolument intraitable : nous devons vendre San Cristobal et je ne peux faire traîner les choses plus longtemps. J'ai utilisé tous les arguments qui me sont venus à l'esprit, mais peine perdue. Je suis obligée de confier la propriété à un agent immobilier dès lundi. Je lui ai dit que j'attendrais jusque-là pour pouvoir vous en parler auparavant, et il a accepté. Il vous apprécie beaucoup, François. Je crois qu'il vous respecte.

François se sentait glacé. Il ne trouvait rien à dire.

— Merci, *Mademoiselle*.

— Pouvons-nous parler seuls ? demanda Emilie en regardant Thérèse et Lydie, qui acquiescèrent et quittèrent aussitôt la pièce.

— La question, François, dit-elle quand elles eurent disparu, c'est ce que vous désirez faire. Comme je vous l'ai dit, vous pouvez reprendre votre place de jardinier chez nous, et nous trouverons une situation pour votre femme. Mais je ne peux rien envisager pour votre sœur et votre beau-frère. Je suis désolée, mais jamais je ne pourrai convaincre mon père de les employer. Il s'est mis en fureur quand je lui ai posé la question. Il vous aime beaucoup, François, mais il a l'impression que vous lui avez imposé votre famille et qu'il ne saurait en être responsable.

— Oui, je le sais.

— Je peux également faire autre chose : demander à l'agent immobilier de mentionner à toute personne intéressée par la propriété que les quatre employés actuels acceptent de rester si l'on a besoin d'eux pour faire valoir les vignes.

— Nous sommes cinq, répondit François. J'aimerais qu'Absalon reste s'il le désire.

— Quatre ou cinq, peu importe.

— Eichenbaum ne gardera aucun de nous. Et c'est lui qui achètera, j'en suis sûr.

— Peut-être ne pourra-t-il pas trouver l'argent. Je crois qu'il a des problèmes. On a du mal à trouver des liquidités en ce moment. C'est en partie ce qui tourmente mon père. J'ai déjà parlé à quelques amis à ce sujet, mais ils sont tous dans la même situation — ils n'ont pas d'argent liquide disponible.

— Eichenbaum trouvera bien 16 000 dollars.

— 18 000 dollars, répondit Emilie vivement. Mon père exige au moins 18 000.

Tout espoir que François aurait pu conserver de réunir la somme nécessaire, lui-même ou avec l'aide de Salvatore Corsini, s'évanouit à ces mots : 18 000 dollars — et peut-être davantage — était une somme hors d'atteinte. Ils demeurèrent silencieux un moment. Le malheur de François était palpable entre eux.

— Je suis désolée, dit Emilie, et elle fit mine de se lever.

— *Mademoiselle*, s'écria-t-il, désespéré. Vous avez de l'argent, vous me l'avez toujours dit. Ne pourriez-vous pas, vous-même, acheter la propriété ?

Elle réfléchit un instant.

— Oui. Je le pourrais. Mais je ne le ferai pas. Ce serait tromper mon père, voyez-vous. Je ne peux pas agir ainsi à son égard, dans l'état où il se trouve.

— Je comprends.

Après un nouveau silence, Emilie se leva.

— Vous n'êtes pas obligé de décider sur-le-champ si vous désirez revenir à la maison comme jardinier. Il s'écoulera plusieurs semaines avant que tout soit réglé. Je regrette, François. Il ne nous reste qu'un espoir : que l'acheteur veuille bien vous garder, et je ferai de mon mieux pour l'en convaincre.

Il la raccompagna et l'aida à monter dans le cabriolet. Il se sentait paralysé soudain. Elle prit les rênes et se tourna vers lui.

— Je suis désolée pour l'enfant que votre femme a perdu. Mais c'est peut-être aussi bien...

Elle parlait d'un ton détaché : jamais elle n'avait compris pourquoi les gens désiraient avoir des enfants.

Il ne répondit pas. Il la regarda partir, puis il appela Armand et Absalon dans les champs, et rentra dans la maison. Ils ne travaillèrent plus ce jour-là. François leur rapporta l'essentiel de son entretien et ils demeurèrent autour de la table pendant des heures, tantôt en proie à un silence maussade, tantôt rêvant à voix haute de combinaisons invraisemblables pour réunir l'argent nécessaire à l'achat de San Cristobal. C'était surtout une affaire de famille et Absalon, se sentant vite de trop, murmura : « Je vais à Cinnabar » et quitta la pièce.

— C'est la dernière fois que nous le voyons, s'écria Armand. Il va filer, c'est moi qui vous le dis.

— Peux-tu lui en vouloir ? demanda François.

— Il faudrait tout de même aller voir si une banque ne nous prêterait pas l'argent, insista Lydie, bien que la question ait déjà été débattue et écartée.

— Contre quelles garanties ?

— La terre elle-même, les vignes, les bâtiments.

— Une partie, peut-être, répondit François d'un ton las, mais jamais on ne nous prêtera le montant total, et nous sommes loin de posséder suffisamment pour le reste.

— Papa nous enverrait un peu d'argent, avança Lydie.

— Non, répondit François d'un ton ferme. Non, je ne le lui demanderai pas. Même si je savais qu'il a de l'argent de trop. Il a déjà fait pour moi plus que je ne pouvais l'espérer lorsqu'il m'a aidé à venir ici, en Californie. Je ne lui demanderai rien de plus ! Et d'ailleurs, tu sais très bien qu'il n'a pas de réserves depuis le phylloxéra.

— Peut-être nous avancerait-il tout de même quelque chose, assez pour que nous puissions obtenir le reste de la banque, insista Lydie.

— Non.

216

— En outre, intervint Thérèse, même s'il pouvait le faire, l'argent ne parviendrait pas ici avant plusieurs mois. Ce serait trop tard.

La conversation tomba. Tous s'enfermèrent dans un silence lugubre. Lydie apporta des restes et ils mangèrent sans intérêt. François demanda du vin et se mit à boire verre sur verre, jusqu'à ce qu'une sorte d'hébétude étouffe dans son esprit l'amertume et la déception.

Le lendemain matin, il s'éveilla avec la tête lourde, et quand il reprit pleinement conscience, ses malheurs l'assaillirent aussitôt. Allongé sur le lit, les mains derrière la nuque, il fit le tour de la situation. Thérèse, allongée près de lui, impuissante devant son désespoir, se demandait ce qu'elle pourrait faire pour réconforter son mari. Soudain il se tourna vers elle. Devinant ce dont il avait besoin, elle le prit dans ses bras. Il ne pleura pas, mais son corps était secoué de longs sanglots. Ses membres frémissaient. Thérèse le serra très fort, en priant que Dieu lui accorde son assistance et sa force.

Enfin il s'apaisa, et elle se força à parler.

— François, ne te laisse pas aller au désespoir. Tout ira bien. Peut-être devrons-nous quitter ces vignes pour aller en ville, mais peu m'importe du moment que nous sommes ensemble. Nous repartirons de rien, mais d'autres chances se présenteront.

Il se détourna et fixa le plafond.

— Nous devons nous confier à Dieu et à la Vierge Marie, poursuivit-elle. Ils ne nous abandonneront pas. Et puis, songe à Lydie. C'est son jour de fête, nous ne devons pas le gâcher.

François avait oublié qu'ils passaient la soirée chez les Corsini pour célébrer les fiançailles de sa sœur avec Lorenzo.

— Lydie ? Oui, bien sûr.

Il prit conscience brusquement du fait qu'après son mariage, sa sœur vivrait à Casa Rosa.

— Cela signifie que nous n'aurons plus à nous faire de souci pour elle, hein ? Nous pourrons revenir au « Palais », Armand trouvera bien du travail quelque part. Et Absalon est probablement déjà parti.

Il se sentit soudain un peu moins abattu, et au grand soulagement de Thérèse, il sortit du lit et s'habilla rapidement, malgré les coups de pilon qu'il sentait dans sa tête.

— Il y a encore du travail à faire, Dieu merci. Nous ne devons pas négliger le travail.

Absalon n'était pas parti. Quand François sortit de la maison, le Noir travaillait déjà dans les vignes.

— Voilà ce que j'ai pensé, Monsieur François, lui dit-il. J'ai 48 dollars et 30 *cents* de côté. Je vous les prêterai de tout cœur, si ça peut vous rendre service.

François fut tenté d'écarter son offre et de lui expliquer à quel point elle serait inutile, mais il se retint et un sourire lui monta aux lèvres : l'offre d'aide d'Absalon semblait un heureux présage.

— Merci, Absalon. Merci beaucoup. Si nous en avons besoin, je te le dirai.

Il posa le bras autour des épaules du Noir et l'accompagna jusqu'à l'endroit où ils travaillaient.

Pourtant, quand ils partirent à Casa Rosa ce soir-là, François avait encore du mal à lutter contre son humeur sombre. Il dissimulait ses sentiments de son mieux, à cause de Lydie, mais Thérèse ne cessait de lui lancer des regards anxieux — elle le savait malheureux et elle craignait de voir la soirée gâchée par sa faute.

Agnese et Salvatore les accueillirent avec chaleur. Agnese serra Lydie dans ses bras et l'embrassa. Les joues en feu, elles gloussaient de rire comme deux gamines. Agnese avait préparé un repas somptueux, macaronis aux champignons, agneau rôti, poivrons verts et salade, fruits rafaîchis et petits fours. Salvatore avait sorti les meilleurs vins de sa cave et ils dévorèrent, burent à la santé de Lydie et de Lorenzo, s'embrassèrent, rirent beaucoup — une fête dans les règles.

Mais Salvatore avait remarqué que François se montrait beaucoup plus taciturne qu'à l'accoutumée, que le rire s'éteignait vite sur ses lèvres, et que de temps à autre, il ne semblait plus avec eux mais très loin, enfermé dans ses propres pensées.

— Que se passe-t-il, François ? lui demanda-t-il vers la fin du repas. Quelque chose vous tracasse.

— Pas maintenant, murmura Thérèse aussitôt.

— Ce n'est rien, répondit François. Désolé. Je m'étais laissé entraîner loin d'ici un instant.

Salvatore se contenta de cette réponse pour le moment, mais plus tard, tandis qu'Armand et Caterina, installés sur une bergère, bavardaient en riant, et qu'Agnese, Thérèse et Lydie discutaient avec passion des détails de la noce — Lorenzo, un sourire béat sur les lèvres, ne perdait pas un mot de leur torrent de paroles — il entraîna François à l'écart.

— Qu'y-a-t-il, mon ami ? Je vous devine très malheureux. Je croyais que vous étiez enchanté du mariage de Lorenzo avec votre sœur.

— Certes. Cela n'a rien à voir. Je ne veux pas en parler maintenant, Salvatore.

— Je vous en prie. Videz votre cœur. Vous vous sentirez mieux ensuite et vous pourrez profiter du reste de la soirée.

François lui raconta la visite d'Emilie et leur discussion stérile après son départ. Salvatore l'écouta en silence, puis demeura longtemps sans répondre.

— J'ai beaucoup réfléchi, dit-il enfin, depuis que vous m'en avez parlé il y a quelques semaines. Je vous avais expliqué que je ne pouvais pas me permettre de risquer toutes mes réserves dans une affaire comme celle-là. De toute façon, jamais je ne pourrais réunir 18 000 dollars. Mais il y a une différence à présent. Nos familles vont être unies par ce mariage et je crois que cela m'impose le devoir de vous venir en aide. Je ne sais pas si ce que je peux faire suffira à résoudre le problème, mais je crois que je pourrai mettre sur la table 12 000 dollars pour acheter San Cristobal, si vous pouvez trouver les 6 000 dollars qui manqueront.

— Salvatore ! s'écria François, plein d'allégresse.

Mais son enthousiasme fut de courte durée.

— Vous êtes très généreux d'avoir envisagé cette solution, mais je ne vois pas comment je pourrais trouver une somme pareille.

— Ne pouvez-vous vous adresser à quelqu'un d'autre ?

— Uniquement à une banque.

— Je ne pense pas qu'ils vous prêteront, répondit Salvatore en secouant la tête. Vous êtes jeune, ils ne vous connaissent pas, et vous aurez du mal à offrir une hypothèque valable si je dois être propriétaire des deux tiers du domaine. Casa Rosa est à moi, n'est-ce pas. Je suis passé à la banque la semaine dernière, quand j'étais à San Francisco. Ils me prêteront 5 000 dollars sur Casa Rosa, ce qui signifie que je pourrai conserver suffisamment de liquidités pour rembourser les amortissements en cas de mauvaise année. Mais le risque demeure. J'accepte de le prendre, mais je ne saurais engager plus de 12 000 dollars, c'est un maximum.

— Oui, je le vois bien. Mais je ne connais personne d'autre à qui m'adresser pour obtenir le reste de la somme.

— Peut-être un autre propriétaire de la vallée. Giacomo Filippi, à la sortie de Sainte-Hélène, ou le vieux Vallore, près de Calistoga. Vous ne les connaissez pas, je pense, mais je pourrais leur poser la question. Je n'ai guère d'espoir, car ils ne sont riches ni l'un ni l'autre, mais si vous voulez, je peux tout de même essayer.

— Merci. Merci, Salvatore. Je vous suis très reconnaissant de votre offre, mais je crains bien qu'elle ne soit inutile. En tout cas, je n'aurai plus à me soucier de Lydie. C'est un grand soulagement.

— Oui, nous veillerons sur elle. Prenez un peu de vin, mon ami, et essayez d'oublier. Ce soir, nous ne devons songer qu'à ces deux jeunes gens.

François fit de son mieux pour se joindre à la bonne humeur de la fête, mais il ne pouvait s'empêcher de songer à son problème, à l'exclusion de presque toute autre chose. Si absorbé qu'il fût, il se força cependant à participer à la conversation générale et parvint même à sourire de temps en temps. Puis, à mesure que la soirée s'écoulait et que la joie se déchaînait — Armand ne cessait de les faire tous rire aux éclats avec ses plaisanteries de plus en plus grivoises aux dépens des jeunes fiancés — une vague d'optimisme se saisit de lui. Grâce à Salvatore, il avait 12 000 dollars à sa disposition. D'une manière ou d'une autre, il trouverait sa part.

Soudain une idée lui vint à l'esprit et il se leva.

— Un dernier verre, dit-il. A la santé de notre hôte et de notre hôtesse, avec tous nos remerciements pour leur générosité ce soir.

Tous burent.

— Il n'existe aucune famille à laquelle les Pujol s'uniraient plus volontiers que celle des Corsini.

— Sauf celle des Listrac, dit Armand d'une voix ivre.

— Les Listrac pour moi, et les Corsini pour Lydie. Mais maintenant, les Pujol et les Listrac, il faut rentrer. Je dois me lever tôt demain. Je vais à San Francisco.

Il refusa de répondre au torrent de questions que provoqua cette nouvelle.

— Patience, dit-il. Patience. Demain soir vous saurez tout.


A son arrivée au « Palais » le lendemain matin, son euphorie l'avait déserté, et les heurtoirs enveloppés de tissu accrurent ses incertitudes. Cette visite était une folie. Mademoiselle Emilie ne verrait sûrement pas d'un bon œil son intrusion dans cette maison de malade. Mais il avait fait le voyage, il fallait qu'il prenne son courage à deux mains.

Quand il demanda à être reçu par Mademoiselle Emilie, Simpson lui adressa un sourire hautain.

— Miss Emilie n'est pas encore descendue, répondit-il d'une voix glaciale, avec son accent anglais. Je vais voir si elle accepte de vous recevoir dans la journée.

Son ton était encore plus froid à son retour quelques minutes plus tard, lorsqu'il invita François à monter dans le salon de la jeune femme.

Vêtue d'un simple peignoir, ses cheveux défaits tombant sur ses épaules, Emilie terminait son petit déjeuner. François se figea, hésitant, à deux pas de la porte. Elle leva les yeux vers lui et sourit. Elle semblait plus heureuse que lors de sa visite à San Cristobal, et beaucoup moins fatiguée.

— Bonjour, François ! Entrez, asseyez-vous. Je ne m'attendais pas à vous voir. N'ayez pas l'air si timide. Il fait un temps superbe et je viens de passer ma meilleure nuit depuis des semaines. Je me sens heureuse.

Elle finit son café.

— Le médecin est venu hier, l'état de mon père évolue favorablement et de façon spectaculaire. A ce rythme, il pourra bientôt se lever, et la paralysie disparaîtra peut-être presque complètement.

— J'en suis très heureux, *Mademoiselle*, répondit François. Cela signifie-t-il qu'il changera d'avis au sujet de San Cristobal ?

— Non. J'en ai peur. En fait, il est plus résolu à vendre que jamais. Il va beaucoup mieux sur le plan physique mais il conserve toujours ses mêmes idées étranges. Le docteur assure qu'il deviendra probablement plus raisonnable avec le temps, mais dans l'intervalle nous devons accéder à tous ses caprices. Je suppose que c'est là l'objet de votre visite.

— Oui.

Mais tous les arguments qu'il avait minutieusement répétés en venant à San Francisco avaient abandonné son esprit et il ne savait plus par où débuter.

Emilie lui sourit.

— Enlevez cette table et venez vous asseoir près de moi.

Elle effleura de la main le coussin à côté d'elle, sur la bergère.

— Eh bien, dit-elle, qu'y-a-t-il ?

— J'ai un ami. Il s'appelle Salvatore Corsini et il est propriétaire des vignes un peu plus loin sur la route, au-dessus de San Cristobal. Votre père l'a rencontré une fois. C'est un homme droit, un homme d'honneur. Son fils Lorenzo vient de se fiancer avec ma sœur. Salvatore donnera 12 000 dollars pour acheter San Cristobal, si je peux trouver le reste. Nous serions associés. Il posséderait les deux tiers et moi un tiers. J'ai songé à la chose suivante : si je pouvais emprunter 6 000 dollars, je les rembourserais facilement avec le vin. La récolte de l'an dernier est presque prête à vendre. Je ne pourrais me libérer de beaucoup avec ce vin-là parce que nous aurons besoin d'argent pour vivre. Mais il y a le vin de cette année. La récolte n'est excellente ni en quantité ni en qualité. Mais elle me permettra tout de même de rembourser un peu. Et l'an prochain... L'an prochain, la récolte sera beaucoup plus abondante et le vin meilleur. En outre, je vais défricher le coteau et y planter de la vigne. Le terrain s'y prête et je ne comprends pas pourquoi on ne l'a pas fait plus tôt. Et si nous plantons comme j'en ai l'intention, dans trois ou quatre ans notre production augmentera de moitié.

Il s'arrêta, persuadé qu'il bavardait pour rien.

Mais Emilie le fixait, amusée.

— Continuez.

— Alors je voulais vous demander...

Il hésita, puis parla d'un trait.

— Je veux vous demander de me prêter 6 000 dollars.

Elle éclata de rire.

— Vous prêter 6 000 dollars ? François ! Quelle idée insensée ! Pour l'amour de Dieu, comment le pourrais-je ? Cela reviendrait en fait à ce que je conserve ma part de San Cristobal. Et je vous ai déjà dit que je ne tromperais pas mon père de cette façon.

— Mais vous ne le tromperiez pas. C'est moi qui serais propriétaire, avec Corsini. Vous seriez... Vous seriez la banque.

— Non, François. Je suis désolée mais c'est une idée impossible.

Il avait perdu son pari. Son visage devint livide. Mais il n'allait pas renoncer sans se battre — au point où il en était... Il se souvint des discussions avec son père sur la façon d'exploiter les vignes : jamais il n'avait pu vaincre sans revenir à la charge.

— Ce n'est pas si impossible, dit-il, têtu. Vous avez les terres comme garantie.

— Même si je me considérais comme une banque (cette pensée la fit rire), que se passerait-il si vous ne pouviez rembourser ? Que ferais-je du tiers d'un vignoble ? Je ne pourrais pas le vendre.

— Si. Je n'ai pas été assez clair. Mes 6 000 dollars achèteraient les bâtiments et la friche de la colline; l'argent de Salvatore, les vignes déjà existantes. Si je ne remboursais pas, vous pourriez toujours vendre les bâtiments comme une maison d'habitation indépendante des vignes. Salvatore n'en a pas besoin, il a sa maison et son chai.

Elle hocha la tête, sensible à l'ingéniosité du jeune homme.

— Oui, je vois. Mais c'est toujours aussi insensé. Si vous ne possédez que le tiers de la propriété, François, vous ne disposerez que du tiers des bénéfices — ou pas du tout, puisque votre ami sera propriétaire de la seule partie productive.

— Il me donnera un tiers des bénéfices — peut-être davantage. C'est moi qui travaillerai, mon travail doit bien être rétribué...

— Mais même dans ce cas, vous aurez des frais d'exploitation. Vous ne pourrez rembourser beaucoup.

— Pendant trois ou quatre ans, peut-être. Mais dès que les vignes du coteau se mettront à produire, ce sera facile.

Il décida de jouer tous les atouts qui restaient dans son jeu.

— C'est vous qui avez eu, au départ, l'idée d'acheter un vignoble. De cette manière, vous conserverez un intérêt dans l'affaire, mais sans avoir de dépenses pour la main-d'œuvre et le matériel. Et je paierai des intérêts pour le prêt. Et vous économiserez la commission de l'agent immobilier sur la vente. Et vous pourrez dire à votre père dans très peu de temps que San Cristobal est vendu, ce qui accélérera peut-être sa convalescence.

Il avait mis au point tous ces arguments dans le train, y compris l'idée de conserver les bâtiments en laissant les vignes à Salvatore. Il fallait encore qu'il obtienne à ce sujet l'accord de son ami, mais il avait bon espoir qu'il accepte. *Si* Emilie consentait à lui prêter l'argent.

Elle se tourna vers lui.

— Vous avez étudié l'affaire sous tous ses angles.

Elle lui sourit, sincèrement admirative. Il lui rendit son sourire. C'était la première fois depuis son entrée dans la pièce qu'il se détendait un peu.

— François ! s'écria-t-elle, se souvenant à quel point ce sourire l'avait séduite lorsqu'il s'était présenté pour la place d'aide-jardinier. J'avais oublié que vous étiez si beau.

Elle prit la tête du jeune homme entre ses mains et lui effleura les lèvres. Puis son baiser se fit plus ardent, sa langue joua avec la bouche de François et elle le serra dans ses bras.

Au début, il ne répondit pas à sa tendresse. Il n'était pas d'humeur à batifoler; et surtout, depuis qu'il avait épousé Thérèse, jamais il n'avait songé à une autre femme. Emilie l'avait reçu en déshabillé, mais il n'avait vu en elle que la source du prêt dont il avait besoin. Leurs relations d'autrefois appartenaient au passé. Mais la passion de la jeune femme était irrésistible. Malgré son désespoir au sujet de l'argent, malgré sa conscience de trahir Thérèse, il s'aperçut que ses lèvres embrassaient Emilie avec le même désir, il s'aperçut que ses mains glissaient sur les seins de la jeune femme, il s'aperçut qu'il l'aidait à ôter ses vêtements.

— Mon dieu ! s'écria-t-elle lorsqu'ils gagnèrent la chambre, je l'ai tellement désiré ! François, prends-moi, prends-moi. Cela fait si longtemps que je n'ai pas été aimée.

Elle était toujours la même, impudique et provocante. Elle le griffa, le mordit. Il s'abandonna, lui aussi, à sa rage. Les déceptions et les frustrations des semaines passées prêtèrent à sa passion une violence qui les laissa tous les deux épuisés lorsqu'ils se séparèrent enfin. Pendant un long moment, ils demeurèrent allongés en silence. François, bourrelé de remords à l'égard de Thérèse, songeait que c'était là une conclusion bizarre à sa mission sans fruit. Emilie ronronnait en elle-même, le visage illuminé de bonheur. Aucun homme n'était comme François — aucun de ses autres amants ne pouvait lui être comparé. Comme elle avait été sotte de se faire elle-même l'artisan de son départ à Cinnabar ! Elle aurait dû le garder ici, dans la maison, pour faire de lui son jouet. Et elle savait bien que jamais il ne reviendrait vivre au « Palais » maintenant qu'il était marié — sauf, bien entendu, si absolument aucune autre solution ne s'offrait à lui. L'idée de lui prêter les 6 000 dollars était folle, mais cela le lierait à elle. Elle le verrait de temps en temps et elle aurait sur lui une emprise que sa jolie petite idiote d'épouse ne pourrait jamais briser.

D'un mouvement soudain, elle se jeta hors du lit et s'enveloppa dans son peignoir.

— Montrez votre dos, lui ordonna-t-elle.

Il obéit.. Elle éclata de rire.

— Vous ferez bien de ne pas laisser votre femme découvrir ces coups de griffes. Elle ne croirait jamais que c'est ce que vous coûtent vos 6 000 dollars !

François n'en croyait pas ses oreilles.

— Vous voulez dire...

— J'ai perdu l'esprit mais, oui, je vous prêterai l'argent. Tout devra passer par mes avocats, bien entendu.

Elle s'en alla dans l'autre pièce, et François s'habilla à la hâte pour la suivre. Elle s'assit à son bureau et griffonna quelques mots.

— Voici l'adresse de mon avocat. Que votre ami lui écrive en lui confirmant qu'il paiera 18 000 dollars pour San Cristobal.

Elle ne songeait plus qu'aux affaires à présent.

— Quand tous les papiers seront prêts, je vous enverrai un chèque de 6 000 dollars que vous remettrez à votre ami et il enverra immédiatement le montant total à mon avocat. Au moindre retard, au moindre impair, le marché est rompu et je poursuis en justice. Un accord entre vous et moi attestera que je suis propriétaire de tous les bâtiments de San Cristobal et du coteau jusqu'à ce que vous ayez remboursé le montant du prêt, augmenté d'un intérêt de 5 %. Une copie devra parvenir à mon avocat. D'accord ?

— Je vous en prie, *Mademoiselle*... Répétez-moi tout, dit François.

Etourdi par le tour étrange que prenaient les événements, il ne parvenait plus à suivre l'anglais rapide de la jeune femme. Elle reprit tous les points patiemment. Il se leva, rayonnant de bonheur, n'osant pas croire à sa chance.

— Maintenant partez, lui dit-elle, coupant court à ses remerciements. Avant que je ne change d'idée... Je vais aller dire à mon père que San Cristobal est presque vendu.

Elle le poussa hors de la pièce tandis qu'il lui renouvelait sa gratitude.

Il descendit prendre son manteau dans la salle des serviteurs. Simpson le raccompagna à la porte, avec sur les lèvres une moue de mépris.

« Et il a raison, se dit François sur le chemin de l'embarcadère. Il a raison. Je me suis prostitué. Oui, prostitué. Et je m'en moque ! »

Il lança son chapeau en l'air et se mit à courir vers le bac.


A son arrivée à Cinnabar, il se rendit directement à Casa Rosa et informa Salvatore des dispositions qui avaient été prises. Au milieu de son récit, il se rendit compte de tout ce que celui-ci pouvait avoir d'invraisemblable — et effectivement, Salvatore l'écoutait bouche bée.

— Mais qu'avez-vous donc fait pour la convaincre ? demanda-t-il.

— Rien... Presque rien.

Et il pivota un peu sur lui-même car il sentait encore la brûlure des ongles d'Emilie dans son dos.

— Je savais qu'elle avait envie de conserver le vignoble, et je lui ai montré comment elle pourrait garder au moins un intérêt dans l'affaire. Elle va en retirer un profit tout en accédant au désir de son père.

Il poursuivit en expliquant comment les terres et les bénéfices devraient être partagés jusqu'à ce qu'il ait remboursé l'argent de Salvatore.

— Plus les intérêts.

— Non, protesta Salvatore. Je n'ai pas besoin d'intérêts. J'aurai les bénéfices du vin.

— Il le faut. Tout doit être équitable entre nous. Ce sera la récompense de votre générosité.

Salvatore se laissa persuader, comprenant que François était sincère en lui offrant une affaire avantageuse pour lui. Mais il insista pour que le jeune homme paie sa dette à M<sup>lle</sup> King avant d'essayer de réduire le prêt Corsini. Il promit d'écrire à l'avocat d'Emilie comme elle l'avait demandé. Il rendrait visite à l'avocat dès que les accords entre lui-même et François seraient signés dans les règles. A la fin de leur discussion, les deux hommes échangèrent solennellement une poignée de mains.

Quand François ouvrit la porte de San Cristobal, Thérèse courut à sa rencontre. Le visage de son mari lui apprit qu'il apportait une bonne nouvelle.

— Tu avais raison, lui dit-il aussitôt. Tu as toujours dit que nous resterions ici, et tu avais raison.

— François !

Elle se jeta à son cou et le serra dans ses bras. Son cri de joie attira tous les autres : ils voulaient savoir ce qui s'était passé.

— Chaque chose en son temps, mes enfants, répondit François. Lydie, du vin ! Beaucoup de vin !

Il ôta son manteau, entra dans la cuisine, s'assit et commença à leur raconter tout — ou presque tout — ce qui s'était passé depuis son départ de la maison ce matin-là.

Ce fut le troisième soir de suite où ils allèrent tous se coucher après avoir trop bu.

## 13

Au cours des semaines qui suivirent, tous travaillèrent avec un enthousiasme renouvelé. Il y avait beaucoup à faire en hiver, tandis que le ciel plombé déversait une pluie glacée. Le brouillard qui glissait par-dessus les collines demeurait en suspens au-dessus de la vallée, ils avaient les vêtements trempés et les doigts engourdis. Le froid semblait s'infiltrer jusqu'à leurs os, mais le soir, ils se réchauffaient en engloutissant les grosses quantités de nourriture que Lydie leur préparait, et la maison était toujours pleine de rires et d'espoir.

Le vin nouveau avait fini de fermenter et mûrissait en fûts. Quand le moût avait été versé dans les foudres, avec les peaux des raisins, on n'avait pas rempli les tonneaux pour permettre l'augmentation de volume au cours de la fermentation. Celle-ci avait débuté aussitôt sous l'effet des ferments naturels qui avaient attaqué le sucre dans le jus, le transformant en alcool. La quantité de sucre des raisins est un facteur décisif de la vinification, et comme la teneur en sucre des fruits s'accroît rapidement au cours des dernières journées de maturation, le choix exact de la date des vendanges est essentiel. Au cours des premières journées, ils avaient soutiré le moût du fond des tonneaux pour le verser par-dessus la « croûte » formée par les peaux des grains, afin d'extraire de ces peaux tous les ferments, la couleur et le parfum, ainsi que le tanin contenu dans la râpe mêlée aux peaux. Suivant l'avis de Salvatore, François avait laissé beaucoup plus de râpe, car selon l'Italien, le Zinfandel avait besoin de davantage de tanin pour améliorer la saveur du vin. En moins d'une semaine, la première fermentation était terminée et le vin bourru pouvait être soutiré dans d'autres fûts. Il se produirait alors une fermentation plus lente et moins violente, le vin se clarifierait graduellement tandis que la lie se sédimenterait au fond du tonneau. Il faudrait transvaser le vin trois ou quatre fois au cours de l'année — ce sont les soutirages — en le siphonnant par la bande pour laisser les dépôts d'impuretés au fond des fûts. Puis on enlèverait ces lies, on nettoierait les douves des tonneaux et on brûlerait à l'intérieur des bâtonnets de soufre pour les purifier. Une fois la fermentation terminée, les tonneaux de stockage seraient remplis jusqu'à la bonde, et l'on « ouillerait » régulièrement avec du vin de la récolte précédente.

Il y avait également des travaux à faire dehors, et surtout la taille, essentielle mais si malencontreusement négligée après la mort de da Silva. D'abord les vignes les plus jeunes, puis les vieux ceps. Il fallait également remplacer par les plants récemment greffés, que François cultivait dans sa pépinière, les pieds saccagés par les vandales et quelques autres ceps malades. Il fallait répandre entre les rangs des tourteaux et du compost, puis l'enterrer. Il fallait arracher les mauvaises herbes et ramasser les sarments pour en faire des fagots.

Et tandis que les travaux du chai et des vignes se poursuivaient, les avocats s'occupaient des contrats de vente de San Cristobal.

François continuait d'aller à San Francisco toutes les deux semaines. Les King étaient encore propriétaires du vignoble et malgré les changements imminents, les rapports devaient être présentés comme de coutume. John King s'accrochait à la vie. Sa santé s'améliorait mais François ne le vit pas. Il avait affaire à Emilie et leurs rencontres incluaient ce qu'il considérait comme « le prix à payer ». A chacun de ses déplacements à San Francisco, il était profondément troublé. Il disait au revoir à Thérèse en sachant qu'il allait la tromper, et il se méprisait. Il jurait qu'il ne permettrait plus à Emilie de se servir de lui, mais il se rendait compte en même temps qu'il ne serait pas capable de résister. Il se donnait volontiers comme excuse qu'au moins jusqu'à la signature de tous les accords, tant que San Cristobal ne lui appartenait pas, ainsi qu'à Salvatore, il était obligé d'accéder aux exigences d'Emilie — rien ne devait se produire qui risquât de la faire revenir sur sa décision.

Pour sa part, Emilie s'en voulait beaucoup de s'être laissée entraîner dans une opération financière aussi absurde, mais elle se refusait à rompre sa liaison avec François. Il était si beau et si viril, et depuis la maladie de son père, elle avait été privée de compagnie masculine.

Thérèse détestait chaque déplacement de François à la ville. Instinctivement, elle était certaine qu'Emilie constituait une menace pour son bonheur — tout en ignorant, Dieu merci, les relations de son mari avec la jeune femme. La pudeur qui régnait dans la chambre à coucher des Pujol était telle que François n'avait eu aucun mal à dissimuler les coups de griffes de son dos après sa première trahison, et depuis lors, ses étreintes avec Emilie, si tumultueuses qu'elles fussent, n'avaient pas atteint un degré de violence susceptible de laisser d'autres traces révélatrices.

Les avocats d'Emilie avaient l'habitude de travailler pour elle et pour son père avec plus de célérité et d'efficacité que la normale. Les documents furent rédigés et tout se passa sans heurts. On présenta à la signature de François un accord entre lui-même et Emilie. Il n'en comprit guère les termes, mais signa néanmoins, certain qu'elle ne l'avait pas dupé.


Quand tout fut terminé et que San Cristobal appartint à Salvatore et à François, les Corsini donnèrent une grande soirée, non seulement pour les deux familles mais pour tous les propriétaires des environs, à l'exception de Friedrich Eichenbaum. Thérèse et Lydie avaient aidé Agnese et Caterina à préparer le buffet, servi sur deux vastes tables, et Salvatore avait sorti de sa cave plus de vin qu'il ne s'en boirait.

Ce fut une fête très gaie, et François rencontra de nombreux propriétaires qu'il ne connaissait auparavant que de nom. Tous se montrèrent bien disposés à son égard car ils avaient pu constater, en passant sur la route de Cinnabar à Calistoga, le travail que le Français avait accompli à San Cristobal. Ils savaient qu'en dépit de sa jeunesse il était manifestement capable de diriger un vignoble. Certains désiraient en savoir plus long sur l'association entre François et Salvatore, bien que l'annonce des fiançailles de Lorenzo et de Lydie eût expliqué une partie de la situation. Pourtant les commérages et les chuchotis allaient bon train dans tous les coins de la maison.

— Si vous voulez mon avis, disait une barbe grise à une autre, Corsini s'est découvert de trop. Je crois savoir qu'il a dû payer 25 000 dollars. Ça ne les vaut pas, bien entendu, et il va falloir que le jeune homme, ce Pujol, ait les épaules solides. J'espère qu'il sait ce qu'il fait.

— Où a-t-il trouvé l'argent, voulez-vous me le dire ? répliquait l'autre. Jamais il n'a été riche. Et Pujol n'a manifestement pas un sou vaillant.

Et ils hochaient la tête, ravis de la folie des autres.

La soirée avait une autre justification, si besoin en était. Les Corsini avaient « de la visite ». Elle avait tout juste dix-huit ans et c'était la fille d'un riche cousin de Salvatore, venue de Chicago où elle demeurait pour rétablir sa santé après une longue maladie. Elle se nommait Elena et presque tous les invités de la soirée la trouvèrent absolument ravissante. C'était une beauté — cheveux noirs brillants, yeux verts en amande, bouche mutine de Cupidon — et elle portait une robe qui faisait pâlir d'envie toutes les femmes de l'assistance, si jolies, si élégantes et si soucieuses de la mode qu'elles fussent. Elle avait la voix haut placée, comme le chant d'une flûte, et un rire qui tombait en cascades de cristal. Elle s'était assise sur un sofa et tenait sa cour comme une reine, flirtant avec les hommes et enchantant les femmes par le spectacle de sa belle toilette et les conseils qu'elle leur donnait — toujours si aimablement que nulle ne songeait à s'en offenser — pour adapter leurs propres robes à la toute dernière mode de l'Est.

Les seules personnes à ne pas succomber à son charme semblaient être Thérèse, Lydie et Caterina. Thérèse et Lydie parce que la jeune Elena, après un simple coup d'œil à ces deux femmes presque de son âge, n'avait pas tenté de dissimuler dans son regard le mépris qu'elle ressentait pour leurs vêtements misérables et leurs coiffures sans apprêt — sans cesser pour autant de babiller des politesses. Et Caterina parce qu'Armand se trouvait, bien entendu, au premier rang des galants rassemblés autour de cette sirène. A cet égard, Lydie avait beaucoup moins à se plaindre de Lorenzo. Dès qu'Elena l'avait vu — expliqua Caterina à Lydie — elle avait entrepris sa conquête. « Mon cher cousin Lorenzo, avait-elle dit, quel bel homme vous êtes, sans mentir. J'ignorais que j'avais un si beau parent. » Elle lui avait pris le bras. « Mon dieu ! quels muscles ! » avait-elle roucoulé en levant les yeux vers lui, paupières frémissantes. Mais Lorenzo, comme ils le savaient tous, demeurait de glace devant ce genre de compliments, et il n'avait répondu que par un sourire poli. Au cours de la soirée, Lydie avait plusieurs fois surpris le regard du jeune homme fixé sur sa fascinante cousine, mais elle s'était rassurée en voyant qu'il ne quittait pas ses côtés, et recevait avec joie les félicitations de chacun pour ses fiançailles.


François passa la soirée dans un état d'euphorie totale. Il n'arrivait pas à croire que San Cristobal, ou en tout cas une partie de San Cristobal, lui appartenait. Il débordait de gratitude à l'égard de Salvatore — et de Lydie, qui avait été la cause profonde du rapprochement des deux familles. Thérèse était pleinement rétablie de sa fausse couche et aux yeux de François, malgré la concurrence d'Elena, elle demeurait la plus belle femme de la soirée. De temps à autre il la prenait par la taille et lui donnait un baiser rapide. Rougissante mais ravie, elle le repoussait en disant que ce n'étaient pas des façons de se comporter pour des gens mariés.

Vers le milieu de la soirée, Salvatore s'approcha de lui.

— Satisfait, mon ami ?

François lui serra longuement la main.

— Je vous dois tant, Salvatore ! Je vais faire de San Cristobal le meilleur vignoble de la vallée.

— Après le mien, s'écria Corsini en riant.

— L'égal du vôtre.

— J'ai songé à une chose, dit Salvatore. Je crois que nous devrions changer le nom de San Cristobal.

François lui adressa un regard de méfiance. Voulait-il faire de « son » domaine une partie de Casa Rosa ? Mais il dissimula ses sentiments, car si c'était là l'intention profonde de Salvatore, il n'avait aucun moyen de s'y opposer.

— N'est-ce pas anormal ? poursuivit Salvatore. Vous êtes français, et les vignes que vous cultivez et dont vous êtes en partie propriétaire porteraient un nom espagnol ? Je crois que vous devriez le changer. Qu'en pensez-vous ?

— En « Saint-Christophe » ? murmura François.

Instinctivement, il porta la main à sa poitrine et sentit sous ses doigts la médaille que Thérèse lui avait donnée si longtemps auparavant, lors de son départ de Sauveterre.

— Je crois que c'est une idée merveilleuse. Oui, merveilleuse. Saint Christophe a été très bon pour moi. C'est lui qui m'a conduit ici, en Californie, qui m'a trouvé du travail chez les King, qui a scellé votre amitié pour moi. Saint Christophe compte beaucoup dans ma vie.

— C'est le même saint. San Cristobal est son nom espagnol.

— Oui, mais il ne comprendrait pas mes prières en français, n'est-ce pas ? répliqua François en riant. Les vignes de Saint-Cristophe — comme cela sonne bien !

Salvatore sourit.

— Parfait. Alors je vais l'annoncer.

— Une seconde. Laissez-moi l'apprendre à Thérèse en premier.

Il alla la rejoindre et lui chuchota quelques mots à l'oreille. Cette fois, ce fut elle qui se dressa sur les pointes des pieds pour l'embrasser — son sourire radieux trahissait sa joie profonde. François fit signe à Salvatore.

Corsini monta sur une chaise et réclama le silence. Quand il annonça la décision que François et lui venaient de prendre, les vivats retentirent de toutes parts.

— Buvons au succès de Saint-Christophe !

— Et de Salvatore Corsini et de François Pujol ! cria une voix.

— Et de Mademoiselle Elena, dit Armand quand le premier toast eut été bu.

Ils levèrent tous leur verre à la santé d'Elena, tandis que Caterina murmurait à Lydie :

— Attends un peu que je l'attrape ! Proposer un toast à cette... à cette mijaurée !


Deux jours plus tard une lettre exprès arriva de San Fransisco à l'adresse de François.

« Pujol, disait-elle, j'ai le regret de vous informer que mon cher père est décédé sans souffrances hier matin. Les obsèques auront lieu à la cathédrale Sainte-Marie vendredi prochain à midi. Emilie King. »

Ce fut un choc pour François. Il était très attaché à John King et il le considérerait toujours comme le plus juste et le plus compréhensif des employeurs et comme le plus astucieux des hommes d'affaires. Une pensée le frappa, et si prosaïque qu'elle fût, elle lui parut réellement tragique : King n'avait jamais goûté son propre vin.

— Nous irons aux obsèques, bien entendu, dit-il. Tous les quatre. Nous devons tout à M. King.

Le vendredi matin, vêtus de leurs plus beaux habits, ils prirent le départ. A leur arrivée à la cathédrale, la foule était déjà nombreuse. Les serviteurs étaient assis dans le fond et Thérèse s'arrêta à une rangée de chaises où il y avait de la place pour quatre.

— Non, chuchota François. Nous ne sommes plus domestiques, à présent. Nous devons aller plus loin.

Et, fièrement, il les conduisit jusqu'à des sièges au milieu de la nef.

Le service fut long et la foule mit presque une heure à quitter l'église car Emilie, refusant l'aide de tous les autres parents présents, insista pour recevoir, debout à la porte, les condoléances des nombreux amis et relations venus témoigner une dernière fois leur respect pour John

King. Seuls les membres de la famille et les proches se rendraient au cimetière.

Les Pujol parvinrent enfin jusqu'à elle et exprimèrent leurs regrets en quelques phrases émues. Elles les remercia d'être venus et dit d'une voix mécanique.

— Ce fut un soulagement pour lui. Il ne supportait pas d'être réduit à l'impuissance.

Son voile noir de soie, très fin, presque transparent, permettait d'entrevoir ses yeux bordés de rouge et ses lèvres qui tremblaient. Sa douleur les toucha.

— La pauvre ! dit Thérèse pendant le trajet de retour à Cinnabar. Elle était si brave, debout, comme ça. Je ne l'ai jamais aimée — tu le sais, François — mais aujourd'hui, mon cœur a fondu. Elle sera tellement seule, n'est-ce pas ? Je me demande si elle va rester dans cette énorme maison.

Ils eurent très vite la réponse, car une semaine plus tard une nouvelle lettre parvint à François.

Elle était presque aussi concise que la précédente.

« François, vous n'êtes pas venu me voir depuis que l'affaire a été conclue. Je possède toujours un intérêt dans San Cristobal, et vous ne devez pas ignorer que les termes de notre accord spécifient que je peux me retirer à tout instant et exiger le remboursement de mes fonds. Je n'ai nullement l'intention de le faire pourvu que vous ne cessiez pas de me rendre compte à intervalles réguliers. Mon adresse demeure et demeurera la même. Je tiens à vous voir ici deux fois par mois. E. King. »

François prit le document légal qu'il avait signé. C'était exact : elle avait le droit de retirer ses fonds; en tout cas, c'était ce que semblait dire le texte derrière la terminologie juridique déroutante. Comme il avait été stupide de signer avec tant de confiance ! Mais qu'aurait-il pu faire d'autre ? Ils étaient toujours sur une corde raide, car si Emilie exigeait ses 6 000 dollars, il ne voyait aucun moyen de les lui rembourser. Il ne pouvait compter que sur la promesse de la jeune femme. Elle insistait pour qu'il lui rende visite régulièrement et il fallait qu'il se plie à ses exigences. Cette perspective était effrayante et excitante à la fois.

Maintenant que ni François, ni Armand, ni Absalon ne recevaient plus de salaire des King, un urgent besoin d'argent liquide se fit bientôt sentir à Saint-Christophe. Si nécessaire, ils pouvaient vivre sans salaire et sans argent de poche, mais il fallait acheter de quoi manger et payer Absalon normalement, même si tous les autres devaient se priver. Le Noir avait pris François à part pour lui offrir de réduire son salaire, mais François avait refusé de l'écouter.

— C'est bien assez que vous soyez resté avec nous, lui dit-il.

La seule source immédiate d'argent comptant était le vin de la récolte de 1879, l'année avant que M<sup>me</sup> da Silva ne vende. Cela faisait plus de douze mois maintenant qu'il mûrissait en fûts. François alla au chai et en tira un verre. Il paraissait bien mince comparé aux vins riches du Bordelais, mais il était buvable. Certes, il aurait probablement gagné à demeurer en fûts plus longtemps, mais il était tout de même prêt pour la consommation.

François décida d'aller voir Eichenbaum : l'Allemand aurait sans doute appris le décès de John King et se sentirait peut-être libre de refuser de négocier le vin de Saint-Christophe... Il partit pour Oak Valley un soir, sans dire aux femmes où il se rendait, mais après avoir averti Armand et Absalon de venir le chercher s'il n'était pas rentré au bout d'une heure. Il avait songé à demander à Salvatore de l'accompagner puisque c'était lui le principal propriétaire de Saint-Christophe désormais — et que de toute façon il voudrait probablement discuter avec Eichenbaum de la vente de son propre vin — mais il savait que tôt ou tard il devrait affronter l'Allemand seul à seul, et c'était une occasion idéale.

En remontant l'allée, la beauté du domaine d'Oak Valley le frappa une fois de plus — le cadre était parfait et les bâtiments, à la lueur de la pleine lune, avaient un éclat qui rehaussait l'harmonie de leurs lignes. François aimait Saint-Christophe, mais sans conteste, la propriété d'Eichenbaum suscitait l'envie.

Il frappa à la porte. Eichenbaum ouvrit lui-même. Il leva sa lampe à pétrole pour éclairer le visage de son visiteur. En reconnaissant François, il se rembrunit.

— J'aimerais vous parler.

— A quel sujet ? demanda l'Allemand d'un ton revêche.

— J'ai du vin à vendre. Puis-je entrer ?

— Non. Ma maison est pour mes amis. Alors, vous avez du vin et vous voulez que mon agence l'expédie et que ma maison de gros vous l'achète ?

Il s'interrompit.

— Il paraît que votre protecteur est mort.

— M. King est mort, mais sa fille conserve un intérêt dans Saint... San Cristobal. Ce n'est pas la question. Tout ce que je veux savoir, c'est si oui ou non l'achat de mon vin vous intéresse.

— Du moment que j'y trouve mon compte, peu m'importe d'où provient le vin.

— Alors, vous vous en occuperez ? Sinon, dites-le moi, et je le livrerai à Sainte-Hélène.

— Ce sera comme vous voudrez.

— Vous me donnerez un prix équitable ?

Eichenbaum le toisa avec mépris.

— Si cela vous inquiète, livrez donc votre vin si précieux à Sainte-Hélène. On vous donnera quelques *cents* de plus, mais le transport vous reviendra beaucoup plus cher.

— Et Salvatore Corsini ? Prendrez-vous également son vin ?

— Pourquoi ne me le demande-t-il pas lui-même ?

— Quand devrai-je apporter mon vin à l'agence ?

— Vous voulez dire le vin de Corsini ? Si j'ai bien compris, c'est lui le propriétaire de San Cristobal, à présent.

— Quand dois-je le livrer ?

— A votre guise.

— Mercredi prochain ?

— Parfait.

Eichenbaum recula dans la maison et ferma la porte.

François s'aperçut qu'il tremblait — non de peur mais de colère. Il se sentait humilié sans comprendre pourquoi. L'indifférence froide de l'Allemand, étrangement insultante, était bien pire que son hostilité déclarée.


Le mercredi suivant, avec l'aide des Corsini, ils soutirèrent le vin de l'année précedente, le faisant passer des énormes foudres où il mûrissait dans les fûts de cent gallons — l'équivalent de presque deux barriques bordelaises. François avait surestimé la production du vignoble quand il avait affirmé qu'il pourrait produire quatre-vingt-dix à cent hectolitres de vin. Il faudrait des années avant de pouvoir obtenir des récoltes de cet ordre. La dernière vendange de M$^{me}$ da Silva ne remplit que dix-sept fûts de cent gallons, soit environ soixante-cinq hectolitres. Il faudrait garder le restant pour la consommation familiale et pour l'ouillage des fûts de l'année suivante, en compensation de la perte par évaporation, pour que les foudres de stockage restent pleins jusqu'à la bonde.

Ils chargèrent cinq fûts sur la charrette de Salvatore et les descendirent à l'agence d'expédition de Cinnabar. Salvatore et François entrèrent dans le bureau ensemble. Le directeur d'Eichenbaum, Helmut Reinhardt, était présent, mais de toute évidence Eichenbaum entendait conduire les négociations lui-même.

Il ignora la présence de François.

— Alors, le nouveau propriétaire vient vendre son vin ? dit-il à Salvatore. Vous avez eu de la chance, monsieur. Si j'avais su que l'endroit était à vendre, je ne l'aurais pas laissé passer. J'aurais dû l'acheter il y a un an, mais j'étais à court de liquidités à l'époque. San Cristobal devrait être réuni à Oak Valley. Je vous l'achète sur-le-champ, si vous le désirez — et en vous laissant prendre votre bénéfice.

— C'est Saint-Christophe à présent, répondit Salvatore calmement. Et ce n'est pas à vendre.

— Hum ! grogna l'Allemand. Nous verrons. Il paraît que vous avez un gros découvert, Corsini.

— Qui raconte ça ? demanda Salvatore furieux.

— Oh ! les gens. Je ne sais plus où je l'ai entendu. Mais ne m'appelez pas au secours. Et ne m'envoyez pas ce vaurien, ajouta-t-il en désignant François.

Le jeune homme serra les poings et s'avança vers l'Allemand.

— Pas d'histoire, messieurs, s'il vous plaît, s'écria aussitôt Eichenbaum sur un ton de velours. Je ne suis pas obligé d'acheter votre vin, vous savez.

— Un jour, nous aurons une autre agence ici, dit Corsini.

— Oui ? Mais pas encore. En attendant, je suppose que vous devrez m'honorer de votre clientèle.

— Pas si vous ne la voulez pas, répondit Salvatore. Nous pouvons aller à Sainte-Hélène.

Eichenbaum ignora la remarque.

— Echantillon ! ordonna-t-il.

Reinhardt appela un caviste qui tira un verre de vin dans l'un des fûts avec sa pipette de cuivre. Il remit le verre à Eichenbaum qui le huma, puis le souleva à la lumière pour examiner sa couleur, et enfin le goûter.

— De la lavasse, dit-il enfin. Qu'est-ce que c'est ? Ce que la vieille da Silva a laissé en partant ? Je ne peux pas vous offrir plus de 150 dollars le fût.

— C'est ridicule, Eichenbaum, protesta Salvatore.

Ils s'installèrent pour marchander et Salvatore parvint à faire monter l'Allemand à 165 dollars. L'ensemble des dix-sept fûts rapporterait donc 2 805 dollars. C'était une somme assez modeste, car il fallait qu'elle couvre toutes les dépenses d'exploitation, ainsi que les frais d'entretien, pendant plus d'un an. En effet, François ne pouvait compter sur un meilleur revenu pour le vin de sa première année à Saint-Christophe — les vignes avaient été mal taillées et très mal tenues jusqu'à son arrivée. Ils allaient traverser une période de vaches maigres. Et François était plus que jamais reconnaissant à Salvatore de lui laisser tous les revenus de la propriété jusqu'à ce qu'il ait remboursé M$^{lle}$ King.

Ils firent quatre charrois pour transporter tous les fûts de Saint-Christophe aux chais de l'agence. Eichenbaum assista à chaque livraison et tint à vérifier lui-même la qualité du vin de chaque fût.

— Merci, Salvatore, dit François au cours de l'un des charrois. Je ne crois pas que j'aurais obtenu 165 dollars si j'avais été seul.

— Je m'étonne qu'il traite avec nous, maintenant que M. King est mort.

— Je lui ai appris, l'autre soir, que M$^{lle}$ King conservait un intérêt dans Saint-Christophe.

— C'est peut-être l'explication. S'il fait des ennuis, croyez-vous qu'elle pourra l'arrêter, comme son père ?

— C'est une dame assez résolue, répondit François avec un sourire. En général elle obtient ce qu'elle veut.

Quand ils eurent livré les quatre derniers fûts et qu'Eichenbaum lui eut remis son chèque, Salvatore dit :

— A propos, Eichenbaum, je tenais à vous féliciter.

L'Allemand lui lança un regard soupçonneux.

— Vous avez repris vos gros bras bien en main, on dirait. Il n'y a pas eu d'histoire à Cinnabar depuis longtemps. Bravo.

— Un jour, Corsini, répliqua Eichenbaum furieux, vous direz ce genre de chose une fois de trop. Et un jour, je vous le promets, je vous rachèterai tout : ce sera la fin de Casa Rosa et de San Cristobal.

Salvatore éclata de rire.

— Je vous l'ai dit, c'est Saint-Christophe à présent. Vous savez comment nous appelons les gens comme vous en Italie ? *Fanfarone...*

François entraîna Salvatore. Même sans comprendre exactement le sens du mot, l'Allemand sentait bien que c'était une insulte.


Ils se rendirent à la banque de Cinnabar pour déposer le chèque, puis reprirent la route de la maison.

— Il se figure qu'il va acheter Saint-Christophe ! dit François. Un jour, c'est à moi qu'appartiendra Oak Valley.

— Pourquoi dites-vous ça ?

— J'en ai eu envie la première fois que je l'ai vu. C'est le plus beau domaine de toute la vallée.

— Contentez-vous de Saint-Christophe, répondit Salvatore.

Après un instant de silence, il reprit :

— J'ai été stupide de mettre tout mon argent dans Saint-Christophe. Je ne le regrette pas, François, et si c'était à refaire, je n'hésiterais pas davantage... Mais j'aimerais pouvoir m'associer avec Filippi, Vallore et quelques autres, pour monter notre propre agence et une affaire de vins en gros. L'idée de mettre de l'argent dans la poche d'un salaud comme Eichenbaum me hérisse.

— Vous avez raison. Et nous le ferons un jour, promit François. Quand j'aurai défriché le coteau, quand j'aurai remboursé mes dettes, quand mon vin sera le meilleur de la vallée de Napa — ou en tout cas aussi bon que le vôtre — quand l'argent commencera à rentrer, c'est ce que nous ferons.

— D'accord, répondit Salvatore.

Et ils éclatèrent de rire — deux hommes qui se comprenaient et qui rêvaient le même songe.

# 14

Au bout de quelques jours à Cinnabar, Elena s'ennuya et n'hésita pas à le dire. Lydie et Lorenzo, Caterina et Armand passaient beaucoup de temps avec elle, et même Armand commençait à se lasser de ses éternelles jérémiades, de ses comparaisons de tous les instants entre le côté primitif de la vie à Casa Rosa et le confort élaboré de sa maison de Chicago. Mais en même temps, ils étaient tous forcés de reconnaître que la jeune fille possédait un charme et une séduction extraordinaires — et il leur arrivait souvent de prendre vraiment plaisir à sa compagnie. Elle ne perdait aucune occasion de leur rappeler qu'elle avait été très malade, qu'elle était trop fatiguée pour marcher et qu'un des hommes devait la porter — mais en réalité le climat sain de la Californie avait complètement rétabli sa santé, et son entrain semblait inépuisable, surtout le soir.

— Je suis un oiseau de nuit, mes chéris, disait-elle de sa douce voix haut perchée. C'est pour cela que la vie m'est si pénible ici. Vous vous levez si tôt ! Et vous vous couchez avant même que la soirée ne commence. Oh ! les bals qui se prolongent jusqu'à l'aurore ! Et nous dansions, nous dansions. Et comme nous nous amusions ! Mais... pourquoi ne pas danser nous aussi ?

— Où ?

— Ici.

— Nous n'avons pas de musique, dit Caterina.

— Nous chanterons. Lorenzo, Armand, repoussez les meubles contre les murs de la pièce. Cela ne vous ennuie pas, tante Agnese ?

— Non, répondit Agnese bien que cela l'ennuyât.

— Bon. Est-ce que vous valsez ?

— Non, répondirent les autres en chœur.

— Alors, je vais vous montrer. Armand, venez. Mettez vos bras ainsi. Une main sur ma taille et l'autre là, comme ceci. Et à présent, levez les pieds en même temps que moi. Un, deux, trois... Un, deux, trois... Un, deux, trois... C'est ça ! Bravo. Maintenant à Lorenzo...

Quand elle eut fini de montrer aux hommes les pas de base, elle prit Caterina et Lydie tour à tour, en les conduisant comme si elle était leur cavalier.

— Maintenant, essayons pour de bon, Armand. Et en chantant, cette fois.

236

Elle leur fit faire un tour de valse à chacun.

— Je suis à bout de souffle ! s'écria-t-elle enfin. J'ai fait tout le travail. Je m'assieds pour chanter pendant que Caterina danse avec Armand et Lydie avec Lorenzo.

Mais à peine avaient-ils fait quelques pas qu'elle était de nouveau debout, pour corriger leurs gestes, leur montrer comment tourner, dansant elle-même, pirouettant en tous sens.

Quand ils furent tous hors d'haleine, la danse se termina en mêlée confuse au centre du salon des Corsini.

— Ah ! quelle soirée ! s'écria Elena. Un verre d'eau, Lorenzo, s'il vous plaît. Comme vous vous amuseriez à Chicago ! Notre salon est immense, assez grand pour un vrai bal. Mais vous savez, mes pauvres chéries, il faudrait vraiment faire quelque chose pour vos toilettes et votre teint. Peu importe. Les bals sont si excitants et parfois si drôles. Je me rappelle, un jour, une femme *colossale* — absolument énorme, mes amis, comme un éléphant — et elle dansait avec un homme pas plus gros qu'une crevette. Et voici qu'arrive un autre couple, avec une femme encore plus énorme et un homme encore plus petit — à ne pas croire ! Ils dansaient tout près l'un de l'autre, avec seulement un troisième couple entre eux. Alors figurez-vous, l'homme de ce troisième couple marche sur les traînes des deux grosses dames et les déchire. Seulement voilà, il ne s'aperçoit de rien et s'éloigne avec sa cavalière. Les deux éléphants se retournent et chacun croit que l'autre a piétiné sa robe. Les choses qu'elles ont pu se dire ! Vous n'en croiriez pas vos oreilles. Et les deux petits cavaliers s'agitaient autour comme des moustiques tandis que les deux amazones, debout, poitrine contre poitrine, s'apprêtaient à s'arracher les yeux. Nous étions tous morts de rire ! C'était d'un drôle !

— Et que s'est-il passé ? demanda Caterina.

— Je ne m'en souviens plus. C'est la fin de l'histoire, répondit Elena, insouciante, en trempant ses lèvres dans l'eau que Lorenzo, soumis, venait de lui apporter. Remettez les meubles en place, les garçons, ordonna-t-elle, et allez parler ensemble de vos affaires d'hommes. Je vais montrer à Caterina et à Lydie comment arranger leurs coiffures.

L'ennui, Caterina et Lydie en convinrent plus tard, c'est qu'elle avait parfaitement raison, pour leur coiffure. Elle pouvait faire n'importe quoi avec leurs cheveux — des boucles et des anglaises, des accroche-cœurs et des chignons — il ne lui fallait que des épingles et des rubans. Et Caterina et Lydie l'aimaient et la détestaient en même temps.

Elle ne manquait pas de générosité. Son père avait sûrement tenu à ce qu'elle ne fût jamais à court d'argent car elle avait une bourse gonflée de billets. Un jour, elle insista pour emmener Caterina et Lydie au magasin de Cinnabar acheter des coupons de tissu et leur promit de les aider à confectionner des toilettes à la dernière mode. Les deux jeunes filles se sentirent gênées d'accepter des présents aussi somptueux, mais Elena insista.

— Oh ! roucoula-t-elle. Ce n'est rien pour moi. A la maison j'aurais dépensé davantage en garnitures de dentelle, en gants et en fanfreluches — c'est indispensable dans la société élégante. Et je ne peux pas vous laisser sans rien à vous mettre en dehors de ces horribles vieilleries. Considérez qu'il s'agit d'un petit présent pour que vous vous souveniez de moi quand je serai retournée à Chicago.

Partagées entre leur irritation contre les manières supérieures et condescendantes d'Elena et l'excitation de porter des robes neuves élégantes, Caterina et Lydie avaient fini par accepter — en submergeant Elena de leur gratitude.

— Mes chéries, ce n'est pas si magnifique, voyons, s'écria-t-elle. Je vous dis que pour moi, ce n'est rien du tout.

C'était Caterina qui souffrait le plus. Chaque fois qu'ils se retrouvaient, Armand ne faisait presque plus attention à elle : il papillonnait autour d'Elena comme si elle l'avait charmé par quelque tour de magie. Et comme jamais le jeune homme ne lui avait parlé de mariage, Caterina n'osait lui faire aucun reproche ni tenter de l'en empêcher. Son seul recours était de prier pour qu'Elena parte vite. Lorenzo, en revanche, comblait toujours Lydie des mêmes attentions. Elle surprenait souvent le regard du jeune homme posé sur sa cousine, mais elle avait cependant beaucoup moins de raisons de s'alarmer que sa future belle-sœur.

Elena, bien entendu, avait découvert l'habileté de Lorenzo aux cartes. C'était, semblait-il, la seule chose qui l'eût vraiment impressionnée à Cinnabar, et elle lui ordonnait souvent de lui montrer ses tours. Elle le regardait, fascinée, étaler les cartes en éventail en l'air, faire sauter la coupe ou distribuer les cartes si vite que l'œil ne pouvait pas suivre les mouvements de ses doigts.

— Est-ce que vous pouvez tricher ? lui demanda-t-elle un jour. Est-ce que vous pouvez distribuer les cartes du dessous du paquet à notre insu ?

Lorenzo le lui montra, puis, ravi d'avoir fait la preuve de son habileté mais n'acceptant l'admiration d'Elena que comme un dû, il revint s'asseoir près de Lydie.


Le mardi qui précédait la date prévue pour le départ d'Elena, François fit sa première visite régulière à San Francisco. Une journée épuisante : le long trajet, la marche pénible à travers les collines de la ville jusqu'au « Palais », le déjeuner pris sur le pouce dans la salle des domestiques (peut-être ne se considérait-il plus comme l'un d'eux, mais il n'était pas question qu'il mange dans une autre pièce de la maison), puis la rencontre avec Emilie, les comptes à rendre et ensuite leur étreinte frénétique dans la chambre. Enfin, la course échevelée pour attraper le bac de l'après-midi, et le retour à Cinnabar à la tombée de la nuit. La conscience de ses relations coupables avec Emilie augmentait encore la fatigue du voyage et il avait décidé qu'à son arrivée à la maison il prendrait son dîner en écoutant les autres lui raconter leur journée, puis se mettrait au lit pour une longue nuit de sommeil.

Mais quand il parvint à Saint-Christophe, Thérèse l'attendait debout devant la porte, le visage blême, tourmenté. Dès qu'elle l'aperçut, elle courut vers lui et se jeta dans ses bras.

— François ! Tu es revenu ! Merci, mon Dieu !

— Qu'y a-t-il ?

— Lydie. Armand est allé chercher le docteur mais il était sorti. Armand a laissé un message pour qu'il vienne le plus tôt possible.

— Qu'est-ce qu'elle a ?

— C'est Lorenzo. Il s'est enfui avec Elena.

— Quoi ?

— C'est la vérité. Salvatore est venu nous l'apprendre.

En début d'après-midi, Salvatore était descendu à Saint-Christophe dans son cabriolet. Armand et Absalon travaillaient près de la maison.

— François est ici ? leur avait-il demandé.

En apprenant que François se trouvait à San Francisco, il avait fait signe à Armand de s'approcher de lui.

— Je pouvais bien voir que c'était pour une mauvaise nouvelle, dit Armand. Il avait le visage sombre et fermé.

Au début, Salvatore avait hésité comme s'il ne savait pas par où commencer son histoire, puis il s'était lancé. Ce matin-là, en se levant, Agnese et lui avaient trouvé un petit mot sur la table du salon :

« Elena et moi allons nous marier. Dites à Lydie que je suis désolé. N'essayez pas de nous suivre. Nous serons très loin quand vous lirez ceci. Nous renverrons la voiture. Votre fils, Lorenzo. »

Salvatore courut à l'écurie : la jument et le cabriolet avaient disparu.

— Comme vous le savez, Armand, l'écurie est loin de la maison. C'est ce qui explique que nous n'ayons rien entendu. Nous n'arrivions pas à le croire, Agnese et moi. Nous étions vraiment stupéfaits. Jamais nous n'avions soupçonné qu'ils s'intéressaient l'un à l'autre. Lorenzo semblait toujours si épris de Lydie et si heureux avec elle...

Aussitôt, Salvatore était descendu à Cinnabar pour voir s'il pouvait découvrir les traces du couple. Chez le loueur de chevaux de la ville, il trouva sa jument et son cabriolet. Le palefrenier lui apprit que les jeunes gens étaient arrivés très tôt, lui avaient loué un cheval et une voiture, et avaient laissé la jument et le cabriolet en lui demandant de les ramener à Casa Rosa, mais pas avant midi.

— Dans quelle direction sont-ils partis ? avait demandé Salvatore.

— Calistoga. Ils devaient remettre le cheval et la voiture au loueur de là-bas.

Salvatore s'était lancé avec son cabriolet sur la route de Calistoga, mais au fond de lui, il était certain que les jeunes gens n'avaient pas fui dans cette direction. Pourquoi seraient-ils allés à Calistoga ? Où pouvaient-ils se rendre de là-bas ? Ils avaient dû s'éloigner dans ce sens pour donner le change au palefrenier, mais ensuite ils avaient sûrement rebroussé chemin par des rues latérales et gagné Sainte-Hélène. Salvatore avait envoyé par télégraphe un message à son cousin de Chicago pour lui dire ce qui s'était passé et il avait mis le shérif au courant. Ensuite il était allé raconter le peu qu'il avait appris à Agnese, et il était venu à Saint-Christophe.

— A la fin de son récit, expliqua Armand, je l'ai fait entrer. Lydie était là. Elle a levé les yeux vers Salvatore et elle a compris qu'un malheur était arrivé. Nous voulions la faire asseoir, mais elle a refusé; « Dites-moi ce qui s'est passé, répétait-elle. Dites-moi ce qui s'est passé. » Alors nous lui avons expliqué — je veux dire, Salvatore. Aussi gentiment qu'il a pu. Quand il s'est tu, elle l'a fixé pendant un long moment, puis elle s'est évanouie. Cela s'est passé si brusquement que je n'ai pas pu la retenir, et pourtant j'étais tout près d'elle. Tu comprends, elle était debout, là, et la seconde d'après, la voilà par terre. Nous l'avons relevée, nous l'avons fait asseoir. Il s'est passé des siècles avant qu'elle ne reprenne conscience. Ensuite elle est revenue à elle, mais elle ne semblait plus reconnaître rien ni personne, elle ne répondait pas, ne disait rien. Salvatore est resté un moment, mais qu'aurait-il pu faire ? Et il fallait qu'il rentre, à cause d'Agnese et de Caterina. Il a dit qu'elles étaient bouleversées. Il a dit que si elles allaient mieux, ils descendraient peut-être tous ici ce soir, pour parler de ce qu'il fallait faire. Après son départ, comme Lydie ne semblait pas aller mieux, nous avons décidé d'appeler le docteur. Il était en visite, mais la servante lui transmettra le message à son retour.

— Merci, Armand. Pauvre Lydie...

François revint près de sa sœur et lui prit de nouveau la main, essayant de la convaincre de lui répondre. Mais elle demeurait immobile, les dents serrées, le regard figé droit devant elle, comme si elle n'entendait pas la voix de son frère.

Le D$^r$ Daniels arriva sur ces entrefaites. Ils lui racontèrent brièvement ce qui s'était passé et il examina Lydie. Il regarda de très près ses yeux, prit son pouls, écouta les battements de son cœur. Enfin, après avoir posé doucement la main sur le front de la jeune fille, il se releva et commença à ranger ses instruments dans son sac.

— Elle n'a pour ainsi dire rien, dit-il. C'est simplement le choc. Heureusement, cela ne durera pas. Je vais vous donner une poudre qui la fera dormir, et demain matin, elle sera fraîche comme une rose.

Il fouilla dans son sac, et en sortit une feuille de papier pliée contenant un somnifère.

— Vous le lui ferez prendre avec une tasse de lait chaud et vous la coucherez. Une nuit de sommeil la remettra sur pied. Peut-être déprimée, mais en parfaite santé physique. Il faut espérer qu'elle se rétablira du choc très vite. Et comment allez-vous, madame Pujol ? Tout à fait bien maintenant ? Parfait. Vous reviendrez me voir un de ces jours, je suppose. Et nous veillerons à ce que cette fois rien n'aille de travers, n'est-ce pas ?

On eut beaucoup de mal à lui faire avaler la poudre, mais ensuite, Lydie ouvrit la bouche et prit le lait chaud dès qu'on présenta la tasse devant ses lèvres. Quand elle eut tout bu, François et Armand la portèrent dans sa chambre, à l'étage. Thérèse la déshabilla du mieux qu'elle put et rajouta une couverture, en priant Dieu que le docteur ne se trompe pas et que la jeune fille guérisse dans la nuit.

Lorsqu'elle redescendit, les Corsini venaient d'arriver. Agnese avait les traits tirés, fatigués, et plus que jamais auparavant Thérèse prit conscience de leur différence d'âge. Les Corsini avaient déjà mangé et ils insistèrent pour que François et Armand prennent leur repas. Ce n'était pas le moment de faire des façons. Thérèse dit que de toute manière, elle n'avait pas faim.

— Où croyez-vous qu'ils soient partis ? demanda François.

— Je l'ignore, répliqua Salvatore, mais je suis certain d'une chose, ils ne sont pas allés à Calistoga. Il n'y a rien qui puisse les attirer là-bas, et où se rendraient-ils ensuite ? La seule route carrossable redescend dans la vallée. Non, ils sont partis vers le sud, prendre un train et gagner Chicago, où demeure mon cousin.

— Les parents d'Elena ? Mais que diront-ils ?

— S'ils sont déjà mariés, je ne vois pas ce qu'ils pourraient dire. D'autant plus que mon imbécile de cousin adore sa fille sans mesure : elle pourrait revenir en disant qu'elle a assassiné le pape, il l'accueillerait à bras ouverts, la comblerait de cadeaux et d'argent. Vous avez sûrement vu tous les billets qu'elle avait en arrivant ici. Pourquoi, je vous le demande ? Pourquoi avait-elle besoin de tant d'argent ?

— Pour s'enfuir, dit Armand sur un ton amer.

— Oui, c'est vrai. C'est l'argent qui a rendu la chose possible. Mais mon cousin ne le lui avait sûrement pas donné pour cela ! Il en a tant qu'il ne sait plus qu'en faire. Alors il la gâte. Il l'a toujours gâtée.

— Mais que feront-ils ? demanda François. Même si le père d'Elena leur donne de quoi vivre, comment Lorenzo pourrait-il être heureux à ne rien faire, en parasite de sa femme ?

— C'est bien ce que je pense, dit Salvatore. Mais comment saurais-je ce qu'ils feront ? Mon cousin lui achètera peut-être des vignes — il est assez fou pour ça. Mais cela ne réglera rien. Lorenzo est mon fils et je suis fier de lui, mais il n'en sait pas assez pour diriger un vignoble. Peut-être deviendra-t-il joueur — pour passer sa vie les cartes à la main : c'est ce qui l'a toujours intéressé le plus.

A ces mots, Agnese poussa un gémissement de désespoir et éclata en sanglots. Il fallut longtemps pour la consoler. Tous gardèrent le silence.

— Ce que je ne parviens pas à comprendre, dit Caterina enfin, c'est ce qu'elle lui a trouvé. C'est elle, forcément, qui en a eu l'idée. Elle l'a emboîtiné. Les hommes sont si bêtes ! Ils feraient n'importe quoi pour une belle frimousse et une taille de guêpe.

On sentait dans sa voix l'amertume d'une femme qui ne peut pas se prévaloir de ces atouts.

— Lorenzo est tellement sot ! poursuivit-elle. Je veux dire, Lydie ne peut se comparer à Elena pour le physique, mais elle n'est pas laide, il s'en faut. J'aimerais avoir autant de charme qu'elle. Et ils s'entendaient si bien. Quand je pense qu'il l'a abandonnée simplement pour les regards enjôleurs d'Elena et sa façon de tortiller du derrière !

— Caterina ! s'écria Agnese.

— Mais c'est vrai, maman... Ce que je me demande vraiment, c'est ce qu'elle lui a trouvé. Je sais qu'il est beaucoup moins stupide qu'on le pense parfois du fait qu'il ne parle pas beaucoup. Mais comment pouvait-elle le savoir ? Elle n'a jamais eu une seule conversation véritable avec lui. Tout ce qu'elle connaît de lui, c'est son visage. Il n'est tout de même pas beau à ce point.

— Si, Caterina, il l'est, répondit Thérèse. Vous êtes habituée à sa beauté, vous ne le voyez pas comme les autres personnes. Mais je crois effectivement qu'il faut être idiote pour épouser un homme simplement pour son physique.

— C'est bien ce que je dis, répliqua Caterina. Et je ne prends pas Elena pour une idiote. La beauté de Lorenzo a pu la séduire au départ, c'est certain. Mais je ne peux pas croire qu'elle se soit enfuie avec lui sans un autre motif. Il faut qu'elle ait eu une bonne raison — c'est une garce calculatrice, si vous voulez mon avis. Oui, il y a forcément autre chose.

— Vous essayez de rendre tout rationnel, Caterina. Peut-être est-elle simplement tombée amoureuse de lui soudain. Cela arrive, vous savez. Et l'amour n'est pas souvent raisonnable.

Le lendemain matin, dès qu'elle s'éveilla, Thérèse se glissa dans la chambre de Lydie. Elle dormait encore. Thérèse s'habilla et prépara le café. Elle monta une tasse à Lydie qui ouvrit les yeux dès que sa belle-sœur pénétra dans la pièce.

— Comment te sens-tu, Lydie ? demanda Thérèse doucement.

Lydie la regarda, avec une ébauche de sourire qui s'effaça aussitôt de ses lèvres.

— Ce n'était donc pas un rêve, murmura-t-elle.

Son visage se plissa et les sanglots nouèrent sa gorge. Elle se renversa sur le lit et serra l'oreiller contre son visage. Elle pleura longtemps, sans bruit. Ses épaules tremblaient.

Les sanglots s'apaisèrent. Elle demeurait si immobile que Thérèse la crut endormie de nouveau. Puis elle se retourna et fixa sa belle-sœur avec des yeux vides, bordés de rouge.

— Il faut que je me lève, dit-elle.

— Reste couchée, insista Thérèse. Je vais t'apporter à manger. Ne bouge pas. Repose-toi.

— Non. Je vais me lever. Je ne peux pas rester comme ça, la tête pleine d'idées. Je deviendrais folle. Il faut que je m'occupe.

Thérèse la regarda, inquiète. Sa voix avait pris un ton étrange, monocorde, presque comme si elle se trouvait en état d'hypnose, ou comme une femme sourde que Thérèse avait connue à Sauveterre — elle parlait toujours sans la moindre inflexion de voix.

— Ne t'inquiète pas, lui dit Lydie. Je vais très bien, maintenant.

Mais les mots sortaient de sa bouche d'une façon mécanique qui ne pouvait convaincre sa belle-sœur.

— Tu as appris d'autres nouvelles ? Promets-moi de me dire tout ce que tu sais. Certains essaieront peut-être de me cacher des choses. Ils penseront que cela me fera du mal, mais je veux savoir. Il faut que je sache où ils vont, ce qu'ils font et s'il... l'épouse.

— Oui, oui... répondit Thérèse. Je te le promets, Lydie. Mais nous n'avons encore rien appris.

— Un jour, je lui ai fait promettre... reprit Lydie. C'était le soir où il m'a demandée en mariage. Je lui ai dit de ne jamais avoir peur de me poser des questions et de me parler de quoi que ce soit. Il m'a promis qu'il n'aurait pas peur. Mais il a eu peur. Il a eu peur de me parler, au sujet d'Elena. N'est-ce pas, Thérèse ? N'est-ce pas ?

— Oui, murmura Thérèse.

Ne fallait-il pas qu'elle appelle François ? Lydie avait l'air... sur le point de perdre la raison.

— Oui, il a dû avoir peur, répéta-t-elle.

— C'est cela, répondit Lydie lentement. Thérèse, j'ai besoin de linge propre. Je ne me souviens plus de ce qui s'est passé hier soir — ni comment je me suis couchée, ni rien. Je ne crois pas avoir monté mes affaires propres. Voudrais-tu aller me les chercher, je te prie ?

Presque avant d'avoir pleinement pris conscience de ce que Lydie lui demandait, Thérèse se trouva hors de la chambre en train de descendre l'escalier. Malgré l'étrange voix monocorde, la requête de la jeune fille avait quelque chose de naturel et de rassurant. Et soudain, prise d'horreur, elle cessa de la juger normale et elle remonta l'escalier quatre à quatre, craignant que Lydie ait simplement voulu l'éloigner de la chambre pour... pour... Thérèse se refusa à formuler sa pensée, même en son for intérieur.

Mais Lydie ne songeait nullement à mettre fin à ses jours. Debout devant la table de toilette, elle se savonnait les mains d'un air absent, puis le visage, le cou. Elle se rinça et prit une serviette.

— Merci, Thérèse. Je descends dans deux minutes. Je ne prendrai pas de petit déjeuner — une autre tasse de café, c'est tout.

— Mais il faut que tu manges. Tu n'as rien pris depuis hier matin.

— Je n'ai pas faim. Je mangerai plus tard.

La réponse était calme, lointaine. Comme si elle vivait dans un autre monde.


Le D$^r$ Daniels jugea que les larmes étaient bon signe.

— Elle se rétablira peu à peu, j'en suis sûr. Laissons-lui le temps. Elle a reçu un grand choc et il faut plus d'un jour pour guérir des nerfs à vif.

Le temps passa, mais elle ne se rétablit point. Et tous comprirent qu'elle ne redeviendrait jamais la jeune fille rieuse et désinvolte qu'ils avaient connue autrefois. Elle ne gardait pas le silence — elle répondait quand on lui parlait et parfois elle engageait même la conversation. On ne l'entendait plus plaisanter à tout bout de champ, mais elle parvenait tout de même à rire de temps en temps. Surtout, elle semblait ne plus rien ressentir intensément — ni le chagrin, ni la colère, ni l'enthousiasme.

Quelques jours plus tard, Absalon entra dans la cuisine. Thérèse s'attendait à ce que Lydie réagisse violemment, mais elle ne bougea pas quand il s'assit à table près d'elle. Il ne lui dit rien, mais son regard, fixé sur les yeux de Lydie, sembla parler à sa place. Doucement, il tendit la main et la posa sur le bras de la jeune fille. Elle ne bougea pas, regarda le Noir à son tour, et Thérèse crut deviner une lueur de curiosité dans les yeux de sa belle-sœur. Absalon ne resta qu'une demi-minute puis s'en fut, toujours sans un mot.

De ce jour-là, il vint à la cuisine au moins une fois par jour, souvent davantage, interrompant chaque fois son travail dans les vignes, et Thérèse découvrit que si on les laissait seuls, Lydie et Absalon bavardaient ensemble. Bientôt, elle s'aperçut que Lydie parlait davantage au Noir qu'à n'importe quel membre de la famille. Jamais elle ne put savoir ce qu'ils se disaient : elle entendait le murmure grave d'Absalon et la voix calme, presque dénuée de toute expression, de Lydie, mais elle ne distinguait aucun mot. Un jour, elle demanda à Lydie ce qu'ils se racontaient.

— Il me parle des vignes, lui répondit-elle. Comment elles poussent. Il me dit qu'elles sont belles. Parfois il me demande ce que je prépare, et la recette. C'est tout.

Une seule fois, le mur que Lydie avait construit autour d'elle-même fut battu en brèche pendant un instant. Deux semaines après la fuite de Lorenzo et d'Elena, une lettre arriva. Elle lui était adressée. Ils prenaient le petit déjeuner. Une lettre était un événement si rare qu'ils se tournèrent tous vers elle quand elle l'ouvrit — d'autant que le timbre trahissait qu'elle ne venait pas de Sauveterre comme presque toute la correspondance qu'elle recevait. Ses yeux s'emplirent de larmes. Elle tendit la feuille à Thérèse.

— Lis-la pour moi, dit-elle. A haute voix.

— Mais c'est personnel. Je ne veux pas la lire. François et Armand ne veulent pas entendre.

— Je veux que vous entendiez tous. Lis.

— « Chère Lydie, lut Thérèse. Je suis désolé de m'être enfui, mais j'ai découvert que j'aimais Elena et qu'elle m'aimait. Nous nous sommes mariés la semaine dernière et nous partons à Chicago. Le père d'Elena possède une ferme céréalière dans l'Indiana et Elena assure que nous vivrons probablement là-bas. Transmets, je t'en prie, mes respects à tout le monde et pardonne-moi. Lorenzo. »

Lydie sécha ses larmes.

— Merci.

Elle tendit la main vers la lettre et la monta dans sa chambre. Quand elle redescendit, presque aussitôt, c'était comme si la lettre n'était jamais arrivée, ou n'avait jamais été lue.

Pendant quelques semaines, l'état de Lydie les alarma tous. Thérèse et Agnese surtout s'inquiétaient, et elles allèrent jusqu'à conseiller à François de pousser sa sœur à retourner à Sauveterre. Très préoccupé lui aussi, il en parla à Lydie. Sa réaction fut calme et résolue.

— Non. Je resterai ici. Mon retour en France ne changerait rien.

Peu à peu il leur fallut accepter la nouvelle Lydie — sombre et morose.

Mais bientôt il se produisit un autre changement en elle, que Thérèse fut la première à remarquer, parce qu'elle était à la maison plus souvent que les autres. Comme la plupart des cuisinières, Lydie avait toujours chipoté un peu dans les plats qu'elle préparait, mais après le jour où elle avait refusé toute nourriture, on eût dit qu'elle avait constamment besoin de manger. Elle ne cessait de grignoter et elle prit l'habitude de se faire une assiette de petits gâteaux chaque jour. Peu à peu, ses formes généreuses devinrent de l'obésité, mais l'évolution fut si lente que les autres en prirent à peine conscience. Elle aimait grignoter, et si cela la faisait grossir, ma foi tant pis. Pourquoi surveiller sa ligne quand on n'a nul désir de séduire un homme — jamais...

Le soir où les Corsini leur avaient rendu visite et où tous s'étaient inquiétés de Lydie, François aurait bien voulu poser une question à Salvatore, mais le moment était mal choisi, surtout en présence de toute la famille. Il eut l'occasion d'aborder le sujet quelques jours plus tard.

— Quand nous avons acheté Saint-Christophe, je sais que l'une des raisons qui vous ont poussé était le lien unissant nos deux familles par l'entremise de Lorenzo et de Lydie. Ce lien n'existe plus.

— Eh bien ?

— Eh bien... Peut-être désirez-vous modifier nos accords. Peut-être préférez-vous vendre votre part. Je le comprendrais très bien.

— Et dans quel but ? demanda Salvatore. Je rentrerais dans mon argent... Mais en un sens, j'en ai moins besoin, à présent. Je n'ai plus qu'un enfant à pourvoir. Et qui sait ? Peut-être Caterina établira-t-elle un jour un lien différent entre votre famille et la mienne. Je la crois très attachée à Armand.

— Armand n'est pas attiré par le mariage.

— Je sais. Mais même les hommes comme lui s'y laissent prendre parfois. Et Caterina est assez fine mouche pour le harponner. Je ne songe pas à m'en plaindre. C'est elle qui aura des problèmes avec lui par la suite. Il continuera de courir les jupons, mais je suis sûr qu'elle en viendra à bout, si c'est ce qu'elle a dans la tête.

— Rien n'est donc changé dans nos accords sur Saint-Christophe ?

— Non. Rien n'est changé.

## 15

François commença, avec Armand et Absalon, à nettoyer le coteau derrière les bâtiments. C'était un travail harassant car les arbres et les buissons avaient des racines profondes, et dans les intervalles les rochers ne manquaient pas. On pouvait tolérer de petites pierres dans le sol, car elles amélioreraient le drainage de la terre, mais certains blocs, trop gros, devaient être enlevés si l'on voulait planter dans de bonnes conditions. Cette tâche épuisante et sans attrait s'ajoutait au travail ordinaire de la vigne, toujours très absorbant. François comprit vite pourquoi da Silva ne s'était pas attaqué au coteau. Peut-être avait-il essayé, mais les difficultés du terrain avaient dû lui faire abandonner le projet. Plusieurs fois, François fut tenté de renoncer, mais il songeait alors au prêt d'Emilie King et à la nécessité de le rembourser le plus vite possible, car une fois libéré, il serait en sécurité : même si Salvatore se retirait pour une raison ou une autre, même si tout tournait mal pour lui, François aurait un endroit où vivre et des vignes — un petit vignoble, certes, mais tout de même un vignoble. Et s'il savait bien l'exploiter, il pourrait peut-être un jour réunir assez d'argent pour racheter les terres appartenant actuellement à Salvatore.

Tellement de *si* !... La vie d'un homme se construit sur des *si*, songeait François, car sur des *si* reposent les rêves, les projets, la capacité de s'adapter au changement et de tirer parti du hasard. Et le plus important de tous ces *si*, pour le présent, demeurait le défrichage de ce coteau. Aussi travaillait-il dur et entraînait-il Armand et Absalon à sa suite jusqu'à l'épuisement de leurs forces.

Le tas de rochers et de pierres retirés de la terre augmentait, et cela donna une idée à Armand.

— Tu sais quoi, François ? Nous devrions nous en servir, avec ces arbres, pour ajouter deux pièces à la maison. Il y a de l'espace sur le côté, et les autres matériaux ne coûteront pas cher.

— Nous n'avons pas le temps en ce moment. Il faut planter le coteau.

— Nous pourrions apporter ces arbres à la scierie pour faire des chevrons. Nous bâtirions les colombages et la charpente. Les pierres combleraient les espaces de l'armature de bois, et en bouchant les trous avec de la chaux et du sable, les murs seraient faits. Il ne nous manquerait que les ardoises pour le toit, et laisse-moi te dire qu'on nous vendrait bon marché celles de la maison qui est en démolition à Cinnabar.

François ne dissimula pas sa surprise. En général les projets d'Armand n'étaient jamais aussi minutieusement étudiés.

— Cela me paraît réalisable, Armand, mais ce n'est pas le moment de nous lancer dans une entreprise de ce genre. D'ailleurs, nous n'avons pas d'argent pour le sable, la chaux et les ardoises, si bon marché que tu puisses les obtenir.

— J'ai de l'argent. Si j'achète les matériaux, tu ne vois pas d'objections à ce que je travaille à la construction à mes moments perdus ? Si tu me laisses des moments perdus, bien sûr.

François accepta — mais sans oser croire que le projet avancerait un jour. Comme toujours Armand se lasserait vite. Mais Armand emprunta la charrette de Salvatore et descendit les arbres à la scierie. Il rapporta les poutres et les planches qu'il mit à sécher, et il acheta du sable, de la chaux et des vieilles ardoises. Il passa des heures et des heures à mettre au point ses plans et à choisir les pierres dont il se servirait pour les murs.

François ne put s'empêcher de lui faire part de son étonnement.

— Si tu continues comme ça, Armand, tu vas devenir un membre respectable et travailleur de la communauté, au lieu du paresseux irresponsable que nous connaissons tous.

— Ah ! dit Armand en lui rendant son sourire. J'ai toujours été méconnu. Au fond de mon cœur je suis le grillon du foyer.

Même Lydie sourit.


Lentement, très lentement, la nouvelle pièce de terre du coteau parut aux yeux de tous. A mesure qu'ils défrichaient, ils construisaient les murs de pierre sèche des terrasses. L'année suivante ils pourraient repiquer en place les nouveaux plants greffés qui poussaient dans la petite pépinière près de la maison. Et ce serait le début de l'expansion de Saint-Christophe, le signe avant-coureur de sa prospérité.

Avec le mois d'avril, les bourgeons s'ouvrirent. François inspecta ses vignes, heureux de les voir si fortes, si prometteuses, si belles. La récolte de l'année serait bonne.

Et comme pour célébrer le bourgeonnement de la vigne, Thérèse lui apprit qu'elle était de nouveau enceinte.

Ils se trouvaient dans la chambre, prêts à se coucher. Elle lui lança un regard inquiet : comment allait-il réagir ? N'avait-elle pas choisi, comme la fois précédente, un mauvais moment pour lui annoncer la nouvelle ? Il avait tellement de soucis ! Il en partageait certains avec elle, mais il gardait beaucoup de choses pour lui. Cela faisait près d'un an maintenant qu'ils étaient mari et femme, mais par moments il demeurait encore pour elle un inconnu.

Il leva les yeux vers Thérèse et un large sourire se peignit sur son visage. Lentement il s'approcha d'elle, la prit dans ses bras et la serra très fort.

— Tu es content, François ?

— Bien sûr, je suis content. Pourquoi ne serais-je pas content ?

— Tu ne l'étais pas, l'autre fois, quand je te l'ai annoncé.

— Mais si ! Comment peux-tu dire une chose pareille ? Bien sûr, j'étais content.

Elle rit. Comme les hommes oublient vite ! se dit-elle, à l'égal des enfants... Elle avait été sotte de parler du passé. Le présent et l'avenir sont les seules choses qui comptent.

— Cette fois, lui dit-il, tu ne lèveras pas le petit doigt. Pas de travail dans les champs, rien de lourd — une vraie dame. Les hommes travailleront dans les vignes, Lydie dans la maison, et Thérèse s'allongera dans le fauteuil et donnera des ordres.

— Thérèse s'ennuierait à mourir s'il lui fallait vivre ainsi. Et puis je dois prendre de l'exercice — c'est bon pour moi et pour l'enfant.

— Mais pas de sottises, hein ? Rien qui puisse te fatiguer. Souviens-toi, c'est de mon fils qu'il s'agit.

— Ce sera peut-être une fille.

— Ça m'est égal. Nous essaierons de nouveau, voilà tout.

— Veux-tu dire que si c'est un garçon, nous n'essaierons plus du tout ? lui répondit-elle d'un ton taquin.

Il se joignit à son rire.

— Nous essaierons encore, quoi qu'il arrive. Nous aurons une ribambelle d'enfants. Trois fils et trois filles. Au moins...

— François ! s'écria-t-elle en riant.

Elle monta dans le lit et lui tendit les bras.

Depuis la fuite de Lorenzo, les sorties ne tentaient plus du tout Lydie, et Caterina et Armand eurent beaucoup plus souvent qu'auparavant l'occasion d'être seuls. Ils passaient beaucoup de temps ensemble. Un soir de mai, tandis qu'ils revenaient à Casa Rosa après une promenade d'une heure ou deux près de la rivière, ils arrivèrent comme toujours près d'un échalier où ils avaient l'habitude de s'asseoir pour bavarder et flirter un peu. Mais cette fois, Caterina, qu'Armand avait trouvée d'humeur bizarre toute la soirée, ne répondit pas à son badinage.

— Qu'est-ce que tu as ? lui demanda-t-il enfin. Tu fais une tête d'enterrement depuis que nous sommes sortis.

— C'est de ta faute, répliqua-t-elle.

— Quoi ? Qu'ai-je fait ?

— Tu sais parfaitement bien ce que tu as fait. Tu as fait ce que tous les hommes font.

Armand reconnut aussitôt la scène. Ce n'était pas la première fois qu'on la lui jouait, et bien que les autres filles eussent abordé le sujet avec des variantes, il ne pouvait se méprendre sur le fond. C'était le prélude d'un aveu. Caterina attendait un bébé. Armand s'enferma dans son rôle.

— Je ne comprends pas... dit-il en la regardant avec de grands yeux sincèrement étonnés.

Elle baissa le front.

— Tu ne peux pas deviner ?

— Non.

Contrainte à répondre carrément, elle prit une respiration profonde.

— Je vais avoir un enfant.

Armand connaissant la réplique suivante par cœur, elle lui vint automatiquement sur les lèvres.

— Comment sais-tu qu'il est de moi ?

Dans le passé, les jeunes filles avaient répondu de différentes manières. Certaines s'étaient indignées, d'autres avaient été décontenancées. Aucune n'avait réagi aussi rapidement que Caterina. Avec une vitesse effrayante, son bras s'était détendu et sa main était arrivée avec une force peu commune sur la joue du jeune homme.

— Ne t'avise pas de me répéter ça ! cria-t-elle. Ni maintenant ni jamais. Je sais que c'est ton enfant, et toi aussi.

Ses yeux lançaient des étincelles.

— Tu en es vraiment sûre ? demanda-t-il.

Et comme déjà sa main se relevait, il ajouta très vite.

— ... Que tu es enceinte, je veux dire.

— Une femme ne peut pas se tromper sur ce genre de chose.

— ... que tu es enceinte, je veux dire.

— Le mariage, bien sûr.

Ses pensées se bousculèrent. Que se passerait-il s'il refusait de l'épouser ? Il pourrait très bien s'en sortir, mais il lui faudrait probablement quitter Cinnabar : la vie deviendrait impossible étant donné l'amitié de François pour les Corsini — et sa dépendance à leur égard. C'était tout de même une solution : il trouverait sûrement du travail à San Francisco et on devait bien s'amuser dans une ville comme celle-là. Mais d'un autre côté, il était très heureux depuis son arrivée à Saint-Christophe — San Cristobal, comme on disait alors. Après tout, il n'était qu'un rustaud de la campagne. Et s'il épousait Caterina, maintenant que Lorenzo était parti, ses perspectives d'avenir s'en trouveraient améliorées. Il hériterait probablement des vignes, un jour.

Tout ceci lui traversa l'esprit en un éclair, puis il étudia la plus importante de toutes les questions : pourrait-il supporter la vie avec Caterina ! Il ne l'aimait probablement pas, mais il savait depuis longtemps qu'il n'avait pas l'étoffe d'un amoureux : rien ne toucherait jamais son cœur aussi profondément que ses intérêts. Pourtant elle lui plaisait, ils s'entendaient bien, ils formaient un couple assorti et elle serait une bonne partenaire au lit. Surtout, sa compagnie était toujours passionnante, à cause de son caractère imprévisible et tumultueux, quoique très sérieux.

Il la regarda. Elle l'observait, méditative, prête à repartir en bataille si besoin était. Ses seins splendides se soulevaient. Il eut envie de les prendre dans ses mains.

— D'accord, dit-il d'une voix neutre.

— D'accord quoi ?

— D'accord, je t'épouse.

Elle descendit de l'échalier et s'avança vers lui. Il leva la main pour l'arrêter.

— A une condition, dit-il.

— Laquelle ?

— Celle-ci.

Il la prit par le bras et l'entraîna derrière la haie.

— Le mal est déjà fait, personne ne nous verra, et si on nous voit, ma foi, tant pis !


Quand Armand annonça ses fiançailles à François et à Thérèse, ils furent surpris et ravis, mais aussi un peu inquiets.

— Où vas-tu vivre après le mariage ? demanda François.

— A Casa Rosa. Il n'y a pas de place ici, n'est-ce pas ? Et les Corsini n'y verront pas d'objections. Je n'aurai pas le temps d'achever la construction des chambres supplémentaires...

— Tu n'as pas commencé.

— Non, mais le bois, les pierres et les ardoises sont là; et les plans ont l'air au point. Je te laisse le tout. Tu auras sûrement envie d'agrandir la maison un jour. Inutile de me rembourser les matériaux que j'ai achetés.

— Merci ! Il n'y a pas d'autre solution, bien sûr. Tu travailleras aussi à Casa Rosa, je pense ?

C'était ce qui l'inquiétait surtout. Comment pourrait-il s'en tirer sans l'aide d'Armand dans les vignes ?

— Non. J'en ai discuté avec M. Corsini... Avec Salvatore... Comment diable vais-je l'appeler quand il sera mon beau-père ? s'écria Armand en riant. Bref, je lui en ai parlé, et il m'a dit de continuer à travailler ici.

— Vraiment ?

— Il a trois vignerons, tu le sais; et pour le moment, il n'a donc d'emploi pour personne et tu as besoin de moi plus que lui. C'est lui qui l'a dit. Je ne sais pas comment je dois prendre la chose, mais...

— C'est magnifique, s'écria François, soulagé d'un grand poids.

Il s'avança vers Armand et lui serra vigoureusement la main.

— Félicitations.

Et Armand rit de plus belle.

Ils se marièrent un mois plus tard.

— Pourquoi tant de hâte ? demanda Agnese. Tu n'as pas d'« ennui », n'est-ce pas ?

— Non, répliqua Caterina froidement. Mais nous ne voulons pas attendre.

Si elle avait des doutes, Agnese les garda pour elle.

Mais Armand, lui aussi, avait des doutes ! Le mariage avait toujours été à ses yeux une chose très lointaine dans l'avenir, et jusque-là il espérait bien demeurer libre. Or, comme il se trouvait sur le point d'abandonner cette liberté, elle lui paraissait plus douce que jamais. D'un autre côté, il y avait des compensations. Une fois fixée la date de la noce, Caterina ne cessa de le couvrir de caresses.

— Armand, disait-elle, je veux te toucher, te tenir tout le temps. J'ai envie que tu me serres, que tu me... Oh ! Armand !

Et elle se pâmait presque dans ses bras : ils allaient derrière une haie ou dans un coin sombre de grange, n'importe où à l'abri des regards, et ils faisaient l'amour. Au cours de la brève période de leurs fiançailles, tandis que la passion de Caterina pour lui s'enflammait, il commença à se sentir sincèrement séduit par elle : ses doutes se dissipèrent et il en vint à croire que, tout compte fait, le mariage serait pour lui une excellente solution.

La cérémonie, très brève, eut lieu à Sainte-Hélène. Caterina avait demandé à Lydie d'être sa demoiselle d'honneur mais elle avait refusé : il fallait, lui dit-elle, qu'elle reste à la maison pour assurer la préparation du repas que les hôtes — pour la plupart des propriétaires de la vallée et leurs familles car, des deux côtés, les parents vivaient beaucoup trop loin pour venir — prendraient à Casa Rosa ensuite. La demoiselle (ou plutôt la dame) d'honneur fut donc Thérèse, et le garçon d'honneur François. Caterina, particulièrement ce jour-là, parut exceptionnellement jolie.

Tout le monde convint que c'était une belle noce. Lydie et Agnese avaient préparé un festin, un des hôtes avait apporté un accordéon, et après avoir mangé et bu tout son content, on dansa. Lydie songea à Elena leur apprenant à valser dans cette même pièce et ses yeux se voilèrent, mais elle serra les dents et rien ne troubla la fête.

Quand tout fut fini, le retour de François, de Thérèse et de Lydie à Saint-Christophe en laissant Armand, marié, à Casa Rosa, leur parut étrange.

— Je vois que les femmes vont me mener par le bout du nez, à présent, s'écria François.

Il avait Thérèse à un bras et Lydie à l'autre.

— Assure-toi que c'est un garçon, Thérèse, dit-il. J'ai besoin d'un autre homme dans la famille.


L'année serait bonne, si tout se passait bien. Les raisins se formaient, et François pouvait regarder ses vignes avec fierté. Taillées comme il convenait, elles poussaient en buissons fournis, rapprochés.

Les techniques de plantation et de taille étaient différentes de celles dont il avait l'habitude, à Sauveterre, mais elles convenaient bien au terrain plat, et tous les viticulteurs de la région les appliquaient. François rêvait du jour où le coteau serait enfin défriché et planté, avec des vignes en rangs continus — il se sentirait davantage chez lui. Le temps, cette année-là, semblait parfait lui aussi. Il y avait des brumes chaque matin, mais elles se levaient peu après dix heures pour révéler un ciel du bleu le plus clair, et le soleil, dardant ses rayons, apportait la vie à la terre et aux plantes qu'elle nourrissait. Il avait beaucoup plu au printemps, et le sous-sol offrait aux longues racines de la vigne l'humidité qu'il conservait.

Thérèse, elle aussi, s'épanouissait. François avait insisté pour qu'elle ne s'occupe de rien, afin d'écarter le moindre risque de faire une fausse couche, et Lydie, malgré le peu d'intérêt qu'elle portait à la vie en général, semblait avoir pris à cœur les instructions de son frère : elle ne laissait rien faire à Thérèse dans la maison. La future mère protestait qu'elle devenait paresseuse et manquait d'exercice; « Un peu de travail n'a jamais fait de mal à personne », mais les soins et l'attention dont elle était l'objet lui valaient une mine splendide. En juillet, sa grossesse devint bien visible et ses yeux rayonnaient de bonheur quand elle les posait sur son ventre gonflé. On devinait même un soupçon de couleur sur ses joues toujours pâles.

On ne pouvait guère en dire autant de Caterina. Et au bout de quelques semaines, comment Armand ne s'en serait-il pas aperçu ? Ils étaient allongés dans le lit un soir, et il faisait glisser sa main sur le corps de sa jeune femme, caressant doucement ses seins et ses cuisses, dessinant la courbe de ses côtes, s'arrêtant enfin sur son ventre plat. Plat ?...

— Quand va-t-il commencer à pousser, là-dedans ? demanda-t-il sans arrière-pensée. Thérèse est déjà grosse comme une barrique et tu es... plate comme une limande.

Caterina répondit d'un grognement qui ne l'engageait à rien.

— Hein ? insista Armand.

— Je dors.

Elle lui tourna le dos.

— Mais qu'est-ce qui te prend ? lui demanda Armand. Tu n'avais pas sommeil il y a deux minutes. Et tu n'as pas répondu à ma question. Quand vas-tu commencer à avoir l'air enceinte ?

Le soupçon perçait déjà dans sa voix. Caterina se retourna vers lui.

— D'accord, lui dit-elle. Il faudra bien que tu le saches un jour ou l'autre. Je ne suis pas enceinte.

Il s'y attendait mais pourtant, pendant un instant, son esprit n'enregistra pas les paroles de la jeune femme. Puis il la gifla à toute volée.

— Garce ! cria-t-il.

252

Le bruit de la gifle et le cri de douleur de Caterina parvinrent jusqu'à la chambre de Salvatore et d'Agnese.

— Qu'est-ce qu'il lui fait, mon dieu ? s'écria Salvatore en écartant les draps.

— Ne bouge pas, répondit Agnese. Ils sont mari et femme. Ce qui se passe entre eux ne nous regarde pas, et si Caterina est assez bête pour le laisser lui faire mal, tant pis pour elle. De toute façon, je m'y attendais.

— Que veux-tu dire ?

— Tu ne comprendrais pas. Dors !

Quand le mariage avait été décidé pour une date aussi rapprochée, Agnese en avait conclu que Caterina était enceinte. Maintenant elle était tout aussi certaine du contraire. Et cela signifiait que sa fille avait pris Armand au piège. C'était peut-être une manœuvre habile, mais qui le paraîtrait moins le jour où la vérité éclaterait, et Agnese aurait juré qu'Armand venait de la découvrir.

— Tu m'as joué la comédie ! cria Armand à sa femme.

Elle se blottit loin de lui, une main sur la joue qu'il venait de gifler.

— Je... Je me suis trompée, dit-elle.

— A d'autres ! Tu as décidé qu'il était grand temps de prendre un homme pour ne pas moisir dans ton coin. Et j'étais là, tout prêt à tomber dans le piège. Tu n'as eu aucun mal, hein ?

— Ne crie pas. Maman et papa vont entendre.

— Que veux-tu que ça me fasse ?

— Armand, je t'en prie. Je croyais être enceinte. Mes... Mes règles étaient tellement en retard.

— Tu m'as menti, sale garce ! Oh ! je commence à comprendre, à présent. C'est pour ça que tu étais toujours prête à t'allonger sur le dos après nos fiançailles, hein ? J'ai cru que tu te prenais de passion pour moi, mais non, tu voulais seulement te faire faire un gosse, pour que je ne m'aperçoive jamais que tu m'avais dupé. Tu m'as menti !

De nouveau il la frappa. Elle ne pleura pas, mais la gifle déchaîna sa fureur.

— D'accord, je le reconnais ! Je t'ai menti, je t'ai dupé, je t'ai épousé sous de fausses apparences. Et que pouvais-je faire d'autre, mon dieu ? Je m'étais abandonnée à toi, pauvre idiote que j'étais. Et pourquoi, je te le demande ? Parce que je t'aime, voilà la vérité. En dépit de tout, je t'aime — et tu ne peux pas en dire autant des autres filles que tu as eues. Je te connais, Armand — je te connais parce que je t'aime — et je savais que jamais tu ne m'aurais épousée, ni personne d'ailleurs, si je ne t'avais pas forcé la main.

— Tais-toi ! dit-il entre ses dents. Je ne veux plus t'entendre.

Il se retourna, la tête appuyée contre le bois du lit. Il fallait qu'il réfléchisse à ce qu'il allait faire, puisque tout était fini. Rester ici ? Partir ? San Francisco... New York... Chicago ?... Rentrer en France ?...

Mais Caterina parlait toujours.

— Et tu n'as pas fait une mauvaise affaire, tu le sais. Tu as une épouse qui t'aime, qui continue de t'aimer quand tu la bats, et qui ne cessera pas, même si tu la trompes avec d'autres femmes. Oui, je sais bien que tu ne pourras pas t'en empêcher... Et tu as un foyer et un héritage en perspective. Comment oses-tu dire que tu as été dupé ! Qu'as-tu apporté à ce mariage ? J'aimerais le savoir ! Rien, en dehors de ton... de ton corps !

— Oui, et tu en as bien profité, hein ? Garce !

Soudain il eut envie de lui faire mal. De la punir. Non seulement parce qu'elle l'avait pris au piège avec ses mensonges mais parce qu'elle lui disait la vérité et que cette vérité était douloureuse.

Il prit un de ses seins et le tordit jusqu'à ce qu'elle crie de douleur. Elle tenta de repousser sa main et de se relever, mais il la projeta sur l'oreiller et enjamba son corps. Il lâcha sa poitrine et la gifla de nouveau, à deux reprises, plus fort qu'auparavant. Pour la première fois, elle découvrait en Armand une violence latente qui l'effraya soudain : sa vie n'était-elle pas en danger ? Il lut de la peur dans les yeux de la jeune femme et il rit. Une goutte de sang perlait sur la lèvre de Caterina à l'endroit où la gifle l'avait blessée. Au-dessous de son œil droit, la joue commençait à enfler. Elle porterait les traces de sa colère, c'était certain. Il s'aperçut qu'il la désirait, débordant de l'ardeur que sa propre violence avait stimulée en lui. Elle avait les jambes serrées, mais d'un coup de genou il les écarta... Il la pénétra contre son gré avec fureur, en un acte qui relevait du viol — en dépit de tous les privilèges qu'était censé lui accorder l'anneau d'or à son doigt.

Et pourtant, était-ce vraiment un viol ? Ce qui avait débuté dans la violence s'acheva dans une passion partagée. Il labourait sa chair de femme en proférant des obscénités et la fureur de son corps la déchirait — mais bientôt elle se sentit soulevée vers lui. Jamais elle n'avait fait l'amour ainsi — orgie sauvage — et lorsqu'ils parvinrent à la cime du plaisir, elle cria d'extase, les ongles enfoncés dans le dos de l'homme qu'elle serrait avec une concupiscence égale à la sienne.

Plus tard, apaisés côte à côte, il lécha le sang sur ses lèvres.

— Garce ! répéta-t-il.

Mais il n'y avait plus de colère dans sa voix, uniquement de l'affection, et il l'embrassa avec une tendresse telle qu'elle sentit des larmes lui monter aux yeux.

— Peut-être avons-nous réussi, cette fois, murmura-t-il. Et mieux vaut que ce soit un fils.


Le lendemain, Caterina arbora fièrement ses bleus. Elle ne fournit aucune explication, et lorsque Agnese parut sur le point de lui poser des questions elle lui lança un tel regard de défi que les mots se figèrent sur les lèvres de sa mère.

Ses relations avec Armand demeurèrent tendues. Si attendri qu'il se fût montré dans les instants d'exaltation succédant à l'amour, il n'oublierait pas qu'elle l'avait dupé.

Mais tout s'arrangea quelques semaines plus tard, lorsque Caterina fut certaine cette fois d'être enceinte. Soupçonneux au début, il compta les jours lui aussi, puis il commença à le croire. Enfin vinrent les nausées du matin, et lentement son ventre se mit à grossir. Convaincu, il fut prêt, sinon à oublier qu'elle l'avait pris au piège, du moins à le lui pardonner. Car à son propre étonnement, il se rendit compte qu'il désirait ardemment être père. Et lorsque la grossesse de Caterina avança, ils attendirent avec impatience non seulement la naissance de l'enfant, mais, inconsciemment, le jour où ils pourraient s'unir de nouveau dans le désir, la violence, la douleur et l'extase.

En octobre, la récolte excellente confirma largement toutes les espérances de François. Les raisins avaient poussé à la perfection en lourdes grappes aux grains durs qui mûrissaient de façon uniforme. L'abondance serait telle qu'il aurait besoin de plus de vendangeurs qu'il n'avait prévu. Le pressage ne pourrait se terminer en un seul jour, et François se demanda s'il aurait assez de fûts pour loger tout le moût. Il faudrait qu'il agrandisse le chai lorsque la vendange des vignes du coteau s'ajouterait à des récoltes comme celle-là.

Salvatore était ravi.

— J'aurais juré que c'était impossible, lui dit-il. Vous avez fait un miracle. Quand vous êtes arrivé, jamais je n'aurais cru que vous feriez prospérer la propriété ainsi.

— Il n'y a pas de miracle, répondit François. Simplement du travail.

— Oui, mais aussi la compétence. Il faut savoir quel travail accomplir et choisir le bon moment. A cette cadence, vous allez pouvoir rembourser M$^{lle}$ King plus tôt que vous ne l'espériez.

— Oui, et vous toucherez votre argent plus tôt que vous ne l'espériez, vous aussi.

Les deux hommes éclatèrent de rire. Tout démontrait qu'ils avaient eu raison de se lancer dans cette folle entreprise en prenant tant de risques, sous les quolibets de la plupart de leurs voisins. Peu de sentiments sont plus doux que celui suscité par le triomphe d'idées méprisées par tout le monde — surtout lorsque ce triomphe est le résultat de longues heures d'efforts.

A la fin de la seconde journée des vendanges, lorsque les Corsini et les Chinois furent tous partis, François rentra dans la maison auprès de Thérèse. Elle était très grosse à présent — sept mois et demi — et à en croire Agnese ce serait un garçon car elle portait le bébé très haut. Il l'embrassa tendrement, et comme il ne pouvait pas la prendre dans ses bras, il l'entraîna vers un banc où ils pourraient s'asseoir côte à côte. Il passa un bras autour de ses épaules et la serra contre lui.

— Tu te souviens du jour où je voulais tout abandonner et revenir à San Francisco ? Tu te souviens de ce que tu m'as dit ?

Elle n'avait pas oublié, mais elle secoua la tête, sentant qu'il avait envie de le lui rappeler.

— Tu m'as dit que nous ne pouvions pas abandonner. Tu m'as dit que nous aurions d'autres enfants. Tu m'as dit que nous trouverions bien un moyen ou un autre de rester ici. Tu me poussais à aller de l'avant, mais je ne te croyais pas. Je me suis laissé convaincre parce que cela correspondait à mes désirs. Mais je conservais des doutes, je pensais que nous ne faisions que reculer le jour où tout s'écroulerait. Et tu avais raison. Tu avais raison et je t'aime, et j'écouterai toujours ce que tu diras, parce que tu es sage, et belle. Oui, je crois que je suis l'homme le plus heureux de la terre.

Il l'embrassa de nouveau, puis lui dit à quel point la récolte était bonne, le nombre de foudres remplis, les paroles de Salvatore, et toute la joie qu'il ressentait. Elle l'écouta en silence, partageant ses sourires et ses rires, et elle le laissa bavarder sans contrainte parce que c'était un grand jour pour lui et qu'elle ne voulait diminuer son enthousiasme sous aucun prétexte.

Puis Lydie sortit de la cuisine où elle préparait leur repas du soir. François se leva, l'embrassa et la fit valser autour de lui en lui annonçant la bonne nouvelle, dans l'espoir de lui arracher un rire. Et il y parvint — ce qui redoubla son bonheur car ils avaient oublié depuis longtemps combien Lydie était belle lorsqu'elle riait vraiment.

Thérèse eut ses douleurs en décembre, juste une semaine avant Noël. François venait de descendre du coteau. Travaillant comme un possédé, entraînant Armand et Absalon à s'acharner plus que jamais à la tâche, il avait déjà nettoyé presque tout le terrain. Ils avaient d'énormes tas de bourrées à brûler par les soirées froides d'hiver, et les arbres qu'Armand n'avait pas utilisés pour ses poutres attendaient d'être sciés et fendus en bûches. Non seulement le coteau avait été dépouillé de ses arbres et de ses buissons, mais les terrasses étaient construites. Tout était prêt pour planter dans quelques mois — il ne restait plus que les derniers mètres carrés. François pouvait escompter un accroissement de production d'au moins 30 %.

Quand il rentra ce soir-là, Lydie vint à sa rencontre.

— Ça commence, lui dit-elle.

— Quoi ?

— Le bébé. Elle est montée dans sa chambre.

— Oh ! mon dieu ! Tu as envoyé chercher le docteur ?

— Pas encore. Il y a tout le temps. Les douleurs ne font que débuter. Tu pourras aller le chercher quand tu auras fait ta toilette et pris ton dîner.

— J'y vais tout de suite.

— A quoi bon ? Il ne viendra pas avant des heures. Il sait le temps qu'il faut, la première fois. Il te faudra encore attendre cinq ou six heures avant d'être père. Fais ta toilette, mange une bouchée et descends à Cinnabar chercher le docteur. Et envoie donc Absalon prévenir Agnese. Elle a dit qu'elle viendrait et je suis sûre qu'elle sera plus utile que nous tous réunis, docteur inclus.

S'il n'avait pas été aussi troublé par la naissance imminente de son enfant, François aurait regardé Lydie avec des yeux ronds; au cours des heures d'attente qui suivirent, lorsqu'il se rappela cette conversation, il s'aperçut que c'était le plus long discours de sa sœur depuis le départ de Lorenzo. Normalement, elle ne prononçait pas trois mots à la suite — sauf, disait Thérèse, quand elle parlait à Absalon.

— Je vais voir, dit-il.

Thérèse lui sourit et lui tendit les bras. Ne sachant que dire, il lui prit la main et la serra doucement, espérant communiquer ainsi tout ce qui emplissait son cœur, alors que pas un seul mot ne venait sur ses lèvres.

— Ne t'inquiète pas, François. J'irai très bien. Et il ne va rien se passer pendant des heures et des heures. Descends dîner.

Elle souriait toujours, aussi calme et impassible que Lydie.

Il dîna, sans se rendre compte de ce qu'il mangeait, puis se précipita à Cinnabar, chez le D$^r$ Daniels qui promit de passer une ou deux heures plus tard. Quand François insista, prétendant que Thérèse était déjà en plein accouchement et avait besoin de ses soins immédiats, le docteur l'interrogea sur la fréquence des contractions et lui expliqua patiemment que sa présence était encore inutile. Il le renvoya en lui rappelant qu'il avait mis au monde au cours de sa carrière plusieurs centaines d'enfants, et qu'il était aussi compétent en la matière que François pour les vignes.

A son retour, François fut ravi d'apprendre qu'Agnese était arrivée. Elle avait répondu aussitôt à son appel, transmis par Absalon. Mais elle semblait, elle aussi, beaucoup moins angoissée que le futur père ne le jugeait opportun dans la circonstance.

— Vous devriez descendre à l'hôtel Cinnabar vous payer un bon verre de raide, lui dit-elle. Cela vous ferait du bien et le temps passerait plus vite. Puisqu'on vous dit qu'il y en a encore pour des heures ! En tout cas vous ne seriez pas dans nos jambes. Allez ! Filez !

Mais il n'avait nullement l'intention d'être si loin au moment où son fils naîtrait. Il s'assit devant la cheminée, les yeux sur les braises qu'il ne cessait d'attiser. De temps en temps, il se levait brusquement pour arpenter la pièce avant de se rasseoir l'instant d'après. Puis il songea aux plans d'Armand pour agrandir la maison. Il les chercha et se mit à les étudier — le projet d'agrandissement devenait urgent désormais.

Le D$^r$ Daniels arriva vers neuf heures et demie, monta dans la chambre avec Agnese et referma la porte. Dix minutes plus tard, il redescendit en disant qu'il reviendrait dans deux heures. En attendant, François ferait aussi bien de dormir. Il ne voulut rien entendre, indigné. Mais tandis que s'égrenaient les heures de la nuit — le docteur était revenu et ne repartirait pas, Agnese descendait de temps en temps réclamer de l'eau chaude, et Lydie ne cessait de préparer des tasses de café — malgré toutes ses résolutions, François finit par s'assoupir.

Il était cinq heures et demie du matin quand Agnese l'éveilla.

— Ecoutez ! lui dit-elle.

Il entendit un cri de bébé.

— C'est votre fils.

— Mon fils ?

Son cerveau encore engourdi de sommeil n'enregistra pas tout de suite. Puis la pensée fit son chemin et son visage s'éclaira d'un large sourire. Il prit Agnese par les épaules et lui donna un baiser sonore.

— Je peux le voir ? Et Thérèse ? Elle va bien ?

— Très bien. Mais la naissance n'a pas été facile. Vous pourrez les voir tous les deux dans un instant, quand le D$^r$ Daniels aura fini de tout mettre en ordre. Mais il ne faudra pas rester — vous la fatigueriez. Elle a besoin de repos et de sommeil.

— Vous êtes sûre qu'elle va bien ?

— Oui. Mais cela a été très long; elle a dû faire appel à toutes ses forces. Laissez-la se reposer, elle se rétablira vite.

Enfin on lui permit d'entrer dans la chambre. Thérèse était allongée, immobile, très calme. Elle avait des cernes sombres sous les yeux, mais un sourire de joie illuminait ses traits. Elle tenait l'enfant dans ses bras — petit paquet de layette d'où n'émergeait qu'un minuscule visage ridé.

— Il est très petit, dit François.

— Il pèse 3,740 kg. Ce n'est pas petit. (La voix de Thérèse n'était qu'un murmure.) Ils l'ont pesé sur les balances de Lydie.

— Oui, Agnese me l'a appris; je ne voulais pas dire qu'il était petit pour un bébé. Seulement...

— Je sais. Quel prénom allons-nous lui donner ?

Il y avait beaucoup réfléchi.

— Raphaël.

— Comme ton père ?

— Oui. Mon père est un homme bon, un homme fort. S'il devient comme mon père, ce sera bien.

— Il le deviendra. Je le sais.

Le D$^r$ Daniels revint dans la chambre.

— Terminé, monsieur Pujol. Nous ne voulons pas la fatiguer, n'est-ce pas ? Elle a été très courageuse. Vous pouvez être fier d'elle.

— Je le suis, dit François. Je le suis. Je suis fier de tous les deux, Thérèse et Raphaël.

Il embrassa Thérèse tendrement sur le front. Elle lui sourit, mais ses paupières se refermaient déjà.

Il descendit l'escalier et ouvrit une bouteille de vin.

— A Raphaël, et à Thérèse. '

Ils burent tous à leur santé, puis celle du père, plus fier que jamais.

Agnese et le docteur partirent après avoir laissé à Lydie et à François des instructions minutieuses sur les soins à donner à la mère et à l'enfant.

— Ne comptez pas trop sur la mère, dit le D$^r$ Daniels. Elle a traversé une dure épreuve.

Après leur départ, François versa un autre verre de vin à sa sœur et à lui-même.

— A Raphaël, répéta-t-il. Et à Saint-Christophe. Un jour, les vignes seront entièrement à moi, et un jour elles seront à lui.

Saint-Christophe... songeait-il. A moi. Dès que le coteau commencerait à produire, sa dette à Emilie King serait vite remboursée. Il pourrait alors rendre peu à peu l'argent à Salvatore. Et une fois tout payé, Saint-Christophe tout entier serait à lui seul — à lui pour le léguer à son fils. Ce n'était peut-être pas le plus beau vignoble de la vallée de Napa : il convoitait toujours le domaine d'Eichenbaum, mais comme il n'y avait aucune chance qu'Eichenbaum vende un jour (et de toute façon sûrement pas à lui), Saint-Christophe restait ce qu'il y avait de mieux. Ce ne serait pas un mauvais patrimoine à transmettre au jeune Raphaël. Car, c'était certain, son fils deviendrait un grand vigneron. François lui enseignerait tout ce qu'il savait sur la vigne et le vin, et l'enfant serait meilleur à tous égards — plus sage que son grand-père, plus sensible aux besoins de la vigne que son père — et il rendrait célèbre le nom de Saint-Christophe.

## 16

Trois semaines plus tard, en prenant son enfant dans ses bras, François songea que cette nouvelle année — 1882 — marquerait une grande étape dans sa vie. A bien des égards il avait raison : c'était sa première année comme propriétaire (partiel) de Saint-Christophe, sa première année comme père, l'année où il planterait le coteau.

Ce fut une époque de réel bonheur. Il y avait encore de nombreux problèmes — il n'était en fait que le locataire de Corsini et de M<sup>lle</sup> King, Lydie restait profondément marquée par la trahison de Lorenzo, et la vigne ne produisait pas encore à son rendement normal — mais il se sentait maître de son destin comme jamais auparavant. Et il avait son fils et Thérèse. Son amour pour elle semblait croître et mûrir. Ce n'était plus la simple adoration d'un jeune époux, mais un sentiment plus profond, un amour non seulement du corps et de l'esprit mais de l'âme. La maternité avait conféré à la jeune femme une sérénité nouvelle et le cœur de François battait plus vite chaque fois qu'il la regardait. Elle serait toujours là, songeait-il, toujours. Et quelles que fussent les difficultés que susciterait la vie, elle les aplanirait en les partageant avec lui...

Il pensait souvent à sa mère et à son père, car il savait qu'existait entre eux un lien du même ordre, et un jour il décida d'écrire au vieux Raphaël pour épancher tout ce qu'il ressentait : son bonheur, sa fierté, sa reconnaissance. Mais quand il eut terminé, il relut sa lettre, la froissa et la jeta au feu. Les mots l'avaient trahi, ils semblaient d'une sensiblerie outrée et transmettaient très peu de ce qu'il avait voulu dire en réalité. Au lieu de cela, lors de son voyage suivant à San Francisco, il assista à la messe à l'église Saint-François-d'Assise, remercia le Seigneur et se joignit aux chœurs qui chantaient le psaume 33 :

«Tu as préparé une table pour moi, en présence de mes ennemis; tu as oint mon front d'huile; ma coupe a débordé. Ta bonté et ta grâce m'accompagneront sûrement tous les jours de ma vie.»

Le texte sacré semblait exprimer tout ce qu'il ressentait.

Le père Farinelli était ravi de le revoir, mais ils n'eurent guère le temps de bavarder.

— Vous avez votre prêtre à Sainte-Hélène, lui cria le père Farinelli tandis que François se hâtait pour prendre le bac. Mais souvenez-vous que je suis ici si vous avez besoin de moi...

L'enfant de Caterina — un garçon lui aussi — naquit en mars 1882. Elle l'appela Ricardo, sans permettre à Armand de donner son avis en la matière.

— C'est le nom d'un parent ? lui demanda Thérèse.

— Non. Je l'ai choisi parce qu'il me plaît, répondit Caterina.

De plus en plus elle faisait figure de partenaire dominant dans le mariage. Armand ne s'y opposait pas, apparemment satisfait de son nouveau rôle de père de famille paisible — mais Caterina se gardait bien de lui poser des questions trop précises sur ce qu'il faisait aux rares occasions où il se rendait à San Francisco.

Thérèse, en revanche, ne soupçonnait rien de la véritable nature des relations qui se poursuivaient entre François et Emilie King. Les comptes rendus étaient devenus une formalité, mais il continuait de se rendre au « Palais » tous les quinze jours et très souvent Emilie le recevait dans sa chambre. Chaque fois, il en ressortait accablé d'un sentiment profond de culpabilité. Il se disait que ces rencontres ne signifiaient rien, n'avaient pas plus d'importance que son étreinte fugitive avec Dolly Malone après sa bagarre avec Eichenbaum. Pourtant, il savait qu'il aurait pu les faire cesser s'il l'avait vraiment désiré, mais qu'en fait, il ne pouvait pas résister à Emilie. Et la nature imprévisible de leurs rendez-vous les empêchait de tomber dans la simple routine. Parfois elle n'avait pas de temps à lui accorder : depuis la mort de son père elle avait dû régler de nombreuses affaires financières et il arrivait qu'elle eût d'autres visiteurs, ou des engagements à l'extérieur. Mais quand ils entraient dans la chambre, les appétits de la jeune femme, son désir de se livrer à toutes les expériences susceptibles de lui procurer un renouvellement du plaisir, sa joie même, qu'elle ne dissimulait point — tout faisait de François une proie consentante, voire impatiente.

Ce fut seulement l'année après la naissance de son fils, quand il eut vendu le vin de la première de ses bonnes récoltes, qu'il eut la possibilité de procéder au premier remboursement de sa dette à Emilie King. Fièrement, il lui tendit un chèque de 1 000 dollars.

— Je n'en veux pas, répondit la jeune femme. Je suis sûre que vous en avez davantage besoin que moi.

Elle n'était pas pressée de recevoir son argent — plus la dette se prolongerait, plus longtemps François demeurerait lié à elle.

— Non. Je suis déjà en retard. Acceptez-le, je vous en prie.

— Je vous dis que je n'en veux pas. J'ai de l'argent à ne savoir qu'en faire.

— Vous devez le prendre tout de même, *Mademoiselle*.

— Je dois ? s'écria-t-elle, furieuse. Personne ne saurait me dire ce que je *dois* faire. Et certainement pas...

Elle s'arrêta, lisant soudain dans les yeux de François un sentiment qu'elle y découvrait pour la première fois — mélange de fierté, de dignité, et une force comparable à la sienne. Elle prit le chèque et le glissa dans son sac.

— Savez-vous pourquoi vous me plaisez ? lui dit-elle. Parce que nous sommes du même bois. Viens !

Et elle lui tendit les bras.


François n'avait pas encore entrepris la construction des pièces supplémentaires — il y avait toujours, semblait-il, une tâche plus urgente, surtout depuis qu'il fallait s'occuper des jeunes vignes plantées en terrasses sur le coteau. Elles poussaient très bien, et quand il travaillait là-haut François se sentait encore plus heureux. Mais lorsque Thérèse lui apprit qu'elle était de nouveau enceinte, il comprit qu'il faudrait faire quelque chose pour la maison avant peu. A la naissance du bébé, en février, ils seraient quatre, et le petit Raphaël aurait plus de deux ans.

Il étudia de nouveau les plans d'Armand et les aménagea. Il ferait de solides fondations pour pouvoir construire un étage, ce qui donnerait quatre pièces, avec des parquets convenables et des fenêtres — en fait, rien de commun avec le simple appentis conçu par Armand au départ. Il avait juste assez d'argent pour les matériaux et la main-d'œuvre nécessaires, car il avait décidé d'engager plusieurs vendangeurs chinois qui travaillaient dans la vallée à l'automne. Ils ne demandaient pas cher et certains avaient déjà construit des fermes et des chais dans les environs. Cet agrandissement n'améliorerait pas l'aspect extérieur de la maison — et ne donnerait certes pas les proportions harmonieuses de la demeure d'Oak Valley — mais il offrirait suffisamment d'espace à la grande famille qu'il espérait...

Casa Rosa, très vaste, ne posait pas de problèmes de place. Caterina et Armand avaient déjà leur deuxième enfant, une fille prénommée Christiane (pour faire plaisir tout de même à Armand), née à peine douze mois après Ricardo.

— Il ne m'a pas laissée souffler un seul jour après la naissance de Ricardo, avoua Caterina à Thérèse.

Mais toutes ses plaintes n'y changeaient rien : on la devinait contente d'elle-même.

— Il va falloir qu'il attende un peu, cette fois. Oh ! pas pour... tu sais quoi. Mais il devra veiller à ne pas me mettre enceinte aussi vite que la dernière fois.

Thérèse, choquée, lui fit des remontrances.

— Mais c'est mal, Caterina. L'Eglise l'interdit.

— Tant pis, répliqua Caterina. Je n'ai pas l'intention d'être usée jusqu'à la corde avant d'avoir trente ans, si je peux l'éviter.

Les deux jeunes mères passaient de longues heures ensemble, unies par l'intérêt qu'elles portaient à leurs enfants, et Caterina descendait très souvent à Saint-Christophe.

— Il faut que je sorte de la maison ! disait-elle. Maman me rend folle. Elle détestait l'idée de devenir grand-mère, tu le sais, mais depuis qu'elle l'est, elle ne donnerait pas sa place pour un empire. Rien de ce que je fais avec les enfants n'est bien. Je ne doute pas qu'elle essaie de m'aider, mais ce sont *mes* enfants et j'ai l'intention de les élever à *ma* façon. Et si je fais tout de travers, il faudra quand même que mes pauvres petits bijoux s'en contentent. Comme le tien.

— Tu ne penses pas que je fais tout de travers, tout de même ? demanda Thérèse inquiète.

— Mais non, bien sûr. Ce que je veux dire c'est que tu t'occupes d'eux toute seule, sans personne pour...

— Lydie m'aide beaucoup.

C'était la vérité. Lydie adorait Raphaël, et l'enfant avait trouvé en elle une seconde mère.

— Oui, mais elle ne s'interpose pas. Je vais te dire une chose, Thérèse. Si j'ai des petits-enfants, un jour, je ne lèverai pas le petit doigt pour les élever — je *profiterai* de leur présence, et c'est tout.

Thérèse ne vit guère Agnese à cette époque-là. Bien que Lydie fût toujours prête à garder Raphaël, François et elle préféraient passer leurs heures de loisir à Saint-Christophe ensemble. François considérait son foyer comme un havre de paix et d'amour où il pouvait se détendre après les tâches de la journée. Il appréciait la bonne cuisine de Lydie et l'affection de Thérèse. Surtout, quel enchantement d'observer le petit Raphaël se développer ! Ses yeux commençaient à regarder autour de lui, ses muscles prenaient de la force et lui permettaient de s'asseoir... La première dent, les courses à quatre pattes et la joie des premiers pas hésitants, enfin les premiers mots ébauchés sur ses lèvres... il se montrait parfois obstiné et enclin aux caprices, mais il remplissait de fierté le cœur de ses parents.

Le deuxième fils de François, prénommé Jean comme le père de Thérèse, naquit en février 1884. Quand il grandit, tout parut très facile à Thérèse et elle se demanda si c'était seulement parce qu'elle avait davantage d'expérience que pour Raphaël. Jean pleurait rarement, et on s'aperçut vite qu'il aurait le même tempérament heureux que sa tante Lydie — en tout cas à l'époque où Thérèse l'avait rencontrée. Thérèse fit tout son possible pour aimer ses deux fils autant l'un que l'autre, et elle y parvint en ce sens que nul n'aurait pu discerner, en la regardant avec ses enfants, que dès l'instant de sa naissance ou presque. Jean avait touché son cœur comme jamais Raphaël ne pourrait l'émouvoir. François au contraire, quel que fût son attachement pour Jean, ne pouvait oublier que Raphaël demeurait son premier-né, son héritier, et pour cela, il lui vouait un amour farouche. Ainsi aucun des deux fils — sensibles comme sont tous les enfants aux sentiments secrets de leurs parents — ne put se sentir frustré : chacun avait l'amour de l'un de ses parents, et la profonde affection des deux.

Armand s'était dressé sur ses ergots à la naissance de Christiane.

— On n'est pas vraiment un homme tant qu'on n'a pas engendré une fille, prétendait-il d'un air supérieur.

Et quand Thérèse lui annonça qu'elle était de nouveau enceinte, François espéra que ce troisième enfant serait une fille. La naissance de Jean l'avait ravi, en partie à cause de Raphaël — un garçon a besoin d'un frère. Mais les fils sont une affaire grave, à laquelle on songe en terme de travail, de postérité et de terre. Pour le plaisir, pour le bonheur de ses vieux jours, un homme devait avoir une fille.

Marguerite naquit le matin du 8 juillet 1885, pour le trente-cinquième anniversaire de son père, et quel plus beau cadeau aurait-on pu lui offrir ? C'était un bébé magnifique. Même Lydie, encore si taciturne et avare de tout commentaire, ne pouvait s'empêcher de chanter les louanges de sa beauté. Entre Raphaël et Jean, une certaine rivalité avait toujours régné, mais aucun des deux garçons ne fut jamais jaloux de Marguerite. Raphaël, en particulier, âgé de trois ans et demi au moment de la naissance de sa sœur, s'attacha à elle et se constitua son protecteur. Mais, bien sûr, on n'en était pas encore là... Pour le présent, âgée de quelques heures, la fillette reposait au creux du bras de sa mère, sa peau semblait un pétale délicat, et ses petites mains évoquaient le cœur d'une rose.

François embrassa Thérèse.

— Merci, ma chérie.

Elle lui sourit mais ne parla pas. Chaque naissance avait été longue et pénible. Elle semblait encore plus éprouvée cette fois. Il la laissa dormir et sortit pour s'entretenir avec le D$^r$ Daniels.

— Je croyais qu'à chaque nouvel enfant, l'accouchement devenait plus facile, dit-il.

— Pas toujours, répliqua le médecin en s'étirant pour soulager ses muscles noués.

Il n'était plus tout jeune, et des délivrances longues et difficiles comme celle-là le fatiguaient beaucoup. Il avait appris à redouter un accouchement chez les Pujol...

— Certaines femmes ont toujours beaucoup de mal. Et je crains que votre épouse ne soit l'une d'elles. Cela épuise toutes les forces, vous savez. Sans vouloir vous offenser, permettez-moi de vous conseiller de ne pas accroître votre famille. Vous avez trois enfants, et si vous voulez que votre femme demeure en bonne santé, vous en resterez là. Je ne prétends pas qu'il y ait danger immédiat, comprenez-moi bien. Elle peut très bien mettre au monde un autre enfant sans risque. Mais il est tout de même possible que cela l'affaiblisse au point de mener par la suite l'existence d'une invalide.

Le docteur s'aperçut soudain de l'effet produit par ses paroles sur François.

— Oh ! du courage, mon vieux ! Vous avez une fille splendide et votre femme se porte à merveille. Aucune raison de vous laisser abattre.

— Je ne me laisse pas abattre, répondit François. Merci de m'avoir parlé. Je suivrai votre conseil. La dernière chose au monde que je désire, c'est que Thérèse...

Il laissa sa phrase en suspens et entraîna le médecin vers le buffet où l'on rangeait le vin.

— Un verre, docteur, pour célébrer l'événement avec moi ? C'est de ma récolte. Le premier bon vin que j'ai fait à Saint-Christophe. J'en avais mis une petite barrique à mûrir dans le bois un an de plus. Et ensuite, deux ans de bouteille. Il a bien vieilli et il a pris du corps. C'est un sacré bon vin, presque aussi bon que celui de mon père à Sauveterre — c'est dans l'Entre-Deux-Mers, vous savez, dans le sud-ouest de la France. Un vin pour les grandes occasions, comme aujourd'hui.


Effrayé par l'avertissement du docteur, François se contraignit à l'abstinence. Au début ce ne fut pas trop difficile, car la naissance avait épuisé Thérèse : il lui fallut plusieurs semaines avant de recouvrer ses forces. Mais malgré le soulagement que lui apportaient ses rencontres avec Emilie King, dire bonsoir à Thérèse avec un baiser sur le front et lui tourner le dos exigeait une discipline de tous les instants. Et pis que tout, il n'avait pas le cœur de lui expliquer les raisons de son comportement. C'était absurde. Il n'aurait dû y avoir entre eux aucun secret, aucune contrainte. Pourtant, sans qu'il sût pourquoi, il ne pouvait se résoudre à lui répéter les paroles du docteur. Peut-être sentait-il, dans son inconscient, qu'elle s'opposerait à cette abstinence, redoutant que son consentement jette François dans les bras d'une autre femme. Il était persuadé qu'elle ignorait ses relations avec Emilie, mais s'il lui déclarait sans ambages qu'ils ne feraient plus l'amour désormais, cela confirmerait évidemment tout soupçon éventuel de Thérèse : ne profitait-il pas de ces déplacements à la ville pour rencontrer une autre femme ?

La situation rendait Thérèse très malheureuse. Elle avait conclu de l'attitude de son mari qu'il s'était lassé d'elle et qu'il avait une maîtresse. Pour quelle autre raison se serait-il éloigné d'elle ainsi sans fournir la moindre explication ? Elle ne s'était jamais arrêtée à l'idée qu'il puisse avoir des relations intimes avec Emilie King. Comment une femme de cette classe, et dans sa situation, se serait-elle liée avec un homme comme François, qui avait été jadis son employé, et qui le demeurait encore en un sens ? Mais peut-être avait-il rencontré quelqu'un à San Francisco, par exemple une femme qu'il avait connue avant qu'elle-même ne vienne le rejoindre en Californie...

— Tu as de la chance, lui dit Caterina. Je voudrais bien, moi, qu'Armand me laisse un peu en repos. Je suis encore enceinte. Enfin, j'ai tort de me plaindre — il y aura trois ans d'écart entre Christiane et celui-ci. Je l'attends pour le mois de mars. Armand semble avoir le diable au corps tous les ans en juin, à moins que ce ne soit moi ! C'est étrange que trois enfants naissent le même mois, non ?

— Crois-tu que François ait une autre femme ? demanda Thérèse.

— C'est probable. Ils font tous un accroc au contrat à un moment ou un autre. Il ne faut pas s'en faire pour si peu.

Elle s'interrompit : des larmes perlaient dans les yeux de Thérèse.

— Oh ! je ne voulais pas te faire de peine, se hâta-t-elle d'ajouter. Mais une petite infidélité de temps en temps, ce n'est vraiment pas le bout du monde. Il ne t'en appréciera que mieux par la suite.

— Que puis-je faire ?

— Si tu veux mon avis : rien du tout. Ne lui en parle pas. Si tu commences à le houspiller ou à lui montrer que tu as des soupçons, tu ne réussiras qu'à l'éloigner davantage. Fais comme si de rien n'était. Il te reviendra bientôt.

Thérèse ne parut pas convaincue.

— Je ne peux pas continuer ainsi, dit-elle.

— Et d'ailleurs, reprit Caterina, apaisante, ce n'est peut-être pas du tout ça. Il est peut-être simplement fatigué : il travaille très dur dans la vigne, tu sais. Armand affirme que ce sera bientôt le plus beau vignoble de la vallée — encore mieux tenu que celui de mon père. C'est sûrement ça. Crois-moi, s'il y a une autre femme, tu le découvriras vite. Les hommes ne savent pas cacher ce genre de chose.

Cette conversation avec Caterina ne rassura nullement Thérèse, mais elle décida tout de même de suivre le conseil de sa belle-sœur : ne rien faire était probablement la meilleure attitude en l'occurrence.


Au mois de mars suivant, la résolution de François se trouva renforcée : le troisième enfant de Caterina, un garçon qu'ils appelèrent Vincenzo, naquit bossu. Cela semblait extraordinaire. Caterina avait eu une grossesse sans complication, parfaitement saine. Elle s'épanouissait chaque fois qu'elle attendait un enfant et son troisième accouchement avait été aussi facile que les premiers. « De bonnes hanches larges », disait le D$^r$ Daniels. Ricardo et Christiane avaient été tous les deux de gros bébés bien formés, et ils couraient en tous sens à présent, toujours en quête d'une sottise à faire, sans un seul jour de maladie. Pourquoi ce malheur était-il arrivé ?

— Nous ne le savons pas, dit le D$^r$ Daniels en secouant la tête. La science médicale sera peut-être capable de nous l'apprendre un jour, mais pour le présent nous ne comprenons pas.

— C'est la volonté de Dieu, dit Agnese en se signant.

— Peut-être, mais on a du mal à imaginer pour quelle raison Il accablerait un enfant d'un handicap comme celui-là !

Il se tourna vers Armand.

— Par bonheur, la malformation de sa colonne vertébrale n'est pas des plus graves. Je pense qu'il pourra mener une vie presque normale. Le contraire m'étonnerait. Nous l'examinerons de plus près d'ici quelques mois.

François vit dans l'infirmité de Vincenzo un avertissement terrible.

Si ce genre de chose pouvait arriver à une femme aussi saine que Caterina, quelle serait donc le résultat d'une nouvelle grossesse de Thérèse ? Sans parler même du danger pour elle.

Les mois passèrent. Thérèse souffrait de plus en plus d'être négligée par son mari. Son anniversaire, au début de janvier, tomba cette année-là un samedi. Depuis le début de leur mariage, ils avaient pris l'habitude de célébrer les anniversaires — de leur naissance, de leur mariage et la naissance des enfants — non seulement par un repas spécial et une bouteille de leur meilleur vin, mais en faisant l'amour ensuite, comme un rituel solennel, symbole extatique de leurs sentiments. C'était particulièrement agréable quand l'anniversaire tombait le samedi, parce qu'ils pouvaient traîner un peu au lit le lendemain matin. Depuis la naissance de Marguerite, tous les anniversaires s'étaient passés sans que François songe à renouveler l'expression physique de leur bonheur. Mais comme c'était *son* anniversaire et un samedi, Thérèse sentit qu'elle ne pouvait plus continuer d'accepter en silence l'absence d'intérêt de son mari.

Quand ils furent allongés côte à côte dans le lit, elle se tourna vers lui et murmura :

— Aime-moi, François.

Il l'embrassa tendrement et lui tourna le dos comme de coutume.

— Je suis fatigué.

Elle lui prit la main.

— Nous n'avons... rien fait depuis que Marguerite est née. Tu ne m'aimes plus ?

— Mais si, bien sûr.

— François, nous ne pouvons plus continuer ainsi. Si tu m'aimes, pourquoi ne me désires-tu jamais ?

— Je suis fatigué ces jours-ci. Je n'ai pas d'énergie, c'est tout.

— Peut-être en as-tu quand tu vas à San Francisco ?

— Que veux-tu dire ?

Avait-elle découvert enfin ses relations avec Emilie ? L'inquiétude qui perçait dans la voix de François ne passa pas inaperçue de Thérèse.

— Tu as une autre femme, n'est-ce pas ? Oh ! François, qu'est-ce qu'elle te donne que je ne saurais t'offrir ? Dis-le moi et je te le donnerai aussi. N'importe quoi, tout. Mais ne me repousse pas, ne me laisse pas me demander sans cesse ce qui ne va pas, ne me tourne pas le dos comme si j'avais la gale, n'oublie pas ton anniversaire, Noël, le jour de notre mariage, et *mon* anniversaire.

Il se retourna vers elle, puis, tandis qu'elle éclatait en sanglots, il la prit dans ses bras et l'embrassa — de doux baisers légers courant sur son visage et dans son cou.

— Ne pleure pas, ma chérie. Je t'aime toujours. Je te le jure. Il n'y a pas d'autre femme...

— Alors fais-moi l'amour. Fais-moi l'amour.

— Je ne peux pas.

— Pourquoi ?

— Parce que... Parce que le docteur a dit que je ne devais pas.

— Le docteur ? Et pourquoi ? Qu'est-ce qui ne va pas ? Tu as une maladie ?

— Non. Non. Le D$^r$ Daniels dit qu'il ne fallait pas que tu sois à nouveau enceinte. Il dit que pour certaines femmes chaque grossesse est pire, plus difficile que la précédente, et que tu es une de ces femmes-là. Il dit qu'il ne pourra pas répondre de... ce qui se passera si tu attends un autre enfant. Et le seul moyen d'être sûr que tu ne seras pas enceinte, c'est que je ne te touche pas. Voilà pourquoi je t'ai tourné le dos. Cela n'a pas été facile, je t'assure. Oh ! Thérèse, je t'ai désirée tellement ! Si souvent...

Elle avait envie de rire et de pleurer à la fois. Qu'elle avait été sotte de s'inquiéter autant ! Et folle d'imaginer des choses aussi horribles ! Et le D$^r$ Daniels ? Comment avait-il pu croire qu'elle accepterait de renoncer à l'amour de son mari pour le risque infime d'une naissance difficile. Ses trois accouchements avaient été épuisants, mais elle s'était vite rétablie. Ses sanglots s'apaisèrent, elle était soulagée. Elle prit la main de son mari et la posa sur sa poitrine.

— Aime-moi, François. Je t'en prie, aime-moi.

— Non, Thérèse. Je ne veux pas que tu... que tu deviennes invalide pour le reste de tes jours.

— Mais comment serait-ce possible ?

— Le docteur en a peur.

Pendant un bref instant, elle sentit son cœur se glacer, mais elle écarta aussitôt toute crainte.

— Rien ne prouve que je serai enceinte si tu ne m'aimes qu'une fois. De temps en temps. Seulement pour nos anniversaires...

— Cela peut se produire n'importe quand.

— Pas si nous choisissons les bons jours du mois.

— Que veux-tu dire ?

— Juste après... que j'ai été indisposée. Il n'y a pas de risque de conception à ce moment-là.

— Quand as-tu été indisposée ?

— C'est fini depuis hier, mentit-elle.

Il tendit les bras vers elle, mais elle glissa hors du lit pour ôter la chemise de nuit grossière qu'elle portait. Nue, elle s'enfonça vite sous les couvertures, frissonnant légèrement parce que l'air de la chambre était frais. Elle l'attira vers elle, chercha sa bouche, et fit glisser ses mains sur le corps de François, comme jamais elle n'avait osé le faire auparavant — comme elle imaginait qu'une prostituée ou une grande courtisane devait procéder pour exciter les hommes.

— Aime-moi, François, je t'en supplie.

Il ne put résister. La peau chaude et douce de Thérèse, les mamelons de ses seins effleurant sa poitrine, sa main hardie, la moiteur qu'il découvrait sous ses propres doigts. Et quand il la pénétra, tout fut si merveilleux... Il décida de se retirer juste avant la fin. Pour être bien certain. Mais toute pensée s'effaça de son esprit tandis que l'instant du bonheur ultime se rapprochait, tout n'était plus que sensation ineffable, totale — un rêve.

Et Thérèse, devinant l'imminence de l'extase finale, l'enveloppa de ses jambes et le maintint en elle pour qu'il ne puisse pas s'évader, pour qu'il déverse tout son amour en elle tandis qu'elle frissonnait et gémissait de sa propre plénitude.

Quand ils se séparèrent enfin, Thérèse était rayonnante.

— François ! C'était merveilleux. N'était-ce pas merveilleux ? Tu me manquais et je te désirais tellement, tellement... Ne me tourne plus le dos. J'ai besoin de toi. Besoin de toi. Je t'aime tant.

— Je t'aime moi aussi, dit-il, bourrelé de remords.


Ils firent l'amour de temps en temps; pas si souvent qu'aux premiers jours de leur mariage, et seulement quand Thérèse assurait qu'il n'y avait pas de risques. Mais c'était trop tard. Elle était déjà enceinte de leur étreinte extatique le soir de son anniversaire.

François fut horrifié lorsqu'il l'apprit.

— Es-tu sûre ? Mon dieu ! qu'allons-nous faire ? Il faut que tu ailles voir le D<sup>r</sup> Daniels tout de suite.

Elle éclata de rire.

— Cesse de t'inquiéter pour si peu. Rien ne peut m'arriver. Jamais je ne me suis aussi bien portée. Ne te souviens-tu pas ? Pour Raphaël, Jean et Marguerite, j'avais des nausées tous les matins, et je me sentais complètement épuisée à la même période. Cette fois je marche sur des nuages.

Et elle semblait en parfaite santé. Tous ceux qui la voyaient remarquaient à quel point elle paraissait belle et heureuse.

Le D<sup>r</sup> Daniels s'inquiéta beaucoup moins que François ne l'avait craint. Il avait apparemment oublié son avertissement redoutable. Il recommanda à Thérèse de prendre beaucoup de repos et de bien manger, en prenant une nourriture fortifiante. Il lui interdit tout effort et surtout de soulever des poids — il disait à peu près la même chose à toutes les futures mères.

Les mois de cette grossesse furent parmi les plus heureux de la vie de Thérèse. Cet enfant qu'elle portait semblait marqué par quelque chose de spécial. Raphaël, Jean et Marguerite étaient les fruits de l'amour, mais celui-ci allait naître d'une nuit extraordinaire où s'était éloigné enfin un malheur qui l'avait accablée de longs mois, d'un instant où elle avait vraiment ressenti que François et elle ne formaient qu'une seule chair, et où, dans la joie partagée, ils avaient conçu ensemble une nouvelle vie, ainsi que le Seigneur l'a ordonné.

Ses douleurs débutèrent le même jour que les vendanges. La récolte était magnifique. Les nouvelles vignes du coteau produisaient depuis deux ans, mais leur plein rendement ne serait atteint que cette année-là. Suivant les conseils de Salvatore, François avait planté la moitié du coteau en Cabernet et non en Zinfandel. Il avait pris les greffons sur les vignes de Casa Rosa. Plus corsé, plus riche en sucre, le Cabernet fournissait un vin de meilleur qualité que le Zinfandel.

— Je vous prédis que dans les années à venir le Cabernet remplacera complètement le Zinfandel, lui dit Salvatore. Les gens prennent goût à des vins plus racés, vous savez. Je crois que nous verrons se planter des hectares de Cabernet pour le rouge, et de Chardonnay pour le blanc.

— Ici, le vin blanc... répondit François, sceptique.

— Ne vous y trompez pas, il y a un marché pour le blanc. Je pense convertir une partie de Casa Rosa en Chardonnay.

— Pourquoi n'achetez-vous pas davantage de terre ? Il paraît que Sidney Greenwood veut vendre deux hectares et demi de friche le long de la route de Calistoga.

— Tout mon argent est immobilisé dans Saint-Christophe, vous le savez bien.

— Je pourrai commencer à vous rembourser sous peu. Je ne dois plus que 2 500 dollars à M$^{lle}$ King.

Depuis trois ans, François avait versé chaque année 1 250 dollars.

— Rien ne presse, répondit Salvatore. Je laisse tout l'argent que j'ai à la banque et la seule chose dans laquelle je l'investirais serait une affaire de vins en gros — mais ce n'est qu'un rêve. Non, Casa Rosa est assez vaste pour que je plante quelques hectares de Chardonnay. Je n'ai pas besoin de davantage de terre. Je ne vous suggère pas de changer pour l'instant, mais si vous prenez de l'extension un jour, il vous faudra songer à faire du vin blanc.

Rien n'aurait plu davantage à François que d'acheter les deux hectares et demi de Sidney Greenwood mais, bien entendu, c'était impossible tant qu'il n'avait pas payé Saint-Christophe.


Tôt ce matin-là, alors qu'il surveillait les vendanges, Lydie accourut vers les vignes.

— C'est commencé, lui dit-elle. Ne te fais pas de souci. Continue ton travail, je vais prévenir le D$^r$ Daniels. Si ça se passe comme les autres fois, il y en a encore pour longtemps.

— Comment va Thérèse ?

— Tout est parfait. Je te l'ai dit : inutile de te tracasser.

A l'heure du déjeuner, il monta la voir. Elle était allongée sur le lit, détendue et heureuse. De temps à autre, quand les contractions venaient, son visage se crispait et elle saisissait la corde fixée à la tête du lit. Mais les douleurs n'étaient pas encore rapprochées et, dans l'intervalle, elle souriait, bavardait, posait des questions sur les vendanges, sur la main-d'œuvre qu'ils avaient cette année — et les enfants, ne se montraient-ils pas insupportables ?

Quand il revint à la fin de la journée, épuisé mais ravi de la quantité de raisin ramassée et du moût que l'on en avait extrait, le D^r Daniels était là. Il avait l'air un peu inquiet.

— J'ai peur qu'elle ait encore beaucoup de mal, lui dit-il. L'enfant semble n'avoir pas du tout envie de venir dans ce monde — et je ne saurais le lui reprocher ! ajouta-t-il en riant.

Mais ses yeux demeuraient soucieux.

François entra dans la chambre, et le changement qui s'était produit en Thérèse le bouleversa. La jeune épouse heureuse et en pleine santé qu'il avait quittée un peu plus tôt dans la journée était devenue une vieille femme au visage gris. Des lignes de fatigue creusaient son visage. La sueur perlait à son front. Sa peau, plus pâle que jamais, semblait de cire. Elle lui sourit, en lui tendant une main sans force.

— Comment est la récolte ?

Il se força à lui rendre son sourire.

— Magnifique. Comment vas-tu ?

— Très bien. Cela prend du temps, cette fois aussi.

Il ne sut que lui répondre. Il serra doucement sa main moite et descendit dîner. A la fin du repas, le D^r Daniels remonta dans la chambre et demanda à Lydie de l'accompagner. François s'installa dans la salle commune et attendit. Epuisé par le travail de la journée, il s'endormit. A son réveil il était plus de dix heures. Il alluma la lampe et monta au premier. La porte de la chambre était fermée. Il n'entendit aucun bruit, hormis de temps à autre, un gémissement faible de Thérèse. Il redescendit, s'assit un moment, puis remonta l'escalier et frappa doucement à la porte de la chambre.

Lydie lui·répondit.

— Bientôt, murmura-t-elle. Mais Thérèse est très faible.

Par l'entrebâillement de la porte, François aperçut le docteur penché au-dessus du lit. Il sentit l'odeur fade du sang.

— Elle va bien, n'est-ce pas ?

— Oui, oui... répondit Lydie, mais il n'y avait aucune conviction dans sa voix. Descends, à présent. Nous t'appellerons.

Les minutes semblaient interminables. Puis, au moment où il s'apprêtait à remonter dans la chambre, François entendit le faible cri d'un nouveau-né. Il s'élança dans l'escalier. Le D^r Daniels sortait de la chambre. Epuisé, il posa une main contre le mur pour ne pas chanceler. Son visage était grave.

— Vous avez un fils. Un beau garçon. Mais j'ai peur que votre femme...

— Elle n'est pas ?...

— Non. Mais... elle s'affaiblit.

Il fixa le docteur, se refusant à entendre ses paroles, le cœur serré par une crainte terrible.

— Je peux la voir ?

— Oui, un instant. Mais ne parlez pas. Ne la troublez pas.

François entra dans la pièce. Thérèse était à peine reconnaissable. En quelques heures brèves, toute chair semblait avoir disparu de son visage, ne laissant qu'une peau grisâtre, tendue sur les os. Ses yeux, ternis, s'enfonçaient dans son visage. La sueur collait ses cheveux. Sa main, lorsqu'il la souleva, était froide.

— Thérèse, murmura-t-il.

Lentement, elle tourna la tête vers lui. Ses lèvres frémirent en une tentative de sourire qui brisait le cœur. Il se pencha et lui embrassa le front, également froid. Il vit que ses lèvres bougeaient et il approcha son oreille pour saisir le son. La voix était si faible qu'il ne fut jamais sûr d'avoir bien entendu, mais il crut qu'elle lui disait :

— Ce n'est pas... de ta faute.

Il y eut un long silence tandis qu'elle luttait pour retrouver son souffle.

— ... Amour... Le bébé... François.

Les mots venaient lentement, chacun au prix d'un effort. Elle ferma les yeux, poussa un long soupir, puis ne bougea plus.

Le docteur était debout derrière lui, François l'interrogea du regard, il baissa lentement la tête.

François se redressa et regarda longuement sa femme. Le corps, dans le grand lit, semblait n'avoir aucun point commun avec la jeune fille dont il était tombé amoureux à Sauveterre, son épouse, la mère de ses enfants. Il se détourna et quitta la pièce. Il était frappé de stupeur, trop bouleversé pour pleurer, incapable de croire que Thérèse n'était plus. Il ne jeta pas un regard à son fils. Il descendit s'asseoir sur sa chaise habituelle. Il entendit vaguement le docteur lui parler, Lydie lui offrir du café, la porte se refermer sur les talons du docteur. Enfin, tout droit sur sa chaise, il s'endormit.

Il s'éveilla au milieu de la nuit. La lampe brûlait toujours. Il la prit et monta l'escalier. Il entra dans la chambre pour voir le corps de Thérèse. C'était vrai. Elle était morte. Il redescendit, sortit de la maison et s'élança vers les vignes. Puis les larmes lui vinrent et de profonds sanglots qui secouèrent tout son être — au milieu des ceps dépouillés de leurs fruits.

Il enfouit sa tête dans ses mains et libéra toute sa rage contre Dieu, torturé par la pensée qu'il avait tué Thérèse aussi sûrement que d'un coup de poignard dans le cœur. S'il ne s'était pas montré si égoïste, s'il ne l'avait pas laissée devenir enceinte, s'il l'avait aimée et protégée davantage... Il se rappela ses dernières paroles — mais sans les accepter, sans y puiser le moindre soulagement. Comment pourrait-il ne pas s'accabler de reproches ?

Il demeura longtemps dehors, dans l'air glacé de la nuit. Puis le froid le perça jusqu'aux os et il revint en chancelant vers la maison. Il s'assit devant la cheminée vide et attendit le matin.

# 17

Ils vinrent tous, le lendemain, un par un ou en groupes, lui exprimer leurs condoléances. François les écouta, mais parla peu. Il semblait décontenancé, lointain. Au milieu de la matinée, il décida de revenir à la vigne. Salvatore aurait pu continuer de surveiller les vendanges, mais François se plongea dans le travail comme si rien ne s'était passé, ou plutôt comme si un désastre imminent le poussait à s'acharner sans espoir de lendemain. Il travailla jusqu'à la nuit, prit son dîner sans un mot, puis alla s'allonger sur un lit de camp dans une des nouvelles chambres, et s'endormit aussitôt d'un sommeil profond.

Lydie et Armand discutèrent des mesures à prendre. Les enfants, y compris le nouveau-né, étaient déjà installés chez les Corsini où Caterina et Agnese veillaient sur eux, mais ce ne pouvait être évidemment qu'un arrangement temporaire. Lydie deviendrait naturellement la mère adoptive des orphelins — après tout, n'étaient-ils pas de son sang ? — et elle les reprendrait à Saint-Christophe après les obsèques. Armand s'occuperait des formalités pour l'enterrement de sa sœur. Il irait à Cinnabar dès le lendemain matin chez l'entrepreneur de pompes funèbres, puis à San Francisco pour faire part de la nouvelle à Emilie King et demander au père Farinelli s'il accepterait de venir à Cinnabar célébrer le service funèbre.

— Et après les obsèques ? demanda Armand. Que va faire François ?

— Il restera ici. Il travaillera pour Saint-Christophe, répliqua Lydie sans la moindre hésitation. Vous, les hommes, vous guérissez de ce genre de chose. Vous avez votre travail. François a ses vignes. Il est comme mon père, il vit pour sa terre. Je crois que cela compte pour lui plus que... plus que tout.

Elle avait failli dire « plus que Thérèse n'a jamais compté », mais cela lui avait paru trop horrible, et de toute façon elle n'était pas sûre que ce fût vrai. François avait aimé Thérèse profondément et il était incontestablement terrassé par sa mort, accablé de douleur et (songeait-elle parfois) de remords — mais n'était-il pas ridicule qu'un homme se reproche ainsi la mort de sa femme en couches, quels que fussent les avertissements du médecin ? Peut-être ne pouvait-il s'en empêcher, nul ne peut trahir sa nature... Non, non, François aimait Thérèse. Seulement, son amour pour la terre était d'une essence différente. Lydie tenta de l'analyser : l'amour que ressent un homme pour une femme peut être profond et durable, mais il demeure une chose douce, paisible, dans sa vie; et même s'il prend les traits de la passion pendant la brève période où il lui fait la cour et au début du mariage, il conserve peu de points communs avec l'amour constant, impérieux, lancinant, possessif, qu'un homme est capable d'éprouver pour sa terre. Pourquoi ? Cynique, elle se dit qu'un homme tenait en général sa femme pour un fait acquis, tandis que sa terre réclamait toujours toute son attention et sa dévotion. Puis, se laissant aller à son imagination, elle songea encore que la terre est vraiment comme une femme, car elle répond à l'amour... Elle l'avait constaté avec son père et avec François — la terre qu'ils travaillaient leur donnait davantage qu'à d'autres, parce que son père et François déversaient leur amour dans cette terre comme s'ils lui accordaient leur propre semence.


Ce fut un bel enterrement. Et tout le monde apprécia la petite oraison du père Farinelli, car si brièvement qu'il eût connu Thérèse, il réussit à la faire revivre dans ses paroles, avant de leur assurer qu'elle était toujours vivante dans un monde meilleur, où François la rejoindrait un jour dans la béatitude éternelle. François, parvenant à s'abstraire pour quelques instants de son état de stupeur, remercia le père du long voyage qu'il avait accompli depuis San Francisco, et du beau service qu'il avait célébré.

Il s'était demandé si Emilie viendrait, mais elle avait simplement envoyé une couronne. Peut-être n'estimait-elle pas convenable d'assister aux obsèques de la femme de son amant. Mais tous les autres étaient là — tous les amis qu'il s'était faits grâce aux Corsini parmi les viticulteurs de la vallée, ainsi que la plupart des commerçants et de ses autres relations de Cinnabar. Au grand étonnement de François, Friedrich Eichenbaum se trouvait dans la petite église. Quand il sortit, il s'arrêta devant François, visiblement gêné, lui adressa un petit signe de tête et s'en fut aussitôt. Cela toucha énormément François, davantage que la présence de tous les autres, qui montèrent en grand nombre à Saint-Christophe partager le repas préparé par Lydie pendant toute la journée de la veille. Oui, ce fut un bel enterrement. La mort d'une personne aussi douce et aussi jeune que Thérèse était une chose très triste et, en la rappelant en son sein, Dieu montrait une fois de plus à quel point ses voies restent impénétrables. Mais en tout cas, tous en convinrent, elle avait reçu un bel adieu.


Dans les semaines qui suivirent, François s'habitua graduellement à sa perte, et lentement, très lentement, il accepta l'idée que ce ne serait pas la fin de tout. Thérèse lui manquait plus que quiconque ne pouvait le soupçonner (même Lydie), mais il fallait que la vie continue — les enfants étaient là et il devait leur construire un avenir sûr, sans parler de la nécessité de pourvoir à ses propres besoins et à ceux de sa sœur. Lydie ! Que serait-il devenu sans elle ? Elle avait changé, elle aussi. Pendant des années après que Lorenzo l'eut abandonnée, elle avait gardé un silence morose; elle préparait les repas, mais comme un devoir, une corvée à laquelle elle ne pouvait pas échapper. Maintenant, tout se passait comme si le malheur de François et la crise que traversait la famille avaient dissipé par miracle sa propre dépression. Elle n'était plus simplement un membre supplémentaire de la famille, toléré mais sans être vraiment désiré (croyait-elle), et parfois même méprisé ou raillé en secret, car le monde est toujours prêt à blâmer la femme trahie autant qu'à la prendre en pitié... Soudain elle s'épanouit, retrouva son énergie et son sens de l'humour, et dirigea la maisonnée avec efficacité — quoique sans modifier les traditions établies par Thérèse. Elle fut surtout la mère des enfants, qui répondirent aussitôt à l'affection et à l'attention qu'elle leur dispensait. Le bébé, en particulier, exigeait et recevait son amour — et il réagit très vite exactement comme si elle était sa mère par le sang. François l'avait appelé Charles Armand, parce que le second prénom de Thérèse était Charlotte, et parce que Armand était son frère.

En fait, la mort de Thérèse n'était pas tombée sur François comme une surprise totale. Il avait constamment repoussé la pensée que le pire pourrait se produire et — surtout en la voyant en si bonne santé pendant sa grossesse — il avait réussi à se convaincre que tout irait pour le mieux. Mais en son for intérieur il avait toujours eu la certitude qu'un malheur allait l'accabler. Pourquoi sentait-il cela avec autant d'acuité, il n'aurait su le dire, mais il ne pouvait en douter. Or, quand il fut remis du premier choc de la perte de Thérèse et qu'il eut repris plus ou moins sa vie normale, il s'aperçut que le même pressentiment demeurait toujours en lui, et cela le troubla. Il n'avait aucun moyen de savoir comment le destin le frapperait de nouveau, et si, en réalité, d'autres désastres l'attendaient, mais il surveillait jalousement ses enfants, et de temps à autre il exhortait Lydie à ne jamais les perdre de vue et à les protéger de tout danger. De même, il veilla cette année-là sur son vin avec un soin particulier, ainsi que sur les façons des vignes, houspillant Armand et Absalon pour que leur travail soit aussi efficace que le sien.

Cela faisait sept ans maintenant qu'Absalon travaillait à Saint-Christophe. Il y avait été heureux, surtout depuis que Lydie et lui s'étaient liés d'amitié. L'atmosphère avait toujours été joyeuse, et sans faire partie de la famille à proprement parler, ce qu'il n'espérait d'ailleurs pas, il s'était senti parfaitement intégré dans le groupe. Il s'était fait également un petit cercle de relations à Cinnabar, des compagnons de bar qui ne se formalisaient pas de la couleur de sa peau. Parfois cependant, il était moins bien traité — certains habitants de l'endroit persistaient à le prendre pour un inférieur que l'on peut chasser du trottoir ou à qui l'on peut parler grossièrement, et ils reprochaient à M<sup>me</sup> Harris de l'accepter dans sa clientèle — mais il s'y était habitué, et il avait cessé depuis longtemps de se vexer ou de s'insurger à ce propos.

— Ce n'est pas moi qui vais changer le monde, pas vrai ? dit-il à Lydie un jour.

— Vous n'avez jamais eu envie de vous marier ? lui demanda-t-elle une autre fois.

— Non, madame. Je crois que je ne suis pas un gars à ça.

Le Noir était devenu très précieux pour François qui n'avait jamais besoin de contrôler son travail, ne pouvait jamais lui reprocher les négligences qu'Armand se permettait parfois. Pourtant depuis deux ans environ, sa jambe le faisait souffrir davantage. Il boitait de façon plus prononcée, et parfois il ne pouvait dissimuler sa douleur. Il essayait malgré tout de continuer sa tâche dans les vignes, mais François devait le renvoyer souvent à la maison, lui demandant d'aider Thérèse et Lydie à s'occuper des enfants.

Après la mort de Thérèse, qui l'avait profondément attristé, Absalon s'aperçut qu'il devenait un sujet de conflit entre François et Lydie. François, qui s'imposait un train d'enfer, exigeait de plus en plus la présence du Noir dans les vignes.

— Il n'est pas raisonnable, Absalon, lui dit Armand, mais n'oublions pas qu'il a subi un grand choc. Fais de ton mieux pour le satisfaire. Il reprendra le dessus avec le temps.

Parallèlement, Lydie avait besoin de son aide. Avec quatre enfants en bas âge à élever, elle avait du mal à s'acquitter de toutes les corvées de la maison — cuisine, lessive, raccommodage, ménage — qu'elle partageait jusque-là avec Thérèse. Absalon aimait beaucoup les enfants et s'amusait avec eux pendant des heures, surtout avec la petite Marguerite qu'il adorait, et qui le lui rendait bien. Si elle se faisait mal en tombant, c'était toujours vers Absalon, quand il était là, qu'elle se précipitait pour se faire consoler. C'était lui qui la cajolait le mieux lorsqu'elle pleurait, et c'était pour lui faire plaisir qu'elle se tenait sage. Non sans une pointe de jalousie, François songeait parfois qu'elle considérait Absalon comme un père — bien que lui-même prodiguât à l'enfant autant d'affection, sinon plus, que le Noir. Et c'était surtout pour cette raison qu'il refusait d'accéder aux désirs de Lydie lorsqu'elle lui demandait de libérer Absalon de ses tâches dans la vigne pendant une heure ou deux chaque jour pour qu'il s'occupe un peu des enfants.

Absalon fut malheureux au cours de cette période et, quoique à regret, il songea même à partir. Il n'avait aucune idée de l'endroit où il se rendrait, mais ce n'était pas la première fois qu'il s'en irait à l'aventure. Or le problème se résolut de lui-même, en partie parce que leurs efforts dans les vignes les avaient mis très en avance et que François ne pouvait trouver suffisamment d'ouvrage pour continuer à ce train d'enfer, en partie aussi parce que la condition physique du Noir empira. Il cessa de pouvoir tenir debout sur sa jambe tout le jour durant dans les vignes et François dut convenir qu'il serait mieux employé à aider Lydie pendant quelques heures au cours de l'après-midi.

— Mais qu'il s'occupe seulement des petits, dit-il. Garde Marguerite avec toi, elle devient garçon manqué...

Lydie éclata de rire et enfonça un biscuit de plus dans sa bouche. Elle était plus grosse que jamais.


Une lettre de Sauveterre leur apporta les condoléances de la famille pour le décès de Thérèse. Tout le monde se portait bien. Fanchon s'était mariée et vivait du côté de Libourne, ce qui était tout aussi bien, car Lucette et Henri ayant maintenant trois fils, il leur fallait de la place. La lettre se poursuivait avec de nombreux détails sur les enfants, et des allusions répétées sur la dépendance croissante de Raphaël à l'égard d'Henri pour l'exploitation des vignes. « Bien entendu, écrivait Lucette, votre papa prend de l'âge et ne peut plus travailler comme autrefois. Il a de la chance d'avoir un fils aussi dévoué qu'Henri. »

Comme de coutume, les remarques doucereuses de Lucette hérissèrent Lydie, mais François réagit par une certaine indifférence. Son affection pour ses parents n'avait pas diminué et il pensait souvent à eux, pourtant les vignes de Sauveterre étaient maintenant très loin dans son esprit, et il n'enviait absolument pas à Henri sa position de futur maître.


Pendant quelques semaines, François ne se rendit pas à San Francisco pour ses entretiens réguliers avec Emilie King. Ses rapports sur l'état de Saint-Christophe étaient devenus une simple formalité, surtout depuis qu'il avait pu rembourser la majeure partie de son prêt. Et lorsqu'il songeait à ce qui se passerait d'autre — le lit et le corps consentant de la jeune femme — il avait l'impression, si étrange que cela puisse paraître, que cet acte serait beaucoup plus déloyal désormais que du vivant de Thérèse.

En décembre, quand il reprit ses visites, Emilie avait changé, elle aussi. Elle ne fit aucune allusion au fait qu'il avait interrompu ses comptes rendus pendant près de deux mois, mais elle l'accueillit avec chaleur, lui exprima de nouveau ses regrets au sujet de Thérèse et lui demanda des nouvelles de ses enfants...

Ils se trouvaient dans la bibliothèque, elle lui offrit du café et des gâteaux, et rien ne laissa supposer qu'ils quitteraient cette pièce. La grande différence dans son attitude, c'est qu'elle ne le traitait pas simplement comme un instrument de plaisir sexuel mais semblait le considérer comme un ami et un égal. Auparavant, même au paroxysme de leur passion, elle lui avait toujours fait sentir, de façon subtile, qu'il était l'employé et elle la maîtresse, qu'il avait la pauvreté du paysan et elle l'aristocratie de la richesse; bref, elle le dominait. Jusqu'à ce qu'il ait entièrement remboursé le reste de sa dette, elle avait toujours barre sur lui; mais maintenant, tout se passait comme si elle ne désirait plus exercer ce pouvoir, comme si, avec la mort de Thérèse, elle n'avait plus besoin de lutter en usant de sa force supérieure : elle se contentait de relations amicales plus paisibles. François commença de prendre davantage de plaisir à ses déplacements à San Francisco.

Lorsqu'il vendit son vin, au début de l'année suivante, le résultat dépassa toutes ses espérances. La récolte de 1886 avait été sensiblement plus abondante que les précédentes, et le vin de bonne qualité. Il avait produit cent six hectolitres — ce qui représentait beaucoup plus d'argent qu'il n'avait escompté. Suffisamment en fait pour rembourser complètement Emilie King. Les bâtiments et les vignes du coteau de Saint-Christophe lui appartiendraient enfin. Il avait désiré les déposer aux pieds de Thérèse, mais comme ce n'était pas possible, il les léguerait à ses enfants. Et si les récoltes continuaient d'être aussi bonnes, il pourrait bientôt rembourser également le prêt de Salvatore. A ce moment-là, il envierait peut-être encore à Eichenbaum la beauté d'Oak Valley, mais il pourrait cependant se considérer comme un viticulteur à part entière, propriétaire d'un vignoble de belle taille.

Il rédigea un chèque à l'ordre d'Emilie King et, au jour dit, prit le train pour aller la voir. Elle semblait d'humeur bizarre, amicale mais légèrement distante, comme si quelque chose tournait dans sa tête. Il lui remit le chèque avec fierté.

— Je suis presque désolé de vous rembourser, *Mademoiselle,* lui dit-il. Je suis en dette à votre égard depuis si longtemps, que cesser de l'être va me paraître étrange. Sauf, bien sûr, que je vous devrai toujours beaucoup plus que je ne saurais dire. Sans vous, jamais je ne serais allé à Saint-Christophe. Sans votre aide, Eichenbaum en serait le propriétaire aujourd'hui. Je vous suis très reconnaissant.

— Félicitations, François. Je suis heureuse que vous ayez réussi.

Elle parlait d'un ton absent.

— Je suppose que je ne serai plus obligé de vous rendre visite, reprit François. Mais j'espère que nous nous rencontrerons parfois, maintenant que nous sommes... amis.

Elle lui lança un regard très intense, comme si elle le voyait pour la première fois ce jour-là.

— Beaucoup plus que des amis.

Elle lui tendit les bras.

— Venez, François.

Il s'avança vers elle et l'embrassa. Puis elle se précipita soudain hors de la pièce, l'entraînant à sa suite dans l'escalier, dans la chambre, dans le lit. Sa passion était aussi effrénée qu'au jour lointain où elle avait accepté de lui prêter l'argent pour acheter San Cristobal.

Plus tard, elle se tourna vers lui, lui prit la tête entre les mains et le fixa longuement, d'un air grave.

— Tout est fini, François, lui dit-elle à mi-voix. Oui, nous sommes toujours amis, et davantage que des amis, mais nous ne nous reverrons peut-être jamais. Je m'en vais. Je vends la maison et je pars vivre à New York.

— A New York ? répéta François en écho, sans comprendre.

— Oui.

— Et vous vendez le « Palais » ?

— C'est beaucoup trop grand pour moi. Et mon... mon fiancé ne l'aime pas. Je vais me marier, voyez-vous.

Il ne put retenir son rire, et elle le gifla de toutes ses forces, les traits décomposés par la fureur. Puis toute colère disparut soudain et elle éclata de rire à son tour.

— Oui, j'imagine que l'on pourrait croire à une plaisanterie. Il m'aime beaucoup. Il sait comment je suis, et il dit qu'il veut m'épouser malgré tout. Et vous comprenez, François, je suis seule. Très seule. Mon père me manque. Je veux que quelqu'un m'aime — pas pour un instant, pour une heure, le temps où vous êtes là, dans mon lit — mais à tout moment.

Il la regarda, débordant de tendresse.

— J'espère que vous serez très heureuse, *Mademoiselle*.

Il l'embrassa doucement sur le front, se glissa hors du lit et se rhabilla, tandis qu'elle l'observait, toujours allongée, avec un sourire triste. Lorsqu'il fut prêt à partir, il se tourna vers elle.

— Merci, *Mademoiselle*... Pour tout.

— Vous vous souvenez de la première fois où vous êtes venu ici, François ? Souriez-moi. C'est votre sourire que je me rappelle, oui, votre sourire ce jour-là. Ce fut amusant, François, n'est-ce pas ?

Il l'embrassa de nouveau.

— Oui, *Mademoiselle*, amusant.

Aurait-il pu dire autre chose ?


Pendant le trajet de retour à Cinnabar, dans le tumulte de ses pensées, il eut l'impression que son univers s'écroulait. Tout d'abord Thérèse le quittait, et maintenant, d'une autre manière, Emilie. Comment pourrait-il vivre sans femme dans sa vie ? Ne devrait-il pas se remarier ? Mais non, il n'en avait aucun désir réel. Il ferait un tour dans une maison de passe de temps en temps — cela réglerait un côté du problème. Et Lydie tiendrait son foyer et servirait de mère à ses enfants. Il n'avait vraiment pas besoin de femme. Et pourtant...

Mais il existait une autre raison qui l'empêchait de faire des projets quels qu'ils soient. Il ressentait toujours l'étrange impression d'un malheur imminent, qui lui était venue peu de temps avant la mort de Thérèse. En général il n'accordait aucune attention aux prémonitions ou aux superstitions de tout ordre, mais il était pourtant convaincu qu'un désastre allait s'abattre sur lui.

Peu de temps après, Armand le prit à part.

— J'ai discuté avec Salvatore. Je sais qu'il est propriétaire des anciennes vignes, ici, mais tu rembourseras ta dette avant longtemps et tout Saint-Christophe sera alors à toi. Je crois que je ne devrais plus continuer à travailler ici, François. Un jour Casa Rosa sera à moi, il faut que j'aille travailler là-bas, pour me familiariser. Je veux dire, que se passerait-il si Salvatore mourait subitement ? Dieu nous en garde, mais ce sont des choses qui arrivent. Je ne connais rien de la propriété. Alors, j'ai pensé, et Salvatore est d'accord si tu y consens, que je pourrais travailler ici jusqu'à la prochaine récolte, puis aller à Casa Rosa. Tu dois bien voir que c'est raisonnable, et tu peux te permettre, à présent, d'engager quelqu'un pour prendre ma place.

François l'écouta en silence. Oui, c'était raisonnable et il ne pouvait pas discuter avec Armand, mais c'était tout de même un « sale coup ». Il avait songé à engager un autre vigneron depuis qu'Absalon avait dû cesser de travailler à plein temps dans les vignes. Maintenant, il allait être obligé d'engager deux hommes, qui lui coûteraient 1 000 dollars par an, sans faire autant de travail qu'Armand et Absalon.

Il se demanda si ce n'était pas le désastre qu'il attendait et redoutait — mais son angoisse demeurait présente...

Il prit soin de ses vignes plus que jamais. Tout lui paraissait pour le mieux et il se força à chasser de son esprit cette impression de menace. Ce n'était sans doute que la réaction, après la mort de Thérèse. Avec les intérêts, il devait à Salvatore plus de 16 000 dollars, mais si tout se passait bien, même en tenant compte des salaires des deux vignerons, il se libérerait en cinq ou six ans. Après commencerait le temps du réconfort. Il pourrait acheter d'autres terres, ou bien s'associer avec Salvatore pour financer un établissement de vins en gros et se soustraire à la dépendance d'Eichenbaum. L'avenir était sans nuages.


Les bourgeons s'ouvrirent, et au mois d'avril il comprit. Un matin, il sortit de bonne heure, arracha un cep, revint dans la maison et le jeta sur la table de la cuisine.

— Tu te souviens du jour où papa a fait ça ? demanda-t-il à Lydie.

— Pas... Comment ?... Le phyl...

— Le phylloxéra. Oui. Il n'y a aucun doute.

— Mais je croyais que les vignes américaines ne pouvaient pas être atteintes !

— C'est vrai. Enfin, presque. Il y a déjà eu des problèmes. Le parasite s'était répandu en Californie un peu avant mon arrivée à Saint-Christophe. Les vignes s'étaient rétablies très vite, mais je crois qu'aujourd'hui, c'est beaucoup plus grave. Sûrement une attaque d'insectes d'une variété nouvelle, plus virulente.

Il s'assit devant la table et enfouit son visage dans ses mains. Les enfants, sachant d'instinct que quelque chose allait très mal, le fixaient avec des yeux ronds.

Lydie, reconnaissant l'amertume dans sa voix, se garda bien de lui demander s'il était absolument certain de son fait. Elle attendit jusqu'à ce que le silence fût trop lourd à supporter.

— Est-ce toute la vallée ? demanda-t-elle. Ou seulement nous ?

— Comment le saurais-je ? s'écria-t-il, furieux. Je n'ai pas fait le tour de la vallée pour voir.

Puis il murmura :

— Désolé. Je n'avais pas l'intention de te sauter à la gorge. Je ne crois pas que ce soit seulement nous. Ce serait extraordinaire ! Tu imagines les mouches en train de décider : « Nous ne choisirons que les raisins de Pujol » ? J'ai bien l'impression que Salvatore était inquiet lui aussi, bien qu'il ne m'ait rien dit. C'était inutile tant que nous n'avions pas de preuve. Ou peut-être a-t-il cru qu'après la cascade des mauvaises nouvelles, je ne pourrais pas en supporter une de plus. Autant aller le voir...

A son retour ce soir-là, son visage semblait plus sombre que jamais. Les vignes de Casa Rosa étaient touchées, ainsi que la plupart des autres propriétés de la vallée. Unique consolation, les dégâts semblaient moins graves qu'à Sauveterre. Certains ceps restaient encore sains, il y avait donc de l'espoir, si grave que puisse être le fléau pour quelques années. Mais si les vignes apparemment saines contractaient la maladie plus tard... Mieux valait ne pas y songer.

— Jamais je n'aurais dû venir ici, Lydie. En Californie, à Cinnabar et surtout à Saint-Christophe. Ou alors, il fallait garder le nom de San Cristobal. Nous avons sûrement fait quelque chose qui a provoqué la colère de... de ce qui nous dirige et oriente nos destinées. Mais quel est notre péché pour que nous soyons toujours punis de la sorte ?

— Ce n'est pas seulement nous, c'est toute la vallée... tenta de raisonner Lydie.

— Je crois que nous sommes plus frappés que les autres. Eichenbaum s'en sort sans presque aucun dégât.

— Quelqu'un sait-il pourquoi les vignes cessent d'être résistantes ?

— Non. Les mouches phylloxéra sont ici depuis des siècles, depuis aussi longtemps que remonte la mémoire des hommes. De temps en temps, elles attaquaient un cep — un cep plus faible que les autres, souvent parce qu'il était déjà atteint d'une autre maladie. Mais jamais à cette échelle massive. Personne ne peut le comprendre. Quelque chose a dû les changer et elles pondent leurs maudits œufs sur des ceps qu'elles n'auraient jamais touchés auparavant — et bien entendu les larves mangent tout... Je ne sais pas. Je ne comprends pas. Tout ce que je sais, c'est que nous ne devrions pas être ici. Je m'y attendais. Je savais qu'une chose terrible allait se produire. C'est clair, non ? Nous ne sommes pas les bienvenus ici. Tout s'acharne contre nous.

Il s'arrêta, puis parut prendre une décision.

— Je vais vendre, Lydie. Vendre et rentrer à Sauveterre.

— Et Salvatore ? Il a son mot à dire.

— Il sera d'accord avec moi. Il garde sa part des terres. La mienne nous donnera de quoi payer nos voyages de retour — toi, moi et les gosses — et de quoi redémarrer en France. Nous achèterons peut-être un magasin.

Epouvantée par les paroles de son frère, Lydie ne trouva rien à lui répondre. Comment lui arracher cette idée de la tête ? Comment rétablir sa confiance en lui et en leur avenir à Saint-Christophe ?

— Attends une minute, lui dit-elle enfin. Il me semble que tu tiens beaucoup de choses pour acquises. Tu peux rentrer en France si ça te chante, et emmener les enfants — ce sont les tiens, tu en fais ce que tu veux et ils sont encore trop jeunes pour discuter avec toi, les pauvres petits. Mais ne fais pas de projets pour moi, je te prie. Je ne rentre pas en France.

— Mais il le faut. Qui s'occupera des enfants ?

— C'est ton affaire. Tu te débrouilleras comme tu voudras. Mais dis-toi bien, François, que j'ai dû lutter pour venir ici, et que je n'ai pas l'intention de revenir en arrière comme un chien battu dès que les choses se gâtent un peu. Tu te figures que tout a été rose pour moi ? Que crois-tu que je ressente en voyant tes enfants et ceux de Caterina, quand je sais que je n'en aurai jamais, moi ?

— Ce n'est pas trop tard. Tu es encore une jeune femme. Tu trouveras un mari, surtout quand nous serons rentrés à Sauveterre.

— Tu recommences à faire des projets à ma place, hein ? Le seul mari que j'ai désiré était Lorenzo, et si je ne peux pas l'avoir je me passerai de lui. Je ne serai pas la première. Et j'ai eu de la chance — j'ai pu m'occuper de tes enfants pendant quelques mois. Je croyais que je continuerais à les élever, mais si tu rentres en France, tant pis, il faudra que j'y renonce. Rien au monde ne pourrait me faire revenir en arrière.

— Mais que vas-tu faire, ici ?

Stupéfait par l'attitude de Lydie, François en oubliait ses propres soucis.

— Je ne sais pas. Je démanderai peut-être à Caterina si elle n'a pas besoin d'aide. Ou j'irai à San Francisco, voir ce que je pourrai faire en ville.

— Tu ne peux pas vivre à San Francisco toute seule.

— Ne t'inquiète pas. Je trouverai. Je ne resterai pas à la rue. Tiens, je pourrais aller voir ta Mademoiselle King. Elle semble avoir un penchant pour notre famille. Elle me trouvera peut-être une place de servante, je me débrouillerai.

— Elle a quitté San Francisco.

— Où qu'elle soit, il lui faudra bien des domestiques. Je voyagerai peut-être avec elle. Ce sera formidable.

— Mais pourquoi, Lydie, pourquoi ? Tu veux te couper de la famille ? De tout ? Pourquoi ne pas rentrer à Sauveterre, avec le père, la mère, et...

— Parce que je ne vais pas abandonner l'Amérique sous le premier prétexte venu. Tu voudrais peut-être que la vie soit parfaite à tous les instants ? A quoi bon fuir, François ? Tu crois que Dieu va te sourire parce que tu baisses les bras ? Tu ne peux pas renoncer simplement parce que deux ou trois petites choses tournent mal. Du courage, François, du courage.

Il lui lança un regard étrange.

— Pourquoi as-tu employé ces mots ?

— Quels mots ?

— Ce que tu viens de dire : « Tu ne peux pas renoncer simplement parce que deux ou trois petites choses tournent mal » et « Du courage ». C'est exactement ce que m'a dit Thérèse il y a des années.

— Alors elle avait encore plus de bon sens que je ne le pensais. Et puisque tu avais le bon sens de l'écouter, écoute-la encore, François, même si tu ne veux rien entendre de ce que je te dis.

Il ne répondit pas. Il songeait à cet autre moment de désespoir et il se souvenait de tout ce qui s'était produit depuis lors.

Lydie alluma une bougie à la lampe à pétrole.

— Je vais me coucher, François. Couche-toi, toi aussi. Et ne passe pas la nuit les yeux grands ouverts à te tourmenter. Dors bien. Tout te paraîtra différent dans la lumière du matin.

# TROISIÈME
# PARTIE

# 1

A son retour des vignes, par cette soirée de l'été 1905, François se sentait fatigué et furieux. Fatigué car à cinquante et un ans même des muscles habitués au travail commencent à vous faire souffrir de temps à autre; et furieux car les autres avaient tous quitté la vigne avant lui, sauf Absalon — non qu'il fût utile à grand-chose, à présent ! — encore plus âgé que lui mais toujours persuadé que si Dieu donne aux hommes de belles soirées d'été, c'est pour qu'ils puissent travailler plus longtemps dans les champs et non vadrouiller comme semblent le croire tous les jeunes... Pourtant, tout compte fait, c'étaient de braves gosses. Il sourit au souvenir des batailles qu'il avait dû livrer à son père, à Sauveterre. Ses enfants étaient exactement comme Lydie et lui à l'époque — parfois insupportables, insoumis, paresseux, mais sur un fonds de bonté. Oui, c'étaient de bons enfants, et il en était fier.

Il aurait aimé que le jeune Raphaël — Ralph — et son frère Jean s'intéressent davantage à la vigne. Oh ! ils travaillaient très dur la plupart du temps, et ils aimaient Saint-Christophe et tout ce qui touchait au vin, mais ni l'un ni l'autre ne semblaient posséder cette sensibilité particulière, cette connaissance instinctive des plantes et de la fabrication du vin, dont François avait toujours eu le don et que son père avait toujours reconnu en lui. Parfois, il se demandait même si le vieil homme l'aurait laissé partir en Californie s'il n'avait pas été certain que ses capacités, d'une manière ou d'une autre, lui permettraient de réussir.

En arrivant à la maison, il quitta ses lourdes bottes en ronchonnant et enfila les chaussures d'intérieur qui l'attendaient sous le porche. C'était une idée de Lydie. Maintenant qu'ils avaient assez d'argent pour des tapis et des meubles confortables, la maison ressemblait davantage à une demeure de ville qu'à une ferme. Beaucoup d'embarras, ce caprice de sa sœur ! songeait-il, mais il admirait en secret les efforts qu'elle déployait pour tenir tout impeccable, meubles et parquets brillants comme des miroirs.

La maison elle-même avait peu changé depuis qu'il avait construit les chambres. Elle leur avait fourni suffisamment de place pour tous les six, mais il avait tout de même rajouté le porche devant la porte, des toilettes, et une buanderie pour que Lydie ait davantage d'espace pour la lessive et le repassage. Le logement des vignerons avait été agrandi pour pouvoir héberger Absalon et les deux employés qu'il avait engagés tant que les deux aînés allaient encore à l'école. Depuis peu, Absalon l'occupait comme un prince solitaire, car Raphaël et Jean travaillaient maintenant dans les vignes. Avec l'aide supplémentaire de Charles et de Marguerite, cela suffisait.

Les bâtiments avaient conservé une certaine apparence baroque, comme si aucun plan d'ensemble n'avait présidé à leur construction — et c'était bien la réalité. Quel dommage ! songea François. Si seulement Saint-Christophe pouvait être aussi beau que le domaine d'Eichenbaum ! Les jeunes l'avaient souvent entendu répéter sa promesse : « Un jour, quand je serai riche, j'achèterai Oak Valley », et dès qu'il commençait sa phrase, ils la terminaient tous en chœur.

Il ouvrit la porte de la salle de séjour, et il comprit pourquoi les autres avaient quitté les vignes. Ils étaient tous là, Lydie, Raphaël, Jean, Marguerite et Charles, debout, un verre de vin à la main, souriants :

— Bon anniversaire, papa ! Bon anniversaire.

— Mon dieu !

Il prit le verre que Marguerite lui tendait, en but une longue gorgée, puis le releva.

— Et bon anniversaire, Marguerite !

Il posa son verre et s'éclaircit la gorge.

— Je vais faire ma toilette, grommela-t-il. Le dîner est prêt ?

— Tu as une minute pour l'eau et le savon, lui répondit Lydie en riant.

— Douze secondes pour chaque doigt, continua Raphaël.

— Une minute pour le visage, ajouta Jean.

— Et trente secondes par oreille, crièrent-ils tous à la fois. Combien en tout ?

— Cinq minutes, répondit François. A moins qu'il ne me soit poussé une oreille.

C'était une vieille plaisanterie, datant de l'époque où les garçons, à l'école, se battaient avec l'arithmétique.

— Le dîner sera prêt, confirma Lydie.

Ce fut un excellent repas. Lydie avait cuisiné le plat favori de son frère, un canard au verjus, précédé par une belle piperade au jambon. François alluma un cigare et regarda sa famille à travers le nuage bleu.

Raphaël avait vingt-trois ans, c'était un jeune homme trapu, large d'épaules : la carrure de son grand-père, et aussi l'entêtement du vieux Raphaël. François l'observait : il écoutait ses frères se chamailler, et sa bouche n'était qu'une ligne fine. Ralph s'était montré difficile depuis des années — depuis le début de l'adolescence, en fait — mais c'était lui que François aimait le plus, malgré leurs querelles fréquentes, malgré ses critiques âpres, malgré le fait qu'il n'avait ni l'intelligence vive de Jean, ni l'esprit méthodique de Charles, parce que en dépit de tout c'était le premier-né, l'héritier, le fruit du premier amour, si doux, entre Thérèse en lui. En regardant Ralph, il commençait à comprendre ce que son père devait ressentir au sujet d'Henri.

Jean était beaucoup moins beau garçon que Ralph, avec un long visage fin que dominait un nez cassé, séquelle d'une chute dans le chai pendant sa tendre enfance; mais peu importe la beauté des traits quand ils s'éclairent en tout temps d'un sourire : ses yeux rieurs pétillaient de malice. C'était le préféré de Lydie. Il partageait son sens de l'humour et ils passaient des heures ensemble : leur conversation n'était qu'allusions presque impossibles à suivre à de vieilles plaisanteries — ou de nouvelles — coupées de longues crises de fou rire. Jean était intelligent, il avait fait d'excellentes études, notamment en physique et chimie. Parfois, quand il songeait à l'avenir, François sentait que dans les années suivantes la chimie de la vinification jouerait un rôle de plus en plus important dans les chais et les caves — teneur en sucre, températures de fermentation, mélange de moûts de différents cépages. Jean deviendrait peut-être — comment disait-on déjà ? l'« œnologue » de Saint-Christophe.

Enfin il y avait Charles. Pendant longtemps François n'avait pu regarder Charles sans le rendre responsable de la mort de sa mère, que la présence de l'enfant lui rappelait à chaque instant.

Puis un jour, Lydie l'avait pris à partie, exactement comme le vieux Raphaël aurait pu le faire lorsqu'il était adolescent à Sauveterre.

— Cet enfant a la gale ? lui avait-elle demandé, agressive.

— Comment ? Mais non. Il va bien, autant que je sache.

— Alors pourquoi l'évites-tu ? Pourquoi ne poses-tu jamais les yeux sur lui ? Pourquoi ne lui accordes-tu pas un seul sourire ? Un seul mot gentil ?... Je vais te le dire, pourquoi ! Parce que tu as décidé qu'il avait tué Thérèse !

— Mais...

— Alors pourquoi ne l'exposes-tu pas aux vautours, sur la colline, hein ? Tu es un imbécile, François. Et cruel, en plus ! Le pauvre petit ! Tu as des devoirs à l'égard de ce gosse, et il est grand temps que tu fasses quelque chose à ce sujet !

Il avait pris Charles dans ses bras et, pour la première fois, il l'avait vraiment regardé. Non, il ne pouvait continuer à reporter sur un enfant innocent une faute qui était entièrement la sienne. Depuis ce jour-là, il avait passé plus de temps avec Charles qu'avec aucun des autres enfants, y compris Marguerite. Doté des grands yeux graves de sa mère, Charles était plus petit, plus fluet que les autres — mais intrépide !

Un jour, alors qu'il était encore tout bébé, Lydie avait prédit qu'elle aurait du mal à l'élever.

— Juste la peau et les os, s'était-elle plainte à Caterina. Ah ! Je vais me faire du mauvais sang avec lui ! Il attrapera toutes les maladies de la création et il en inventera d'autres pour lui tout seul. Chaque fois, il sera à deux doigts de la mort, et le temps que je le sauve, il se lancera tête baissée dans une autre.

Mais Lydie s'était trompée. Il avait effectivement attrapé toutes les maladies de l'enfance, mais il s'en était tiré chaque fois sans davantage de souci pour sa mère nourricière qu'une ou deux nuits sans sommeil.

— Un petit dur à cuire ! avait dit le Dr Daniels.

— Aussi dur que de vieilles bottes, avait renchéri Lydie.

Et en voyant les membres du gamin, fluets comme des allumettes, elle s'émerveillait qu'un corps aussi gringalet puisse receler autant de force et d'acharnement.

Charles avait près de dix-neuf ans, l'âge de songer aux filles, comme ses frères. Mais seuls ses livres semblaient intéresser ce lecteur vorace. Les autres le taquinaient parce qu'il employait des mots compliqués et tournait toutes ses phrases de façon pédante. Charles les laissait se moquer autant qu'il leur plaisait, et il expliquait patiemment le sens de ses paroles — si quelqu'un s'y intéressait suffisamment pour l'écouter...

— Eh ! Madame Maigre ! Un peu de café, je te prie.

François se pencha pour poser la main sur le bras bien en chair de Lydie.

Elle lui répondit d'un sourire, sans se blesser du surnom ironique qu'il venait de lui lancer. Elle versa le café. La chaise craqua sous son poids lorsqu'elle se rassit pour reprendre la petite somnolence que son frère avait interrompue.

Le regard de François se posa enfin sur ce qu'il avait gardé « pour la bonne bouche » : Marguerite. Il l'avait adorée du premier instant où il l'avait vue, telle une fleur, dans les bras de sa mère. Et de même que Lydie avait dû lutter pour le pousser à reconnaître l'existence même de Charles, de même elle s'était battue pour l'empêcher d'étouffer Marguerite sous son amour — ou en tout cas de la gâter de façon inadmissible.

Absalon y avait contribué : il l'adorait lui aussi, mais il était beaucoup plus strict que François; chaque fois qu'il voyait la petite fille se conduire mal, ou abuser de l'indulgence de son père, il la prenait à part et lui racontait gentiment des histoires simples, mais dont la morale était toujours bien sentie. Elle l'écoutait, ouvrant tout grands ses yeux graves, et, curieusement, les petites homélies atteignaient le plus souvent leur but : pour faire plaisir à Absalon, elle modifiait sa conduite.

Le succès de Lydie et d'Absalon ne faisait maintenant aucun doute. En effet, il suffisait que Marguerite lève le petit doigt pour que tous les hommes de la famille s'inclinent, mais elle n'exerçait jamais ce pouvoir et ne prenait jamais de grands airs. En fait, à supposer qu'elle eût un tout petit défaut (et François éprouvait beaucoup de mal à l'admettre) c'était le peu d'intérêt qu'elle accordait aux attitudes « féminines ». Ayant grandi avec trois frères, comment ne serait-elle pas devenue garçon manqué ? Et pour tout dire, c'était souvent elle qui menait la bande. Elle ressemblait de plus en plus — et chaque fois qu'il le constatait cela perçait le cœur de François — à sa mère. Chose étrange, les deux aînés tenaient davantage de lui, et Marguerite et Charles surtout de Thérèse. Marguerite avait le même visage de farfadet, les mêmes grands yeux expressifs, les mêmes lèvres pleines, charnues, le même teint mat très pâle. Mais cette beauté recouvrait un caractère plus fort, plus dynamique. Marguerite était la meilleure du lot, se disait-il, et l'homme qui l'obtiendrait aurait de la chance. Son cœur vacilla de nouveau à cette pensée, parce qu'elle avait tout juste vingt ans ce jour-là — et les garçons de Cinnabar s'accrochaient tous à ses basques. Tôt ou tard elle choisirait l'un deux et François la perdrait.

Ce serait également une perte pour Saint-Christophe, car elle aimait les vignes. Pendant son adolescence, quand elle rentrait de l'école, elle passait des heures avec son père ou Absalon lorsqu'ils traitaient la vigne ou s'occupaient du vin, posant des questions, voulant tout savoir. Elle travaillait souvent dans les champs maintenant, et François l'estimait aussi capable que les garçons.

Il baissa la tête et somnola une minute ou deux, heureux d'avoir sa famille autour de lui, repu de bonne nourriture et de bon vin — le meilleur produit à Saint-Christophe.

Quelque chose tirait sa manche. Il ouvrit les yeux, Ralph lui lançait un regard impatient.

— Papa, je sais que c'est ton anniversaire, mais me pardonnerais-tu si j'allais à Casa Rosa ?

La réplique lui vint sur le bout de la langue : ne pouvait-il donc pas rester, pour une fois, un jour comme celui-ci ? Mais c'était justement un jour où il fallait se montrer généreux et rendre tout le monde heureux.

— Très bien. Donne le bonjour à tante Caterina et à oncle Armand, ainsi qu'à leurs parents.

— Et à vos cousins Ricardo et Vincenzo, dit Lydie pour le taquiner. Nous n'avons oublié personne, je crois ?

Le visage de Ralph devint tout rouge. Il se détourna et s'éloigna à grands pas.

— Ah ! oui... Christiane ! s'écria Lydie comme si elle se souvenait soudain. Donne le bonjour à Christiane, Ralph.

Mais Ralph avait déjà quitté la pièce. La porte d'entrée claqua derrière lui. Il était amoureux fou de Christiane et il se mettait en fureur chaque fois que l'on se moquait ainsi de son adoration pour sa cousine — or les adultes semblaient sans cesse se moquer...

A vrai dire, les parents en avaient discuté. Ils étaient tous convenus qu'un mariage entre cousins germains n'était vraiment pas souhaitable, mais, convaincus par Caterina qui en avait longuement parlé avec Agnese, ils avaient décidé que la meilleure attitude, et de loin, serait de ne pas prendre acte de cette amourette et de la traiter à la blague.

— Notre opposition ne ferait que les rapprocher. S'ils voient que nous ne prenons pas la chose au sérieux, ils cesseront vite d'y songer.

Pourtant Caterina et les autres avaient sous-estimé la violence de la passion qui unissait Ralph et sa belle et délicate cousine. « S'ils continuent ainsi, ils s'enfuieront ensemble un jour », songeait Lydie, et chaque fois l'image de deux amants en fuite suscitait en elle le même pincement de cœur.

— Caterina avait tort, tu sais, dit-elle à François.

— A quel sujet ?

— Oh ! peu importe !

C'était typique : les hommes sont toujours si lents à comprendre !

— Je vais finir mon cigare dehors, dit François en se levant.

Sous le porche, il chaussa, non sans mal, ses bottes. Quel ennui ! Toujours se changer pour un oui ou pour un non ! Il se sentait beaucoup mieux quand ils menaient une vie plus simple !... Mais il savait que c'était faux et qu'il aimait autant que les autres les quelques luxes qu'ils pouvaient dorénavant se permettre.

Il fit quelques pas dans les vignes. C'était devenu un rite. Chaque soir, si humide ou venteux que se présentât le temps, si ennuyeux que ce fût de rechausser ses bottes, il sortait quelques instants pour jeter un dernier regard à la terre et aux vignes qui lui appartenaient désormais. Et souvent, comme ce soir-là, ses pensées remontaient dans le passé.

Au début, quand le phylloxéra avait frappé, Salvatore et lui avaient pensé qu'Eichenbaum serait leur salut. Ils savaient que l'Allemand possédait une vaste pépinière, et comme son vignoble avait été beaucoup moins ravagé que les leurs, peut-être accepterait-il de leur vendre une partie de ses jeunes plants. Même Eichenbaum ne refuserait sûrement pas d'aider des confrères à l'heure de la catastrophe.

Il ne refusa à personne dans la vallée — il n'avait aucun désir de voir son affaire de vins en gros péricliter faute de production — mais il demeura intraitable à l'égard de François et de Salvatore.

— Je regrette. J'ai vendu tous les plants dont je pouvais me passer.

Ils savaient que c'était un mensonge, mais qu'auraient-ils pu faire ?

Salvatore parcourut toute la vallée de Napa, mais aucun plant résistant aux parasites n'était disponible. Soit les vignobles avaient été frappés très durement par le fléau, soit le reste des plants avait été vendu à de proches voisins. Il se rendit à Sonoma et François descendit de l'autre côté de San Francisco, dans les vignes des monts Santa Cruz et du comté de Monterey. A eux deux, ils rapportèrent suffisamment de plants pour remettre leurs propriétés en état.

Ils avaient connu des années de vaches maigres, et Salvatore était arrivé au bout du rouleau.

— Je vis sur mes réserves, se plaignit-il à François. Que va-t-il se passer quand elles seront épuisées ? Tout le reste de mon argent est immobilisé dans Saint-Christophe.

— Cela ne durera pas éternellement. Dès que la production reprendra, je commencerai à vous rembourser.

— Je l'espère bien, répondit Salvatore d'un ton glacé.

Un soir, au cours de la première année après le phylloxéra, Eichenbaum vint à Saint-Christophe, accompagné par un homme de l'âge de François. Bien que sa présence aux obsèques de Thérèse eût marqué un adoucissement dans l'attitude de l'Allemand, l'animosité entre les deux hommes n'avait pas réellement cessé.

Pourtant, jugeant qu'il valait mieux oublier le passé, François invita ses visiteurs à entrer. Eichenbaum lui présenta son fils Horst, rentré depuis peu de New York avec sa jeune épouse.

— Il va rester ici à présent, dit-il.

Horst était un homme plutôt froid, taciturne, qui semblait content de laisser son père mener la conversation.

— Il m'aidera à Oak Valley. Mais j'aimerais l'installer dans un endroit bien à lui. C'est pourquoi je suis venu vous voir. Je sais que Corsini et vous avez des difficultés. Je suis prêt à acheter Saint-Christophe.

— Ce n'est pas à vendre.

— Vous ne pouvez pas en décider. Vous n'êtes pas le propriétaire de l'ensemble. Je viens de Casa Rosa. Si j'ai bien compris, toutes les vieilles vignes appartiennent à Corsini.

— Et les bâtiments et le coteau sont à moi.

— Ma proposition intéresse Corsini. L'idée d'avoir un peu d'argent à la banque lui plaît.

François s'alarma, mais sans laisser rien paraître.

— Je le sais.

— De toute façon, je lui achèterai probablement sa part de la propriété, mais je préférerais avoir le tout.

— Ce n'est pas à vendre. A aucun prix. Même si Corsini cède sa part, je ne vendrai pas.

Eichenbaum lui lança un regard furieux.

— Vous ne pourrez pas gagner votre vie avec uniquement le coteau. Vous crèverez de faim, et vos enfants avec vous. Je vous donnerai 5 000 dollars pour votre part de la propriété.

François faillit hurler de rage. Même en tenant compte du phylloxéra, ce n'était pas la moitié de la valeur de sa part. Il se mordit les lèvres et répéta simplement :

— Elle n'est pas à vendre.

— C'est un prix équitable, dans son état actuel. Je vous laisse une semaine pour réfléchir — ensuite le prix baissera. Viens, Horst.

Après leur départ, François se précipita à Casa Rosa. Les Listrac étaient descendus à Cinnabar, Salvatore et Agnese se trouvaient seuls. Agnese passa dans la cuisine.

— Il m'a offert les 12 000 dollars que j'ai payés, lui dit Salvatore. Il faut me comprendre, François. Je ne peux pas écarter cette offre à la légère. Surtout dans les circonstances présentes...

François n'en croyait pas ses oreilles. Il n'avait pas pensé que Salvatore pouvait avoir envisagé sérieusement la proposition d'Eichenbaum.

— Salvatore, vous ne pouvez pas me faire une chose pareille ! Je vous en prie. Nous sommes associés. Les vignes replantées reproduiront dans deux ans. Dès qu'un peu d'argent rentrera, je commencerai à vous rembourser.

— Et de quoi vivrez-vous ?

— Nous nous débrouillerons.

— Vous êtes stupide. Vous feriez mieux de vendre et de partir. J'aimerais pouvoir le faire.

— C'est faux, s'écria François d'un ton véhément. Vous êtes un vigneron, un bon vigneron. Vous mourriez si vous abandonniez Casa Rosa. Tout comme je mourrai si je quitte Saint-Christophe.

Il respira à fond.

— Quoi que vous décidiez, Salvatore, je reste. Rien ne me fera abandonner ce que j'ai accompli ici. Je ne renoncerai pas. Non, je ne renoncerai pas, simplement parce que deux ou trois petites choses tournent mal. C'est un principe que Thérèse m'a enseigné. Et Lydie. Deux fois j'ai été tenté d'abandonner, mais elles m'ont dit que je ne devais pas le faire. Que je devais faire preuve de courage. Je sais qu'elles avaient raison.

Salvatore regarda François longuement. Puis il baissa les yeux.

— Je veux parler à Agnese, dit-il.

Il entra dans la cuisine et referma la porte derrière lui. A son retour, au bout d'un long moment, Salvatore avait l'air gêné.

— Agnese dit que vous avez raison et que j'ai tort, avoua-t-il. Je ne sais plus...

Il garda le silence un instant.

— Je prends mes décisions seul, reprit-il. Et je suis sûr que vous faites comme moi. Mais quand tout va mal, les femmes ont peut-être un sens de la mesure que les hommes ne possèdent pas. Ce sont des créatures peu ordinaires, les femmes ! Mais elles perçoivent certaines choses clairement. Je vais donc refuser la proposition d'Eichenbaum. Si vous allez là-bas, vous pouvez lui remettre ceci.

Il lui tendit une enveloppe.

— C'est un refus dans les règles.

François était trop heureux pour répondre. Il serra la main de Salvatore, se précipita dans la cuisine et embrassa Agnese de tout son cœur sur les deux joues. Puis il descendit à Oak Valley.

Quand Eichenbaum ouvrit la porte, François lui tendit la lettre.

— Désolé, monsieur Eichenbaum, mais ni Salvatore ni moi ne vendrons.

Eichenbaum ouvrit la lettre et la lut. Son visage se mua en un masque de colère. Il jura entre ses dents, puis claqua la porte au nez de son visiteur.


Pendant longtemps une certaine tension subsista entre François et Salvatore, mais les deux familles se rendaient souvent visite et s'entraidaient dans les vignes chaque fois que le besoin s'en faisait sentir. Armand était devenu le bras droit de Salvatore et l'expérience compensait maintenant son absence de goût inné pour le travail de la vigne. Son mariage avec Caterina semblait toujours heureux — elle avait réussi à le domestiquer, songeait François, bien qu'il continuât ses mystérieuses visites à San Francisco.

Leurs enfants avaient grandi, eux aussi. Ricardo, à vingt-quatre ans, était la copie conforme d'Armand au même âge — y compris son intérêt débordant pour le sexe opposé. A vingt-deux ans, Christiane était grande, svelte, jolie — elle n'avait hérité, semblait-il, que des meilleurs traits de ses parents. Vincenzo avait dix-neuf ans, mais on ne lui aurait pas donné son âge, en partie parce que son dos bossu le faisait paraître plus petit, mais surtout parce qu'il conservait quelque chose d'enfantin. Il semblait toujours distant, comme s'il se retirait dans un univers à lui.

Les vignes recouvrèrent leur santé et se remirent à produire. Lentement, François et Salvatore retrouvèrent leur vieille amitié. Salvatore s'aperçut bientôt que la décision de ne pas vendre à Eichenbaum s'était en fait révélée très sage, et François ne se sentait plus humilié d'avoir dû forcer la main à son ami pour qu'il adopte cette ligne de conduite. Quand les bénéfices commencèrent à rentrer, fidèle à sa promesse, il versa aux Corsini chaque sou dont il pouvait se priver. Il lui fallut beaucoup plus longtemps qu'il ne l'avait escompté, mais en 1902 il avait été en mesure d'effectuer le dernier versement. Saint-Christophe lui appartenait enfin.

Depuis lors, il avait adopté ce rituel de la visite vespérale à sa terre. C'était une façon de se rassurer, et de lui rendre hommage : il affirmait une fois de plus la confiance qu'il avait en lui-même, et il exprimait à ses vignes tout son amour.


En cette soirée de juillet 1905, deux lettres étaient en route vers Saint-Christophe. François reçut la première le lendemain. Elle était parfumée, écrite à la main, et d'une écriture qu'il n'avait pas vue depuis bien des années mais qu'il reconnut sur-le-champ, malgré le nom inconnu gravé au dos de l'enveloppe. *Mrs Harrison T. Jackson Jr.*

« Cher François, je reviens à San Francisco pour de bon. Je descendrai à l'hôtel Saint-Francis à partir du 15 juillet et jusqu'à ce que j'aie trouvé une maison ou un appartement à acheter. Si vous vous souvenez d'une vieille amie, et si vous désirez renouer cette amitié, venez me voir, je vous prie, dans l'après-midi du 20 juillet. Votre affectionnée, Emilie Jackson (née King). »

C'était incroyable et émouvant. Il ne parla de rien d'autre jusqu'au moment où Lydie se mit à plaisanter avec les enfants : leur père était de nouveau amoureux; ils allaient tous se rendre à San Francisco cet après-midi-là, et ils se présenteraient à l'hôtel comme chaperons pour protéger leur pauvre père innocent des manigances de cette femme aux intentions machiavéliques... Ces taquineries blessèrent François — et il s'aperçut qu'Emilie comptait davantage pour lui qu'il n'était prêt à le reconnaître. Il n'était pas amoureux d'elle et jamais elle ne remplacerait Thérèse dans son esprit, mais cependant...

L'après-midi du 20, il acheta un bouquet de fleurs à l'un des étalages de Powell Street, puis se dirigea vers l'hôtel Saint-Francis, aussi emprunté qu'un collégien à son premier rendez-vous. L'employé de la réception semblait prévenu de sa visite et le conduisit dans le salon de thé attenant au vestibule de l'hôtel. A quoi devait-il s'attendre ? A une mystérieuse femme élégante, peut-être, se cachant sous de lourdes voilettes, entourée par la barrière de sa fortune, de son mariage et de son habitude du luxe classique, oppressant, de l'hôtel...

Non, c'était simplement Emilie. Plus âgée de quinze ans, bien sûr : des pattes d'oie, l'ombre d'un double menton et une peau qui avait perdu l'éclat de la jeunesse.

Elle lui sourit, les années passées s'effacèrent et il perdit tout sentiment de gaucherie.

— François !

Elle lui tendit la main. Il se pencha en avant pour l'effleurer d'un baiser.

— *Mademoiselle !*

Elle rit.

— J'espérais que vous n'oublieriez pas de m'appeler ainsi. Mais je suis *Madame* maintenant.

— Non. *Mademoiselle* est votre nom. Votre nom propre, et non un titre. Vous serez toujours *Mademoiselle* pour moi.

— Quelle joie de vous voir, François. Je me sens jeune soudain.

— Moi aussi. Vous êtes magnifique. Aussi belle que jamais.

Elle rit de nouveau, non sans coquetterie.

— Sincèrement, François ? Oui ?... Je ne le crois pas, mais je suis ravie de vous l'entendre dire. Et vous, vous avez à peine changé... Toujours mon beau François. Un peu plus distingué, cependant. Ces fils d'argent, sur les tempes, vous vont très bien. Mais parlez-moi de vous. Prendrez-vous du thé ?

Elle fit signe à un garçon.

— Vous vous êtes remarié ? Qui est-ce ? Comment vont vos enfants ? Que font-ils ?... Du thé au jasmin pour deux, je vous prie, dit-elle au garçon. Vous aimez le thé au jasmin ? Et vous êtes encore à Saint-Christophe ? Allons ? Vous n'avez pas dit un mot et il y a tant de choses que je voudrais savoir.

— Vous m'avez posé tant de questions à la fois que je ne sais par où commencer.

— Par la plus importante : vous êtes-vous remarié ?

— Non.

— Ah ! Maintenant, racontez-moi le reste.

Elle écouta avec intérêt François la mettre au courant de sa vie. Il lui fallut longtemps car elle ne cessait de l'interrompre par de nouvelles questions, impatiente d'obtenir tous les détails. Quand il eut terminé, elle le regarda en souriant, puis elle hocha la tête lentement en un geste qui exprimait du regret pour les années écoulées, et de l'émerveillement à l'idée que tant de choses aient pu se passer.

— Et vous ? demanda-t-il. Dites-moi pourquoi vous êtes revenue à San Francisco.

— C'est très simple. Mon mariage s'est brisé. J'ai divorcé.

— Je suis désolé.

— Gardez-vous-en bien. Ça n'a jamais été un mariage heureux. Je suis enchantée d'être de nouveau libre, de pouvoir quitter New York et revenir ici. J'ai encore de nombreux amis à San Francisco, notamment le propriétaire d'un vignoble du nom de Saint-Christophe. Quand je serai installée ici, je ne servirai que du Saint-Christophe à ma table.

— Alors il faudra que je vous approvisionne directement. Nous vendons toute notre production aux négociants en gros, hormis ce que nous gardons pour la consommation familiale, bien sûr. Je ne saurais vous dire dans quelle bouteille il finit.

— Dans ce cas, j'estime qu'il est grand temps de songer à commercialiser votre vin sous votre étiquette. Cela sonne bien à l'oreille, vous savez, Saint-Christophe.

— J'y réfléchirai.

En fait, cela faisait très longtemps qu'il étudiait le problème, mais la difficulté était évidemment l'argent.

— Si vous décidez de vous lancer, je pourrai peut-être vous aider. J'ai toujours la fortune de mon père. Ce devrait être un bon investissement, si vous éliminez les intermédiaires.

— Je m'en souviendrai, *Mademoiselle*.

Déjà son esprit faisait le tour de toutes les possibilités, mais il savait très bien qu'il devrait présenter un projet et des chiffres précis avant toute discussion fructueuse à ce sujet avec Emilie. A cet égard, elle était la fille de son père. En tout cas, tout portait à croire qu'ils se reverraient — et à l'instant où cette pensée traversait l'esprit de François, Emilie consulta sa petite montre de gousset en or.

— Cher ami, il faut que je parte. J'ai promis d'aller visiter un appartement que mon agent immobilier m'a déniché. Dès que je serai installée, je vous le ferai savoir, et il faudra que vous reveniez me voir.

— Bien sûr, *Mademoiselle*.

Elle se tut un instant, et quand elle reprit ce fut d'une voix plus grave.

— Tout comme au bon vieux temps...

Elle le fixa à travers ses cils, avec un mince sourire... Elle était encore diablement belle ! Et François sentit un frisson d'émoi à la perspective de renouer sa liaison avec elle.

— Je m'en fais une joie, *Mademoiselle*, dit-il.

Il se leva et lui baisa la main.

— Revenez dans deux semaines comme aujourd'hui, murmura-t-elle. Si j'ai trouvé un endroit où m'installer, je laisserai mon adresse à la réception, ici. Je veux vous revoir.

Mais avant qu'il puisse lui rendre de nouveau visite, la deuxième lettre était arrivée. Elle venait de Sauveterre. La correspondance entre les deux familles s'était beaucoup espacée au cours des années. Lydie aurait volontiers écrit régulièrement, mais même le correspondant le plus assidu se décourage quand les réponses à ses lettres se font trop rares et trop cavalières. Lydie écrivait désormais deux fois par an — pour Noël et pour l'anniversaire de sa mère en juin. C'étaient de longues lettres contenant toutes les nouvelles — rien de commun avec les petits mots hâtifs griffonnés par Lucette... L'arrivée d'une lettre avec un timbre français en dehors de la période de Noël constituait dont un événement en soi. De plus, elle n'était pas adressée à Lydie mais à François, et il ne reconnut pas l'écriture de Lucette. Il l'ouvrit.

« Cher fils, ton père est très malade. Le docteur assure qu'il n'en a plus que pour quelques mois, peut-être moins. Il ne cesse de te réclamer, mais je lui ai répondu que tu étais trop loin. Il aimerait avoir une lettre de toi. Je vais bien, et il en est de même pour Henri, Fanchon et les autres. Ta mère affectionnée. »

— Tu as toujours été son préféré, lui dit Lydie quand il lui donna la lettre à lire. Que vas-tu faire ?

— Aller le voir. Et tu m'accompagnes.

Les yeux de Lydie pétillèrent de plaisir.

— François ! Mais ce sera peut-être trop tard...

— Non. Je parie qu'il attendra, s'il sait que nous arrivons.

— Oui ! Ce serait bien de lui ! Quand partons-nous ?

— Le plus tôt possible.

— Fantastique ! Revoir Sauveterre — je croyais que je ne le pourrais jamais... François, c'est merveilleux ! Oh ! mon dieu, j'avais oublié !

Et le sourire disparut de son visage.

— J'ai oublié si vite ! Si vite... J'ai oublié pourquoi nous y allions...

Elle se mit à pleurer, sans savoir très bien s'il s'agissait de larmes de chagrin pour son père, ou de joie à la pensée de revoir sa vieille maison.

François n'avait eu aucun mal à prendre sa décision. A plusieurs reprises dans le passé il avait songé à un voyage en France, mais c'était la première fois qu'il avait une vraie raison de partir. Ralph et Jean étaient tout à fait capables, avec l'aide et les conseils d'Absalon, de s'occuper des vignes.

Il suffisait que François rentre quelques semaines avant les vendanges. S'il se trouvait retardé, Salvatore et Armand viendraient assurer un contrôle. Tous les travaux d'exploitation se déroulaient sans heurts à présent — avec l'aisance d'une longue pratique compétente. Il ne manquerait que l'œil du vigneron — son flair et son instinct. A cet égard, François ne faisait confiance à personne autant qu'à lui-même, mais Salvatore, ou mieux Armand, pourraient se substituer à lui dans un cas comme celui-là.

Son enthousiasme égala bientôt celui de Lydie.

## 2

Il écrivit à sa mère pour lui annoncer qu'il arriverait, avec Lydie, le plus tôt possible. Il prit toutes les dispositions pour que le travail continue dans les vignes. Il adressa un petit mot à Emilie. Puis il partit acheter les billets, retenir les cabines, organiser le transfert d'argent. Comme tout lui parut plus facile qu'à son départ pour la Californie, vingt-cinq ans plus tôt ! Le voyage fut également plus rapide et plus confortable, d'autant que François, sachant bien que cela ne se reproduirait jamais dans sa vie, loin de regarder à la dépense, insista pour qu'ils descendent dans les meilleurs hôtels et les meilleurs restaurants.

Comme ce fut étrange, lorsqu'ils posèrent le pied sur le quai du Havre, d'entendre de nouveau leur langue maternelle, ce français que leurs bouches avaient perdu l'habitude d'articuler depuis que les enfants avaient grandi ! Etrange aussi de sentir les odeurs du pays natal, indéfinissables et pourtant si particulières, inoubliables. Etrange enfin de se sentir à la fois chez soi et pourtant étranger...

Quand le train quitta la gare de Bordeaux, ils ne purent contenir leur émoi. Sous leurs yeux la Gascogne enfin, aussi verdoyante et belle que dans leur souvenir — et pourtant ce n'était pas tout à fait l'image qu'ils gardaient en mémoire. Une population plus dense peut-être, davantage de maisons dans la campagne, et autour des bourgs naissaient des ateliers, des entrepôts, des usines. Ils changèrent de train à Langon. La locomotive du petit train à voie étroite semblait à bout de souffle tandis qu'ils louvoyaient entre les collines, enjambant un ruisseau, sifflant doucement à la croisée des chemins creux, comme pour ne pas effrayer les vaches. Lydie et François avaient un compartiment pour eux tout seuls, et ils étaient debout comme des enfants excités, penchés à la portière, impatients de découvrir leur première vision de Sauveterre : la pointe du clocher au-dessus des grands marronniers.

Le train prit un virage.

— Le voilà ! cria Lydie. Oh ! mon dieu, François ! Rien n'a changé. Et regarde ! Là ! Là ! Sur le coteau ! L'Espérance !...

Ils avaient prévenu Raphaël et Marguerite de la date approximative de leur débarquement en France, mais ils n'avaient aucun moyen de leur annoncer exactement le jour de leur arrivée à Sauveterre.

— Que faisons-nous ? demanda François à sa sœur. Je vais peut-être louer un cheval et une voiture. Nous ne pourrons pas porter tous ces bagages.

— Laissons-les à la gare, répondit-elle. On enverra le fils d'Henri — comment s'appelle-t-il déjà ? Raymond ? — on enverra Raymond les chercher avec la voiture. Il n'y a qu'une seule façon de rentrer à la maison, c'est à pied. Comme nous faisions toujours.

Ils laissèrent les bagages à la gare et traversèrent le bourg, se rappelant chaque détail, remarquant ce qui avait changé — l'épicerie Listrac était devenue un magasin de tissus. Et parfois ils se demandaient s'il y avait vraiment une différence ou bien si simplement leur mémoire leur jouait des tours...

Ils franchirent la vieille porte des fortifications disparues, et bientôt ils remontaient le chemin près du petit bois d'acacia.

Lydie commença de se sentir mal à l'aise.

— Nous devons nous attendre à les trouver changés, dit-elle. Ils sont vieux tous les deux, à présent. Et je crois que papa sera... très faible.

Enfin la ferme se dressa devant eux. Ils s'arrêtèrent. Ils n'en croyaient pas leurs yeux. Elle était petite et misérable — et la prise de conscience de cette réalité les bouleversa. Les vignes, sur leur droite, étaient bien tenues, soigneusement relevées sur les fils tendus entre les échalas. Les grappes pendaient, lourdes et drues. Elles exprimaient richesse et noblesse — rien d'étonnant qu'avec une terre et une récolte pareilles Raphaël Pujol puisse se considérer comme l'un des notables de Sauveterre. Et pourtant la ferme, grande et spacieuse dans leur souvenir, ne leur paraissait maintenant guère plus qu'une masure. Les fonds de vallée plats des régions viticoles de Californie, qui permettaient la construction de demeures plus vastes, avaient-ils corrompu leur mémoire à ce point ?

La porte était ouverte. Ils s'arrêtèrent un instant et échangèrent un regard. Lydie poussa le coude de François et, lentement, il entra. La cuisine, elle aussi, avait rétréci. Elle était pauvrement meublée et mal éclairée par l'étroite fenêtre, mais ce ne fut pas cela qu'il remarqua en premier. Son regard se riva sur la vieille femme minuscule, assise à la table, qui écossait des petits pois au-dessus d'une cuvette émaillée. Elle levait vers lui des yeux interrogateurs. Elle avait les cheveux blancs, son visage était ridé comme une pomme cuite, ses yeux, humides, semblaient transparents. Sa bouche n'était qu'un creux profond dans son visage tanné, ses lèvres rentraient vers l'intérieur, à l'endroit où se trouvaient autrefois des dents... Il sentit son cœur se briser en la voyant ainsi. Lydie avait essayé de le préparer, mais ce fut un choc. Il ne s'était pas attendu à un changement aussi saisissant.

— Maman ! dit-il à mi-voix.

Elle le reconnut.

— François !

Ils se jetèrent dans les bras l'un de l'autre — elle était si frêle et mince, comme une poupée fragile, et les larmes inondaient son visage...

Ensuite, elle embrassa Lydie et les présenta à l'autre femme qui se trouvait dans la pièce, Lucette, l'épouse d'Henri, aussi sèche que dans leur souvenir mais le visage encore plus amer.

Il faisait frais dans la cuisine. François et Lydie avaient été heureux de voir le ciel bleu parsemé de nuages blancs de l'été aquitain, si différent en sa douceur indéfinissable de l'azur de Californie. Mais en remontant de Sauveterre, le soleil qui tapait sur le coteau, ajouté à leur montée rapide sur le chemin qu'ils n'étaient plus habitués à grimper, avait rendu la chaleur presque insupportable. Ils apprécièrent d'autant mieux la fraîcheur de la cuisine et le verre d'eau glacée que leur versait leur mère.

Elle bavardait gaiement, posant cent questions sur les enfants de François et sur leur voyage, elle leur parlait de Fanchon, très bien mariée : son mari était assez riche, il possédait une propriété juste à la sortie de Libourne.

— Mais pour ce que nous les voyons, ils pourraient aussi bien se trouver en Californie avec vous, se lamenta Marguerite.

— Elle prend des grands airs depuis qu'elle a épousé Michel, dit Lucette. Je crois qu'elle a honte de nous.

— Elle est tellement occupée, dit Marguerite.

— A quoi ? J'aimerais bien le savoir, répliqua Lucette. Pas d'enfants, des centaines de domestiques, rien à faire de toute la sainte journée, que je sache, sauf la princesse et compter ses sous.

— J'aimerais bien la voir plus souvent, dit Marguerite.

Il y eut un bref silence tendu. Lydie comprit qu'ils devaient passer à un autre sujet.

— Mais tu as Henri, lui dit-elle.

— Oui, convint Marguerite, et les enfants.

— Et moi, ajouta Lucette.

Marguerite l'ignora.

— J'aurais aimé voir mes autres petits-enfants : Raphaël, Jean, Charles et... Marguerite.

Elle posa d'autres questions, puis expliqua que les trois fils d'Henri iraient loger chez des voisins pendant que François et Lydie seraient là.

— Henri et moi pensions que vous auriez été plus confortables à l'hôtel, dit Lucette, mais Mère a insisté pour que vous restiez ici, et nous avons dû chasser les enfants de leurs chambres.

— Je suis désolé, répondit François.

Lucette plissa les lèvres et ne répondit pas.

Marguerite reprit ses questions. Elle ne parla pas de Raphaël et plus elle tardait, plus François et Lydie hésitaient à l'interroger. Il pouvait très bien être mort pendant leur voyage. Etait-ce pour cela qu'elle parlait de tout sauf de lui ?

A la fin François n'y tint plus.

— Et papa ? demanda-t-il à mi-voix.

Les yeux de sa mère s'emplirent de larmes.

— Oui, il faut que tu ailles le voir. Mais je te préviens, François... Il est si faible, si peu l'homme qu'il était. Je peux à peine supporter de le voir ou de parler de lui.

Ils se rendirent dans la chambre. Comment auraient-ils pu reconnaître leur père dans ce petit vieillard recroquevillé au milieu du lit immense ? Leur père, toujours si fort, de corps et d'esprit ! On eût dit maintenant un cadavre émacié. Il avait le visage gris, et même son nez, qui dominait toujours son visage anguleux, semblait totalement décharné — seule une peau mince recouvrait l'os qui saillait.

Quand ils entrèrent dans la pièce, il dormait. D'une somnolence légère, agitée. Les doigts d'une de ses mains se crispaient faiblement sur le drap du lit. Lydie prit cette main entre les siennes, puis se pencha en avant et lui embrassa doucement le front. Les yeux s'ouvrirent à demi, puis se concentrèrent sur elle. Pendant un instant ils exprimèrent la perplexité, puis les lèvres ébauchèrent un faible sourire et il murmura :

— Lydie...

— Comment vas-tu, papa ? Un peu mieux ? Il faut que tu te rétablisses vite maintenant que nous sommes ici.

Elle était consciente de la vanité de ses paroles.

Mais il ne l'écoutait pas. Déjà ses yeux fouillaient derrière elle. François s'avança pour que son père puisse le voir.

— François, dit-il en levant vers lui une main noueuse. C'est vraiment toi, François ?

— Oui, papa.

Il prit la main. Elle était fraîche, légèrement moite. Les doigts de son père voulurent serrer les siens, mais ils n'en avaient plus la force.

— J'ai attendu que tu viennes.

Sa voix n'était qu'un murmure.

— Ils disaient que tu arriverais bientôt...

Ses lèvres dessinèrent de nouveau le fantôme d'un sourire. Ses paupières se refermèrent.

— Partons, dit Lydie. Laisse-le dormir. Tu pourras revenir plus tard. C'est toi qu'il veut voir, tu sais. Personne d'autre.

François sentit une pointe de déception dans sa voix. Il lui prit la main et la serra, comme pour lui dire qu'il comprenait ses sentiments et qu'il en était désolé. Elle lui adressa un regard reconnaissant.

De retour dans la cuisine, ils trouvèrent Henri et ses trois fils, revenus des vignes. Ils accueillirent avec indifférence leurs parents d'Amérique. Nulle chaleur, nulle curiosité à leur sujet. Les trois jeunes gens étaient taciturnes — agacés, supposa Lydie, d'avoir dû céder leurs chambres à ces inconnus. On envoya le plus jeune, Raymond, prendre les bagages à la gare, et il sortit en grommelant entre ses dents. Après un bref salut, Henri tourna le dos à son frère et à sa sœur et sortit se laver. « Cela me ferait de la peine, se dit Lydie, si je ne savais pas qu'il se conduit ainsi avec n'importe qui. Mais je ne crois pas qu'il accorde jamais à Lucette plus qu'un grognement de temps en temps — non que je songe d'ailleurs à le lui reprocher. » Elle sourit en elle-même.

Après le repas du soir, les trois fils d'Henri partirent pour la nuit et les autres demeurèrent autour de la table de cuisine, pour parler. L'atmosphère était sinistre. Seule Marguerite semblait heureuse de la présence de Lydie et de François.

Plus tard dans la soirée, elle apporta un peu de bouillon à Raphaël. Quand elle ressortit de la chambre, elle dit à François :

— Il veut te voir. Il n'a rien mangé. Il ne cesse de répéter : « François, François. » Va voir si tu peux lui faire prendre un peu de bouillon.

Quand François entra dans la chambre, le vieillard leva vers lui un regard ardent. Il semblait plus fort que dans la matinée. Il fit signe à son fils de se rapprocher, mais repoussa le potage d'un geste.

— J'attendais que tu viennes à la maison, lui répéta-t-il. Maintenant que tu es ici, je peux mourir en paix.

— Tu ne vas pas mourir, papa. Pas encore.

— *Cap dé Diou !* Je suppose qu'un homme peut choisir quand vivre et quand mourir. Je mourrai très vite, mais auparavant, il faut que je te parle. Je veux que tu me promettes...

Sa voix s'estompa, et pendant quelques instants il demeura les yeux clos. Puis il les ouvrit de nouveau, lentement.

— Je veux que tu me promettes de rester ici quand je ne serai plus là.

— Mais, papa, j'ai mes enfants et mes vignes en Californie. Il faut que j'aille les retrouver.

— Non. Non. Ta place est ici. Tu n'as pas de femme. Si tu veux ramener tes enfants, il y a bien assez d'espace pour eux. Mais tu dois revenir pour veiller sur la terre. Henri... C'est un bon gars mais il n'a pas l'amour de la terre.

— Les vignes ont l'air bien tenues, papa. Il fait du bon travail.

— Je sais de quoi je parle. Henri travaille dur, mais il ne comprend rien au raisin ni au vin, il ne comprend rien à la terre. Mais toi, tu comprends. Depuis toujours. J'ai fait une erreur quand je t'ai laissé partir.

— Je tiens à t'en remercier, papa. Tout ce que je suis, c'est à toi que je le dois. J'ai un beau vignoble, papa. Tu l'aimerais. Et nous faisons du bon vin.

François, envahi soudain d'amour pour son père, aurait voulu prendre le corps fragile dans ses bras, le serrer de toutes ses forces, lui insuffler une partie de sa vie et lui faire comprendre l'intensité de sa reconnaissance et de son affection.

Mais Raphaël luttait pour reprendre son souffle.

— Bien, dit-il enfin. Je suis... Je veux... Imbécile que j'étais... Mais il fallait...

De nouveau la voix s'effaça et il parut dormir. Mais ce ne fut qu'un bref repos. Soudain il se mit à tousser — faiblement mais apparemment sans fin, comme s'il ne pouvait chasser l'irritation de sa gorge. François était sur le point d'aller chercher de l'aide — un verre d'eau pour soulager le spasme — mais Raphaël cessa de tousser. Pendant quelque temps il respira très vite, du creux de la gorge. Puis il parla de nouveau, rassemblant soudain ses forces du tréfonds de lui-même, car sa voix semblait plus haute et les mots lui venaient avec moins de peine.

— François, promets-moi...

— Chut. Ne te fatigue pas à parler.

— *Cap dé Diou*, petit ! Tu es aussi bête qu'Henri. Qu'importe si je me fatigue ou non ? Je vais bientôt mourir. Quelques minutes de plus ou de moins n'y changeront rien. Promets-moi, tout de suite.

François ne savait que dire. Les yeux de son père le fixaient. De toute évidence, il ne pouvait pas faire cette promesse, mais comment refuser à Raphaël sur son lit de mort ?

— J'y réfléchirai, papa.

— Promets-moi.

François acquiesça d'un signe de tête.

Le vieillard le regarda, soulagé, puis ferma les yeux. Au bout d'un moment, il dit :

— Appelle les autres ici.

— Quels autres ?

— Marguerite, Henri, Lydie. Pas cette Lucette...

François alla dans la cuisine et les prévint.

— Uniquement maman et ses enfants, dit-il à Lucette lorsqu'elle se leva pour les accompagner.

Elle pinça les lèvres en une expression de contrariété que François et Lydie commençaient déjà à bien connaître.

Dans la chambre du malade, ils se placèrent autour du lit. Les yeux de Raphaël passèrent d'un visage à l'autre. Ils pouvaient à peine entendre ses paroles.

— J'ai fait promettre à François de rester ici, dit-il. Il sera le *Maître* quand je ne serai plus là. Il fera venir sa famille ici. C'est un meilleur vigneron que toi, Henri. C'est même un meilleur vigneron que moi, je crois. Il veillera sur toi, Marguerite. Quand ce sera son tour, il décidera lequel de ses fils ou de ceux d'Henri sera son successeur.

Il lui fallut très longtemps pour prononcer ces paroles, entrecoupées de si longs silences qu'il semblait presque avoir oublié la présence de sa famille. Et parfois il luttait pour retrouver son souffle, ou bien il se mettait à tousser sans fin. Quand il dit que François serait *le Maître*, Henri décocha à son frère un regard de surprise où se mêlait de la haine. François haussa les épaules, impuissant. Ils demeurèrent autour du lit, silencieux, se demandant que faire, ne sachant si le vieillard avait fini ou continuerait de parler. Sa longue déclaration semblait l'avoir épuisé. Marguerite et Lydie pleuraient sans bruit.

Les paupières de Raphaël battirent et ses lèvres bougèrent. Lydie, qui était la plus proche, approcha son oreille contre la bouche du vieillard.

— Il a murmuré : « Dites-moi adieu », répéta-t-elle aux autres.

Sa voix tremblait. Ils se regardèrent, gênés, accablés de chagrin.

Lydie se pencha et embrassa son père sur les deux joues, qu'elle mouilla de ses larmes.

— Va maintenant, Lydie, murmura-t-il.

— Adieu, papa, balbutia-t-elle, et elle sortit sur la pointe des pieds, son mouchoir pressé contre ses yeux.

Marguerite était la suivante, mais Raphaël lui dit :

— Reste, femme.

Et à François qui venait après :

— Reste aussi, François

Henri fit ses adieux et quitta la pièce. Quand il revint dans la cuisine, Lucette lui demanda :

— Qu'est-ce qui se passe ?

Elle se tourna vers Lydie qui se tamponnait les yeux.

— Est-ce qu'il est ?...

Henri secoua la tête.

Lucette se mit à ranger la vaisselle à grand bruit, avec des gestes brusques.

— Chut ! lui cria Henri.

Alors, prenant un air vexé, elle s'assit, saisit la chemise d'un de ses fils et se mit à la repriser à grands coups d'aiguille rageurs. Le silence absolu se fit dans la pièce.

Ils attendirent longtemps que François et Marguerite sortent de la chambre. Il avait passé le bras autour des épaules de sa mère. Elle semblait frappée de stupeur, comme si elle ne parvenait pas à prendre conscience de ce qui s'était passé. Il la conduisit jusqu'à une chaise, puis se tourna vers les autres.

— C'est fini, dit-il. Quand vous avez quitté la pièce, il a pris la main de maman et la mienne. Il n'a rien dit. Il est resté comme ça, accroché à nos mains. Puis ses mains ont glissé...

Il laissa sa phrase en suspens. Ils savaient ce qu'il voulait dire, et bien qu'ils s'y attendissent, ils demeurèrent sans voix.

Au bout d'un moment, Marguerite se leva et se dirigea vers l'évier.

— Laissez donc, Mère, dit Lucette. Je finirai la vaisselle demain matin.

— Non. Il faut que je m'occupe.

— Je vais vous aider.

— Non.

Lucette haussa les épaules. Tout redevint silencieux hormis le bruit des assiettes entrechoquées.

— Où allez-vous dormir cette nuit, Mère ? demanda Lucette. Vous pourriez aller avec Lydie.

— Je dormirai où j'ai toujours dormi, répondit la vieille femme.

— Mais... Mais vous ne pouvez pas...

— J'ai dormi près de lui pendant plus de cinquante ans. Pourquoi aurais-je peur de lui maintenant ?

Elle s'essuya les mains à son tablier.

— Je vais me coucher, dit-elle.

Ils la regardèrent sortir, sans répondre. Et le silence se prolongea.

— Je suis content d'être arrivé à temps, dit François au bout d'un moment.

— Je l'aurais parié ! lança Henri. Il va falloir que nous ayons une petite conversation, toi et moi.

— Demain, pour l'amour de Dieu ! s'écria Lydie. Pas maintenant.

Henri lui adressa un regard furieux, se leva et sortit à grands pas. Il ne revint dans la maison que très tard dans la nuit. Ils l'entendirent — aucun d'eux ne dormait. Puis ils perçurent les échos de la voix de Lucette qui le harcelait, suivis des réponses hargneuses d'Henri. Ensuite une longue dispute, avec le fausset de Lucette de plus en plus aigu.

Le lendemain matin, quand François entra dans la cuisine pour le petit déjeuner, Henri l'attendait.

— Eh bien, puisque tu es le Maître, que vas-tu faire pour les obsèques ? C'est à toi de décider, non ?

— Je pensais m'en occuper ce matin, répliqua François. Je prendrai toutes les dispositions et tu pourras continuer ton travail dans les vignes.

— Oui, monsieur. Bien sûr, monsieur. A vos ordres, monsieur.

L'amertume perçait sous l'ironie. Il porta la main à son front, en un geste de fausse humilité, mais ses yeux lançaient des flammes.

— Ne sois pas ridicule, Henri.

— Ah ! tu peux te réjouir d'être arrivé à temps ! Ça ne te suffisait pas d'avoir fichu le camp au moment du phylloxéra lorsqu'on avait justement le plus besoin de toi !

— Cela fait vingt-cinq ans, presque trente !

— Et te voici revenu pour me voler mes terres.

— Une minute, Henri, une minute. Je n'ai nullement l'intention de voler tes terres, comme tu dis. Quoiqu'il me semble bien que papa a clairement exprimé son désir de me voir le faire si j'en ai envie.

— Tu l'as poussé. Tu l'as convaincu.

— Sûrement pas. Je n'ai pas le moindre désir de rester ici. J'ai des terres qui m'appartiennent, et une famille qui vit en Californie. Je ne vais pas déraciner mes enfants pour les amener ici.

— Alors, pourquoi n'as-tu rien dit hier soir, quand papa t'a donné la propriété ?

— Parce que je le lui avais déjà expliqué une fois. Mets-toi bien dans la tête que je n'ai pas l'intention de m'installer ici, ni d'être le Maître. Je rentre en Californie. Je l'ai dit à papa, quand nous avons parlé, avant que vous ne veniez tous. Je sais qu'il l'a compris, mais il a insisté.

— Oui, et il a affirmé que tu lui avais promis de rester.

— Je lui ai promis d'y réfléchir.

— Ce n'est pas ce que j'ai entendu. Il a dit...

— Il a peut-être cru que je lui avais promis de rester, mais...

— Pourquoi ne l'as-tu pas contredit, dans ce cas ?

— Mais, pour l'amour de Dieu, je ne pouvais pas ! Il était mourant, Henri. Je ne pouvais pas discuter avec lui. Je ne m'occuperai même pas des obsèques si tu aimes mieux le faire toi-même. J'avais simplement l'intention de t'aider.

Enfin Henri se laissa convaincre, mais il continua de nourrir des soupçons à l'égard de son frère jusqu'à ce qu'ils trouvent le testament de Raphaël. Les vignes et les bâtiments étaient légués à Henri.

— Tu vois ? lui dit François. Toute cette histoire n'était que fantasme d'un homme à l'agonie. Il n'y a jamais pensé sérieusement.


L'enterrement fut un grand événement à Sauveterre. Tout le monde y assista, même le maire, et le frère et la belle-sœur de Thérèse, venus de Sigoulès avec la vieille M<sup>me</sup> Listrac. Elle n'avait plus toute sa tête, et elle ne savait pas vraiment pourquoi elle se trouvait là... Après la cérémonie, un groupe important remonta la côte de l'Espérance pour le repas traditionnel.

Fanchon était venue, bien entendu, avec Michel, son mari. Après tout ce que Lucette leur avait dit, François et Lydie s'attendaient à la trouver très changée, mais ils ne perçurent aucune trace de grands airs, aucun étalage de richesse. Elle était enchantée de voir les « Californiens » et elle versa des larmes de bonheur quand François lui montra qu'il portait encore la médaille de la Vierge qu'elle lui avait donnée — bien que l'émail bleu fût depuis longtemps écaillé. Michel, son mari, semblait doux et charmant.

Quand elle en eut l'occasion, Lydie prit sa sœur à part.

— Maman prétend qu'elle ne te voit jamais. Tu lui manques.

— Tu ne devines pas pourquoi ? répliqua Fanchon. Madame Lucette m'a clairement signifié que je n'étais pas la bienvenue.

— Maman est au courant ?

— Je ne sais pas. Mais je ne vais sûrement pas le lui dire. Cela provoquerait un orage et la situation serait pire que jamais. Ah ! si nous étions un peu plus près de Sauveterre... Vous pourriez rester chez nous et ne plus l'avoir dans les jambes. Il vous faudra passer quelques jours avec nous avant de repartir en Amérique.


Après les obsèques, il y eut de nombreuses choses à faire, et Lydie et François prolongèrent leur séjour. Depuis la lecture du testament, Lucette et Henri se montraient beaucoup plus affables, et leurs fils semblaient avoir accepté de dormir chez les voisins pendant encore quelque temps.

François et Lydie s'inquiétaient beaucoup tous les deux au sujet de Marguerite. Dans les jours qui suivirent la mort de Raphaël, elle parut frappée de stupeur. Lydie songea à l'attitude de son frère, tout à fait identique, au lendemain de la mort de Thérèse. Mais on comprenait mieux qu'un homme rentre ainsi sa douleur et la contienne. Tous attendirent le moment où Marguerite céderait enfin aux larmes, mais les larmes ne venaient pas. Elle ne cessait de s'affairer, refusant toute offre d'aide.

— Laisse-moi préparer le repas aujourd'hui, maman, supplia Lydie.

Marguerite secoua la tête.

— Je ne vois pas pourquoi vous ne la laissez pas tranquille, lança Lucette. Elle n'a pas besoin qu'on fasse tant d'embarras. Nous savons tous à quel point elle a été bouleversée par la mort de Père, mais elle a repris le dessus à présent. Si vous cessiez de la traiter comme un enfant malade, elle irait sûrement beaucoup mieux.

— Mais Lucette, vous ne voyez donc pas ? Le chagrin la ronge en dedans.

— Des bêtises, répondit Lucette sèchement.

Lydie en parla à François.

— Ce qui m'ennuie surtout, c'est que je n'ai jamais la possibilité de la voir seule. Cette chipie de Lucette est toujours là. Si je pouvais lui parler, elle m'ouvrirait son cœur, et je suis sûre qu'elle en a besoin.

Puis Marguerite s'effondra, pleura et déversa toute sa douleur, ses inquiétudes en face de l'avenir, et son chagrin à la perspective de ne jamais revoir François et Lydie quand ils seraient partis. Mais les choses ne se passèrent pas comme Lydie l'avait escompté.

Un matin, elle partit avec François faire des courses à Sauveterre et, à leur retour, ils prirent conscience d'un étrange bruit, comme une mélopée funèbre, provenant de la cuisine. Ils regardèrent depuis le seuil : Marguerite se balançait d'avant en arrière, blottie dans les bras de Lucette qui la berçait. Lucette leur fit signe de s'éloigner et ils attendirent dans la cour.

— Elle se libère enfin, dit François.

— Hum ? Oui.

Lydie était perdue dans ses pensées.

Quand Lucette sortit de la maison, elle prit les provisions et leur suggéra d'attendre encore avant d'entrer.

— Mère est bouleversée, dit-elle. Cela a commencé juste après votre départ. J'ai remarqué qu'elle avait des larmes dans les yeux, puis elle s'est mise à sangloter. Au début, je n'ai pas réagi. Puis elle m'a tendu les bras et tout s'est déversé. Vous aviez raison : elle renfermait tout en elle-même. La pauvre vieille ! Je crois que le pire est passé à présent. Je vais lui faire une tisane et essayer de la convaincre de s'allonger et de se reposer un peu. Si seulement elle pouvait s'endormir...

— Est-ce que je peux aider ? demanda Lydie.

— Non, reprit Lucette. Elle ne désire que moi.

Il n'y avait aucun triomphe dans sa voix. Elle tendit la main et la posa sur le bras de Lydie pour lui témoigner sa sympathie, puis elle rentra dans la maison. Ils l'entendirent parler doucement à sa belle-mère.

Lydie et François redescendirent vers le bois d'acacias. Puis Lydie se tourna vers son frère.

— Pourquoi ? demanda-t-elle. Pourquoi Lucette ?

— Que veux-tu dire ?

— François, pour l'amour de Dieu ! Pourquoi maman a-t-elle choisi cette chipie revêche pour la consoler ? Pourquoi pas moi ? Je suis de son sang. Pourquoi ne m'a-t-elle pas confié sa douleur ?

— Je ne sais pas. Mais je suis content qu'elle se soit enfin libérée. Elle va aller mieux, à présent.

Lydie réfléchit un instant.

— Oui. Je suppose que peu importent les circonstances, mais cela me fait tout de même de la peine. Je déteste cette Lucette.

— Maman se rend compte qu'elle devra vivre avec sa belle-fille.

— Qu'est-ce que cela a à voir ?

— Elle sent instinctivement que c'est important pour elle de susciter la sympathie de Lucette. Elle va être la vieille aïeule de la maison, à présent. Ce sera la maison de Lucette désormais, non la sienne. Si elles demeurent à couteaux tirés toutes les deux, la vie sera impossible pour maman. Il faut qu'elle mette Lucette de son côté. Et je crois qu'elle est peut-être en train de réussir.

Dans les jours qui suivirent, Lydie dut reconnaître que François avait probablement raison. Marguerite semblait avoir retrouvé son équilibre et établi en même temps une nouvelle relation avec Lucette. Elles se respectaient : Marguerite demeurait à sa nouvelle place, si difficile que cela lui parût parfois, et Lucette lui faisait l'honneur de la consulter de temps en temps sur ceci ou cela, et s'en rapportait à elle pour la préparation des plats préférés de la famille depuis des années. Lucette elle-même avait changé, elle devenait plus amicale, plus détendue, et Lydie en vint à penser qu'une bonne partie de son agressivité passée provenait d'un sentiment d'infériorité — du simple fait qu'elle n'avait jamais été pleinement acceptée par Marguerite.

Rassurée au sujet de sa mère, Lydie dit à François qu'elle était prête à quitter Sauveterre.

Mais lui désirait rester encore un peu.

## 3

Parmi les personnes invitées à la maison après l'enterrement de Raphaël se trouvait une certaine Blanche Doulezon, amie ou cousine de Lucette. Dès qu'il la vit, François sentit comme un coup de poignard. Elle ressemblait tant à Thérèse — le même visage d'elfe, les mêmes grands yeux sombres. Elle avait les lèvres plus minces que Thérèse et peut-être ses traits étaient-ils légèrement plus aigus, mais à tous autres égards — taille, silhouette, boucles tombant au creux de son cou — elle lui rappelait tant Thérèse que cela lui fit mal. Et plus tard, lorsqu'il l'entendit rire, son cœur se brisa de nouveau — car c'était si exactement *son* rire, et il pouvait presque imaginer qu'ils étaient encore jeunes amoureux et qu'il n'avait jamais quitté Sauveterre pour Bordeaux, New York, San Francisco et Cinnabar. Bien entendu, il lui avait parlé. Puis Lydie était venu le chercher pour qu'il aille recevoir, aux côtés de sa mère et du reste de la famille, les condoléances que les invités leur présentaient selon la coutume.

Mais avant de quitter Blanche Doulezon, il s'était arrangé pour la revoir. Elle vivait dans une maison en location, à Sauveterre, qu'elle avait occupée autrefois avec son mari. Il était mort à quarante-deux ans et il lui avait laissé quelques biens. Elle n'était pas riche mais elle n'avait aucun problème d'argent et pouvait se permettre de conserver sa maison — ce que certains toutefois tenaient pour une extravagance car elle aurait pu facilement, disaient-ils, partager son foyer et ses dépenses avec sa sœur aînée, veuve elle aussi. Mais elle s'y refusait, bien qu'elle se sentît parfois solitaire et qu'elle n'eût pas grand ouvrage pour meubler ses journées. Cela faisait déjà un certain temps qu'elle cherchait un second mari. Le problème était de trouver l'homme qui convenait : presque tous ceux que tentait le mariage avec une veuve de quarante-cinq ans, se trouvaient être soit trop âgés, soit trop pauvres, soit les deux à la fois.

— Je ne suis pas avare, dit-elle à une de ses amies intimes avec qui elle évoquait ce sujet, mais je ne suis pas prête à abandonner ce que j'ai — et je suis à mon aise, merci bien ! — pour aller vivre dans une bicoque. Et l'autre côté de la médaille, c'est que je n'ai pas assez envie d'argent pour épouser un vieux richard, simplement pour l'expédier à la tombe et mettre la main sur tous ses biens. Non, j'aimerais rencontrer un homme bien, de mon milieu et de mon âge — j'ai encore le temps de profiter un peu de « tu-sais-quoi », même si, Dieu merci, je ne peux plus avoir d'enfants. Oui, quelqu'un habitué à voir de belles choses autour de lui, quelqu'un qui sache apprécier le petit brin de luxe qui fait toute la différence entre profiter de la vie et simplement la supporter.

François était exactement le genre d'homme qu'elle espérait. Encore très beau, et même distingué maintenant que ses cheveux se teintaient d'argent aux tempes, bien bâti, la taille un peu épaisse mais sans l'embonpoint de la plupart des hommes de son âge, c'était vraiment un homme séduisant. Elle remarqua que ses ongles avaient besoin d'être mieux surveillés, mais il serait facile d'y mettre bon ordre — et de toute façon c'était de la saleté honnête. De toute évidence, sa situation devait être prospère. Sans savoir qu'elle avait au départ l'avantage de ressembler à Thérèse, elle se mit en tête de le séduire, et comme elle pouvait se montrer la plus charmante des compagnes, elle y réussit sans retard.

Ils abordèrent toutes sortes de sujets — la politique, les jeunes d'aujourd'hui, la mode, les beautés de la nature, la religion — et Blanche veilla à tomber d'accord avec lui sur la plupart des points, ne faisant preuve d'indépendance d'esprit qu'exceptionnellement, et toujours en des discussions légères et joyeuses. Elle rit à ses plaisanteries et partagea ses silences sentimentaux. Elle prêta une oreille attentive à ses problèmes et sut le convaincre de tout lui raconter sur ses enfants, ses vignes, Saint-Christophe, ses ambitions — et même Thérèse. Elle versa quelques larmes quand il évoqua les circonstances de sa mort. Il était évidemment flatté de la voir s'intéresser de si près à tout ce qu'il disait. Elle découvrit ses plats préférés et les lui prépara, ma foi, fort bien. Et elle l'amusait souvent par la vivacité de ses reparties.

— Lucette est mon amie, bien sûr. Mais je n'ai jamais eu la dent douce...

Après l'avoir vue quatre fois au cours de la semaine, François avait décidé de l'épouser et de la ramener à Saint-Christophe. Craignant de la faire fuir s'il abordait sa question de façon trop directe, il calcula soigneusement tout ce qu'il dirait. Et un matin, tandis qu'elle dégustait délicatement son café dans le service de porcelaine fine qu'elle avait sorti en son honneur, il s'éclaircit la gorge et se lança.

— Je m'étonne, madame, que vous ayez vécu seule pendant si longtemps. Cela fait cinq ans, m'avez-vous dit, que votre mari n'est plus...

— Cinq ans, oui.

— Vous ne vous sentez pas seule ?

Elle soupira.

— Un peu, parfois... Je dois l'avouer.

Il s'arrêta. Jusqu'ici, tout allait bien.

— Je comprends très bien ce que vous ressentez, continua-t-il enfin. Cela fait dix-sept ans — non, dix-huit ans — que ma femme est morte. Et je me sens seul... Un peu, parfois.

Elle hocha la tête et lui adressa un sourire de sympathie.

— Bien entendu, il y a Lydie. Comme je vous l'ai dit, elle a élevé les enfants. Elle fait la cuisine et elle tient la maison. Je ne sais pas ce que je serais devenu sans elle.

De nouveau, il s'arrêta.

— Mais ce n'est pas tout à fait la même chose, dit-il.

— Non. Je sais bien.

Il avait espéré qu'à ce point de la conversation elle lui aurait demandé s'il n'avait jamais songé à se remarier, mais elle garda le silence et il dut lancer une attaque plus précise.

— Excusez-moi de vous poser cette question, mais avez-vous déjà envisagé de vous marier une seconde fois ? dit-il.

Les paupières de Blanche battirent.

— Oh, monsieur Pujol ! C'est une question intime.

— Je n'avais nullement l'intention de vous gêner.

— Je vous avouerai — mais vous allez me trouver bien effrontée — que j'y ai effectivement songé.

— Mais vous ne l'avez pas fait.

— Je... Je n'ai pas trouvé le... le partenaire qu'il aurait fallu. Un homme que je puisse respecter, que je puisse aimer.

Elle posa délicatement sa tasse et sa soucoupe sur la petite table près de son fauteuil : il allait la demander en mariage d'un instant à l'autre et elle voulait avoir les mains libres pour réagir sur-le-champ comme elle l'avait prévu.

— Blanche... Puis-je vous appeler Blanche ?

Elle hocha la tête en signe d'assentiment.

— Blanche, je me demande... Avez-vous déjà songé à émigrer ?

— A émigrer ?

— Oui. En Californie. C'est si beau, là-bas, je suis sûr que cela vous plairait.

— Mais pourquoi irais-je en Californie ?

— Parce que... Parce que je veux que vous deveniez ma femme.

Les mots se bousculèrent enfin hors de sa bouche.

Blanche porta les mains à ses joues en un geste de surprise et se leva.

— Monsieur Pujol ! Oh ! quel homme surprenant vous êtes ! Mais nous nous connaissons à peine. Mon dieu, vous m'avez bouleversée. Je sens... que je me pâme...

François, qui avait côtoyé toute sa vie des femmes aussi fortes que leurs hommes, n'était nullement habitué à voir une femme s'évanouir sans de très bonnes raisons. Il ne savait que faire, tout en étant ravi. Quelle charmante créature fragile ! Elle avait tant besoin des attentions et des soins d'un homme ! Mais quelle attention et quels soins étaient donc requis dans cette situation précise ?

— Je suis désolé, balbutia-t-il. Je ne pensais pas vous troubler à ce point. Puis-je. vous apporter... quelque chose ?

— Non... dit-elle en se laissant tomber dans son fauteuil. Non... Si... Peut-être pouvez-vous me faire passer mon réticule. Mes sels s'y trouvent...

Il lui donna le petit sac, elle trouva le flacon de sels et le huma d'un geste délicat. Puis elle le posa loin d'elle et adressa à François l'ébauche d'un sourire.

— Vous êtes très aimable, monsieur Pujol, mais bien entendu, je ne puis accepter. Je vous l'ai dit, nous nous connaissons à peine.

Ce n'était pas tout à fait vrai mais il aurait eu mauvaise grâce à discuter avec elle.

— Et maintenant... si vous aviez la bonté... Je préférerais être seule.

— Oui, bien sûr. Je suis vraiment désolé. Je... J'espère que vous me permettrez de vous revoir pendant que je suis à Sauveterre. Je vous promets de ne rien dire qui puisse vous affliger.

— Soit... Peut-être... Mais je vous en prie, partez, maintenant.


Bien entendu, l'intérêt de François pour Blanche n'était pas passé inaperçu dans la famille. Marguerite l'avait rappelé à ses devoirs.

— C'est une honte, mon petit. Lui rendre visite ainsi sans chaperon !

— Oh ! maman ! avait protesté François. Nous sommes en 1905. Et nous n'avons pas besoin de chaperon à notre âge...

— Hum ! avait répondu Marguerite.

Et son expression était tout un programme.

Un jour, se trouvant seule avec Lucette, Lydie lui posa des questions sur Blanche.

— Ce n'est pas vraiment mon amie, répliqua Lucette, sur la défensive. Je la connais depuis longtemps, mais c'est simplement une vieille camarade.

— Vous n'avez pas l'air très enthousiaste.

— Oh... je n'ai rien à lui reprocher, dit Lucette en levant les yeux de son repassage. C'est seulement qu'elle semble toujours froide et dure sous son joli minois. Calculatrice, quoi. Son mari buvait, vous savez ? Il en est mort. A en croire les mauvaises langues, elle l'aurait poussé à la bouteille.

Elle prit un autre fer sur le fourneau où ils chauffaient en rond.

— Il paraît qu'il devait s'occuper de tout dans la maison, même des repas... Elle ne faisait que paresser du matin au soir et quand il rentrait, elle lui criait dessus. C'est ce qu'on raconte. Je ne crois pas que ce soit vrai. Des ragots. J'ai horreur des commérages, vous savez...

— François semble très entiché d'elle.

— Oui, mais il n'y songe pas sérieusement. Ce n'est pas possible.

— Je l'espère. Elle ne m'a pas plu quand je l'ai rencontrée à l'enterrement.

— Oui... répondit Lucette. Un loup déguisé en agneau, si vous voulez mon avis. Certains disent qu'elle essaie de mettre la main sur un autre mari. Mais je ne répète jamais ce genre de chose, c'est de la malveillance.

Bien que cette conversation ait augmenté ses craintes, Lydie ne put s'empêcher de sourire, à la fois du plaisir manifeste qu'éprouvait Lucette à colporter des racontars, et de la gentillesse que sa belle-sœur lui témoignait depuis peu.

L'après-midi où Blanche accepta sa demande en mariage, François remonta de Sauveterre en marchant sur les nuages. Dès qu'il aperçut Lydie dans la cour, il lui annonça la nouvelle, tout joyeux.

— Tu n'as pas fait ça ! s'écria-t-elle. Tu...

Elle allait dire : « Tu es un idiot ! » mais elle tourna sa langue dans sa bouche — après tout elle dépendait de François sur tous les plans — et elle termina de façon boiteuse :

— Tu vas épouser Blanche ?

— Oui. C'est merveilleux, non ?

— Eh bien... Félicitations.

Elle aurait eu du mal à paraître enthousiaste.

— Merci. Cela signifie que nous resterons quelques semaines de plus. Blanche va vendre ses meubles et il faut prendre toutes les dispositions pour la noce, mais nous rentrerons à la maison par le premier bateau après le mariage.

— Tu vas manquer les vendanges.

— Oui. Salvatore s'en occupera pour moi.

Lydie en resta bouche bée : jamais auparavant elle n'avait entendu François parler des vendanges d'un ton aussi indifférent. Prenant conscience aussitôt de la puissance du charme jeté par Blanche sur son frère, elle commença de se demander si cela ne rejaillirait pas sur sa propre situation.

— Et moi, François ? dit-elle. Je suppose qu'il vaut mieux que je reste ici avec Henri, Lucette et maman. On n'aura plus besoin de moi à Saint-Christophe.

Il la regarda, au comble de l'étonnement.

— Mais, pourquoi ? Pourquoi, bon dieu ? On aura toujours besoin de toi, voyons. Et puis, c'est chez toi.

— Blanche ne voudra pas m'avoir dans ses jambes.

— Des sottises. Nous en avons parlé : elle m'a dit qu'elle serait ravie de ta présence et qu'elle comptait beaucoup sur toi.

— Vraiment ! Je vois bien ce qu'elle a derrière la tête !

Lydie sentit qu'elle perdait le contrôle de ses émotions. D'abord, elle avait eu l'air de s'apitoyer sur son sort, et maintenant, il y avait dans sa voix une colère qu'elle aurait préféré taire.

— Que veux-tu dire ?

— Elle veut que je fasse tout le travail — les repas, le ménage, le linge, les enfants — pendant qu'elle prendra ses grands airs sans jamais lever le petit doigt.

— C'est très injuste, Lydie. Je suis sûr que ce ne sera pas comme ça.

— Mettons bien les choses au point, François. Si je dois continuer à tout faire, je ne la laisserai pas mettre le nez dans ma cuisine.

— C'est une excellente cuisinière. Je ne sais pas ce que tu as contre elle.

— Je n'ai rien contre elle.

— Mais tu ne l'aimes pas.

Elle le regarda, angoissée. Elle était incapable de lui mentir.

— Puisque tu me le demandes... Non, je ne l'aime pas.

— Et pourquoi ?

— Oh ! simplement... Simplement des choses que j'ai apprises.

— Quelles choses ?

— Peu importe. De simples... ragots stupides. Je suis certaine qu'ils sont sans fondement. Je regrette, François... C'est... Cela m'a fait un choc. Tu es bien sûr de ce que tu fais ?

— Oui. Oui, je suis parfaitement sûr. Elle est si douce, si gentille. Essaie de l'aimer, Lydie, pour moi.

— Oui. Je l'aimerai... pour toi.

— Que crois-tu que les enfants vont en penser ?

— Je crois qu'ils seront très contents de te voir heureux.

Ce n'était pas exactement la réponse que François aurait souhaitée, mais il dut s'en contenter, car Lydie n'ajouta pas un mot. Dans la fièvre des préparatifs de la noce, de la vente des meubles de Blanche et de l'organisation de leur retour en Californie, il oublia vite le manque d'enthousiasme de sa sœur. Il avait tant à faire que ce fut à peine si sa famille le vit.

— Tu ne peux pas l'en empêcher, maman ? demanda Lydie en désespoir de cause.

— Bien sûr que non, répliqua Marguerite. Plus tôt tu accepteras que c'est un homme adulte et que tu ne peux pas prendre ses décisions à sa place ou changer ses idées, et mieux cela vaudra.

Lydie n'était pas la seule à estimer que François commettait une erreur tragique. La famille et la plupart de leurs amis de Sauveterre étaient certains qu'il se repentirait de ce mariage avant longtemps. Et ceux qui ne connaissaient pas Blanche s'accordaient sur le principe général qu'on ne devait jamais se marier avec une hâte aussi peu convenable (surtout pour la deuxième fois et au lendemain d'un deuil) sauf bien entendu quand on devait donner un nom à un enfant à naître — ce qui n'était manifestement pas le cas en l'occurrence.

François n'en tint aucun compte.


La noce fut discrète.

— Pas de tralala, François, je t'en prie, avait demandé Blanche avec une modestie toute à son honneur.

Tous les membres de la famille étaient là, y compris Fanchon et Michel, ainsi que la sœur de Blanche, Fernande, venue de Bordeaux pour la cérémonie. Tout le monde se força à paraître léger et heureux pour faire plaisir à la mariée et au marié, mais il y avait une certaine tension dans l'air, comme si tous doutaient de voir exaucés leurs vœux de bonheur à venir.

Seule Fanchon parut vraiment ravie.

— Je suis si contente pour toi, François. Tu as besoin d'une femme, et je la trouve charmante — exactement le genre de compagne que tu mérites. La pauvre Lydie semble la détester, mais ce n'est qu'un peu de fiel. Ça passera. Elle prendra le dessus et je suis certaine que vous serez tous très heureux. La seule chose que je regrette, c'est que vous ne restiez pas quelques jours chez nous. Mais vous reviendrez peut-être en France un jour...

— Peut-être. Merci, Minette.

Elle sourit.

— Personne ne m'a appelée ainsi depuis trente ans.


Blanche insista pour qu'ils partent à Bordeaux le soir même : ils passeraient leur nuit de noces seuls, à l'hôtel. Le lendemain, Lydie les retrouverait à la gare Saint-Jean, où ils prendraient ensemble le train de Paris. Puis ce serait Le Havre, New York, le retour...

— Vous ne m'en voudrez pas, ma chère Lydie, si je vous laisse la plupart de mes bagages, n'est-ce pas ? Je ne veux pas m'en encombrer pour ma première nuit avec François.

Elle ébaucha un petit rire pudibond.

— Et, bien sûr, vous n'aurez pas à les porter vous-même. Je suis sûre que les fils d'Henri vous aideront jusqu'à la gare et ensuite, il y a les porteurs. Voici un peu d'argent pour régler. Si, si, j'y tiens. Merci beaucoup, ma chère Lydie. Je suis sûre que nous allons être de grandes amies.

— Chipie ! murmura Lydie entre ses dents.

Quand il alla faire ses adieux à Marguerite, François sentit un grand élan de tendresse pour elle. Il savait que presque certainement il ne la reverrait jamais plus — ni Henri et sa famille, ni Sauveterre. Il serra sa mère très fort contre lui, l'embrassa sur les deux joues, puis, avant que son émotion n'ait le temps de le trahir, il se retourna vivement pour serrer la main d'Henri et poser les quatre baisers de rigueur sur le visage pincé de Lucette. Quelques instants dans les bras de Fanchon, une poignée de main à Michel et aux fils d'Henri, puis il partit avec Blanche. Pendant tout le trajet jusqu'à Bordeaux, il se sentit déprimé et n'écouta que d'une oreille le flot de bavardages que Blanche déversait sur lui.

Mais le lendemain il avait retrouvé sa bonne humeur, et quand elle les rejoignit, Lydie comprit que la nuit de noces avait dû être très réussie : ils semblaient tous les deux parfaitement heureux.


Une fois sur le bateau, elle découvrit très vite que Blanche avait déjà distribué les rôles : François serait le voyageur expérimenté, fort et capable; Blanche sa petite femme en adoration, parfaitement féminine par sa beauté, ses mines gracieuses et son désarroi total; et

elle-même... ma foi, Lydie serait la bonne-à-tout-faire de Madame :
celle qui va chercher et qui rapporte — d'autant que Blanche fut prise
de malaises pleins de délicatesse dès qu'elle sentit le bateau se balancer
sous ses pieds.

Lydie supporta tout pendant quelque temps — pour François. Elle
ne voulait pour rien au monde entrer en conflit avec sa belle-sœur si tôt
après le mariage, et elle songeait aussi à la paix qu'il faudrait établir,
bon gré mal gré, quand ils seraient de retour à Saint-Christophe. Mais
c'était pourtant trop exiger d'elle — si Madame lui demandait ceci ou
cela une fois de trop, elle ne se gênerait pas pour lui dire son fait.

L'occasion se présenta sans tarder. Ils s'étaient installés tous les trois
sur le pont dans un recoin chaud et protégé du vent...

— Oh ! ma chère Lydie, s'écria Blanche, pourrais-je vous ennuyer
une fois de plus ? J'ai besoin de mon écharpe de fourrure, il fait un peu
frais sur le pont. C'est sûrement très bien pour vous deux qui êtes
robustes et habitués à sortir par tous les temps... (Elle lança un regard
pudique à François.) Mais je prends froid si facilement. C'est
héréditaire, vous savez. Toute ma famille est comme moi — cela tient
à ce que nous sommes des gens de professions libérales. Nous ne
possédons pas la résistance des travailleurs de la terre.

Lydie se tourna vers elle, et quelque chose dans son regard dut
avertir Blanche car elle parvint à devancer l'explosion, en se hâtant
d'ajouter :

— Oh ! mais comme je suis étourdie ! Vous venez juste de vous
asseoir et je vous demande de me faire une course. J'oubliais que j'ai
près de moi un bel époux qui ne sera que trop heureux d'aller chercher
mon écharpe.

Et, à partir de cet instant-là, son attitude à l'égard de Lydie devint
plus circonspecte. Peut-être avait-elle voulu voir jusqu'où elle pouvait
aller : l'ayant découvert, elle préférait s'en tenir là.

Ils eurent une longue conversation sur ce qu'ils feraient à leur
arrivée en Californie. Si Lydie et François avaient été seuls, ils seraient
rentrés tout droit à Cinnabar, si fatigués qu'ils fussent : à quoi bon
prendre le bac de San Francisco, passer la nuit là-bas et retraverser la
baie le lendemain matin. Mais Blanche désirait voir la ville.

— Ne pourrions-nous rester une nuit ? Il doit bien y avoir des hôtels
convenables.

— Je ne fabrique pas l'argent, répondit François.

Pour la première fois, Lydie constata dans sa voix une certaine
âpreté à l'égard de sa femme.

— Ensuite, j'ai envie de rentrer à la maison. Nous irons
directement à Cinnabar. J'enverrai un télégramme à Ralph et ils
viendront tous à notre rencontre.

— Ce ne sera pas de trop, avec la quantité de bagages que nous
avons, murmura Lydie.

Une lettre avait mis les enfants au courant du mariage, mais bien entendu aucune réponse n'avait eu le temps de traverser l'Atlantique, et François était assez soucieux de l'accueil que recevrait Blanche.

Les jeunes étaient tout aussi inquiets. La lettre leur était parvenue dans l'après-midi, et Ralph l'ouvrit à l'heure du dîner. Il siffla de surprise.

— Eh ! Ecoutez ça, les amis ! Vous n'allez pas en croire vos oreilles.

Il leur lut la lettre lentement.

La nouvelle les frappa de stupeur. Ils échangèrent des regards incrédules.

— L'affreuse marâtre ! s'écria Jean en riant. Vous croyez qu'elle viendra nous border le soir, en nous embrassant sur le front ?

— J'espère seulement qu'elle s'entendra avec tante Lydie, dit Marguerite.

— Moi, je dis « Bravo papa ! » s'écria Charles. Je crois que c'est formidable.

— Vraiment ? Moi non. Et cela règle mon problème, répondit Ralph. Je m'en vais.

Ils se tournèrent tous vers lui, bouche bée.

— Tu pars ?

— Oui. L'idée d'avoir une belle-mère vous plaît peut-être, moi pas. Je file.

— Que va dire papa ?

— Ce qu'il voudra. Il sera sûrement ravi. Il ne m'a jamais beaucoup apprécié comme fils. Eh bien, qu'il garde ses maudites vignes et sa saloperie de chai. Je ferai mon chemin tout seul. Je pars pour New York — c'est là que se passe tout ce qui vaut la peine d'être vécu. Et si ça ne lui plaît pas, c'est le même prix.

Ils étaient médusés, comme s'il leur parlait une langue étrangère dont ils ne comprenaient pas un mot.

— L'un de vous veut m'accompagner ?

Aucun ne répondit, mais la question de Ralph sembla ouvrir les vannes de leur curiosité. Comment, pourquoi, quand, où ? Et que ferait-il pour l'argent ? Et Christiane ? Garderait-il le contact ? Quel genre de travail chercherait-il ? Et ainsi de suite jusqu'à ce que Ralph déclare qu'il ne fournirait aucune réponse — il avait des préparatifs à faire.

Le soir même, il rassembla quelques affaires. Le lendemain matin il se leva avant l'aurore, prit ses économies, y ajouta les dollars servant aux frais du ménage (qui se trouvaient dans un portefeuille sur l'appui de la cheminée), puis écrivit deux lettres. L'une était adressée à Jean, Charles et Marguerite : « Au revoir. Rendez-moi un dernier service : ne dites rien à Christiane avant demain. A un de ces jours. Avec tout mon amour, Ralph. » La seconde s'adressait à François et disait simplement : « Pardonne-moi, papa, mais il vaut mieux que je parte. N'essaie pas de me ramener, je t'en prie, ce serait inutile. Je t'écrirai de temps en temps. Ralph. » Puis il partit.

Ils ne dirent rien aux Corsini pendant les vingt-quatre heures suivantes, moins par égard pour le désir de Ralph que parce qu'ils ne voyaient pas comment annoncer la nouvelle à Christiane. Les deux jeunes gens semblaient unis depuis si longtemps qu'il était vraiment extraordinaire que Ralph ait rompu ce lien avec autant d'indifférence. Comment allait réagir leur cousine ? Marguerite surtout s'inquiétait — elle connaissait l'histoire de tante Lydie et voici que la même mésaventure semblait se répéter. Bien entendu, Ralph et Christiane n'étaient pas fiancés officiellement, c'était donc peut-être un peu différent — mais si peu. Elle ne songea à rien d'autre pendant tout le temps où elle prépara le repas du soir. Le problème l'obsédait et elle mit longtemps à s'endormir cette nuit-là. Le lendemain matin elle décida d'aller voir tante Agnese, qui saurait sûrement que faire. Elle menaça Jean et Charles des pires horreurs s'ils faisaient allusion au départ de Ralph à quiconque, recommanda à Absalon de tenir également sa langue et s'en fut à Casa Rosa.

Agnese avait pris de l'âge, mais elle restait encore la maîtresse dans sa maison et sa cuisine — situation que Caterina semblait accepter le sourire aux lèvres. Comprenant au premier regard que les inquiétudes de Marguerite n'étaient pas une petite affaire, Agnese entraîna la jeune fille dans le salon et écouta patiemment son histoire.

— Je ne sais que faire, conclut Marguerite après avoir exposé les faits.

— Que faire ? Il n'y a rien à faire.

— Rien ?

— Bien sûr. De toute façon, il est beaucoup trop tard pour l'arrêter. A quoi servirait de prévenir le shérif, par exemple ? A rien du tout. Il pourrait envoyer un message télégraphique à New York, mais qui s'en soucierait ? Personne ne ferait rien. Même si quelqu'un se rendait à la gare, il le manquerait probablement. Et à supposer qu'ils le trouvent, que se passerait-il ? Ce ne serait d'aucune utilité. Tu imagines Ralph revenant ici sous escorte et acceptant de rester ? Non, le mieux est de laisser faire.

— Mais papa ?

— Ton père a quitté sa famille quand il avait à peu près le même âge.

— Mais son père et sa mère savaient qu'il partait.

— Peut-être. Mais approuvaient-ils son départ ? Peu importe, d'ailleurs. Les jeunes doivent faire leur chemin eux-mêmes. Un grand nombre d'entre eux quittent leur foyer pour y parvenir, et rien ni personne ne peut les en empêcher.

— Et Christiane ?

— Ça, c'est une autre histoire. C'est un problème, je te le garantis. Et je crois que la meilleure formule sera la franchise, même si cela peut paraître brutal. Quand on a quoi que ce soit de désagréable à annoncer à quelqu'un, il vaut toujours mieux le dire carrément. Neuf fois sur dix, les gens réagissent moins mal qu'on ne s'y attend.

— Mais Christiane est amoureuse de lui.

— Je n'en suis pas si sûre. Je ne crois pas qu'elle puisse être bouleversée autant que le fut ta tante Lydie.

Un nuage de chagrin voila son regard. Elle prenait le départ de Ralph avec beaucoup de philosophie, mais le souvenir de la fuite de Lorenzo continuait de lui faire de la peine.

— Je vais te dire ce que tu dois faire, reprit-elle. Viens passer la soirée ici, et même la nuit. Il y a un lit de secours dans la chambre de Christiane et ta compagnie lui fera peut-être du bien.

Ce soir-là, quand ils furent tous installés autour de la grande table dans la cuisine de Casa Rosa, Agnese fit un signe de tête à Marguerite, assise près d'elle.

— C'est le moment, murmura-t-elle.

Marguerite retint son souffle.

— J'ai une nouvelle pour vous tous, dit-elle.

Mais il fallut un certain temps avant que tout le monde se calme et à chaque minute qui passait, sa confiance s'amenuisait, si bien que lorsqu'ils furent tous silencieux et suspendus à ses lèvres, elle se trouva incapable de prononcer un mot.

Agnese prit sa place.

— Marguerite essaie de vous apprendre que Ralph est parti de chez lui. Il est allé à New York, paraît-il. Pas en voyage, pour de bon.

Ils furent tous stupéfaits et chacun eut une question à poser — sauf Christiane. Marguerite ne la quittait pas du regard. Quand Agnese avait parlé, les yeux de sa cousine s'étaient ouverts tout grands, et pendant quelques secondes ses joues étaient devenues très pâles. Au début, elle demeura plus silencieuse que de coutume, mais elle parut surmonter le choc et être beaucoup moins désespérée que Marguerite ne s'y attendait. Naturellement, ils se mirent tous à discuter et les mêmes questions revenaient sans cesse, mais Christiane ne parut pas plus bouleversée que les autres.

Quand elles montèrent dans la chambre, les deux cousines bavardèrent gaiement tout en se préparant pour la nuit. Marguerite hésita à parler, puis ne put s'empêcher de dire :

— Je suis surprise que le départ de Ralph ne te touche pas davantage.

— Et pourquoi donc ? répliqua Christiane.

— Je pensais que tu étais amoureuse de lui.

— Qui te l'a dit ?

— Mais, tout votre comportement à tous les deux...

— Ralph et moi nous nous plaisions beaucoup ensemble. Mais c'était tout. Je ne me suis jamais attendue à une demande en mariage, si c'est ce que tu veux savoir. N'en parlons plus. Je suis fatiguée et j'ai sommeil.

Mais après avoir soufflé la bougie, Marguerite crut entendre Christiane sangloter doucement sur son oreiller. Devait-elle se lever pour consoler sa cousine ? Instinctivement, elle devina que ce serait une erreur de le faire.

Marguerite, une fois de plus, eut beaucoup de mal à s'endormir. Christiane avait pris la nouvelle plus calmement qu'elle ne l'avait craint, mais il fallait encore en parler à François et cela risquait d'être plus orageux.

Et puis, il y avait la nouvelle M^{me} Pujol à découvrir.

# 4

Quand le train entra dans la petite gare de Cinnabar, un groupe nombreux attendait les voyageurs de France. Au premier rang, Jean, Charles et Marguerite. Derrière, les Corsini et les Listrac. Non loin, Absalon. Et puis, tout autour, beaucoup d'autres personnes : certaines pour de bonnes raisons, d'autres attirées à la gare par l'arrivée de la nouvelle épouse de François — car, bien entendu, la nouvelle de son mariage n'avait pas tardé à se répandre —, d'autres enfin qui n'avaient rien de mieux à faire que d'attendre le train : ils découvraient, ravis, qu'une arrivée de quelque importance allait avoir lieu.

Le train s'arrêta. François sauta sur le quai et se retourna pour aider d'abord Lydie, puis Blanche. Dès qu'elle apparut, les murmures redoublèrent dans la foule. Toutes les femmes jugèrent d'un seul regard le style de sa toilette, sa coiffure et son visage. Puis tout le monde parla en même temps, ce ne furent que poignées de mains et accolades. François présenta Blanche à ses enfants, qui l'embrassèrent sur les deux joues poliment, quoique sans enthousiasme (remarqua-t-elle), non sans lui lancer des regards soucieux. Ils se détendraient sans doute plus tard.

François s'aperçut très vite, comme ils s'y attendaient tous, de l'absence de son fils aîné.

— Où est Raphaël ? Où est Ralph ?

— Il... Je t'expliquerai plus tard, papa, répondit Marguerite.

Les frères avaient décidé qu'elle serait leur porte-parole à ce sujet — il prendrait mieux la nouvelle de sa bouche que de toute autre personne — et ils étaient convenus, malgré les inévitables questions à la gare, qu'il serait préférable d'attendre le retour à la maison, quand ils seraient vraiment entre eux.

— Mais où est-il ?

— Je t'en prie, papa. Attends que nous soyons rentrés.

Elle lança à Jean un regard suppliant. Il s'avança :

— Tu devrais aller en France plus souvent, papa, dit-il en souriant.

— Que veux-tu dire ? lui lança François avec un regard sévère.

— Non seulement tu nous ramènes une charmante belle-mère... (Il inclina la tête à l'adresse de Blanche, qui jugea la remarque teintée de quelque ironie.)... mais pendant ton absence nous avons fait les meilleures vendanges depuis des années.

— C'est vrai ? Raconte-moi.

Ils se dirigèrent vers le cabriolet, dans lequel montèrent François, Blanche et Lydie. Il ne restait de place que pour une seule des valises de Blanche — Charles redescendrait plus tard chercher le reste des bagages. Ils partirent au pas sur la route de Saint-Christophe, et François écouta Jean et Charles répondre à toutes ses questions sur la récolte. Marguerite, qui marchait de l'autre côté du cabriolet, interrogeait Lydie sur leur séjour à Sauveterre et montrait le paysage à Blanche.

Dès qu'ils furent tous à Saint-Christophe, assis autour d'une bouteille de vin pour célébrer le retour, François n'y tint plus :

— Maintenant, parlez-moi de Ralph.

En quelques phrases hachées, Marguerite lui expliqua. Elle vit le front de son père se rembrunir peu à peu. Elle lui tendit le mot que Ralph lui avait laissé. Il le lut, ne dit toujours rien, et le donna à Blanche.

— Quel manque d'égards ! s'écria-t-elle. Mais bien entendu, il n'a pas été élevé de façon tout à fait normale, n'est-ce pas ?

François lui lança un regard glacé.

— Si c'est le seul commentaire que tu trouves à faire, tu as perdu une occasion de te taire.

Il y eut un silence gêné. Blanche se leva, blessée dans sa dignité.

— Si quelqu'un veut bien avoir la gentillesse de me conduire à notre chambre, je commencerai à défaire mes bagages.

Elle s'éloigna de la table.

— Accompagne-la, Marguerite, dit Lydie.

Quand elles eurent quitté la pièce, François se tourna vers Jean.

— Qu'as-tu fait pour le retrouver ?

— Rien, papa. Tante Agnese nous a dit que le poursuivre ou parler au shérif serait sans effet. De plus, il est majeur. Et il n'est pas idiot. Je jurerais qu'il préparait ce départ depuis quelque temps, bien que Christiane n'ait pas été au courant — il ne lui en a pas dit un mot. Je ne crois pas que son départ soit vraiment lié à ton mariage. Il était déjà un peu bizarre la veille de l'arrivée de ta lettre. A mon avis, il avait déjà décidé de partir.

Il s'arrêta, déconcerté par le silence prolongé de son père.

Enfin François se leva.

— Venez me montrer ce que vous avez fait dans les vignes et au chai.


La vie reprit son cours normal. La principale préoccupation du chef de famille était, bien entendu, l'adaptation de tous à la présence de Blanche. Très vite, bien qu'ils n'en eussent rien dit ouvertement, les jeunes avaient partagé l'opinion de Lydie sur le mariage de leur père : François avait commis une erreur monumentale. Blanche critiquait tout — la maison était primitive, la campagne débilitante, leurs voisins vulgaires, les enfants sans éducation et impertinents à son égard. Cette dernière accusation était la plus vexante, car ils s'efforçaient tous de se conduire pour le mieux vis-à-vis de l'épouse de leur père. Blanche et Lydie vivaient en état de trêve : Lydie la méprisait pour ses grands airs et son indolence, mais Blanche, en tout cas, ne mettait pas les pieds dans sa cuisine et, d'une manière générale, abandonnait la conduite de la maison à sa belle-sœur. Et si elle lançait des observations, Lydie faisait la sourde oreille.

Mais c'était Marguerite qui faisait l'objet des plus vives critiques de Blanche.

— C'est un garçon manqué ! disait-elle à François. Elle patauge dans de grosses bottes avec de la boue sur tous ses vêtementss. Elle ne sait ni enfiler une aiguille ni faire une omelette, et elle ne songe jamais à aider un peu sa pauvre tante Lydie.

— Elle travaille dur dans les vignes, répondit François. Elle fait l'ouvrage d'un homme.

— C'est exactement ce dont je me plains ! C'est un vrai garçon, et elle n'a aucune chance de devenir une dame. Elle ne parle jamais que de vignes et de vin ! Rien d'étonnant à ce qu'elle n'ait pas de galants. Elle devrait penser tout de même à se marier, à son âge.

— Elle a bien le temps. Et quand elle sera prête, les jeunes gens se précipiteront par douzaines.

— J'espère que tu ne te trompes pas. Je ne crois pas d'ailleurs que ce soit la faute de cette pauvre enfant. Quel dommage que ta première femme soit morte quand ils étaient si jeunes !

— Ils ont eu Lydie.

— Oui. Justement...

Elle soupira comme si elle avait démontré son argument, puis elle monta se coucher, laissant François furieux et perplexe.

Plus tard, il aborda le problème avec Lydie, espérant qu'elle aurait une solution à proposer, ou en tout cas, qu'elle était prête à en discuter la tête froide. Mais, bien entendu, Lydie défendit Marguerite avec véhémence... Avec qui d'autre en aurait-il parlé ? Même Emilie ne se montrerait pas compréhensive. Au cours de sa première visite, quand il lui avait annoncé son mariage et l'avait invitée à venir à Saint-Christophe faire la connaissance de Blanche, elle avait simplement éclaté de rire.

— Oh ! François ! Vous remarier à votre âge ! Il n'y a pire fou qu'un vieux fou.

— Je n'ai guère plus de cinquante ans ! répliqua-t-il sèchement. Mais elle rit de plus belle.

Sa seule consolation était le vignoble et le vin. Pendant son séjour en France, les enfants avaient vraiment mis en chai une récolte record. On pourrait vendre facilement plus de cent vingt hectolitres et le vin promettait d'être le meilleur que Saint-Christophe ait produit jusque-là. Quand il s'affairait dans le chai, ouillant ses foudres, s'assurant que la température convenait bien à la meilleure fermentation possible, surveillant le vin qui perdait ses impuretés pour devenir d'un rouge brillant, lumineux, il songeait au merveilleux climat qu'offrait la Californie aux vignerons... Le temps était si régulier, alors qu'en France un mauvais été pouvait signifier un mauvais vin, et les conditions idéales ne se trouvaient réunies que rarement. Un jour, se dit-il, les vins du Nouveau Monde seront reconnus comme les égaux de ceux de France et d'Italie.

Au mois de janvier suivant, une lettre arriva de New York. Elle était de Ralph. Il avait trouvé une place dans une agence de fret. Il était employé aux écritures, il s'en sortait très bien et on lui avait déjà promis une promotion s'il continuait à satisfaire son employeur, qui était Français et très sympathique. Il avait trouvé un logement, il partageait une chambre avec un de ses collègues de bureau.

« ... J'espère que tu me pardonneras, papa, d'avoir fui la maison ainsi. Je sais que tu as dû avoir de la peine. Mais il fallait que je saute le pas. Si j'étais resté, il n'en serait sorti que du chagrin pour nous deux. Ne te fais pas de souci pour moi. J'envoie mon amour à toute la famille et mes respects à ma nouvelle belle-mère. J'espère revenir un jour à Saint-Christophe, quand j'aurai réussi comme tu as réussi. Alors, je te demanderai ta bénédiction. Je demeure ton fils respectueux. Raphaël Pujol. — P.S. Dis bien à Christiane que je regrette. »

En lisant cette lettre, François sentit fondre son cœur. Il songea à son départ de Sauveterre, tant d'années plus tôt, contre le désir de son père. Il espérait, lui aussi, obtenir l'approbation du vieil homme un jour.

Ce soir-là, il décida d'apporter la lettre à Casa Rosa. A son arrivée, Armand était en train d'atteler le cabriolet.

— J'allais justement te voir, lui dit-il, le visage grave.

— J'ai reçu une lettre de Ralph.

— Dieu soit loué !

Il entraîna François dans la petite pièce qui servait de bureau.

— Christiane est enceinte, annonça-t-il.

— Nom de dieu !

— Il n'y a aucun doute. Elle en a parlé à Caterina, il y a une dizaine de jours. Nous l'avons envoyée chez le D$^r$ Daniels et il vient de le confirmer. L'enfant est de Ralph, bien sûr, elle l'a avoué. Dieu merci, il a écrit. Il faut qu'il revienne l'épouser.

— Mais je ne sais pas où il est.

— Tu as dit que tu avais reçu une lettre.

— Je sais qu'elle vient de New York, mais il n'y a aucune adresse.

Il lui tendit l'enveloppe.

— Il faut que nous allions à New York, répondit Armand après avoir lu la lettre. Nous le retrouverons. Ce ne devrait pas être si difficile de mettre la main sur une agence de fret dont le patron est un Français.

— J'en suis convaincu.

— Tu n'en as pas l'air.

— Je pense simplement que même si nous le retrouvons... Ecoute, Armand, il peut refuser de revenir.

François ne parvenait pas à regarder son ami en face.

— Tu l'y forceras.

— Plus facile à dire qu'à faire. Je me demande s'il est au courant. Peut-être est-ce la raison de son départ.

— Christiane m'a affirmé que non.

— Comprends-moi bien, je ferai tout ce que je pourrai pour qu'il revienne, mais s'il refuse... Ma foi, je paierai pour que Christiane profite des meilleurs soins. Nous prendrons aussi l'enfant. Si ce doit être mieux, nous l'adopterons.

— Il n'est pas question que j'accepte. Il faut que Ralph revienne et l'épouse.

— Regarde les réalités en face, Armand. Il est majeur. Nous ne pouvons pas le forcer. Il ne sera pas le premier jeune homme, tu le sais très bien, à fuir devant une situation comme celle-là.

— Ce n'est pas à l'honneur de l'éducation que tu lui as donnée !

Il y eut un silence. François ne pouvait pas reprocher à Armand son attitude et n'avait nullement l'intention d'engager une querelle.

— Je t'ai dit tout ce que j'avais à dire. S'il refuse de revenir, nous pourrons songer également à envoyer Christiane quelque part jusqu'à la naissance, et à faire adopter l'enfant là-bas.

Armand ravala sa colère.

— Oui, je pense que ce serait peut-être le mieux.

— Moi, non, dit une voix claire.

C'était Christiane. Ils n'avaient pas entendu la porte s'ouvrir.

— Je suis désolée d'écouter aux portes, mais j'étais sûre que vous parliez de moi, et je crois que j'ai bien fait. Inutile de faire pour moi des projets de ce genre. Je resterai ici, j'aurai le bébé ici, et je l'élèverai moi-même. Sauf si tu me jettes dehors, papa, pour avoir déshonoré le nom de la famille. Mais personne n'adoptera mon enfant, et c'est inutile d'en reparler.

Armand se leva furieux.

— Tu feras ce qu'on te dira ! Tu as perdu tout droit à la parole.

— Je sais, mais je veux tout de même dire autre chose. Vous vous proposez de ramener Ralph ici pour m'épouser. Mais moi, je ne l'épouserai pas. Il ne m'aime pas et je ne l'aime pas. Je ne serai pas la première femme à avoir un enfant illégitime, un bâtard. Si c'est une honte, je vivrai avec elle.

— Va dans ta chambre ! rugit Armand, le visage écarlate.

Pendant un instant, elle le regarda, pleine de défi. Puis elle baissa les yeux.

— Très bien, papa.

— Une bonne fessée, oui ! s'écria Armand quand elle eut quitté la pièce. Quelle petite idiote !

Il parvint à se calmer un peu.

— Nous ferions mieux de prendre nos dispositions pour aller à New York, ajouta-t-il.

— Non, dit François. Nous pouvons attendre une semaine ou deux. Nous ne saurions pas par où commencer nos recherches. J'irai demain à San Francisco engager un détective dans une agence ayant un bureau à New York. Ils trouveront Ralph beaucoup plus vite que nous. Et quand je saurai où il est, j'irai seul.

Armand discuta, mais François demeura intraitable. Dix jours plus tard, il reçut un câble de l'agence qui lui indiquait l'adresse de Ralph.

— Je vais à New York, annonça-t-il.

Le visage de Blanche s'éclaira.

— Quand partons-nous ?

— Nous ne partons pas, répondit-il sèchement. J'y vais seul. Demain.

— François !

Mais toutes ses prières demeurèrent sans effet. Il fallait qu'il parle à son fils seul à seul. En outre, Blanche était le prétexte du départ de Ralph et sa seule présence compromettrait tout espoir de le ramener avec lui. Il consentit cependant à un geste :

— Tu m'accompagneras à San Francisco, lui dit-il. Nous passerons la nuit là-bas et je te présenterai à M$^{lle}$ King... à M$^{me}$ Jackson, je veux dire. Je lui enverrai un message cet après-midi. Il faut que je lui parle avant d'aller à New York.



Emilie se faisait un plaisir de rencontrer la nouvelle femme de François. Elle mit une robe neuve — une création fracassante de la toute dernière mode — et prit grand soin de sa coiffure et de son maquillage. Elle avait l'intention de faire de l'effet.

Elle se souvenait à peine de Thérèse, mais dès le premier regard elle se rendit compte de la ressemblance des deux femmes — sauf sur un point : Thérèse lui avait plu alors que cette personne, sans raison précise, lui inspira aussitôt de l'antipathie.

— Comment allez-vous, madame ? lui dit-elle. Vous parlez anglais ?

— Un peu, madame.

— Je suis ravie de faire votre connaissance. Je crois que votre mari désire parler affaires avec moi, aussi me pardonnerez-vous de vous l'enlever un instant. Je vais vous faire porter du thé. (Elle agita la clochette.) Préférez-vous du Chine ou du Ceylan ?

— Je ne comprends pas.

François traduisit. Il savait que Blanche demeurait dans le même embarras, ignorant entre quoi et quoi on lui demandait de choisir, mais il ne vint pas à son aide et prit un malin plaisir à la voir perdre contenance.

Emilie la fixa sans sourire.

— Je crois que vous préférerez le Ceylan.

Elle donna un ordre à la femme de chambre qui venait d'entrer. Blanche se rendit compte que, d'une manière subtile qui lui échappait, elle venait de subir un affront.

— De quelle affaire veux-tu parler avec elle ? demanda-t-elle à François. Tu ne m'en as rien dit.

— Plus tard, répondit-il sans plus de façons.

Il passa avec Emilie dans la salle à manger, laissant Blanche ronger son humiliation dans la solitude.


— Mais elle est charmante, votre femme, tout à fait charmante. Rien d'étonnant à ce que vous ayez succombé...

François accepta le compliment, mais il savait qu'en dépit de son air sérieux Emilie se moquait encore de lui. Et elle venait d'établir sans ambiguïté que ses relations avec Blanche se placeraient toujours sur un plan différent de son amitié pour lui — et demeureraient beaucoup moins cordiales.

— Eh bien, poursuivit-elle. Quelle est donc cette affaire si importante ?

— Vous vous rappelez que nous avons parlé un jour de négocier mon vin en bouteilles sous notre propre étiquette. Je crois le moment venu d'en discuter sérieusement. Nous avons eu une belle récolte l'an dernier et le vin sera d'excellente qualité. J'ai tout étudié. Il nous faudra acheter le matériel de mise en bouteilles, et bien entendu les bouteilles et les bouchons. Nous devrons faire imprimer des étiquettes et prévoir les caisses — oh ! j'oubliais les capsules pour les bouchons. Il n'y a pas de place à Saint-Christophe pour installer tout cela, et nous devrons louer un local à Cinnabar. J'ai vu un endroit qui ferait l'affaire.

— Et votre ami Corsini ? N'a-t-il pas suffisamment de place ? Vous avez sûrement intérêt à travailler avec lui. Vous pourriez mettre également son vin en bouteilles.

— Non. Je ne veux pas impliquer Salvatore. Plus tard, peut-être, mais l'entreprise présente des risques et je préférerais les prendre seul. Ensuite, il y a la question des ventes. Nous ne pouvons pas vendre depuis Cinnabar. Il nous faudra nous installer au centre même du commerce du vin, ici, à San Francisco. Cela suppose un entrepôt et des bureaux. Des factures, des registres et tout le matériel nécessaire, avec un employé pour tenir les comptes.

— Pourquoi ne pas envoyer le vin en fûts et faire la mise en bouteilles dans l'entrepôt de San Francisco ? Cela épargnerait le loyer d'un local à Cinnabar.

— C'est une bonne idée. Je n'y avais pas songé car je voulais que la mise en bouteilles se fasse à un endroit où je pourrais aisément la surveiller, mais vous avez raison. Il vaudrait beaucoup mieux la faire à San Francisco.

— Et le personnel ?

— C'est justement la raison de mon voyage à New York.

Il lui parla du départ de Ralph et de son projet de l'inciter à revenir en lui offrant la direction de sa nouvelle entreprise. Il ne lui parla pas de Christiane, lui laissant croire qu'il désirait simplement le retour de son fils.

— Je ne crois pas qu'il reviendra, François, dit-elle.

Cela confirmait ses propres doutes.

— Nous verrons bien. En dehors de Ralph et du comptable, poursuivit-il, il faudra de la main-d'œuvre occasionnelle pour la mise en bouteilles. A mon avis, j'aurais besoin de 8 000 dollars au départ, après quoi l'autofinancement devrait suffire.

— Vous avez le détail des chiffres ?

— Bien entendu, *Mademoiselle*, répondit-il avec un sourire. Je savais ce que la fille de John King attendrait de moi.

Ils passèrent l'heure suivante à discuter tous les détails du projet.

— Très bien, François, lui dit Emilie enfin. Je vous avance cet argent.

Il sourit, ravi.

— Merci, mais je n'en ai pas besoin.

— Pardon ?

— J'ai l'argent moi-même.

— Mais... Pourquoi m'avez-vous parlé ?

— Je voulais être certain d'avoir tout calculé sans rien omettre. Si mes chiffres n'avaient pas été réalistes...

— Pour l'amour de Dieu, François ! Vous vous êtes servi de moi !

Elle avait l'air si indignée qu'il ne put s'empêcher de rire.

— Ce doit être une expérience nouvelle pour vous, *Mademoiselle*.

Pendant un instant elle le dévisagea, furieuse, puis elle se joignit à son rire.

— Très bien, mon ami. Cela vous coûtera quelques caisses de vin.

— Ce sera un plaisir, *Mademoiselle*. Merci de votre aide. Il est temps que j'aille retenir un hôtel pour la nuit. Je pars demain voir Ralph à New York.

— Votre femme doit être enchantée de ce voyage.

— Elle ne m'accompagne pas. C'est une chose que je dois faire tout seul. Elle rentrera à Cinnabar demain. Mais elle voulait visiter San Francisco et cela m'a semblé une bonne occasion.

— Je ne vous retiens pas plus longtemps.

Elle repassa dans le salon où Blanche les attendait.

— Votre mari m'a dit que votre visite de la ville sera très brève, madame. Il faut lui demander de vous conduire au jardin de thé japonais du parc de Golden Gate. Il date... Oh ! de la grande foire internationale, il y a dix ou douze ans.

François traduisit pour Blanche.

— Demande-lui donc quelle sorte de thé ils servent là-bas, dit-elle. Japonais, je suppose. Il ne sera pas plus mauvais que ce qu'elle m'a fait apporter.

— Blanche vous remercie de votre suggestion, dit François et du thé que vous lui avez offert. Elle est sûre que celui du jardin japonais ne sera pas si bon.

— François, répondit Emilie, je regardais son visage. Et si c'est ce qu'elle a dit, je veux bien être japonais moi aussi. Elle lance des flammes, votre épouse ! Méfiez-vous que le feu ne prenne à vos basques.

Dans le train de New York, François eut tout le temps de réfléchir. Or un sujet revenait sans cesse dans son esprit, contre sa volonté, prenant le pas sur les problèmes de Ralph et de sa nouvelle affaire de mise en bouteilles : Blanche. Il savait maintenant que Lydie avait raison — que tous avaient raison. Son mariage avec Blanche était la plus grande erreur de sa vie. C'était une femme hargneuse, une mégère — paresseuse, égoïste et insatisfaite. Il n'existait aucun adjectif malsonnant qu'on ne pût lui appliquer. Elle ne le comblait même pas au lit : elle se plaignait de migraines et de fatigues imaginaires et lui tournait le dos. Sa seule vertu était sa ressemblance avec Thérèse, et le cœur de François battait plus vite lorsque, en posant les yeux sur elle, il croyait pendant un instant — sublime et stupide — avoir devant lui non point Blanche, mais sa chère, très chère Thérèse, revenue à la vie comme par magie.

Le pire, c'est qu'il ne voyait absolument rien qui puisse améliorer la situation. Blanche était restée sourde aux suggestions subtiles comme aux ordres directs. Si elle continuait ainsi, elle chasserait tous les enfants les uns après les autres. Mais que pouvait-il faire ! Divorcer ? Impossible pour des catholiques. Se séparer ? Elle n'avait nulle part où aller. Il fallait qu'il s'accommode de la situation, et il espérait que Lydie s'y résoudrait aussi et que les enfants ne l'abandonneraient pas tous. S'il voulait ramener Ralph en Californie, il faudrait lui offrir des conditions capables de le convaincre. Ralph allait probablement invoquer la présence de sa belle-mère comme principale raison de son départ, quels qu'aient été ses autres motifs. François savait qu'il devait lui offrir de vivre ailleurs qu'à Saint-Christophe — c'était la carte maîtresse de son jeu.

Mais en même temps, il se sentait injuste à l'égard de Blanche. Elle l'aimait bien, à sa manière. Elle se faisait du souci pour lui. Quand ils s'étaient quittés, au terminus d'Oakland, elle avait tenu à ce qu'il lui envoie un câble dès son arrivée à New York, pour lui donner le nom de son hôtel et lui dire qu'il allait bien.

— Pourquoi veux-tu que je gaspille de l'argent à ça ? lui avait-il demandé.

— Je veux savoir où tu es et je veux savoir surtout que tu es sain et sauf. Je suis ta femme. Je m'inquiète à ton sujet.

Et c'était vrai. En dépit de tout, elle tenait à lui.

Il arriva à New York vers la fin d'après-midi. Il alla dans un hôtel proche du débarcadère du bac, posa ses bagages dans sa chambre, puis

330

descendit dans le hall envoyer son câble à Blanche. Ensuite il s'informa de l'adresse que l'agence de détectives lui avait envoyée. Il s'aperçut qu'il pouvait s'y rendre à pied — c'était à 3 kilomètres environ — mais le portier lui demanda s'il désirait un fiacre.

— Non, répondit François, 3 kilomètres, ce n'est rien.

La maison où habitait Ralph était une vieille bâtisse de grès à l'air plutôt misérable, mais dans un quartier que François ne jugea pas trop sordide. A l'une des fenêtres, une pancarte annonçait : « Chambres à louer ». Il frappa à la porte. Un enfant lui ouvrit, lui lança un regard soupçonneux, mais ne dit rien.

— La personne qui s'occupe des chambres est là, je vous prie ? demanda François.

L'enfant cria par-dessus son épaule :

— Maman ! Il y a un monsieur.

Puis il se remit à fixer François du même regard intraitable. François se demanda si c'était un garçon ou une fillette. Il (ou elle) portait une blouse longue, comme on en voit plus souvent sur les petites filles que sur les garçonnets, mais ses cheveux étaient coupés comme ceux d'un garçon et ses traits ne semblaient pas particulièrement féminins.

Une femme parut au bout d'un instant. Elle était petite et boulotte. A sa démarche, on devinait qu'elle souffrait des pieds. Elle avait les cheveux raides, d'un blond artificiel, remontés en chignon sur le haut de sa tête, avec des boucles rebelles tombant de tous côtés pour former un mince halo mouvant autour de son visage luisant.

— Ouais ?

— Je viens voir M. Pujol. Je crois qu'il loge ici. Je suis son père.

— Il n'est pas là. Il ne rentre du travail qu'à sept heures et demie.

— Je peux attendre ?

Elle le regarda de la tête aux pieds, s'attardant sur ses bottes. Après sa longue marche dans la ville, elles devaient être un peu poussiéreuses, mais elles passèrent tout de même l'inspection.

— Ouais, dit-elle enfin. Entrez. Asseyez-vous dans la salle à manger. Vous verrez le pied de l'escalier. Reste avec lui, Mo.

Mo ? Moïse ? Maurice ? Monique ? Cela ne permit pas à François de résoudre le mystère du sexe de l'enfant. Il s'installa à l'endroit que la femme lui indiqua, puis la regarda battre en retraite dans les profondeurs de la maison — dans la cuisine, supposa-t-il : une odeur appétissante venait d'atteindre ses narines. L'enfant s'assit et ne le quitta pas des yeux, silencieux et indifférent. Très vite, François cessa d'essayer de lui parler et se mit à attendre patiemment que la porte d'entrée s'ouvre... En tout cas la maison était propre. La femme aussi avait l'air propre. Ralph semblait avoir trouvé un endroit convenable où loger.

La seconde fois qu'il entendit le bruit d'une clé dans la serrure de l'entrée, il sut que Ralph était arrivé. De l'endroit où il se trouvait, il l'entendit parler, probablement au jeune homme avec qui il partageait sa chambre. Il se leva et passa dans le vestibule. Oui, c'était Ralph, en bonne santé, heureux, mais aussi étrangement jeune et vulnérable.

— Ralph ! dit-il à mi-voix.

— Papa ! Bon dieu ! Mais que fais-tu ici ?

François ouvrit ses bras. D'abord hésitant, puis d'un pas plus assuré, Ralph s'avança vers lui et ils s'étreignirent.

— Ralph ! Ralph ! Quelle joie de te revoir !

— Quelle joie de te voir pour moi aussi, papa. Je ne savais pas que tu étais à New York. Je suppose que tu es venu pour me traîner à la maison...

L'idée avait l'air de l'amuser.

— Non, pas te traîner à la maison. Mais nous en parlerons plus tard. Tu ne me présentes pas à ton ami ?

— Oh ! bien sûr ! C'est mon copain, Chuck Arlington.

— Enchanté, monsieur, dit Chuck poliment.

C'était un grand gaillard assez beau, du même âge que Ralph, avec un visage ouvert, sympathique, couronné par une tignasse rebelle, presque noire. Son sourire chaleureux révélait des dents très blanches, régulières.

— Pourquoi ne viendriez-vous pas dîner tous les deux avec moi ? proposa François. Nous trouverons bien un bon restaurant français dans le quartier.

— C'est très aimable à vous, monsieur, répondit Chuck, mais vous devez avoir beaucoup à vous dire. Et M^{me} Johannsen serait furieuse si nous sortions tous les deux en lui laissant son dîner sans personne pour le manger. Tandis que si je reste, je recevrai sûrement double portion — celle de Ralph et la mienne.

François fut soulagé.

— Peut-être une autre fois.

— Mo, dit Ralph, va dire à ta maman que je ne serai pas là pour dîner.

L'enfant s'éloigna dans les couloirs sombres.

— Qu'est-ce que c'est ? demanda François. Une fille ou un garçon ?

— Du diable si je le sais, répliqua Chuck. C'est Mo, voilà tout.

Sans raison, cela les fit rire tous les trois, et François et Ralph riaient encore sur le trottoir. Ils se dirigèrent vers un petit restaurant français que Ralph connaissait à quelques rues de là. François était enchanté. Leur rencontre avait débuté sur une note détendue, et Ralph semblait presque aussi heureux de le voir que lui-même de retrouver son fils.

Dans le restaurant, ils choisirent leurs menus; Ralph avec grand soin, car ce n'était pas tous les jours qu'il était invité à dîner, surtout dans un bon restaurant; et François avec la plus grande indifférence, car peu lui importait ce qu'il mangerait du moment qu'il pouvait parler à son fils. Le vin arriva — un Saint-Emilion, car bien sûr il n'y avait pas d'Entre-Deux-Mers —, François emplit les verres et leva le sien.

— A toi, Ralph.

— A toi, papa.

Et aussitôt Ralph parut nerveux. Il posa rapidement quelques questions sur toute la famille, puis sur les vignes et le chai. De toute évidence, il essayait de détourner la conversation de lui-même et de sa fuite de la maison. Et bien entendu, il ne fit aucune allusion à Blanche ou à Christiane.

A la fin du repas, le flot de questions de Ralph se tarit.

— Tu ne m'as pas demandé de nouvelles de ta belle-mère, lui dit François.

— Non. J'espère qu'elle va bien.

— Est-ce vraiment à cause d'elle que tu as quitté la maison ? C'est ce que les autres m'ont dit.

Ralph garda le silence un instant.

— Non, papa. Elle y a certainement contribué, mais seulement pour une petite part.

François attendit, mais Ralph n'ajouta rien.

— Peux-tu me dire ce qui t'a chassé ?

Ralph ne releva pas les yeux.

— Je ne sais pas si je peux. Je veux dire, je ne crois pas que tu aies envie de l'entendre.

François sortit de sa poche la lettre de Ralph.

— Tu me dis ici qu'un jour tu me demanderas ma bénédiction. Tu n'as pas besoin d'attendre. Tu l'as tout de suite.

Ralph le regarda. Ses yeux étaient humides.

— Merci, papa.

— Maintenant, dis-moi pourquoi tu es parti. Je ne me mettrai pas en colère. Je veux savoir, c'est tout.

— Je... Je crois qu'il y avait plusieurs raisons, papa. Parce que nous semblions toujours en conflit, toi et moi. Parce que je savais que je ne parviendrais jamais à la hauteur des idéaux que tu fixerais pour moi. Parce que Saint-Christophe n'a pas assez d'importance et de sens pour moi. Et je voulais... Je voulais faire mon chemin de mon côté, je crois. Faire mes preuves.

François crut entendre ses propres paroles, au même âge. Comment pourrait-il en faire le reproche à ce fils aîné, qu'il aimait ?

— Je comprends, dit-il, je comprends.

Ralph lui lança un coup d'œil interrogateur, à l'affût des signes de colère qu'il attendait, en dépit des assurances de son père. Celui-ci devina ses pensées.

— Tu as toujours ma bénédiction, lui dit-il. Pas d'autres raisons ?

— Eh bien, je te l'ai dit, je dois avouer que la perspective d'avoir une belle-mère ne m'emballait guère. Pas après être resté toutes ces années avec seulement toi et tante Lydie.

— Tu ne l'as même pas vue.

— Je sais.

Il y eut un silence. Ralph n'allait-il donc pas parler de Christiane ?

— Et c'est tout ? demanda François.

Ralph fit tourner son verre entre ses doigts.

— Pas vraiment, répondit-il après un long silence. Il y avait aussi Christiane. Cela s'est passé de façon si étrange, papa. J'étais amoureux d'elle depuis quelque temps, et c'était merveilleux parce qu'elle m'aimait aussi, nous étions très heureux. Puis, la veille de l'arrivée de ta lettre annonçant ton retour de Sauveterre et ton mariage, je suis sorti avec elle le soir, et quand je l'ai ramenée à Casa Rosa, j'ai compris brusquement que je ne l'aimais pas du tout. Elle m'agaçait et je n'avais plus envie de la revoir. Et je ne savais pas pourquoi. Elle n'avait rien fait de différent. Je n'avais pas la moindre idée des raisons de mes sentiments, mais soudain je ne pouvais plus la supporter. Je lui ai souhaité bonne nuit le plus vite que j'ai pu et j'ai couru à la maison. Sans même l'embrasser.

François lut dans ses yeux de la perplexité et du chagrin.

— Oui. Je comprends ça aussi. Cela m'est arrivé une fois avant que je rencontre ta mère.

C'était faux mais il voulait montrer qu'il partageait ses sentiments.

Le silence se prolongea. François savait qu'il devait révéler à Ralph l'état de Christiane, mais il redoutait de le faire, surtout après ce que son fils venait de lui avouer.

— Elle est enceinte, Ralph, lui dit-il enfin.

— Oh ! mon dieu !

Le pied du verre se brisa entre ses doigts.

— Elle en est sûre ? Oui, je pense qu'à présent elle doit l'être. Et l'enfant est de moi, j'en suis certain. Alors c'est pour cela que tu es venu...

Il s'interrompit, puis ajouta d'une voix amère :

— Où est le revolver ?

— Il n'y en a pas. Christiane ne veut pas que tu l'épouses sous la contrainte.

Il lui répéta, mot pour mot, ce qu'elle avait dit. Ralph l'écouta, figé.

— Elle a du cran, dit-il quand son père eut terminé, et après un nouveau silence, il ajouta : Pour l'amour de Dieu, papa, que vais-je faire ? Je n'ai pas envie de l'épouser et elle assure que je n'y suis pas forcé. Mais dois-je le faire tout de même ? Est-ce un devoir ?

— Non, répondit François. Je crois qu'il n'en sortirait aucun bien. Ni pour toi, ni pour elle.

Ralph poussa un soupir de soulagement, mais il conservait visiblement des doutes.

— Tout le monde va penser que je suis un salaud, n'est-ce pas ? Et tu vas avoir des moments difficiles si tu rentres sans moi.

— Je voudrais de toute façon que tu rentres, Ralph. Pas à Cinnabar. La situation serait vraiment pénible, pour toi, pour Christiane et pour tous les autres. Et puis je sais que tu as envie de t'échapper de Saint-Christophe. Je voudrais que tu viennes à San Francisco.

Il commanda un autre café et des alcools, puis, lentement, méticuleusement, il se mit à exposer à Ralph son projet de commercialisation du vin. Il lui montra les chiffres qu'il avait préparés pour Emilie et lui expliqua comment tout pourrait s'organiser.

— Ce que je veux, poursuivit-il, c'est que tu rentres pour diriger la nouvelle affaire. Tu seras installé à San Francisco — tu pourras ne jamais voir Christiane. Tu seras ton propre maître. Tu travailleras pour moi, mais de façon indépendante. Tu seras responsable. Il te suffira de me faire un rapport de temps en temps, et bien entendu tu pourras toujours faire appel à moi en cas de besoin.

Tout en parlant, il sondait le regard de Ralph, à l'affût d'une lueur d'enthousiasme qui indiquerait l'intérêt du jeune homme pour son offre. Il ne lut que de l'intérêt poli, rien de plus. Ne voulant pas entendre le refus qu'il sentait sur les lèvres de Ralph, il s'empressa d'ajouter :

— Ce n'est pas le genre de chose qu'il faut décider à la hâte. Réfléchis à ma proposition. Pose-moi des questions. Voici ce que nous allons faire : nous nous reverrons demain soir, et tu me donneras ta réponse. Maintenant, parle-moi de toi, de ton emploi, de ton ami Chuck.

Mais une ombre sembla peser sur le reste de la soirée. Ralph répondit aux questions de son père le plus rapidement possible, presque à regret, et François se rendit compte que son irritation montait et qu'il devait lutter pour dominer sa colère. Bon dieu, n'avait-il pas assez cédé ? N'avait-il pas pardonné ? Ne s'était-il pas montré compréhensif et généreux ?

Bientôt, il décida qu'il était temps de revenir à son hôtel. Ralph le raccompagna, lui dit bonsoir et promit de passer le prendre le lendemain soir.


Le matin venu, François parcourut à pied les rues de New York, admirant les curiosités en bon touriste, s'émerveillant devant les immeubles immenses et les grands paquebots à quai, sensible à l'éclat tapageur de la 42ᵉ Rue et au prestige de la Cinquième Avenue. Il passa également beaucoup de temps dans toutes les boutiques de vins et spiritueux qu'il rencontra — vérifiant leur approvisionnement, cherchant les vins français et (en vain) les vins de Californie, qui étaient au moins les égaux, il n'en doutait pas, des bordeaux sans appellation d'origine et des beaujolais quelconques que les étalages offraient partout à la clientèle.

Soudain, en regardant sa montre de gousset, il se rendit compte qu'il devait se hâter. Son hôtel était loin et il avait rendez-vous avec Ralph à huit heures moins le quart. Il arriva avec cinq minutes d'avance

En même temps que sa clé, le concierge lui remit une enveloppe.

— Elle vient d'arriver, monsieur. Un jeune homme l'a déposée puis est reparti aussitôt.

« Cher papa, lut François. Merci pour ta bénédiction et merci pour ta confiance en moi et pour ton offre. Je crois que tu comprendras pourquoi je ne peux pas l'accepter — et ce n'est pas à cause de Christiane. J'espère que tu me le pardonneras aussi, mais je n'ai pas le courage de paraître devant toi ce soir. Transmets mon amour à tout le monde à Saint-Christophe. Remercie Christiane et dis-lui que je regrette. J'espère qu'elle sera heureuse. Ton fils affectionné, Ralph. »

François la lut deux fois, puis plia la feuille avec soin, la remit dans l'enveloppe et la glissa dans sa poche. Il avait toujours su que Ralph refuserait. Il l'avait senti avant même de quitter la Californie. Et la veille au soir, plus il lui parlait et plus il était certain que Ralph s'accrocherait à vouloir suivre sa propre voie dans la vie. Mais il s'était senti obligé d'essayer, et surtout il voulait montrer au jeune homme qu'il le comprenait — exactement comme son propre père, tant d'années plus tôt.

Il monta dans sa chambre et fit sa toilette. Puis il rédigea un chèque au porteur de 200 dollars et le glissa dans une enveloppe avec un mot qui disait simplement : « Ne laisse pas ta fierté t'interdire d'accepter cet argent. Accorde à ton père la fierté de te le donner. François Pujol. »

Il n'avait pas faim. Il se coucha. Il resta allongé sans dormir, retournant le problème dans sa tête — puis il prit enfin sa décision.

Le lendemain matin, il ajouta un post-scriptum à sa lettre :

« Pour des raisons que je ne t'expliquerai pas, je ne désire pas que tu m'écrives en mentionnant ton adresse actuelle. Utilise toujours une adresse en poste restante. Aie confiance en moi. F.P. »

## 5

A son retour à Cinnabar, épuisé après une absence de plus de trois semaines passées pour la majeure partie dans le train, personne ne l'attendait à la gare. Volontairement, il ne leur avait pas indiqué la date de son arrivée, pour ne pas parler de Ralph avant d'être rentré à la maison. Il monta à pied jusqu'à Saint-Christophe, sa lourde valise à la main.

— François ! s'écria Blanche dès qu'il ouvrit la porte de la maison. Pourquoi ne nous as-tu pas prévenus de ton retour ? Tu vas bien ? Vite, assieds-toi. Où est Raphaël ? Ne me dis pas que tu ne l'as pas ramené !

François l'embrassa rapidement sur la joue et se tourna vers Lydie.

— Où sont les enfants ?

— A Casa Rosa.

— Ils passent plus de temps là-bas qu'ici, dit Blanche d'un ton amer. Il faudra que tu les réprimandes à ce sujet.

Il fit la sourde oreille.

— Du vin, Lydie, j'ai la bouche desséchée.

— Comment cela s'est-il passé ? Où est Ralph ? demanda de nouveau Blanche.

— Je ne sais pas, répondit François. Je ne l'ai pas vu.

Au cours de sa nuit sans sommeil, la veille de son départ de New York, il avait décidé de mentir. Et pendant les longues journées de son retour en Californie, il avait calculé tout ce qu'il dirait. Comment pourrait-il expliquer autrement le refus de Ralph de rentrer pour épouser Christiane ? Comment pourrait-il éviter sans cela que la honte retombe sur son fils aîné ? Ralph avait quitté l'agence de fret où les détectives l'avaient retrouvé, ainsi que son logement. Nul ne savait ce qu'il était devenu.

— Tu n'as rien découvert ?

— Seulement qu'il était parti dix jours avant mon arrivée. Je l'ai cherché pendant un certain temps mais peine perdue. New York est une ville énorme. C'était comme vouloir retrouver une aiguille dans une meule de foin.

— Un voyage pour rien, dit Lydie. Pauvre François !

— Moi, c'est à cette pauvre fille que je pense, dit Blanche. Que va-t-il advenir d'elle ? Ralph devrait avoir honte : l'abandonner à l'heure du besoin ! Je parie qu'il savait qu'elle attendait un enfant, quoi qu'elle en ait dit. C'est pour cela qu'il s'est enfui. Pour échapper à ses responsabilités. Ils étaient cousins germains, bien sûr. L'enfant sera probablement un idiot ou un infirme, ce qui va rendre les choses encore plus affreuses pour sa mère. Christiane est très courageuse, elle fait semblant de s'en moquer, mais je vois bien qu'elle est aux cent coups, n'est-ce pas, Lydie ?

— Qu'est-ce que vous racontez ?

— Je dis que Christiane a le cœur brisé.

— Je n'en crois rien.

— Oh ! mais c'est évident ! En tout cas, il suffit d'avoir la moindre expérience de la vie pour s'en rendre compte. Bien entendu, vous n'avez pas été mariée, alors c'est peut-être plus difficile à voir pour vous, mais moi, je l'ai remarqué au premier regard. Pauvre chou ! Le cœur brisé...

Le mensonge était remarquablement facile à raconter, et quand les enfants rentrèrent, puis lorsqu'il se rendit chez les Corsini et les Listrac, François n'eut aucun mal à faire admettre qu'il n'avait pas retrouvé Ralph. La seule personne à qui il redoutait de parler était Christiane elle-même, et son courage faiblit lorsqu'elle lui demanda :

— Oncle François, voulez-vous venir dehors avec moi une minute ?

Quand ils furent assis sous le porche, elle lui dit à mi-voix :

— Est-ce qu'il sait ?

— Qui ?

— Ralph, bien sûr. Vous l'avez vu, n'est-ce pas ?

François hésita.

— C'est très bien, dit-elle. Peu importe ce que vous dites aux autres et je ne leur répéterai rien. Je veux seulement savoir s'il est au courant ou non.

— C'est non, Christiane. Je ne le lui ai pas dit.

C'était plus difficile de lui mentir, mais il y parvint.

— J'en suis contente, dit-elle. J'en suis contente. Je ne crois pas que j'aurais pu supporter qu'il ait su et qu'il... qu'il n'ait rien dit. Oh ! je n'aurais pas voulu qu'il revienne. Je savais qu'il ne m'aimait pas vraiment. Mais s'il avait su, il m'aurait envoyé un message, n'est-ce pas ?

— Oui, il l'aurait fait, acquiesça François.

Il résista à la tentation de lui répéter les paroles de Ralph, certain que cela lui ferait plus de mal que de bien.

Elle se leva pour rentrer.

— Vous l'aimez, n'est-ce pas, oncle François ? Nous sommes deux à l'aimer. Mais je suis heureuse que vous ne l'ayez pas forcé à revenir.


Ralph ayant définitivement refusé l'idée de diriger l'affaire de mise en bouteilles et de vente des vins de Saint-Christophe, François devait trouver quelqu'un pour s'en occuper. Dès qu'il eut vérifié que tout allait pour le mieux dans les vignes et au chai, il décida d'aller passer une semaine à San Francisco.

Blanche en fut outragée.

— Il n'y a même pas quinze jours que tu es rentré de New York. N'importe qui croirait que tu détestes ta maison. Et moi !...

Et la tirade se poursuivit tandis que sa voix montait, incontrôlable. Ils n'étaient mariés que depuis quelques mois et déjà il la délaissait ! Quel mari était-il donc ? Elle aurait mieux fait de rester à Sauveterre...

— Tu te soucies fort peu de m'abandonner encore toute seule. Tu t'intéresses davantage à cette espèce de coquette, je suppose. Les filles de joie de New York ne t'ont pas suffi.

François la gifla à toute volée. Elle poussa un gémissement angoissé et il lut de la frayeur dans ses yeux. Elle se mit à sangloter. Jamais auparavant, il n'avait frappé une femme. Epouvanté par sa propre colère, il s'avança vers elle, mais elle se dégagea de ses bras et quitta la pièce en courant. Il haussa les épaules et se remit à préparer les vêtements qu'il emporterait pour son séjour en ville.

A son arrivée à San Francisco, il hésita à se rendre à la pension de la Signora Regazzoni. Il avait loué de temps en temps une chambre chez elle lors de ses premières années à Cinnabar, mais il ne l'avait pas revue depuis longtemps. Il décida qu'un hôtel bon marché ferait mieux son affaire. Après avoir retenu une chambre, il se rendit au bureau d'un journal passer une petite annonce : une offre d'emploi pour une place de directeur dans une entreprise de mise en bouteilles et de vente de vin. Il invitait les candidats à se présenter à son hôtel le vendredi suivant dans la matinée.

Il avait beaucoup de choses à régler auparavant, et il ne prit pas le temps de rendre visite à Emilie. Il fit le tour des agents immobiliers et étudia une vingtaine de locaux avant de découvrir l'endroit qu'il lui fallait : un ancien entrepôt de vin, possédant déjà des fûts de stockage (ils avaient besoin d'un bon nettoyage, mais au moins, ils existaient). Le local était plus vaste qu'il ne l'avait prévu, mais à d'autres égards il serait idéal, et si l'entreprise connaissait le succès, la place supplémentaire constituerait un atout. Le bâtiment, une construction de bois toute en rez-de-chaussée, se trouvait dans le quartier de la Mission et il y avait à côté un espace libre pour les chariots de livraison. A l'arrière, le terrain permettait une expansion ultérieure, en cas de besoin. A l'intérieur, deux cloisons formaient une petite pièce utilisable comme bureau.

Quand l'affaire fut réglée, il commanda une machine à embouteiller et un stock de bouteilles et de bouchons; il demanda à un imprimeur à façon de concevoir et d'imprimer pour lui trois mille étiquettes portant l'inscription, très simple : « Vins de table Saint-Christophe »; le même imprimeur lui fournirait des factures. Il commanda également des caisses, des fûts supplémentaires, une pipette — le tube que l'on plonge par la bonde d'un fût pour prélever un échantillon permettant de goûter le vin — et tout le reste du matériel nécessaire. Il alla voir sa banque et son avocat. Chaque soir, épuisé par ces négociations et ces paperasses, nouvelles pour lui, ainsi que par ses longues marches dans la ville d'un bureau à l'autre, il allait se coucher très tôt après un dîner rapide. Mais il ne dormait pas pour autant, les chiffres continuaient de trotter dans sa tête : il se demandait si immobiliser un tel capital n'était pas une folie, et il se consolait à la pensée que le banquier s'était montré très accommodant.

Le vendredi matin, il fut ravi de trouver, dans le hall de l'hôtel, dix ou douze candidats pour son offre d'emploi. Il s'installa dans le salon et les interrogea l'un après l'autre, mais fut très déçu de découvrir que la plupart d'entre eux n'avaient pas la moindre expérience de ce genre d'affaires.

L'avant-dernier candidat était un petit homme sec qui portait une barbe fournie. Il parlait anglais avec un accent allemand prononcé. Il se nommait Mordecaï Goldberg et il avait émigré en Californie dix ans plus tôt avec sa femme et leur fillette de six ans. Il venait d'Assmannshausen en Rhénanie, où il travaillait dans un chai qui traitait des vins rouges et des vins blancs.

— Assmannshausen produit le meilleur vin rouge d'Allemagne, dit-il fièrement à François.

A son arrivée en Californie, il s'était rendu dans la région de Santa Cruz et il avait travaillé dans une affaire de vins en gros qu'il avait dirigée pendant les quatre années précédentes. François l'interrogea longuement sur ses compétences et ne trouva rien à redire à ses réponses. Sa femme Sarah avait commencé quelques années plus tôt à l'aider à tenir la comptabilité et maintenant, elle le libérait de tout cet aspect du travail, bien qu'elle ne fût pas considérée comme employée de la compagnie et ne reçût aucun salaire.

— Est-ce pour cela que vous désirez partir ? demanda François.

— En partie, répliqua Goldberg. Mais ce n'est qu'une petite partie. Il adressa à François un sourire triste.

— Je suis juif, dit-il. Mes employeurs n'ont jamais été contents d'avoir un Juif à un poste aussi important que le mien. Ils se figurent que je les vole, que je me suis bâti une petite fortune avec de l'argent qui leur appartient de façon légitime : je leur ai demandé où se trouvait cette fortune !... Ils croient que ma famille et moi sommes sales : je leur ai dit que nous nous lavons ! Certains d'entre eux pensent que nous sommes des émissaires du diable : je ne réponds pas à cela.

Sa voix était devenue de plus en plus amère. Il s'interrompit, puis reprit d'un ton calme :

— Je suis désolé. Je ne devrais pas me laisser atteindre. Rien de ce qu'ils disent n'est vrai. Mais c'est pour ça que je désire partir — parce que je veux trouver une place où l'on aura confiance en moi, un endroit où je pourrai vivre avec ma famille comme un être humain ordinaire.

Il y avait dans cet homme quelque chose qui plut immédiatement à François. Il fut tenté de lui offrir le travail sur-le-champ, mais il se demanda si les gens avec qui Goldberg aurait à traiter n'éprouveraient pas à l'égard d'un Juif les mêmes sentiments que ses employeurs actuels de Santa Cruz.

— J'ai une autre personne à voir, lui dit-il. Mais ne partez pas. Attendez-moi dans le hall.

Le dernier candidat était sans intérêt. Après son départ, François réfléchit longuement. Quelle folie d'engager un homme qui risquait de causer des ennuis et de la discorde ! Et si les accusations de ses patrons de Santa Cruz étaient justifiées, ne serait-ce qu'en partie ? Après tout, il n'avait entendu qu'un son de cloche. Tout son projet risquait de s'effondrer s'il le mettait entre les mains d'un homme qui trichait avec les comptes, même légèrement. De toute façon, il n'avait pas besoin de se décider définitivement le jour même. Il avait besoin d'un directeur pour réceptionner tout ce qu'il avait commandé et qu'on livrerait rapidement à l'entrepôt, mais le plus sage serait tout de même de passer une autre annonce dans le journal et de revenir la semaine suivante voir si des candidats plus intéressants se présenteraient. Il se rangea à cette décision et se dirigea vers la porte pour annoncer la mauvaise nouvelle à Goldberg. Quand François parut, celui-ci leva la tête. Il y avait une lueur d'espoir dans ses yeux, mais elle mourut dès que François lui demanda sèchement d'entrer. Ce ton disait à Goldberg qu'il n'allait pas avoir la place. Il resta debout devant François, les épaules affaissées. Ses doigts serraient nerveusement son chapeau.

Il y eut un silence tandis que François cherchait ses mots. Puis il parla et ses propres paroles l'étonnèrent :

— Vous avez la place, Goldberg, si vous la désirez. Vingt dollars par semaine pour vous et dix pour votre femme.

Les yeux de Goldberg s'ouvrirent tout grands, puis un large sourire illumina son visage. Il fit un pas en avant et serra la main de François.

— Vous ne le regretterez pas, monsieur Pujol. Je vous le promets.

— Asseyez-vous, dit François. Nous avons beaucoup de choses à voir ensemble.


A son retour à Cinnabar, encore surpris par la manière dont il avait pris sa décision mais de plus en plus persuadé qu'elle était bonne, François fut accosté par le D^r Daniels en face de la gare.

— Monsieur Pujol, lui dit le médecin, vous rentrez à Saint-Christophe ? Ah ! je vais pouvoir vous demander de l'aide. Je suis complètement débordé par l'épidémie.

— Quelle épidémie ?

— La grippe. Vous ne savez pas ?

— Je suis parti depuis une semaine.

— Eh bien, cela a commencé vers ce moment-là. Toute la vallée a été touchée. Votre sœur l'a eue et votre dernier fils, Charles, mais sans gravité, heureusement. La seule pour laquelle je m'inquiète vraiment est Christiane Corsini. Et puis le fils de Friedrich Eichenbaum et son épouse. J'ai des médicaments pour eux ici, ainsi que pour votre sœur et votre fils. Vous me rendriez bien service en les leur apportant. Je vais dans votre direction, je vous emmène jusqu'à l'embranchement. Venez...

François monta dans le cabriolet et le docteur partit sur la route de Calistoga. Il allait à Casa Rosa voir Christiane.

— C'est une forme de grippe particulièrement virulente, expliqua-t-il. Si la fièvre ne monte pas trop, il y a de fortes chances de guérison — votre sœur et Charles ont l'air de réagir à merveille. Mais dans certains cas, la température continue de grimper — 39°5, 40°, 40°5 — et si la fièvre ne cesse pas, je ne peux rien faire. Il y a déjà eu trois morts à Calistoga. Dieu merci, personne n'a encore été enlevé par la maladie à Cinnabar.

Au croisement, François descendit et partit sans attendre vers la maison d'Oak Valley. Chaque fois qu'il voyait le domaine il était touché par sa beauté — la disposition des arbres autour du bâtiment prêtait au tableau un charme extraordinaire. Il se demanda qui allait lui ouvrir. Si proches voisins qu'ils fussent, il ne connaissait rien de la vie d'Eichenbaum. Il supposait que la gouvernante était toujours là, mais elle était peut-être partie à l'arrivée de Horst et de sa famille.

Quand François frappa, ce fut Eichenbaum lui-même qui ouvrit.

— Je suis désolé que votre fils et son épouse soient si gravement malades, dit François.

— Est-ce le médicament ? Dieu merci !

Il prit le paquet et claqua la porte.

François haussa les épaules et prit le chemin de Saint-Christophe. Dès qu'il arriva sous le porche, il entendit l'écho de voix furieuses, et quand il ouvrit la porte, il eut sous les yeux Lydie, dans un peignoir enfilé à la hâte sur sa chemise de nuit, les cheveux tombant sur ses épaules, dressée comme un ange vengeur près du fauteuil où Blanche était installée, aussi fraîche et pimpante que de coutume.

— Paresseuse, bonne à rien, espèce d'imbécile prétentieuse ! criait Lydie quand il entra.

Blanche ne répondait que par une série de petits cris. Elle se laissait aller complètement en arrière dans son fauteuil et s'éventait doucement d'une main. Elle aperçut François et se tourna vers lui.

— Dieu merci, te voilà ! Lydie est devenue folle, complètement folle.

— Je croyais que tu avais la grippe, Lydie ! s'écria François.

— Je l'ai. Le docteur m'a ordonné de rester couchée, mais cette belle dame, ta chère épouse, prétend qu'elle est malade elle aussi. Elle dit qu'elle a de la température, mais je ne m'en suis pas aperçue. Elle refuse de préparer un repas ou de faire une tisane, elle ne lève pas le petit doigt pour aider, elle ne sait que se parer de toutes ses dentelles, brosser ses cheveux et...

— C'est bon ! coupa François. Calme-toi. Nous n'arriverons à rien en criant... Si tu te sens malade, Blanche, pourquoi n'es-tu pas couchée ?

— C'est bien ce que j'aimerais savoir, cria Lydie.

— Laisse-la répondre.

— Je voulais me coucher, balbutia Blanche d'une voix mourante, mais je me suis sentie trop mal pour bouger...

Lydie lança un ricanement incrédule.

— Ensuite elle est venue et elle a commencé à m'attaquer, poursuivit Blanche. Oh ! François, je suis si heureuse que tu sois arrivé ! Porte-moi dans la chambre, je te prie...

Elle posa le dos de la main sur son front.

— Chéri, tout se met à tourner, je crois que je vais m'évanouir.

François se débarrassa de sa valise et des médicaments, s'avança vers Blanche et la prit dans ses bras.

— Va te coucher toi aussi, Lydie, dit-il. Marguerite s'occupera du repas.

— Elle est à Casa Rosa. Elle est bien obligée, tout le monde est au lit là-bas — toutes les femmes, je veux dire. Et Christiane... Je suis aux cent coups. Elle est au cinquième mois à présent, et à ce stade ce pourrait être très grave.

— Oui, le D$^r$ Daniels m'a dit qu'il était très inquiet à son sujet.

— Pauvre petite !

Blanche gémit.

— Allez, monte-la au lit, dit Lydie. Je m'occupe du repas.

François souleva Blanche et la porta dans leur chambre.


Les quelques jours suivants se passèrent dans la confusion. Au début, Absalon refusa de venir à la maison, puis il accepta malgré tout. Blanche n'avait jamais dissimulé son mépris pour lui, et pendant le séjour de François à New York elle avait toléré sa présence uniquement parce que Marguerite s'alliait à Lydie pour protéger le Noir. Mais au cours de la semaine précédente, Marguerite étant à Casa Rosa, Blanche avait apparemment sauté sur l'occasion. Un jour où il travaillait dans les vignes, elle l'avait appelé pour lui faire cirer ses chaussures. Il l'avait regardée droit dans les yeux, puis lui avait tourné le dos et était reparti à son travail. Ce soir-là, à la fin de la journée, il était venu parler à Lydie : dorénavant, il préparerait et mangerait ses repas dans son logement. Jamais plus il ne remettrait les pieds dans la maison tant que la nouvelle M$^{me}$ Pujol serait là. Il n'accepta de faire la cuisine que parce que Blanche restait dans sa chambre, et uniquement jusqu'au moment où Lydie, rétablie, pourrait de nouveau régner sur ses casseroles.

Quand François interrogea Blanche à ce sujet, elle ne montra aucun remords.

— Oui, cirer les chaussures ! Il n'est bon qu'à ça, lança-t-elle. Et il est insolent. C'est un sauvage ignorant.

— C'est mon ami, dit François, il sera toujours le bienvenu dans cette maison. Et il travaille dans les vignes.

Blanche ferma les yeux.

— J'ai une telle migraine ! se plaignit-elle. Je vais essayer de dormir.

Le D<sup>r</sup> Daniels s'était aperçu tout de suite qu'elle n'était pas malade, mais comprenant que le lui dire ne serait d'aucune utilité, il lui ordonna de passer quelques jours au lit, et lui envoya un placebo en lui garantissant que si elle prenait les doses prescrites elle recouvrerait rapidement la santé.

Les nouvelles de Casa Rosa n'étaient pas bonnes. Agnese et Caterina se rétablissaient lentement, mais Christiane demeurait extrêmement malade et le docteur lui rendait visite matin et soir. Trois jours après le retour de François de San Francisco, le premier matin où Lydie se sentit suffisamment rétablie pour quitter la chambre, Marguerite rentra à Saint-Christophe.

Un seul regard au visage de la jeune fille leur apprit que le pire était arrivé. Ils furent tous bouleversés par la nouvelle. Ils s'y attendaient, ils s'y étaient préparés, mais le choc demeurait brutal : à cause de la jeunesse et de la vitalité de Christiane, parce que même le D<sup>r</sup> Daniels avait été impuissant devant la maladie, et parce que pour les plus jeunes membres de la famille, c'était la première fois que la mort les touchait de si près. Et, pour aggraver encore les choses, certains d'entre eux, à leur propre confusion, ne pouvaient s'empêcher de ressentir une sorte de soulagement qui se mêlait à la douleur.

Blanche l'exprima sans détour :

— Quelle honte, une jeune vie fauchée dans son printemps ! Deux vies bien entendu. Voyez-vous, on se demande parfois si de telles choses ne sont pas pour le mieux. Je veux dire, quelle sorte d'existence pouvait espérer ce pauvre enfant, s'il était venu au monde ? Pas de père, et savoir que sa mère... Oh ! je ne dirai rien contre Christiane, une jeune fille si douce ! Mais on se demande parfois si le Bon Dieu ne montre pas sa colère à l'égard du pécheur.

Lydie explosa.

— Ne vous avisez pas de répéter une chose pareille ! Vous avez de la chance que François ne vous ait pas entendue. Mais bien sûr, vous n'auriez pas dit ces horreurs en sa présence, n'est-ce pas ?

Elle releva ses cheveux, laissant une tache de farine sur son front.

— Vous me soulevez le cœur, Blanche !

Blanche sourit aimablement pour augmenter la fureur de sa belle-sœur. Elle prenait beaucoup de plaisir à la provoquer.

— Vous avez de la farine sur tout le visage, chère amie, lui dit-elle.

En fait, Lydie avait raison : jamais Blanche n'aurait proféré une chose pareille en présence de François. Il était en train d'arpenter les vignes, jetant un coup d'œil à un cep de temps en temps, vérifiant la poussée des bourgeons. Mais son esprit était ailleurs. Il songeait à Christiane, dont il avait admiré le courage, et à l'enfant qui aurait été son premier petit-fils s'il n'était pas mort en même temps qu'elle. Il se demanda s'il devait écrire à Ralph. Evidemment. Il fallait que Ralph sache. Ralph écrirait à Armand et Caterina pour exprimer sa douleur. Ralph se sentirait coupable. S'il ne s'était pas enfui, ce ne serait peut-être jamais arrivé. S'il était revenu à Cinnabar... S'il avait demandé à Christiane d'aller le rejoindre... Si... Si... Si...

Quand François rentra à la maison sa décision était prise. Il ne dirait rien à Ralph. Pas encore. Dans un an ou deux, peut-être. Mais il n'y avait aucune raison pour que le jeune homme se torture de remords. Ce n'était pas par sa faute que Christiane était morte, malgré tous les « si » que l'on alignerait, et rien de ce qu'il pourrait faire ne la ramènerait à la vie.

« Pourtant, se dit François, tu ne peux pas continuer éternellement à protéger ton fils. Il faut qu'il apprenne que la vie n'est pas toujours facile, que parfois nous souffrons, même si nous ne le méritons pas... Oui, certes, se reprit-il, mais il recevra beaucoup d'autres leçons de ce genre. La vie est toujours prodigue en émotions, en déceptions et en épreuves. C'est déjà un homme, inutile de charger davantage ses épaules pour le rendre plus adulte. »


Quand Armand descendit à Cinnabar pour organiser les obsèques de Christiane, il apprit que Horst Eichenbaum et sa femme venaient de décéder eux aussi, ainsi que trois autres personnes de Cinnabar. Presque toutes les familles avaient été touchées par l'épidémie, et la plupart des habitants estimaient qu'il y aurait eu beaucoup plus de décès sans les efforts inlassables du D$^r$ Daniels. On parla même de lui élever une statue, mais cette idée extravagante fut vite oubliée dans les mois qui suivirent. La femme du médecin en fut un peu attristée — elle estimait que la population de Cinnabar aurait tout de même pu dire merci — mais le docteur lui-même, n'ayant fait que son devoir, ne s'attendait à aucune récompense spéciale et il ne fut pas du tout surpris de voir l'idée sortir de la tête de ceux-là même qui l'avaient proposée.

Les obsèques des Eichenbaum devaient se dérouler aussitôt après celles de Christiane. Leur cortège, avec le vieil homme au premier rang, un bras passé sur les épaules de son petit-fils, se trouvait à la porte de la petite église de bois lorsque les Corsini, les Listrac et les Pujol en sortirent. François était le premier à descendre les marches, et en arrivant à la hauteur d'Eichenbaum, il put voir que son ancien ennemi avait pleuré. Il y avait encore des larmes dans ses yeux. Les deux hommes se regardèrent et, comme sur un signe, se tendirent en même temps la main.

— Je suis sincèrement désolé pour votre fils et votre belle-fille, dit François.

— Je regrette pour votre nièce, répondit Eichenbaum.

Marguerite venait d'arriver près de son père. Elle inclina la tête à l'intention d'Eichenbaum puis s'adressa au jeune garçon.

— Comment t'appelles-tu ? lui demanda-t-elle.

— Peter.

— Dans quelques jours, il faudra que tu viennes voir nos petits chats, Peter. Tu t'intéresses aux animaux ?

Il hocha affirmativement la tête sans lever les yeux.

— Il adore les bêtes, dit Eichenbaum qui esquissa un sourire.

— Merci, mademoiselle, dit-il.

— Qu'allez-vous faire pour l'enfant ? lui demanda François.

— L'élever moi-même, répondit l'Allemand. Je ne vois pas d'autre solution.

— Si nous pouvons vous aider...

Eichenbaum lui serra de nouveau la main.

— Viens, Peter, dit-il.

Et ils se dirigèrent vers l'église.

La semaine suivante, François alla de nouveau à San Francisco. Mordecaï Goldberg et sa famille avaient quitté Santa Cruz et loué un petit appartement. Ils travaillaient déjà dans le local. Visiblement, sa femme et lui n'avaient pas perdu de temps. Ils avaient nettoyé le bâtiment de fond en comble et blanchi les murs intérieurs à la chaux. Le matériel commandé venait d'être livré et l'on était en train d'assembler la machine à embouteiller. Les Goldberg avaient décerclé les vieux foudres et nettoyaient les douves une par une, enlevant tout le tartre et toutes les lies accumulées.

Sarah Goldberg était une petite femme toute mince, et François la trouva laide avec sa peau olivâtre et son long nez. Mais tandis qu'elle lui montrait ce qu'elle avait déjà préparé pour la comptabilité de l'entreprise, son visage s'illumina d'enthousiasme et elle devint presque belle. Il fut impressionné : de toute évidence, elle maîtrisait parfaitement son affaire; et lorsque Mordecaï lui apprit qu'elle avait également pris une part active au travail du nettoyage de l'entrepôt, il comprit qu'il avait eu beaucoup de chance d'engager un homme dont la compagne se révélait aussi efficace.

Leur fille Esther, à seize ans, promettait de devenir aussi belle que sa mère était quelconque. Les Goldberg l'adoraient, mais de toute évidence ils ne la gâtaient pas, et elle travaillait dur elle aussi.

— Nous serons bientôt prêts à recevoir votre vin, lui dit Goldberg avec son accent prononcé. Vous désirez que nous mettions tout en bouteilles? C'est ce que font les grossistes ici, mais ce n'est pas bien. Le vin doit mûrir. Nous devrions le laisser dans ces foudres pendant de nombreux mois. Seulement, il n'y aurait pas de revenus. Peut-être vaudrait-il mieux en mettre une partie en bouteilles pour le vendre et laisser le reste vieillir dans le bois.

François acquiesça.

— Je suis prêt à le faire. Si nous vendons la moitié de la récolte cette année, cela me donnera suffisamment de liquidités pour faire face. L'année prochaine, nous aurons besoin d'en vendre moins et ensuite nous pourrons laisser à toute la récolte le temps de mûrir. Et la main-d'œuvre, quand le vin sera là ?

— Je m'en occuperai. C'est mon travail.

— Bien. Les salaires ?

— Vous me verserez l'argent et je les paierai.

— Et qu'allons-nous faire pour la vente du vin ? Est-ce également un de vos talents ?

— Non, monsieur Pujol. Nous avons besoin d'un vendeur. D'une personne qui connaît le vin et qui soit enthousiaste.

— Où vais-je trouver un homme comme ça ?

— Qui sait ? Peut-être comme vous m'avez trouvé.

François rentra à Cinnabar satisfait de ne pas s'être trompé sur le compte de Mordecaï Goldberg, et convaincu qu'il n'aurait pas lieu de changer d'avis à l'avenir.



Il n'avait pas encore parlé de sa nouvelle entreprise à la famille — il avait eu l'intention de le faire au retour de son premier voyage à San Francisco, mais l'épidémie de grippe l'avait forcé à remettre ses explications à plus tard. Ce soir-là, autour de la grande table, il leur raconta toute l'histoire. Normalement, ils allaient tous se coucher tôt, mais il y avait tant de questions à poser, tant de réponses à assimiler, tant de commentaires et tant d'excitation, qu'il était presque minuit lorsque la réunion de famille toucha à sa fin. Ils étaient tous enchantés de cette nouvelle expansion — surtout Jean, qui débordait d'enthousiasme et posait davantage de questions que tous les autres réunis.

— Notre ami de fraîche date va faire un de ces nez ! dit-il.

— Que veux-tu dire ?

— Mais le vieil Eichenbaum ! Il ne va pas être ravi que tu cesses de lui vendre notre vin.

— C'est peu de chose pour lui, il traite la plupart de la production des environs.

— Mais un jour, quand nos ventes de vins s'accroîtront si vite que nos récoltes ne pourront plus satisfaire la demande, il nous faudra commencer par vendre le vin de Casa Rosa, puis celui d'autres vignes. A ce moment-là, il sentira la différence.

— Pas si vite, s'écria François en riant. Il vaut mieux apprendre à marcher avant de se mettre à courir.

Le lendemain, tandis qu'ils travaillaient ensemble dans les vignes, Jean lui dit soudain :

— Papa, je peux te parler ? Sérieusement. Et tu écouteras ce que je te dirai sans te mettre en colère ?

François se souvint de sa conversation avec son père lorsqu'il lui avait annoncé qu'il désirait partir en Amérique. Il avait employé presque les mêmes mots. Etait-il donc devenu si semblable à Raphaël ? Il ne s'était pas rendu compte qu'il criait lui aussi sur le dos de ses enfants et qu'il les aimait de façon intransigeante, toujours comme des gamins que l'on doit guider, réprimander, et ne gâter qu'exceptionnellement.

— Bien sûr, tu peux me parler. Quand t'ai-je empêché de me parler ?

Jean se tut un instant.

— Papa, dit-il enfin, je veux que tu me confies la vente de nos vins. Tu as dit hier soir que tu devais engager un agent commercial... Eh bien, je pose ma candidature pour la place.

Il parlait si vite que François avait du mal à démêler ses mots.

— Toi ? Tu veux être voyageur de commerce ? Pourquoi ?

— Parce que je crois que je réussirai, papa.

François comprit que son fils avait raison. Jean était d'un abord avenant et, sans pouvoir être qualifié de bel homme, il possédait un sourire qui illuminait tout son visage. Sa sincérité innée transparaissait, c'était le genre d'homme en qui les clients auraient confiance. Mais voyageur de commerce...

— Seulement pour débuter, papa. Quand j'aurai appris le métier et apporté suffisamment de commandes régulières, je deviendrai directeur des ventes, et nous prendrons progressivement des commis-voyageurs pour pouvoir couvrir d'autres États que la Californie. Il n'y a aucune raison pour que nos vins ne soient pas bus d'une côte à l'autre des États-Unis — et à la Maison Blanche elle-même. Ce serait le premier vin américain servi au Président...

— Es-tu décidé ? Je croyais que tu te plaisais ici. Pour Ralph, c'était différent. J'ai toujours su qu'un jour ou l'autre il partirait. Mais toi... Je te croyais attaché à Saint-Christophe.

— Je le suis, papa. D'ailleurs, je travaillerai toujours pour Saint-Christophe. Seulement, je ne suis pas vraiment un vigneron. Pas comme toi.

François comprit que son fils était gêné. Il n'y avait pas son rire habituel dans sa voix.

— Et que vais-je faire sans toi à Saint-Christophe ? Ralph est parti, Absalon n'est plus jeune, tu sais. Ni moi.

— Tu devras engager du personnel.

— Vraiment ! Le personnel coûte de l'argent. Tu crois que les dollars poussent sur les arbres ?

— Mais si je reste ici, dans les vignes, tu devras engager quelqu'un pour vendre le vin, et cela coûtera également de l'argent. Tu ne peux pas l'éviter de toute façon.

Il lança à son père un regard vaguement craintif, se demandant s'il n'était pas allé trop loin.

Toute la conversation avait beaucoup amusé François. Il éclata de rire et donna à son fils une grande claque sur l'épaule.

— Espèce de charmeur ! lui dit-il. Si tu entortilles tes clients aussi bien que moi, nous vendrons plus de vin que Saint-Christophe ne pourra en produire. Mais je n'ai pas encore dit oui, se hâta-t-il d'ajouter. Il faut que je réfléchisse. J'avais l'intention d'engager un homme expérimenté. Tu ignores les problèmes de la clientèle et des prix. En fait, tu ne sais absolument rien du travail.

— Mais je connais les vins, papa. Aucun voyageur de commerce, si expérimenté soit-il, ne connaît les vins mieux que moi. Si tu me laisses les mains libres, j'irai à San Francisco dès que possible pour voir ce que Goldberg peut m'apprendre, et je commencerai par faire le tour des marchands de vin et des grands hôtels.

— Oui, tu connais certainement les vins. Je croyais que tu t'intéressais à la chimie de la vinification.

— Bien sûr. Mais je n'ai nullement envie de passer toute ma vie à ça.

— Et puis... quitter la maison te tente également, n'est-ce pas ? Jean réfléchit.

— Oui, mais cela ne joue que pour une faible part dans mon choix. Saint-Christophe me manquera beaucoup. Ainsi que la bonne cuisine de tante Lydie. En fait (il éclata de rire) ce sera pour moi une raison de revenir régulièrement : pas pour rendre compte, mais pour une assiette de cassoulet.

— Et où logeras-tu ?

— Je trouverai une chambre. Comme toi, à ton arrivée en Californie.

— Hum. Je n'ai pas encore accepté ton idée.

— Non, répondit Jean en riant de nouveau. Mais tu y penses, n'est-ce pas ?

François le regarda un instant, puis sourit.

— Continue de désherber, lui dit-il.


Le moment était venu d'expédier la récolte de l'année précédente, et François se rendit compte qu'il n'avait pas encore appris à Salvatore qu'il avait décidé de ne plus vendre son vin à Eichenbaum comme ils le faisaient depuis tant d'années. C'était une conversation qu'il avait remise à plus tard. En effet, il craignait que Salvatore lui en veuille de l'avoir tenu dans l'ignorance. Surtout, ce serait sa première visite à Casa Rosa depuis le décès de Christiane et il redoutait l'ambiance qui devait régner là-bas.

Mais pouvait-il remettre à plus tard ? Deux ou trois soirs après sa conversation avec Jean, il monta voir son vieil ami. Il fut accueilli à bras ouverts mais, comme il s'y attendait, l'atmosphère de deuil était presque palpable dans la maison. Peu après son arrivée, Ricardo et Vincenzo demandèrent la permission de descendre à Cinnabar.

— Je vous accompagne, dit Armand. Oh non ! Ce n'est pas pour vous espionner. Je n'irai pas à l'hôtel Cinnabar avec vous. Je préfère le Flanagan.

C'était un petit bar qui venait d'ouvrir ses portes. Sa réputation laissait à désirer et sa clientèle se composait presque exclusivement d'hommes d'un certain âge.

— Je ne resterai pas debout à t'attendre, lui dit Caterina en lançant un regard résigné à sa mère.

Elle était habituée à Armand, désormais. En tout cas, quoi qu'il fasse quand elle n'avait pas les yeux sur lui, il finissait toujours par revenir au bercail. C'était du moins une consolation.

Pendant un moment, François bavarda de tout et de rien avec Salvatore, Agnese et Caterina.

— Il faut que je parle affaires avec vous, Salvatore, dit-il enfin.

Salvatore parut soulagé. La douleur des femmes était devenue oppressante pour lui aussi. Il se leva et passa dans la petite pièce qui lui servait de bureau. François lui révéla tout ce qu'il avait fait pour mettre en route son opération de vente directe. Il lui expliqua pourquoi il n'avait pas proposé à Salvatore de participer au projet.

Quand il eut terminé, Salvatore tira quelques bouffées de son cigare, puis lui répondit.

— Vous avez toujours été ambitieux, François. Moi non. Je suis heureux que vous m'ayez laissé en dehors de cette affaire. Vous semblez avoir tout calculé très bien, ça devrait marcher. Et si c'est le cas, peut-être me laisserez-vous une petite place plus tard. Je paierai ma part, bien entendu. Mais je préfère attendre qu'il n'y ait plus de risques.

François était enchanté, cette réaction de son ami lui ôtait un grand poids des épaules. L'approbation de Salvatore comptait beaucoup plus pour lui qu'il ne l'avait cru. Il lui demanda son opinion sur la proposition de Jean.

— Donnez une chance à ce garçon, lui répondit Salvatore. Si j'ai appris une chose, en tant que père et que grand-père, c'est qu'il faut laisser les jeunes faire ce que leur nature leur commande. Rien ne sert de leur barrer la route. Je sais que vous vous sentiriez plus sûr de votre fait si vous aviez un commis-voyageur expérimenté, mais l'expérience n'est rien comparée à l'enthousiasme de Jean — et du besoin qu'il ressent de faire ses preuves à vos yeux.

— C'est exactement ce que je pensais, répliqua François. Cela me fait toujours du bien de parler avec vous.

Salvatore sourit. Ce compliment l'enchantait. Les deux hommes gardèrent le silence pendant quelque temps.

— J'ai songé à aller à San Francisco moi aussi, dit Salvatore enfin.

François se tut. La suite allait venir.

— Depuis la mort de Christiane, je me dis... J'ai près de soixante-dix ans, vous savez. Oh ! il y a encore beaucoup de vitalité en moi, mais un de ces jours... Ma foi, il faut affronter les faits. Et un de ces faits, c'est qu'en général les femmes nous survivent. Agnese me survivra et Blanche vous survivra. Alors j'ai songé à aller en ville.

Il s'interrompit un instant.

— Tant que je serai là-bas, j'aimerais jeter un coup d'œil sur votre entrepôt et rencontrer ce Goldberg.

— Bien sûr. Quand vous voudrez. Je serai ravi d'avoir votre opinion.

— Mais ce que je veux faire en réalité, c'est rédiger mon testament.

— Pourquoi n'allez-vous pas chez cet avocat de Sainte-Hélène ? On dit qu'il est excellent.

— Mais il n'est pas italien. Je veux un homme à qui je puisse parler en italien, pour être bien sûr qu'il comprend exactement ce que je désire.

— Ce n'est pas si compliqué...

— J'ai l'intention... Non, vous l'apprendrez le moment venu.

## 6

Eichenbaum se montra affable quand ils livrèrent le vin à son agence d'expédition et il accepta sans discuter que les fûts soient envoyés à l'entrepôt de François, et non à sa propre affaire de vins en gros.

— J'ai souvent pensé faire de même, lui dit-il. Mais il est difficile de s'imposer sur le marché, vous vous en rendrez compte. Je vous souhaite bonne chance, monsieur.

Comme il a changé, songea François.

Le même jour, Jean leur fit ses adieux et se lança dans sa nouvelle vie à San Francisco. Il débordait d'optimisme, il semblait sûr de rentrer dans quelques semaines à Saint-Christophe : il n'aurait plus rien à faire car il aurait vendu tout le vin.

— Sauf deux ou trois caisses, dit-il. Vous en aurez besoin pour boire à mon succès.

Mais quand François se rendit à l'entrepôt de San Francisco, une semaine plus tard, Jean avait perdu sa flamme. Armé de quelques bouteilles d'échantillon, il avait fait le tour des marchands de vin, des bars, des restaurants et des hôtels, mais sans rapporter jusque-là une seule commande.

— Ils ont tous leurs fournisseurs habituels, expliqua-t-il. J'ai essayé de baisser les prix, de leur donner des bouteilles gratuites, mais ça ne les intéresse pas. Je ferais peut-être mieux de rentrer à Saint-Christophe, papa. Prends un autre vendeur, un homme d'expérience que les acheteurs connaissent déjà.

François n'avait jamais vu son fils aussi découragé.

— C'est encore un peu trop tôt. Tu t'imposeras bientôt, lui dit-il avec plus de confiance dans la voix que dans le cœur. Je ne tiens pas à engager encore quelqu'un, et tu ne tiens pas à abandonner si vite, n'est-ce pas ?

— Je suis prêt à abandonner, répliqua Jean d'une voix lugubre. Mais j'essaierai de nouveau, si tu crois que ça en vaut la peine.

En dehors de cela, tout allait pour le mieux à l'entrepôt. Mordecaï Goldberg lui fit faire le tour du local avec fierté. Tout était propre et en ordre. Deux Chinois travaillaient à la machine à embouteiller et François regarda, fasciné, les bouteilles vides glisser sur une large courroie pour venir se remplir de la quantité exacte de vin, puis continuer vers la bouchonneuse. Les capsules et les étiquettes étaient ajoutées à la main, puis l'on rangeait les bouteilles pleines dans des casiers d'attente. Elles avaient belle allure avec leurs étiquettes blanches, et il ressentit un pincement d'orgueil en lisant « Saint-Christophe » sur chacune d'elles, comme un blason.

De l'entrepôt, il se rendit chez Emilie, à qui il offrit une bouteille de « Vin de table Saint-Christophe ».

— Si seulement mon père avait vécu assez longtemps pour voir cela, lui dit-elle. Il aurait été si fier — fier de son vin et fier de son jugement le jour où il avait décidé de vous épauler. Qu'y a-t-il donc ? Vous n'en êtes pas satisfait ?

— Je ne crois pas que vous devriez le boire, *Mademoiselle*. Cette bouteille risque de devenir une pièce de musée. Je crains qu'il n'y en ait pas d'autres de sitôt et je serai peut-être obligé de vendre de nouveau mon vin à Eichenbaum.

Il lui expliqua les difficultés que Jean rencontrait pour la vente.

— Je lui ai dit que c'était trop tôt pour renoncer. Mais s'il continue à ne pas vendre, nous devrons fermer boutique.

Les yeux d'Emilie se mirent à briller.

— Ne voulez-vous pas prendre un autre vendeur ? Quelqu'un qui ne vous coûtera rien ? Demandez à votre fils de m'envoyer deux douzaines de bouteilles, je verrai ce que je peux faire.

— Pardon ?

— Je connais quelques personnes que l'on pourrait convaincre d'acheter une caisse ou deux. La seule chose dont votre fils ait besoin, c'est d'un coup de pouce au départ.

— Ce serait magnifique !

Une semaine plus tard, Jean adressa à Saint-Christophe une lettre enthousiaste : « J'ai vendu jusqu'ici six douzaines de caisses et maintenant, partout où je vais, je peux dire que tel hôtel ou tel magasin a une réserve de notre vin. Ils sont tous beaucoup plus enclins à acheter. Mlle King a fait des miracles. »


Ce fut le 16 avril, un lundi, que Salvatore se rendit à San Francisco par le train de l'après-midi. Il avait retenu une chambre dans un hôtel du quartier italien pour deux nuits. Il lui faudrait une bonne partie de la journée pour régler ses affaires avec l'avocat et il était trop âgé pour se précipiter. Il ferait donc une folie et passerait deux nuits à l'hôtel.

— Je viens avec toi, lui dit Agnese.

— Une folie d'accord, mais pas à ce point, répliqua-t-il.

Le mercredi matin très tôt, la population de la vallée de Napa fut réveillée en sursaut. Les maisons se mirent à trembler et à craquer. Quelques bâtiments s'effondrèrent, d'autres perdirent leur fronton et leurs gouttières. A Cinnabar, on déplora plusieurs blessés mais pas de mort. Il y eut très peu de dégâts à Saint-Christophe. La construction n'était pas très ancienne et elle avait de solides fondations. Même les parties de la maison que François avait ajoutées quand sa famille s'était agrandie très bien au tremblement de terre, car la structure était en bois. Le chai eut une mauvaise lézarde et François dut étayer le toit. Il songea à Thérèse et aux réparations qui avaient coûté la vie à leur premier enfant.

Très vite ils apprirent que les pires secousses avaient été ressenties au nord et au sud de San Francisco, et que toute la ville était en proie au désastre. Le télégraphe transmettait des récits d'horreur, puis le premier train arriva — et Jean avec lui, qui put leur donner des renseignements de première main sur l'incendie épouvantable qui ravageait la ville. Les canalisations s'étaient brisées, ce qui signifiait que l'on ne disposait même pas d'eau pour lutter contre les flammes. Il y avait des milliers de blessés et de sans-logis, des centaines de morts. Et pour couronner le tout des hommes saisis de folie, déchaînés sur la ville meurtrie, se livraient au pillage, au viol et au meurtre.

— Et l'entrepôt ?

— Rien de grave. Nous avons perdu quelques bouteilles de vin, mais le bâtiment a tenu le coup et l'incendie ne nous a pas atteints. Les Goldberg vont très bien. Personne ne songe à acheter du vin pour l'instant, alors nous avons tout fermé à clé et nous sommes allés aider les sans-logis et les blessés. J'ai pensé que je ferais bien de venir vous apprendre ce qui s'était passé, mais je repars cet après-midi participer aux secours.

— Et le quartier italien ? demanda François.

— Il y a quelques maisons de Telegraph Hill qui ont échappé au feu. Il paraît que les gens ont trempé des draps de lit dans du vin pour en faire des écrans protégeant leurs maisons. Mais tout le reste de North Beach a disparu.

— Disparu ?

— Complètement. Des décombres, du bois calciné et des cendres chaudes.

— Tout le monde n'a pas été tué ? Certains ont pu fuir ?

— Oui. Les autorités ont établi des camps pour les rescapés dans le parc de Golden Gate et dans plusieurs squares de la ville. Il y a tant de gens partout qu'il faudra des jours avant de pouvoir dire qui est vivant et qui est mort.

— Tu as vu Salvatore Corsini ?

— Il est venu hier à l'entrepôt. Il était très impressionné. Bien entendu, l'hôtel où il était descendu se trouve en plein quartier sinistré, mais il est probablement sain et sauf. Beaucoup de gens ont pu se sauver.

— Il serait revenu tout droit ici.

— Oui. Mais il souffre peut-être d'une perte de mémoire ou d'autre chose. Ou bien il participe aux secours. Il est peut-être entré dans un hôpital. Qui sait s'il n'arrivera pas par le prochain train ?

Salvatore ne rentra pas chez lui ce jour-là, ni le lendemain, ni le jour suivant. On conseilla à la famille d'attendre patiemment au moins une semaine. Mais au bout de cinq jours, Armand n'y tint plus. Il partit à San Francisco avec Ricardo et Vincenzo.

Les autorités essayaient de tenir les gens à l'écart des zones les plus frappées mais certains commençaient à y revenir, la plupart pour chercher des parents disparus au milieu des ruines calcinées. Les Listrac trouvèrent très vite. Ils se rendirent tout droit dans la rue de l'hôtel bon marché où Salvatore avait retenu une chambre. L'hôtel n'existait plus. Il n'y avait à sa place qu'un tas de décombres encore fumants. Ils se mirent à fouiller les lieux, retournant les débris, à l'affût de tout signe révélateur.

Soudain Ricardo se retourna brusquement, avec un haut-le-cœur.

— Papa ! cria-t-il en suffoquant. Viens voir !

Puis il s'écarta en chancelant et se mit à vomir.

Armand s'avança vers l'endroit où se tenait son fils et regarda. Il y avait une lourde poutre, en équilibre sur plusieurs autres chevrons, de sorte que Ricardo avait pu la faire pivoter sans trop de peine. Au-dessous se trouvait un bras humain et un morceau de tissu sale qui avait dû être autrefois la manche d'une robe de chambre. A l'endroit où le bras aurait dû se joindre au tronc, les chairs étaient déchirées et brûlées, noircies, racornies comme de la viande trop grillée. De toute évidence le reste du corps avait été consumé par les flammes. La poutre qui avait cloué le malheureux au sol et permis au feu de le tuer, avait en revanche protégé son bras. Un des côtés de cette poutre était rongé comme si les flammes avaient tenté, mais en vain, d'en venir à bout.

Ricardo revint.

— C'est lui, n'est-ce pas ? Vincenzo, écarte-toi ! Ne t'approche pas ! C'est lui, papa. Regarde la bague.

A la main du mort une chevalière ornée d'un diamant brillait sous les rayons du soleil — une seule pierre profondément enchâssée dans l'or. Salvatore portait toujours cette bague à sa main gauche.

Malgré le conseil de son frère, Vincenzo s'avança. Il regarda longuement le bras, la main, la bague. Puis il s'agenouilla et prit la main inerte dans la sienne.

— Non ! cria Ricardo. Non. Laisse ! Laisse-le reposer en paix.

— Je suis sûr que grand-mère sera heureuse de l'avoir, dit Vincenzo.

Et il fit glisser la bague du doigt noueux. Puis il se releva et se signa avant de s'écarter.

Frappés de stupeur, son père et son frère aîné le suivirent. Ils marchèrent jusqu'à ce qu'ils trouvent un bar ouvert et Vincenzo commanda de l'eau-de-vie pour tous les trois. Ensuite ils allèrent déclarer le décès. De nouveau ce fut Vincenzo qui sembla diriger le groupe. Ni Armand ni Ricardo ne parvenaient à parler de façon cohérente. Le fonctionnaire de l'état civil leur dit qu'il s'écoulerait probablement des semaines avant que le décès ne soit officiellement reconnu. Ils ne pouvaient rien faire. Vincenzo les ramena au bac, puis ils prirent le train pour Cinnabar.

A leur arrivée à la maison, Armand et Ricardo avaient retrouvé leur équilibre et Vincenzo s'était de nouveau enfermé dans son silence habituel. Lorsqu'il évoqua ces moments par la suite, Armand eut toujours l'impression d'avoir vécu un rêve improbable — la dévastation générale, la découverte déchirante du bras de Salvatore, la façon incroyable dont Vincenzo (habituellement refermé sur lui-même, vivant dans son monde clos et ne s'intéressant qu'aux arbres et aux belles formes qu'il sculptait dans le bois) avait soudain pris tout en main. Puis, à leur retour à Casa Rosa, sa belle-mère qui écoutait, sans un mot, leur récit... Quand Vincenzo lui montra l'anneau, elle poussa un hurlement d'angoisse, prélude d'un effondrement dont elle ne se relèverait pas avant plusieurs semaines.

Le lendemain, François reçut une lettre qui le soulagea fort. Une lettre d'Emilie King. Sans nouvelles depuis le tremblement de terre, il avait craint le pire, mais elle ne se trouvait pas à San Francisco au moment de la catastrophe : en visite chez des amis de Los Angeles, elle hésitait à rentrer.

« Je voudrais vous demander un service, disait la lettre. J'aimerais savoir s'il reste quelque chose de mon appartement, si l'on peut encore sauver quoi que ce soit des décombres. Je ne peux pas me résoudre à revenir moi-même, j'ai perdu trop d'amis. Je n'ai personne d'autre que vous à qui m'adresser — toutes mes autres relations sont plongées dans le deuil. Faites ceci pour moi, mon vieil ami, je vous en prie. »

François sauta sur cette occasion pour visiter la grande ville dévastée. Peut-être était-il attiré par une certaine fascination morbide, mais il avait surtout envie de voir de ses yeux ce qu'étaient devenus telle rue ou tel bâtiment. De l'appartement d'Emilie, il ne restait rien. La Signora Regazzoni avait-elle survécu ? Il n'aurait su le dire, mais une chose était certaine, elle ne pourrait plus continuer de tenir sa pension de Dupont Street, ni servir ses fabuleux dîners pour quinze misérables *cents*... Il ôta son chapeau et se recueillit un instant.

Ensuite il se rendit à l'entrepôt. Il était fermé à clé : pas le moindre signe des Goldberg ou de Jean. Il s'éloigna, furieux, jusqu'à une petite boutique où il put acheter une bouteille de vin et un bout de saucisson. Il revint à l'entrepôt, s'assit sur le trottoir le dos au mur, mangea, but et fit un petit somme.

Beaucoup plus tard, quand ses yeux s'ouvrirent, il les vit debout devant lui, sales, l'air complètement épuisés.

Mordecaï le regarda et leva les mains comme pour s'excuser.

— Il y a tant à faire, dit-il. Tellement de destruction. Tellement de douleur. Et personne ne s'intéresse à notre vin. Bientôt sûrement, mais pas encore. Alors il faut bien aider...

— Oui, répondit François. Je le comprends. Mais il faut aussi prendre du repos. Si vous travaillez trop dur, c'est vous qui aurez bientôt besoin d'aide.

— Nous sommes forts, Sarah et moi, répondit Mordecaï sur le ton le plus naturel du monde. Esther aussi. Et votre Jean est le plus solide de nous tous.

— Je suis une réclame ambulante pour la cuisine de tante Lydie, s'écria Jean avec un sourire.

Mais François se rendait bien compte que le jeune homme était à bout de forces.

Il ne resta que quelques minutes, pour ne pas empiéter sur le repas et le sommeil dont ils avaient tous besoin. Il rentra à Cinnabar et écrivit à Emilie. Elle lui répondit qu'elle reviendrait un jour, elle ne pouvait pas vivre en dehors de San Francisco.

Ce fut vers la fin de la même année qu'Armand reçut enfin une note officielle confirmant le décès de Salvatore Corsini. Il écrivit sur-le-champ à l'avocat que son beau-père avait consulté la veille de sa mort. Il s'était déjà mis en relations avec cet homme dont le cabinet se trouvait dans la partie épargnée de Telegraph Hill : le testament était en sécurité, signé dans les bonnes règles en présence de témoins, mais l'homme de loi ne pouvait informer Armand de sa teneur qu'après la reconnaissance officielle du décès. Or ce ne fut pas à Armand qu'il l'envoya, mais à François, car Salvatore avait insisté pour que celui-ci fût son unique exécuteur testamentaire.

C'était un document très simple à première vue. Salvatore léguait sa bague de diamant à son petit-fils Ricardo, et un autre bijou de valeur — une épingle de cravate ornée d'une opale — à son autre petit-fils, Vincenzo. Tout le reste devenait la propriété d'Agnese, en précisant qu'à son décès elle devrait léguer tous ses biens à Caterina. Puis venait le dernier paragraphe, le plus surprenant :

« Je désire que ma terre, avec tous les bâtiments et dépendances, l'équipement et le cheptel mort et vif, ainsi que tout ce qui relève de la vigne et du chai, tout en restant la propriété exclusive de ma chère épouse Agnese, soit placée pour tout ce qui concerne la viticulture et l'exploitation, sous la direction (s'il l'accepte) de mon ami François Pujol, de Saint-Christophe, Cinnabar, vallée de Napa. Et ledit François Pujol administrera ladite vigne et ledit chai comme il le jugera bon, et retiendra pour son usage et profit 20 % des bénéfices nets de ladite exploitation. En outre, je désire que ledit François Pujol nomme en temps voulu son successeur en tant que directeur de mon vignoble et de mon chai, lequel successeur assumera la même responsabilité au moment de la retraite ou du décès dudit François Pujol. Au cas où ledit François Pujol ne nommerait pas de successeur avant sa mort, ou si ce successeur refusait d'accepter la responsabilité qui lui serait offerte, dans ce cas seulement la direction de mes vignes et de mon chai reviendrait à mon gendre Armand Listrac, ou bien s'il était antérieurement décédé, conjointement à mes deux petits-fils Ricardo et Vincenzo Listrac. »

L'avocat envoya également à François une lettre adressée à

Armand, en indiquant que Salvatore désirait qu'Armand la lise aussitôt après avoir pris connaissance de la teneur du testament.

François se rendit à Casa Rosa, réunit toute la famille dans le salon, et leur lut le testament de Salvatore.

— Mais il était fou ! s'écria Armand à la fin de la lecture. Je n'ai rien contre toi, François — nous savons tous que tu es le meilleur vigneron de la région — mais c'est tout de même insensé ! Je devrais être responsable. Ou même Ricardo. Quelqu'un de sa propre famille.

— Il a laissé une lettre pour toi, dit François en lui tendant l'enveloppe.

Armand lut la lettre et éclata de rire.

— Quel vieux roublard ! s'écria-t-il. Il a dû entendre ce que je viens de dire. Ecoutez.

Il leur lut la lettre :

« Cher Armand, non, je ne suis pas fou. Vous avez été pour moi un bon gendre. Vous avez été le mari qui convenait à Caterina et vous m'avez donné deux petits-fils dont je suis très fier. J'ai aimé aussi votre fille, avec une tendresse infinie. Mais quelles que soient vos qualités, Armand, vous n'êtes ni un vigneron ni un homme de chai. Ne le niez pas. Vous savez que je dis la vérité. C'est pour cette raison que j'ai demandé à François de diriger Casa Rosa, parce qu'il est le meilleur vigneron de toute la vallée, bien meilleur que moi-même. Il sera plus efficace que vous, et vous serez le premier à en profiter, car vous jouirez de 80 % des bénéfices qu'il fera, et ce sera mieux que 100 % des bénéfices que vous feriez. Comprenez que je ne cherche en cela ni à vous blesser ni à vous rabaisser : je le fais pour la terre. La terre est plus importante que les sentiments. La terre et ce qu'elle produit n'est pas seulement votre gagne-pain, c'est votre héritage, l'avenir de vos enfants et de vos petits-enfants. Alors ne m'en veuillez pas. Acceptez la vérité sur vous-même, et méritez la gratitude de votre beau-père affectionné, Salvatore Corsini. »

A son retour à Saint-Christophe ce soir-là, quand tout le monde fut couché, François s'installa sous le porche, dans l'air frais de la nuit. Il contrôlait à présent un vignoble aussi important que celui d'Eichenbaum. Pendant un instant, il savoura cette pensée. Mais le vieux Salvatore avait-il vraiment agi avec sagesse en laissant ces instructions inattendues ? On se trompe si souvent en voulant orienter le cours de ce qui se passera quand on ne sera plus de ce monde ! N'appartient-il pas aux survivants de décider ? Il essaierait d'obéir aux dernières volontés de Salvatore et de prendre pour successeur la meilleure personne possible, quelqu'un qui dirigerait Casa Rosa aussi bien que lui-même... Mais qui ? Il n'en avait aucune idée. Et puis la nouvelle génération admettrait-elle la situation, après son propre décès, aussi bien qu'Armand venait de le faire ? Armand avait une certaine tendance à la paressse, et il était prêt à accepter toutes les solutions de facilité — l'ambition et le goût de l'aventure qui avaient marqué sa jeunesse s'étaient depuis longtemps étiolés.

Il songea à l'été qui venait de s'écouler. Depuis le tremblement de terre, les mois étaient passés très vite. Pour les vignes, il avait eu la chance de trouver deux jeunes vignerons ayant une certaine expérience. Avec Marguerite et sous le contrôle d'Absalon, ils avaient permis à François de se dégager suffisamment pour qu'il puisse monter régulièrement à Casa Rosa aider Armand de ses conseils. Maintenant, il lui faudrait prendre la responsabilité entière, et il aurait probablement besoin d'un employé de plus jusqu'à ce que Charles ait terminé ses études et travaille à plein temps. Dieu merci, il n'avait pas à se soucier de l'affaire de San Francisco. Dès que la ville avait commencé à revivre de façon normale, les ventes de Jean étaient montées en flèche, et il aurait épuisé avant longtemps la majeure partie des réserves de vin disponibles. En outre, Mordecaï était enchanté par la qualité du vin qu'ils avaient mis à mûrir en fûts.

— Il prend de l'arôme et corps, disait-il. Plus longtemps nous le laisserons et meilleur il sera.

François avait fait plusieurs voyages en ville, mais les Goldberg étaient si dignes de confiance qu'il avait pu passer le plus clair de son temps avec Emilie. Elle était rentrée plus tôt que prévu et elle avait pris un nouvel appartement. C'était si agréable de s'asseoir près d'elle et de parler du bon vieux temps en prenant un thé au jasmin. Parfois, elle l'embrassait avec plus d'insistance à son arrivée, et il savait alors qu'elle l'entraînerait hors du salon. Mais très souvent, la porte de la chambre d'Emilie demeurait sagement close. Leurs relations s'étaient transformées en une amitié pleine de chaleur, très différente de l'absence de sentiments entre Blanche et lui-même.

Il avait eu cinquante-deux ans cette année-là mais Lydie et les enfants n'avaient pas fait de fête pour son anniversaire. Saint-Christophe avait perdu sa gaieté depuis l'arrivée de Blanche.

Pourtant il aimait toujours cet endroit, et toute la vallée. Il avait appris que « Napa » était un mot indien qui signifiait « Beaucoup », mais auparavant la vallée se nommait *Taha-Hahu-Si*. « Belle terre ». Et elle l'était, avec ses séquoias toujours verts, ses marronniers à fleurs rouges, ses érables et ses pins, avec ses amandiers qui se paraient de si belles fleurs au printemps. Oui, le printemps était sa saison préférée, ce moment où les vignes prennent brusquement des teintes vert tendre quand les pousses se dressent sur le tapis jaune de la moutarde folle, le moment où sur les coteaux, les buissons mêlés d'ajoncs et de bruyère, associés aux plantes de rochers, se livrent à leur débordement de couleurs.

Il était l'heure de se coucher.


Quand il arriva dans la chambre, Blanche ne dormait pas encore.
— Où étais-tu ? Tu ne penses jamais à moi. Je ne peux pas

m'endormir tant que tu traînes dans tous les coins. Si par hasard je m'assoupis, tu me réveilles en rentrant et après je ne parviens plus à retrouver le sommeil. Ce n'est pas juste, François. Tu sais très bien que j'ai besoin de mes heures de repos. Je ne suis pas forte comme toutes ces autres femmes que tu sembles admirer tant. J'ai une constitution délicate.

Et tandis qu'elle se déshabillait, elle continua sans fin. Il ne l'entendait pas vraiment. Il avait appris depuis longtemps à ne pas laisser la voix de Blanche pénétrer sa conscience. Mais au bout d'un certain temps, il remarqua cependant que le ton avait changé : elle tentait de l'enjôler pour qu'il lui offre un piano — cela faisait deux ou trois semaines qu'elle le harcelait à ce sujet.

— Tu vas être beaucoup plus riche à présent, insistait-elle. Nous pouvons facilement nous le permettre.

— Je te l'ai déjà dit, lui lança-t-il furieux, je ne gaspillerai pas mon argent à une bêtise pareille. Personne ne sait jouer.

— Les enfants pourraient apprendre.

— A leur âge ? Non, tu as simplement envie de faire de l'esbroufe auprès de tes voisines. Si tu tiens à avoir un piano, achète-le toi-même. Tu as suffisamment d'argent.

Il cessa de nouveau d'écouter la voix qui continuait sans trêve.

Lorsqu'il entra dans le lit, elle avait visiblement décidé d'aborder les choses sous un autre angle. Elle glissa ses bras autour de lui et lui murmura :

— Embrasse-moi.

Il s'exécuta, très vite, machinalement, sans tenter de répondre à son appel. Elle avait cessé depuis longtemps d'exercer sur lui un quelconque attrait sexuel.

Brusquement, elle s'assit très raide. Sa voix, basse, sifflait :

— Sors de ce lit !

— Comment ?

Il était sur le point de souffler la lampe à pétrole mais il se tourna vers elle, stupéfait.

Les yeux de Blanche n'étaient que fureur.

— Tu ne t'intéresses pas à moi, hein ? Qui est-ce ? Ton élégante de San Francisco ? Oh ! je sais comment on l'appelle : la Joyeuse Emilie. Et je sais aussi d'où elle tient son nom. Il lui va bien. Alors, à l'avenir, va donc avec elle. Je ne veux plus de toi dans mon lit.

François ne comprit pas tout de suite où elle voulait en venir. Puis les paroles de Blanche devinrent soudain très claires : elle avait l'incroyable audace de le chasser de son propre lit ! Il éclata de rire. Elle le gifla à toute volée. Le coup porta : il se tourna vers elle, furieux à son tour, et leva la main. Elle recula brusquement, les yeux pleins de peur.

— Oui, tu as raison. Frappe-moi une fois de plus !

Il baissa le bras.

— Non, tu ne le mérites pas, dit-il. Tu ne mérites pas d'être battue.

Il descendit du lit.

— Tu vois ? Je m'en vais. Mais je ne pars pas parce que tu refuses ma présence. Ni parce que tu me l'as ordonné. Et nous parlerons de tout ceci demain matin.

— Nous parlerons de quoi ?

— Il est bien évident que ce mariage touche à sa fin, non ? Nous avons tout intérêt à trouver une solution. Nous ne pouvons continuer ainsi.

— Nous sommes mariés. Tu ne pourras rien y changer.

— Peut-être. Mais nous ne sommes pas obligés de continuer à vivre ensemble.

— Ah ! Tu veux me chasser de ta maison, hein ? Tu seras la risée de tout le monde !

— Et que crois-tu que je sois à présent : tu ne le sais peut-être pas, mais tous mes amis pensent que je suis le plus grand imbécile de la terre d'avoir épousé une femme comme toi ! Ils rient de moi en ce moment, mais ils cesseront de rire si je te chasse. Ils diront : « Bravo, François ! Tu as enfin retrouvé ton bon sens ! »

— Comment oses-tu prétendre une chose pareille ! Tu m'as embobinée pour que je t'épouse. Tu m'as fait croire que tu étais riche et bien élevé, mais tu n'es qu'un sale paysan, avec des sales manières de paysan, et tes amis sont de sales paysans comme ce nègre !

Elle hurlait, à présent.

— Va retrouver ta putain, espèce de péquenot ! Si tu savais comme je m'en moque ! Mais si tu te figures que je vais quitter cette maison, tu te trompes, car je n'en ferai rien. Tu ne peux pas me jeter dehors. J'ai été une bonne épouse. Si tu essaies de te débarrasser de moi, je dirai à tout le monde quel genre d'homme tu es en réalité. Je raconterai ta liaison avec cette garce !

— Je m'en moque.

— Peut-être. Mais elle ne s'en moquera pas, ta précieuse *Mademoiselle* !

De nouveau, il ne put s'empêcher de rire.

— Jamais, depuis trente ans, elle ne s'est souciée du qu'en-dira-t-on. Elle ne s'en souciera pas davantage aujourd'hui. Mais si tu vas trop loin, tu risques d'avoir de graves ennuis.

— Oh ! oui. Je connais sa puissance, avec tout l'argent qu'elle a ! C'est pour cela que tu vas la voir ? Est-ce qu'elle te paie pour ce que tu lui donnes ?

Il se dirigea vers une commode et prit une couverture.

— Je vais dormir dans la chambre de Ralph.

Il la regarda. Elle était debout près du lit, le visage décomposé par la colère et l'amertume. Il se sentait calme, détaché.

— Nous en discuterons demain matin, répéta-t-il.

Il descendit et s'allongea sur un divan dans l'ancienne chambre de Ralph. Blanche avait raison, bien entendu, songea-t-il tandis qu'il cherchait en vain le sommeil : il n'avait aucun moyen de se débarrasser d'elle si elle refusait de partir. Si seulement il parvenait à la convaincre de rentrer en France. Il avait eu tort de proposer une discussion pour le lendemain matin, car il n'y avait rien à discuter : tout ce qu'il pouvait dire c'était qu'il ne partagerait plus jamais son lit.

L'aube parut enfin et Lydie descendit préparer le petit déjeuner. Elle lança à son frère un regard ironique.

— Tu t'es bien amusé hier soir ?

Il ouvrit la bouche pour répliquer mais elle ne lui en laissa pas le temps.

— Inutile d'expliquer. Nous avons tout entendu. Il n'était que temps.

Il ne répondit pas. Il s'assit devant son petit déjeuner. Il n'avait pas terminé lorsque Blanche entra dans la pièce. Jamais on ne l'avait vue faire une apparition aussi matinale. Elle ignora la présence de François mais dit bonjour à Lydie d'une voix étrangement aimable. Lydie ne répondit pas. Puisque François avait enfin vu son épouse sous son vrai jour, elle n'avait plus aucune raison de feindre une sympathie qu'elle ne ressentait pas.

Quand Marguerite entra, suivie de Charles, Blanche les salua également.

— Vous vous êtes levée avec les alouettes, ce matin, lui dit Marguerite.

— Oui, ma chérie, je n'ai pas très bien dormi.

Sentant bien que l'atmosphère était tendue à craquer, Marguerite ne fit aucun autre commentaire et Charles ne dit rien. Dès qu'il le put, François s'évada vers la paix de la vigne, et ses enfants le suivirent presque aussitôt. Imitant l'exemple de leur père et de leur tante, ils parlèrent le moins possible à Blanche pendant le repas du midi, puis celui du soir. Blanche fit plusieurs tentatives pour relancer la conversation, mais ne recevant que de maigres répliques elle renonça très vite.

A la fin du repas du soir, Marguerite se leva :

— Je crois que je vais monter à Casa Rosa. Je peux, papa ?

François hocha la tête.

— Tu viens, Charles ?

— Oui.

— Alors, c'est votre plan, hein ? s'écria Blanche en voyant que Lydie quittait elle aussi la pièce. Vous avez tous décidé que si vous faisiez semblant de ne pas me voir, je partirais. Laisse-moi te dire, François, que ce ne sera pas si facile que ça ! Je me moque de ne plus jamais leur parler. Tu crois que ta famille m'intéresse ? Mais tu me parleras, n'est-ce pas, mon cher mari ? « Nous en discuterons demain », m'as-tu dit. Très bien. Nous y sommes. Discutons.

— Je ne crois pas qu'il y ait grand-chose à dire.

— Ah ! s'écria-t-elle, triomphante. Tu as changé d'avis, je vois.

— Non.

Elle s'amusait à présent.

— Vraiment ! Eh bien nous verrons ce qui se passera, hein ? Mais je t'avertis, tu te lasseras avant moi. En tout cas j'espère que tu m'épargneras désormais ta présence dans ma chambre.

— Je dormirai dans la chambre de Ralph.

— Bien. Tu avais tout à fait raison : les choses ne seront jamais plus comme avant. Mais j'espère, pour vous tous, que vous renoncerez à ignorer ma présence. C'est un petit jeu stupide. Et ce sera toujours plus désagréable pour vous que pour moi.

Cette remarque ne manquait pas de finesse. François se rendait bien compte qu'il ne pourrait vivre le reste de sa vie avec une épouse qui n'était plus une épouse, et dans un silence hostile. Aucun d'eux ne pourrait être heureux ainsi. Mais il ne voyait aucune autre possibilité s'offrir à lui, car il n'avait nullement l'intention de proposer une réconciliation. Quelle sottise de l'avoir épousée ! Il la regarda de nouveau. Comment avait-il pu croire un seul instant qu'elle ressemblait à Thérèse ? Il aurait dû voir au premier regard cette bouche impérieuse, la dureté de son regard, son menton têtu.

Au cours des semaines qui suivirent, Saint-Christophe devint une maison de malheur. Il était impossible d'ignorer Blanche complètement, mais la famille lui parlait aussi peu que possible et répondait par monosyllabes quand elle posait une question. Tout le monde passait autant de temps que possible hors de la maison, en particulier les enfants, qui vivaient presque en permanence à Casa Rosa. A plusieurs reprises, François fit un effort pour engager une conversation banale avec Blanche, mais à chaque fois elle lui opposa, à son tour, le silence.

— Nous ne pouvons pas continuer ainsi, Blanche, lui dit-il un soir, en désespoir de cause. Peut-être devrions-nous... conclure une sorte d'accord, pour pouvoir au moins vivre dans la même maison sans être totalement ennemis.

Elle rit, non sans amertume.

— Oh ! non, mon ami ! C'est vous qui avez choisi de vous comporter ainsi. Je n'y changerai rien.

En fait, elle était aussi malheureuse que lui et elle aurait préféré le quitter. Mais où serait-elle allée ? Elle n'avait aucun ami et parlait mal anglais. Il aurait sûrement accepté de l'installer dans un appartement à San Francisco, mais pour elle c'était échanger un malheur contre un autre. Quels que fussent ses autres défauts, Blanche n'était ni profondément vindicative ni mesquine. Elle n'avait aucun désir de punir François, ou de lui extorquer de fortes sommes d'argent. Tout ce qu'elle désirait, c'était fuir, mais il semblait n'y avoir aucune issue.

Un mois et demi s'écoula puis, un matin, une lettre arriva de France, à l'adresse de Blanche. Sous les regards curieux de toute la famille, elle déchira l'enveloppe et se mit à lire. Ils ne purent deviner à son expression ce que la lettre lui annonçait, et elle ne leur dit rien, mais elle la relut une seconde fois et un vague sourire s'ébaucha sur ses traits. Elle replia la feuille, la replaça dans l'enveloppe, puis demeura silencieuse, perdue dans ses pensées. Enfin elle parut prendre une décision et sourit de nouveau.

— Je voudrais descendre à Cinnabar, dit-elle à François. Je préférerais ne pas y aller à pied. Voudrais-tu permettre à Charles de m'accompagner en ville dans le cabriolet ?

— J'ai besoin de Charles, répondit François. Nous manquons de bras dans le chai.

— J'aimerais aller à Cinnabar moi aussi, dit Lydie. Je conduirai la voiture, cela m'est égal.

— Non merci, répondit Blanche d'un ton glacé. Si Charles ne peut absolument pas se libérer, j'irai à pied. Je tiens pourtant à te dire ce que je pense, François. Je crois que tu me dois bien cela. Je ne t'ai pas demandé grand-chose au cours de ces dernières semaines.

Il y avait dans sa voix une modération complètement différente de l'amertume qui marquait la plupart de ses conversations récentes. François la regarda, intrigué. Elle lui rendit son regard avec fermeté.

— Très bien, dit-il enfin. Charles, tu conduiras ta belle-mère à Cinnabar.

— Mais papa, protesta le jeune homme, je devais...

— Tu feras ce que je t'ai dit.

Ce soir-là quand ils furent seuls, Blanche se tourna vers François.

— J'ai une bonne nouvelle pour toi. La lettre dont vous aviez tous tellement envie de connaître le contenu, ce matin, venait de ma sœur à Bordeaux. Elle est malade, la pauvre, une arthrite qui la handicape beaucoup, et elle n'a personne pour s'occuper d'elle. Elle vit avec de petits moyens et ne peut se permettre d'engager une infirmière. Jamais je n'avais songé à m'installer chez elle, mais je ne peux pas l'abandonner à l'heure du besoin. Et le fait que je dispose d'un petit revenu sera utile. Je lui ai câblé ce matin que je rentrais... avec l'intention de rester.

Elle s'arrêta et lui adressa un sourire amer.

— Oui, tu as gagné, François. Je ne peux pas vivre ici, avec vous, plus longtemps. Pendant que j'étais à Cinnabar, j'ai retenu ma place et je pars demain matin. J'ai fait facturer les billets à ton compte, on t'enverra la note sous peu. Mais ce sera la dernière dépense que tu feras pour moi. Dieu merci, j'ai mon argent. Même si je crevais de faim dans le caniveau, je ne voudrais pas accepter un sou de toi.

Les mots sortaient de sa bouche avec hargne.

— Cela me contaminerait. Je me sens toute sale, à présent, de prendre ta nourriture et de vivre sous ton toit. Je ne veux plus jamais te revoir. Je ne veux jamais entendre parler de toi. Je ne veux plus avoir affaire à toi, jamais !

Il la regarda, frappé de stupeur, incapable de dire un mot. Elle le fixa longuement, frémissante de colère. Puis la haine disparut soudain de ses yeux et elle rit.

— Si tu pouvais te voir ! Quelle pauvre créature tu es, François ! Tu m'as dit un jour que tu avais été idiot de m'épouser. Mais c'était moi, l'idiote !

Le rire s'estompa de sa voix et elle poursuivit, froidement.

— Je vais faire mes bagages. Inutile de t'inquiéter, je n'emporterai rien qui t'appartienne. Je me suis arrangée pour qu'une voiture passe me prendre à neuf heures demain. Tu seras à ton travail, je n'aurai donc pas besoin de te faire mes adieux. Tu peux dire à ta grosse sœur que je m'en vais — sinon elle deviendra hystérique en me voyant partir — mais inutile de prévenir Marguerite et Charles. Vous pourrez faire la fête tous ensemble quand je ne serai plus là.

Elle s'arrêta.

— Je crois que c'est tout ce que j'avais à dire. Adieu, François. Elle tourna le dos et quitta la pièce.

François était abasourdi, incapable de croire ce qu'il venait d'entendre. Au bout d'un moment, il courut vers la chambre qui avait été la leur. La porte était fermée à clé et il ne put l'ouvrir. Il frappa.

— Blanche ? Nous devons parler de tout ça.

— Laisse-moi, je te prie, répliqua-t-elle à travers la porte. Il n'y a rien à ajouter. Tu pourras toujours m'écrire, je te laisserai mon adresse. Mais j'espère bien que tu n'auras pas l'occasion de t'en servir.

— Enfin, Blanche...

De nouveau, il frappa à la porte. Il ne reçut pas de réponse.

Il descendit, trouva Lydie et lui raconta l'incroyable histoire. Elle fut aussi étonnée que lui. Soudain, ils tombèrent dans les bras l'un de l'autre, partageant la même joie.

— Tu es sûr que ce n'est pas une ruse ? lui demanda Lydie.

— Je ne crois pas. Oh ! mon dieu, j'espère qu'elle le pensait vraiment ! Mais une chose est certaine, c'est que nous ne ferons rien pour qu'elle change d'avis. Elle ne veut pas me revoir, soit ! Je quitterai la maison dès l'aurore. Tu resteras le plus possible dans la cuisine, et pour l'amour de Dieu ne lui adresse pas la parole ! Je garderai les enfants dans le chai, ils ne doivent rien savoir tant qu'elle ne sera pas partie, alors pas un mot. Quand elle aura disparu, viens m'avertir. Et maintenant, allons nous coucher, pour ne pas être là quand Marguerite et Charles rentreront. Je crois que je ne pourrais pas m'empêcher de leur annoncer la nouvelle dès ce soir.

— Un coup d'œil à ton visage, et ils devineront qu'il y a quelque chose dans l'air.

— Et ton sourire, donc !

Vers neuf heures et demie le lendemain matin, le chai de Saint-Christophe offrait un étrange spectacle : quatre Blancs et un Noir en train de danser et de s'embrasser, en parlant tous à la fois au milieu des cris et des rires. Les deux ouvriers dans les vignes levèrent la tête, stupéfaits. Ils cessèrent de travailler dans la journée et rentrèrent à la maison pour boire au départ de Blanche et féliciter François. Le bonheur était de retour à Saint-Christophe.

## 7

Après le départ de Blanche, François se lança dans son travail à corps perdu et, pour la première fois depuis la mort de Salvatore et les dispositions imprévues de son testament, il se mit à réfléchir sérieusement au potentiel que représentait la réunion des deux vignobles entre ses mains. Il ne les avait pas négligés au cours de sa longue querelle avec Blanche mais il s'était borné à poursuivre sur sa lancée l'exploitation habituelle. Sans être un vigneron de naissance, Armand avait acquis une grande expérience et on pouvait lui faire confiance pour maintenir Casa Rosa en bon état. Le fidèle Absalon, malgré son âge, s'occupait avec la même compétence de Saint-Christophe quand l'esprit de François était pris ailleurs. En plus, maintenant, il disposait de l'aide de Marguerite. Mais au cours de cette période, François n'avait pas eu le cœur de s'interroger sur une politique d'avenir : fallait-il planter d'autres cépages, développer la production de vin blanc à Casa Rosa, abandonner le chai de Saint-Christophe et procéder à toutes les opérations de vinification dans celui de Casa Rosa, déjà beaucoup plus grand et se prêtant mieux à une expansion ?

Et bien entendu il y avait la question de sa succession. Pour lui-même, il se serait permis d'attendre. Après tout, il était encore dans la force de l'âge, aussi vigoureux que lors de son arrivée à Saint-Christophe — même s'il ne pouvait plus travailler aussi dur sur le plan physique, ses années d'expérience lui permettaient cependant d'être plus efficace. Mais la mort subite, inattendue, de Salvatore, avait démontré que l'avenir est toujours incertain. François se jugeait en excellente santé, mais il pouvait être victime, lui aussi, d'un tremblement de terre ou d'un autre caprice du destin qui laisserait les vignes sans une main ferme pour les diriger. Parfois il se disait qu'il avait tort de s'en soucier : quand il aurait disparu, il appartiendrait à d'autres de prendre les décisions, et de toute façon ils pourraient toujours abolir les dispositions qu'il laisserait derrière lui. Pourquoi fallait-il qu'il s'inquiète de ce qui se passerait quand il ne serait plus là pour le voir ? Et pourtant, il savait qu'il ne pouvait pas échapper au devoir qui se présentait à lui : indépendamment de ce que lui avait demandé Salvatore, il fallait qu'il assure la survie et la prospérité des vignobles. Il comprenait maintenant ce qu'avait ressenti son père, et il songeait souvent aux vignes de Sauveterre, dirigées maintenant par Henri, capable et travailleur — des vignes bien tenues sans nul doute, mais sans cet amour profond de la terre, sans ce sentiment instinctif pour les raisins et le vin que son père possédait et dont lui-même avait hérité.

Il passa en revue dans sa tête toutes les possibilités. De toute évidence, il serait préférable que le sceptre demeure entre les mains d'un membre de la famille — un de ses propres enfants ou un des petits-fils de Salvatore.

Ralph. Ah ! Ralph ! Quand son premier fils était né, il avait rêvé d'en faire son véritable héritier, et lorsque l'enfant avait grandi le rêve s'était poursuivi. Mais Ralph n'avait jamais ressenti l'appel de la terre, et maintenant il était parti, il faisait sa vie de son côté. François pouvait être fier de l'indépendance de son fils, mais pour ses difficultés actuelles, Ralph ne lui était d'aucune utilité. Il savait que son aîné ne reviendrait jamais à Saint-Christophe que pour de brèves visites.

Jean. Peut-être Jean, car en dépit de ses paroles il avait l'amour du vin et un bon palais. Peut-être découvrirait-il un jour que la culture de la vigne offre de plus grandes satisfactions que la vente du vin. Mais si demain, par exemple, son père l'invitait à tout prendre en main, il refuserait. Cela ne faisait aucun doute.

François songea ensuite à Mordecaï Goldberg. Son successeur n'avait pas nécessairement besoin d'appartenir à la famille. Goldberg était un directeur tout à fait capable. Mais cela ne suffisait pas. Il n'avait jamais été vigneron. Mordecaï deviendrait peut-être son associé un jour — mais jamais le Maître.

Charles ? Oui, Charles avait en lui le sentiment qu'il faut. Bien entendu c'était trop tôt pour être sûr — il n'avait même pas vingt ans — mais son affection pour Saint-Christophe semblait profondément enracinée et il comprenait bien les choses vivantes. François songea à la façon dont Charles savait greffer un écusson sur un vieux cep, en tranchant l'écorce pour que les nœuds se superposent exactement, en liant ensuite la greffe avec tout juste la pression voulue. Et Charles connaissait d'instinct l'endroit parfait où placer le greffon. Oui, Charles était une possibilité. Mais il manquait de force physique. Il était monté en graine au cours des cinq années précédentes pour devenir un grand gaillard efflanqué, dégingandé, d'une maigreur presque maladive. Bien entendu, il avait encore le temps de s'étoffer, mais il n'en prenait guère le chemin. Dans la plupart des jeunes gens de son âge, songeait François, on peut déjà voir le poids, l'épaisseur qu'ils prendront, à la façon dont les épaules se placent sur le torse, et dont les os des poignets tendent la peau, attendant les muscles et la chair qui leur donneront de la puissance. Mais tout en Charles demeurait fin et délicat, quoique nullement mou ou efféminé. Il deviendrait probablement sec comme un fil de fer — mais un fil de fer ne suffisait pas.

Ensuite, il y avait les fils d'Armand. Ricardo et Vincenzo. Il écarta Vincenzo d'emblée. C'était un jeune homme étrange, renfermé.

L'infirmité physique de son dos bossu semblait avoir affecté également son cerveau. De même qu'il essayait de dissimuler son apparence physique, il ne laissait pénétrer personne dans les recoins secrets de ses pensées. Parfois, il faisait quelque travail dans les vignes, mais il n'était pas capable de grand chose, et dès qu'il le pouvait il se réfugiait dans les livres, qu'il dévorait, et dans la sculpture sur bois, qui était sa passion et son talent. On ne le voyait jamais sans un morceau de bois à rogner, et il en faisait surgir toute une série de petites figurines, de sifflets, de breloques, bref tout ce qu'il pouvait façonner à partir du premier bout de bois qui lui tombait sous la main. Non, ce ne pouvait être Vincenzo.

Restait Ricardo. Comme son père, Armand, il courait les filles — peu importait d'ailleurs — mais il tenait d'Armand sur plus d'un autre plan, et François sentait que même s'il restait à la terre, Ricardo ne deviendrait vigneron que par accident et non parce qu'il en avait le goût dans le sang.

Ah ! si Marguerite n'avait pas été une fille ! Elle possédait toutes les qualités requises. Son travail l'avait passionnée dès l'enfance, et chaque année sa compréhension augmentait et ses compétences s'enrichissaient. Mais, bien entendu, il était impensable de la désigner pour diriger les vignes à sa place, et de toute façon elle se marierait un jour, son mari l'emmènerait au loin et elle consacrerait sa vie à cet homme et à leurs enfants.

Il ne restait qu'un choix très limité : Charles ou bien Ricardo. C'étaient tous les deux de braves garçons, dont n'importe quel père aurait été fier. Peut-être la solution serait-elle de les désigner conjointement — à eux deux ils compenseraient leurs carences respectives. Ce n'était pas une idée qui enchantait vraiment François — il ne devait y avoir qu'un seul Maître. Et après bien des heures de réflexion profonde, il conclut que ce serait Charles, même s'il ne s'agissait pas de la plus réjouissante des solutions.

Mais Charles avait des idées bien arrêtées. A la fin de l'été 1906, il s'avança vers François, assis tout seul sous le porche à la tombée du jour.

— Je voudrais te parler, papa. Veux-tu m'écouter, je te prie, et attendre que j'aie terminé pour te mettre en colère.

— Bon dieu ! explosa François. Vous allez tous me dire la même chose ? Je m'étonne que tu veuilles me parler, si tu me prends vraiment pour un croquemitaine.

Charles le regarda, stupéfait, sans comprendre pourquoi il avait provoqué une réaction aussi violente. Il ne pouvait pas savoir que Jean avait commencé par le même préambule sa conversation décisive avec son père. S'en rendant compte, François baissa la voix.

— Va, petit. Vide ton cœur. Je t'écoute, et sérieusement.

Il y eut un long silence et François leva les yeux vers le jeune homme pour voir si quelque chose n'allait pas. Charles avait la tête baissée, les muscles de ses joues frémissaient. Quoi que ce fût, il avait du mal à réunir tout son courage pour le dire. François comprit qu'il devait se montrer patient.

— Je veux être docteur, papa, dit enfin le jeune homme d'une voix très calme.

— Docteur ?

— Oui, papa. Docteur en médecine, médecin généraliste.

Ce fut au tour de François de se taire, tandis que les pensées se bousculaient dans sa tête. Médecin ! Quelle idée extravagante ! Vous avez des enfants, vous les regardez grandir, vous croyez tout savoir sur eux, et soudain ils vous étonnent par des idées, des projets, des desseins dont vous n'auriez jamais cru qu'ils puissent naître dans leur tête, et que rien dans leur comportement passé ne laissait prévoir. Il songeait aussi — et il se souvenait avec fierté que son propre père avait suggéré la même chose à son sujet — que ce sont toujours les meilleurs qui s'en vont. Il fit un grand effort sur lui — même pour que sa voix reste neutre et que Charles n'imagine pas qu'il était déjà opposé à son idée.

— Qui t'a mis ça dans la tête ?

— J'y pense depuis des années, papa.

— Sans en dire un mot à personne ?

— Tante Lydie le sait.

— Elle ne m'en a jamais parlé.

Charles sourit.

— Je suis sûr que tante Lydie sait beaucoup de choses qu'elle garde pour elle.

— Et qui d'autre ?

— M. Bradbury. Il le sait depuis deux ans. Un jour, au début de l'année, il nous avait demandé à tous ce que nous voulions faire dans la vie. La plupart des autres ont dit qu'ils resteraient à la terre, ou qu'ils iraient dans les grandes villes faire des choses fantastiques. J'ai dit que je voulais être médecin, et il m'a demandé de rester après la classe. Nous avons beaucoup parlé. Il ne m'a lâché qu'après s'être convaincu du sérieux de mes intentions, et il voulait venir aussitôt te parler pour en discuter avec toi.

— Pourquoi ne l'a-t-il pas fait ? Je ne suis pas un ogre !

— Je l'en ai empêché. Je lui ai dit que je voulais d'abord en savoir davantage — ce que ça coûterait, combien de temps cela prendrait, quelles qualifications il me faudrait acquérir. Je lui ai dit qu'il fallait d'abord que je sache si je pouvais convenir. Il me l'a affirmé — c'est comme une vocation de prêtre, m'a-t-il dit, et il était manifeste que j'étais destiné à la médecine. Je lui ai répondu que je ne songeais pas à cela, mais à tout ce qu'il y aurait à apprendre. Serais-je capable de l'assimiler ? A quoi bon avoir une vocation de médecin, si l'on est pas assez intelligent pour passer les examens ?

François songea que les jeunes sont parfois plus sages qu'ils ne paraissent.

— Il a pu te conseiller à ce sujet ?

— Oui. Il m'a dit qu'il me donnerait des leçons après la classe. Ses matières, à l'Université, étaient la chimie et la biologie, tu sais. Il m'a dit qu'il sortirait ses vieux bouquins et qu'il m'aiderait.

— Comment l'as-tu payé ?

— Il n'a pas voulu accepter d'argent.

— Tu veux dire qu'il t'a donné des leçons pour rien ? Et pourquoi donc ? Il n'est pas riche, que je sache.

— Je voulais prendre une sorte d'accord avec lui, pour le payer quand je serais docteur, mais il a refusé d'en entendre parler. Il m'a dit qu'après avoir passé toute sa vie à faire la classe à des gosses qui ne voulaient rien apprendre, ce serait un plaisir pour lui d'enseigner à quelqu'un qui avait envie d'étudier, et qu'en réalité c'était lui qui aurait dû me payer !

Charles s'interrompit.

— Je lui ai apporté une bouteille de vin de temps en temps, dit-il.

— De notre meilleur vin, sans doute ?

— Oui. Je te demande pardon, papa. Je sais que j'aurais dû te le demander, mais...

Il y eut un autre silence.

— Eh bien, tu as eu tout à fait raison de choisir le meilleur. Toute peine mérite salaire. Et si j'ai bien suivi ta pensée, cette conversation signifie que tu te crois capable de passer les examens.

— Oui, papa. M. Bradbury assure que je serai prêt à me présenter à l'examen d'entrée du printemps prochain.

— Et si tu es reçu ?

— J'irai à l'école de médecine à l'automne, si tu es d'accord. Cela ne coûtera pas cher, papa. M. Bradbury estime que je pourrai trouver un emploi tout en poursuivant mes études.

— Cette idée ne me plaît qu'à moitié. De toute façon tu auras besoin d'argent pour les livres, les fournitures, un endroit où loger et la nourriture.

— Oui, papa, murmura Charles, découragé soudain.

— Pourquoi ne m'as-tu pas parlé de tout cela plus tôt ?

— J'avais peur, papa.

— De moi ?

— Je sais à quel point Saint-Christophe compte pour toi, et je crois que tu aurais aimé que nous restions tous ici, travailler la terre avec toi. Ralph est parti, Jean est parti, et maintenant, je te demande de partir. C'est pour ça que j'ai cru que tu refuserais.

— Je vois. Très bien, je crois que je comprends. Va faire le tour des vignes, tout le tour.

— Mais, papa...

— Cela me donnera le temps de penser. Il faut que je réfléchisse. Va... File...

— Oui, papa.

François n'avait pas besoin de réfléchir. Il savait déjà qu'il allait accéder à la requête de Charles. Si déçu qu'il fût de voir qu'aucun de ses fils ne semblait partager ses sentiments pour les vignes, son cœur se gonflait de fierté à l'idée que Charles devienne médecin. Docteur Charles Pujol. Comme cela sonnait bien !

Bien entendu, cela signifiait qu'il lui faudrait revenir sur le problème de sa succession, mais il décida de le mettre de côté pour quelque temps. Il n'y avait aucune urgence. Peut-être en parlerait-il avec Emilie un jour.


Armand s'inquiétait de la succession, lui aussi. Il n'avait jamais pardonné à son défunt beau-père de l'avoir dépouillé — c'était ainsi qu'il voyait la chose — d'un héritage qui aurait dû lui revenir de droit. Son caractère s'était aigri. Dans la maison, tout allait pour le mieux. Agnese avait accepté son veuvage sans trop de peine, et dans les mois qui suivirent la mort de Salvatore, elle confia progressivement les rênes du ménage à Caterina, reconnaissant tacitement le fait qu'Armand était désormais le chef de famille. C'était une situation étrange, agaçante : il était le Maître dans la maison mais non dans les vignes. Il n'en voulait pas à François, mais il désirait obtenir certaines assurances pour l'avenir.

Les deux familles s'étaient de nouveau rapprochées après le départ de Blanche — dont tout le monde avait félicité François — et elles se rendaient souvent visite. Les jeunes s'étaient toujours très bien entendus et passaient beaucoup de temps ensemble. François avait parfois l'impression que Vincenzo, le bossu, vivait davantage avec eux qu'avec ses parents. Il était toujours à Saint-Christophe et il suivait chaque geste de Marguerite avec des yeux pleins d'adoration. Il ne cessait de creuser ses morceaux de bois, mais il était si calme et si doux que nul ne se formalisait de sa présence, et comme Lydie préparait toujours de quoi nourrir toute une armée, il n'y avait aucun problème de ce côté-là.

— Regarde-le, dit Armand à François un soir.

Le jeune homme était blotti dans son fauteuil, ses jambes noueuses repliées en tailleur, écoutant une discussion amicale qui venait d'éclater entre Marguerite et Ricardo, mais sans y prendre part.

— Que vais-je faire à son sujet ? continua Armand. Que lui arrivera-t-il quand je ne serai plus là ? Il faut que je pourvoie à ses besoins d'une manière ou d'une autre, mais je ne sais pas comment.

— Il aura sa part de Casa Rosa selon les termes du testament de son grand-père. Il ne sera pas à court d'argent.

— Oui, mais que va-t-il arriver à Casa Rosa ?

Il en revenait toujours aux mêmes questions, aux mêmes insinuations, et aux mêmes pressions pour que François désigne son successeur.

— Inutile, lui répondit François. Je ne prendrai aucune décision avant d'être certain. Et d'ailleurs, je m'attends à rester dans les parages pendant encore longtemps.

— Ce n'est pas une réponse rassurante.

— Bon dieu, Armand, qu'est-ce qui n'est pas rassurant ? Les vignes, la maison, les bâtiments appartiennent à Agnese et après elle à Caterina. Caterina laissera sans doute tout aux enfants. Le revenu de la vigne t'est acquis, et le seul objectif du testament de Salvatore, c'était de veiller à ce que la propriété continue à être dirigée de façon satisfaisante, afin que les revenus soient excellents.

Armand lui tourna le dos en bougonnant.

Il revint à la charge à plusieurs reprises, mais sans obtenir de réponse satisfaisante de François. Il discuta du problème avec Caterina, mais elle ne partageait pas ses craintes.

— Je ne comprends pas pourquoi tu te mets martel en tête. Tu ne veux pas diriger la propriété. Laisse François s'occuper de tout. Cela ne change rien puisque l'argent qu'il en tire nous revient.

— Mais je ne m'inquiète pas pour le présent. Je me préoccupe de ce qui se passera à la mort de François. Il peut désigner qui lui plaît. Nous ne voulons pas qu'un inconnu nous donne des ordres.

— Il désignera probablement un des enfants.

— Un de *ses* enfants, tu veux dire. Mais lequel ? Ralph est parti, Jean ne s'intéresse pas aux vignes et Charles va être docteur. Il ne reste que la fille.

— Et Ricardo ?

— Justement. Le problème, c'est qu'il n'a aucune vraie raison de prendre des gants avec nous. Nous ne sommes pas parents. Je veux dire, je ne suis son beau-frère que par sa première femme, et elle est morte. Ricardo ne lui est rien du tout.

Une idée le frappa brusquement.

— Tu sais ce que nous devrions faire ? dit-il. Marier Ricardo à Marguerite.

— Bien sûr, répliqua Caterina. J'y travaille depuis longtemps.

— Tu y « travailles » ? Comment ?

— Je leur offre des occasions d'être seuls ensemble, je renchéris sur Ricardo chaque fois qu'il dit quelque chose de gentil sur sa cousine, et je la défends s'il la critique — il y a mille petites manières.

Armand lui sourit et l'embrassa sur la joue.

— Tu es une rusée commère, hein ? Et où en sont-ils ?

— Eh bien, je suis sûr qu'elle lui plaît. L'ennui c'est qu'il est exactement comme toi : toutes les filles qu'il rencontre lui plaisent. Et autant que je puisse m'en rendre compte, la plupart tombent dans ses bras. Il faut le persuader d'une manière ou d'une autre que Marguerite est meilleure que toutes.

— Ou alors, il faudrait qu'elle le prenne au piège — comme une personne que je connais, dit-il en souriant de plus belle.

Le regard qu'elle lui lança n'était pas sans rancune.

— Je plains la pauvre fille, s'il est aussi infidèle que son père !

Malgré l'amertume qu'il devina dans sa voix, Armand savait qu'elle ne protestait que pour la forme. Des années auparavant, ils avaient eu de violentes querelles au sujet de ses autres femmes, mais depuis longtemps maintenant, Caterina s'était résignée à l'idée que son mari était un coureur de jupons et le resterait jusqu'à son dernier jour.

— Et si j'en parlais à François ? proposa Armand. S'ils doivent se marier un jour, il faudra bien que nous en discutions. Je pourrais donc soulever dès maintenant le problème, pour voir s'il se range de notre côté. Et je serais beaucoup moins inquiet pour l'avenir si nous avions un lien de ce genre avec les Pujol. Je crois qu'il aime beaucoup sa fille. Il assurera son avenir quand il ne sera plus là.

A la première occasion, il aborda le sujet avec François et, à sa plus grande joie, celui-ci réagit avec un enthousiasme immédiat. S'il désignait Ricardo pour successeur et que Marguerite soit son épouse, elle serait en mesure de prendre la direction effective. Cela résoudrait tous les problèmes. Sans révéler à Armand le fond de sa pensée, il dit simplement :

— Oui, il est temps qu'ils se stabilisent tous les deux. Marguerite a plus de vingt ans.

— Ils sont cousins germains, dit Armand voulant écarter cet énorme obstacle dès que possible.

— Oui, c'est un problème, répondit François. Mais cela ne m'inquiète guère, tu sais. Mieux vaut se marier dans une bonne souche dont on est certain, que de se retrouver lié à une famille dont on ne sait rien.

— Je croyais que la parenté de Ralph et de Christiane t'avait inquiété.

— En réalité, non. C'était une des obsessions de Blanche.

— Et qu'allons-nous faire ?

— Je parlerai à Marguerite.


François savait qu'il devrait choisir le bon moment. La jeune fille se montrait parfois capricieuse. Deux semaines plus tard, après le repas du soir, tous les signes lui parurent favorables. Marguerite n'avait pas cessé de rire et de plaisanter, non seulement avec Charles et Lydie, toujours prête à la plaisanterie, mais également avec lui, ce qui était assez rare. Il regrettait souvent que ses enfants ne soient pas plus détendus et à leur aise en sa présence. Mais Marguerite s'était montrée très gaie pendant tout le repas et il lui demanda de sortir avec lui sous le porche. Il présenta son invitation de façon que personne ne s'y trompe : il s'agissait de quelque chose de spécial et il fallait les laisser seuls.

Marguerite, elle aussi, comprit que ce ne serait pas un bavardage banal, et ce ne fut pas sans appréhension qu'elle s'assit près de lui. Puis elle se dit que son père voulait probablement discuter d'un problème du vignoble, comme c'était souvent le cas. Elle ne s'attendait pas du tout à ce qu'il allait lui proposer.

— Quand j'ai quitté Sauveterre pour venir ici, j'avais vingt-trois ans, commença-t-il, et ta mère en avait dix-huit. Nous ne nous sommes mariés que trois ans plus tard, mais ce que je veux dire, c'est que nous nous étions promis l'un à l'autre quand elle n'avait que dix-huit ans. Tu es plus âgée qu'elle ne l'était et il est temps que tu penses au mariage.

— Tu veux déjà te débarrasser de moi ? plaisanta Marguerite.

Il poursuivit comme s'il n'avait pas entendu.

— J'aurais épousé ta mère quand elle avait dix-huit ans si nous l'avions pu. Mais j'étais à l'autre bout du monde.

Marguerite attendit. Il avait visiblement autre chose à dire et il s'avançait vers son propos par des voies détournées. De toute façon qu'aurait-elle pu répondre à ce qu'il venait de déclarer ?

Pendant un moment François ne bougea pas, les yeux fixés au loin.

— Nous avons discuté, ton oncle Armand et moi, dit-il enfin. Ricardo lui aussi est en âge de se marier.

— Vous allez vous associer pour ouvrir une agence matrimoniale, oncle Armand et toi ?

Il lui lança un regard furieux.

— Il n'y a pas de quoi rire.

— Je te demande pardon, papa.

— Ce que nous pensions, ton oncle Armand et moi, c'est qu'il serait très souhaitable que... Enfin si... Ricardo et toi...

Les yeux de Marguerite s'ouvrirent tout grands. Puis elle éclata de rire.

François devint rouge de colère.

— Ecoute-moi, ma fille, si tu...

— Mais enfin, papa, ce n'est pas sérieux ! Ricardo et moi ? C'est absurde ! Et pourquoi toute cette histoire ? Pourquoi veux-tu me marier si vite ?

— Je ne veux rien. Il n'y a pas urgence. Tu pourrais te marier quand tu le voudrais... Dans deux ans, dans trois ans. Je suis sûr que Ricardo attendrait jusqu'à ce que tu sois prête.

— Il lui faudrait patienter longtemps. Mais... Oh ! je vois... Oncle Armand et toi avez parlé des vignes et de l'avenir, et vous avez soudain découvert que tout pourrait être résolu de façon nette et sans bavures, si les deux familles étaient liées ? Voilà le cœur du problème, non ?

— Pas seulement. Je voudrais être sûr que les deux propriétés seront en de bonnes mains après ma mort. Tu es la seule en qui je puisse avoir pleinement confiance pour les exploiter. Tu es le seul vigneron. Ricardo serait nominalement le Maître, mais c'est toi qui dirigerais l'exploitation.

Il lui expliqua sa pensée plus en détail et elle l'écouta d'un air grave. Quand il eut terminé, elle demeura quelques minutes perdue dans ses pensées, le visage tendu.

— Je regrette, papa, dit-elle enfin. Je ne peux pas. Je ferais n'importe quoi pour Saint-Christophe, mais pas ça.

— Et pourquoi ? Ricardo est un bel homme. Robuste, aimable, et...

— Et sans cervelle.

— Tu exagères.

— Non. Il ne pense qu'à une chose : courir le guilledou. Tu me vois avec un mari comme ça ?

— S'il était marié avec toi, il n'aurait plus besoin de courir. Et je ne suis pas sûr que tu aies vraiment envie d'épouser un homme qui ait de la « cervelle », comme tu dis. Tu en as trop toi-même. Il y a beaucoup de mariages où c'est la femme qui possède la « cervelle ».

— Rien à faire, papa. Ce n'est pas simplement son côté coureur ni une question de sottise ou d'intelligence. Je... Je ne pourrais jamais supporter qu'il me touche. C'est vrai, papa. Tu crois peut-être que je me monte la tête, mais je t'assure, à cette seule pensée, j'en ai la chair de poule. Même danser avec lui me déplaît.

— Toutes les jeunes filles ont la même attitude avant le mariage.

— C'est faux. Je ne ressens pas du tout la même chose pour les hommes en général. C'est seulement Ricardo.

Elle s'aperçut qu'il ne la croyait pas.

— Je pourrais assez facilement être une prostituée, reprit-elle. Ah ! maintenant, je te choque, papa ! Mais je ne parle pas en l'air. Je suis sérieuse. Je n'ai pas peur du lit conjugal. Mais je ne pourrais pas... Non, avec Ricardo, je ne pourrais pas. Même si tu me le commandais. Même pas pour sauver Saint-Christophe. Je te demande pardon.

La franchise et la sincérité des paroles de Marguerite chassèrent la colère qui avait enflammé François pendant un instant. Elle lui parlait comme un adulte à un autre, le forçant à écarter toute réponse de convention. Il se réfugia dans une tentative d'ajournement.

— Tu aimerais peut-être y réfléchir ? Cette idée a dû te prendre au dépourvu.

— Réfléchir ne changera pas mes sentiments. Jamais je n'épouserai Ricardo.

Ses pommettes étaient toutes rouges.

— Et puis, papa, je tiens à te dire, au risque de déchaîner ta fureur, que je t'obéirai en tout sauf pour le choix de mon mari. C'est une décision qui m'appartient.

De nouveau, François ravala sa colère. Après tout, Marguerite était une femme du XX$^e$ siècle. Puis un soupçon lui traversa soudain l'esprit.

— Il y a quelqu'un d'autre ? C'est pour cela que tu ne veux pas songer à Ricardo ?

— Non. Il n'y a personne. Je ne suis pas sûre d'avoir envie de me marier. Peut-être resterai-je ici, pour devenir « vigneron ».

— Mais tu ne pourrais pas être le Maître. Tu es une fille — une femme.

— Et quelle est donc la différence ? Pourquoi une femme ne peut-elle pas être le patron ?

— Parce que... Parce que le monde n'est pas fait ainsi. La place d'une femme, c'est le foyer. Une femme doit s'occuper de son mari et de ses enfants.

— Et si elle n'a ni mari ni enfants ? Je suppose qu'elle doit se cantonner à la cuisine, comme la pauvre tante Lydie.

— Réfléchis, supplia-t-il.

Elle le fixa d'un œil ferme, puis secoua lentement la tête.

— Non, papa. Non et non.

Soudain, François se rendit compte qu'elle avait raison. Il serait absurde de la marier à Ricardo contre son gré. L'avenir de la vigne était important, mais le malheur de Marguerite était un prix trop élevé à payer. De toute façon, elle méritait beaucoup mieux que Ricardo — il aurait dû le voir dès le départ, tout comme il aurait dû se douter qu'une fille de sa trempe choisirait son propre destin, envers et contre tous.

— Très bien, répondit-il d'un ton bourru.

Malgré tout le désir qu'il en avait, les excuses ne parvenaient pas à franchir ses lèvres.

— Très bien, répéta-t-il. Nous n'en parlerons plus.

Il posa doucement sa main sur celle de sa fille, pour lui montrer qu'il comprenait. Il lut du soulagement dans ses yeux, mais elle avait encore les sourcils froncés lorsqu'elle lui demanda :

— Ricardo est au courant ?

— Non. Nous... C'est-à-dire : j'ai décidé de te parler avant que nous lui disions quoi que ce soit.

Elle sourit enfin.

— Le plus difficile en premier, hein ? Je suis contente qu'il ne sache rien. Il ne faut pas qu'oncle Armand lui en parle. Le pauvre Ricardo ! Je dois être son seul échec !

François se leva pour rentrer, mais elle l'arrêta.

— Un instant, papa. Pouvons-nous parler de quelque chose d'autre ? D'une affaire vraiment sérieuse ? Je crois qu'il faut faire quelque chose au sujet des vignes près de la route. Elles commencent à vieillir et nous devrions les arracher après les vendanges et les remplacer par des nouveaux cépages. Et il faudrait envisager de les planter en rangs.

— Pourquoi ?

— Parce que sera plus facile de les labourer, et plus facile pour les vendangeurs. Et on pourra les « lever » sur des fils de fer.

Bientôt ils se trouvèrent profondément engagés dans leur conversation sur la vigne — et ils ne quittèrent le porche que lorsque la nuit devint noire autour d'eux. François se sentit plus proche de sa fille que jamais auparavant. Il l'aimait et la respectait d'une façon tout à fait nouvelle, qui emplissait son cœur de joie.

## 8

Jean revint à Saint-Christophe pour les vendanges et ramena les Goldberg avec lui.

— Il est temps qu'ils voient les vignes, dit-il.

Ils ne se bornèrent pas à regarder, car ce n'était pas dans leur tempérament de rester bras croisés. Bientôt ils travaillaient dur à côté des autres. François fut enchanté de leur aide, car ce fut la plus belle récolte depuis des années. Il fallait vendanger très vite avant que le raisin ne pourrisse, et toute aide supplémentaire était la bienvenue.

Le soir, en levant son verre à la récolte, Jean s'écria :

— Je suis heureux de voir d'aussi bonnes vendanges, papa. Nous avons besoin de davantage de vin. Les ventes ont augmenté. Toute la récolte 1903 est déjà partie et la récolte 1904 marche très fort. J'ai commencé à vendre une partie du 1903 mis à vieillir en fûts. Je l'appelle notre « Cuvée spéciale ». Les ventes démarrent lentement, à cause du prix plus élevé, mais les premières commandes sont souvent renouvelées. Tout paraît bien lancé.

— Nous pourrions doubler les ventes, monsieur Pujol, dit Morde-caï, et les bénéfices seraient plus que doublés, parce que les dépenses supplémentaires seraient uniquement matérielles — bouteilles, bou-chons, étiquettes, caisses.

— Nous avons également besoin d'offrir une gamme de vins plus étendue, reprit Jean. Du vin blanc, et peut-être des vins de cépage.

— Qu'est-ce que c'est ? demanda Lydie.

— Des vins faits avec un seul cépage, que l'on mentionne sur l'étiquette — Cabernet Sauvignon, par exemple, ou Sémillon pour le blanc.

— Mais j'ai à peine deux hectares de Cabernet, répondit François.

— Peut-être faut-il envisager de changer. Réduire la quantité de Zinfandel et planter davantage de Cabernet.

— Cela diminuera notre production. C'est l'ennui du Cabernet. Il « donne » moins que les autres.

— Mais il fait du meilleur vin. Et il faudrait aussi de la Petite Sirah.

— Il faudra réfléchir à tout ça. On ne peut pas prendre ce genre de décision du jour au lendemain.

— De toute façon, ce ne peut être qu'une évolution à long terme. Or j'ai besoin de davantage de vin tout de suite. Et Casa Rosa, papa ?

Si nous pouvions disposer de leur récolte, cela résoudrait la plupart de mes problèmes immédiats. Ils ont pas mal de Sémillon pour le blanc, n'est-ce pas ? Et autre chose, à propos. Cela fait des années que nous sommes ici, et que je parie que tu ne sais pas qu'il y a un concours annuel de vins, dans le cadre de la Foire de Californie. Eichenbaum l'a gagné deux ou trois fois. Nous ne nous sommes jamais présentés. Je suis sûr qu'avec notre Cuvée spéciale, nous avons de grandes chances d'obtenir un prix — une seconde place, une troisième, un accessit — même si nous ne battons pas tout le monde. Et avec cet atout, mes ventes monteront en flèche.

— Il a raison, monsieur Pujol, dit Goldberg. Même sans cela, si je peux me permettre, vous devriez nous donner autant de vin de Casa Rosa que vous le pourrez. Nous le vendrons et il rapportera plus d'argent ainsi.

— J'avais songé à cesser d'utiliser notre chai, ici, et à faire tout le vin à Casa Rosa, dit François. Ce sera peut-être pour l'an prochain.

— Mais tu ne pourras pas distinguer leur vin du nôtre.

— Bien sûr que si. Nous saurons que tel moût va dans telle cuve.

— Mais il faut tout me donner à vendre.

— Je dois d'abord en parler à ton oncle Armand et à Ricardo, dit François.

— Pourquoi ? C'est toi qui diriges l'exploitation, non ? Je croyais que M. Corsini t'avait donné pleins pouvoirs.

— C'est possible, mais pour une chose de ce genre, je me sens obligé d'en discuter avec eux. J'ai l'autorité de diriger Casa Rosa, mais je le fais pour leur compte.

— Eh bien, j'ai une autre proposition à te faire, et je crois qu'elle ne leur plaira guère.

— Laquelle ?

— Tout le vin doit être vendu sous la même appellation. On ne peut pas mettre Saint-Christophe sur une bouteille et Casa Rosa sur une autre. Tout doit être du Saint-Christophe. En outre, si nous avions deux noms de vins, il faudrait faire deux campagnes de lancement, cela disperserait notre effort.

— Il a encore raison, monsieur Pujol, ajouta Mordecaï. Ecoutez-le. C'est la voix du bon sens.

— Mais, répondit François. Ils vont penser que je cherche à mettre Saint-Christophe en valeur à leurs dépens.

Il voyait très bien le fossé se creuser de plus en plus entre Armand et lui. Le testament de Salvatore d'abord, puis le refus de Marguerite (qui non seulement réduisait à néant tous les espoirs d'Armand mais avait dû lui paraître insultant) et enfin ceci...

Jean sentit les réticences de son père.

— Papa, j'irai voir oncle Armand, si tu préfères. Je lui expliquerai ce que j'ai fait jusqu'ici. Je lui dirai combien cela nous a rapporté en plus. Il comprendra que nous avons besoin de son vin, et je lui offrirai l'occasion de partager les bénéfices que nous faisons. Il comprendra que c'est à toi qu'appartient la décision finale, mais s'il s'y oppose par orgueil, je lui proposerai d'acheter son vin à un meilleur prix que s'il continue de le vendre à Eichenbaum. Il faudra qu'il accepte, bon gré, mal gré. Me permets-tu d'essayer, papa ?

François le regarda. Son ardeur et son enthousiasme faisaient plaisir à voir.

— Non, dit-il enfin, ce n'est pas à toi de discuter de ce genre d'affaire avec ton oncle.

— Mais, papa...

— C'est à moi de le faire, et je te remercie de me donner de bons arguments. Je le verrai dès que je pourrai. Et avant que tu rentres à San Francisco, parlons un peu de chiffres, je veux les avoir bien en tête.


Le lendemain matin, les Goldberg rentrèrent en ville, mais Jean resta quelques jours de plus. Bien qu'il y eût beaucoup à faire dans le chai, il disparut à Casa Rosa un peu après le petit déjeuner. Quand il revint à midi, il était visiblement excité, mais il se contint tout au long du repas. Lorsque François reprit le chemin du chai, Jean lui demanda quelques instants.

— J'ai pensé à une chose, papa, à propos de nos étiquettes. Je voudrais en changer.

— Celles que j'ai fait faire ne vont pas ?

Jean ne répondit pas.

— Je suis allé voir Vincenzo, dit-il. Je lui ai dit ce que je voulais et je lui ai demandé de nous dessiner quelque chose. Il m'a répondu qu'il n'était pas un artiste, mais regarde ! N'est-ce pas merveilleux ?

Il tendit à son père une feuille de papier.

— On pourra l'imprimer en quatre couleurs — noir, bleu, jaune foncé et rouge.

Le dessin, de la taille d'une étiquette, montrait saint Christophe, dramatiquement drapé dans une toge rouge, portant l'Enfant Jésus auréolé de jaune à travers les eaux bleues d'un fleuve en crue. Au-dessus, sur une bande jaune incurvée d'un bon centimètre de largeur, se trouvaient les mots « Saint-Christophe » en noir. Au-dessous, un espace vide.

— C'est là que nous mettrons le nom du vin, expliqua Jean. « Vin rouge de table », « Vin blanc de table » ou « Cabernet Sauvignon », par exemple, si nous nous mettons à faire des vins de cépage.

François regarda le dessin, stupéfait.

— Mais, c'est tellement... tellement tape-à-l'œil, dit-il enfin.

— C'est justement ça, l'idée ! s'écria Jean. C'est pour le vin ordinaire, meilleur marché. Nous devons atteindre les gens ordinaires, non les connaisseurs, et il ne suffit pas de leur parler : il faut *crier*. Il faut leur offrir une image colorée qu'ils reconnaissent d'un coup d'œil. Ils ne se souviendront pas d'un nom aussi compliqué que Saint-Christophe.

— Mais c'est un nom français. Les vins français sont réputés, protesta François.

— Bien sûr, papa. Mais nous ne pouvons pas vendre qu'aux amateurs de vins français. Pourquoi se cantonner à un marché aussi limité ? Ce que nous voulons, c'est quelque chose qui pousse l'homme de la rue à entrer chez son marchand de vins en disant : « Donnez-moi une bouteille de ce vin qui a le saint sur son étiquette. » C'est pour cette raison que c'est « tape-à-l'œil », papa. Et voici pour la Cuvée spéciale, continua Jean en montrant une deuxième feuille. Comme tu peux le voir, c'est très proche de nos étiquettes actuelles.

En fait il n'y avait qu'une seule différence : les lettres avaient été descendues pour laisser la place à un petit médaillon de saint Christophe qui serait imprimé en rouge.

— Celle-ci me plaît, dit François.

— J'en étais sûr. Je peux aller de l'avant ?

— Cela ne va pas coûter très cher ? Surtout l'étiquette avec toutes ces couleurs ?

— Pas vraiment. Cela n'ajoutera même pas un demi *cent* par bouteille, et nous économiserons beaucoup plus que ça en étalant les frais généraux fixes sur de plus grandes quantités commercialisées.

— Très bien, si tu es sûr de ton fait, répondit François.

Il était très favorablement impressionné par le nouveau Jean qu'il découvrait, plein de confiance en lui et dont les arguments étaient manifestement fondés sur une stratégie méditée : il s'était fixé des objectifs et il savait comment les atteindre.

— Tu n'as rien dit de nos projets à l'oncle Armand ou à Vincenzo, n'est-ce pas ?

— Non. Pour eux ces étiquettes sont destinées à notre propre vin.

Quand François fit part à Armand de sa proposition d'amalgamer les chais, puis de vendre tout le vin sous les étiquettes de Saint-Christophe, il ne rencontra pas la moindre opposition. Comme la vie est étrange, se dit-il, on peut être l'ami d'un homme pendant trente ans sans pour autant le comprendre vraiment. Malgré toutes ses craintes antérieures pour l'avenir de Casa Rosa et ce qui se passerait après la mort de François, Armand n'avait avancé aucun argument pour conserver le nom de Casa Rosa sur son vin. Ce qui l'avait intéressé, c'étaient les chiffres et il avait aussitôt calculé le supplément de bénéfices qu'il retirerait de l'opération. Peut-être, songea François, son principal souci avait-il toujours été l'accroissement de son revenu malgré les 20 % retenus. Ou bien ses craintes avaient-elles simplement disparu du fait que l'on avait demandé son approbation — si académique que fût cette démarche — avant d'appliquer un changement de politique majeur ?

L'entrepôt de San Francisco fournissait à François un bon prétexte pour se rendre en ville régulièrement, une fois tous les quinze jours. Il passait une demi-heure avec les Goldberg, examinait les livres, vérifiait le vin et répondait aux questions mineures qu'ils lui posaient. De temps à autre, il goûtait un échantillon des deux petits foudres où Mordecaï avait gardé une partie de la récolte 1903; cela faisait plus de deux ans que le vin vieillissait dans le bois et il prenait toujours plus de corps et plus de bouquet.

— Plus nous le garderons ainsi, et plus notre Cuvée spéciale deviendra spéciale, dit Goldberg. Il est presque aussi bon que le meilleur Assmannshausen.

— Ou que le vin de mon père à Sauveterre, renchérit François.

Mais rien ne le retenait longtemps à l'entrepôt, et il allait alors rendre visite à Emilie.

Parfois il se demandait s'il l'aimait, et si elle l'aimait. Jamais elle ne le lui avait dit, jamais elle ne lui avait demandé quels sentiments il éprouvait à son égard. Il y avait entre eux beaucoup d'affection, à coup sûr, mais ce n'était pas de l'amour. Pas le genre d'amour qu'il avait éprouvé pour Thérèse, ni même l'amour qu'il avait cru ressentir pour Blanche. Il était presque certain d'être désormais le seul amant d'Emilie. N'était-ce pas étrange de voir la joyeuse Emilie métamor-phosée en une dame entre deux âges, plutôt collet monté, qui ne recevait qu'un seul visiteur une fois toutes les deux semaines ?

Emilie elle aussi se faisait une joie des visites de François. Quand Blanche était partie, il était venu plus souvent, mais elle avait évité de lui dire à quel point il s'était rendu ridicule, sachant bien que sur le moment son orgueil viril serait très sensible. Elle l'avait, au contraire, écouté avec beaucoup de sympathie, lui avait assuré qu'il s'était comporté avec droiture, et avait partagé son soulagement. Elle aimait beaucoup les après-midi qu'ils passaient ensemble, non seulement parce qu'il y avait encore de l'aventure à découvrir dans le plaisir qu'ils partageaient aux occasions (rares désormais) où ils se rendaient dans sa chambre, mais parce que François lui racontait toujours ce qui survenait à Saint-Christophe, discutait de ses problèmes, partageait ses pensées avec elle et lui demandait son avis. Et elle posait des questions — de bonnes questions, intelligentes, dont certaines n'étaient pas venues à l'esprit de François mais auxquelles il devait répondre avant d'aller de l'avant, quel que soit le projet.

Quand il la quittait, il avait toujours l'impression que ses idées étaient plus claires. Quelle fine équipe ils faisaient ! Et plus de cent fois il se demanda s'il ne devrait pas — au cas où Blanche mourrait avant lui — proposer à Emilie de l'épouser. Mais bien entendu, il savait que jamais il ne lui poserait la question : elle ne s'y attendait pas et elle ne ferait qu'en rire.

Il lui parla de sa conversation avec Marguerite lorsqu'il avait songé à la marier à Ricardo, et Emilie se moqua de lui — jusqu'à ce qu'il en vînt au moment où Marguerite affirmait qu'elle ne se marierait peut-être jamais.

— Je la comprends, dit Emilie. J'ai ressenti moi aussi la même chose. On dit que le mariage est une loterie, et c'est bien l'ennui.

Comment pourrait-elle être sûre de gagner le gros lot ? Et même si elle trouvait le genre de relations que nous avons, vous et moi — c'est ce qu'elle désire, si je ne me trompe — tout mariage pose des problèmes, comme je ne le sais que trop bien. Mais ne vous faites pas de souci : elle trouvera un jour un homme qui lui offrira la forme de compréhension que nous partageons — et peu importera qu'ils soient mariés ou non. Le mariage pourrait même détruire ce qu'il y aura entre eux — comme il nous détruirait, nous, François. Je remercie Dieu que vous soyez encore marié à votre effroyable Blanche et que votre Église ne vous permette pas de dissoudre ces liens. De toute façon, je ne vous épouserai pas — les choses me plaisent comme elles sont aujourd'hui.

— C'est extraordinaire, dit François, comme vous lisez dans mes pensées. Les paroles qui tombent de vos lèvres sont souvent celles que j'ai retenues sur les miennes l'instant précédent.

— Hum, répondit Emilie. C'est une des raisons pour lesquelles notre union, si nous étions tentés de nous marier, serait un désastre absolu. Nous n'aurions jamais besoin de parler et nous perdrions peu à peu la voix, faute de nous en servir. Mais si vous voulez me pardonner cette vulgarité, ajouta-t-elle, je songe à d'autres parties de nos corps qui ne se trouveraient pas dans la même situation. Assez parlé. Je veux être embrassée.

— Un instant. J'aimerais discuter d'autre chose. Voyez-vous, puisque Marguerite n'épousera pas Ricardo, je ne suis guère plus avancé pour la désignation de mon successeur.

Il énuméra toutes les possibilités auxquelles il avait réfléchi si souvent.

— La réponse est évidente, lui dit Emilie. Marguerite.

— Mais c'est une femme.

— Et après ? Mon père désirait que je prenne sa succession à la tête de ses affaires, vous savez. Il ne voyait aucune raison de ne pas confier à une femme la direction d'une entreprise. Pourquoi hésitez-vous ?

— Cela ne me semble pas convenable, répliqua François, sachant pertinemment que c'était une réponse boiteuse.

— Allons donc ! Nous sommes en Amérique et au xx$^e$ siècle. Si votre fille a toutes les qualités que vous dites, donnez-lui sa chance.

Mais au fond de lui, François n'était pas convaincu. Il ne discuta pas plus longtemps — c'était très difficile avec les lèvres d'Emilie plaquées sur sa bouche.


Les raisins de la récolte 1907 fermentèrent tous dans le chai de Casa Rosa, et en février de l'année suivante, tout le vin des vendanges précédentes, celui de Casa Rosa comme celui de Saint-Christophe, fut expédié à l'entrepôt de San Francisco. Une proportion importante serait mise à vieillir dans le bois, mais Jean avait à vendre beaucoup plus de vin bon marché que l'année précédente, et François attendit avec anxiété des nouvelles des premières commandes. Les rapports de Jean furent très encourageants. Les nouvelles étiquettes avaient un grand succès.

Puis vint la Foire annuelle, au cours de laquelle Jean présenta le vin « Extra Spécial » que Mordecaï soignait si amoureusement. Il revint avec une médaille d'or, le droit d'ajouter sur ses étiquettes « Premier Prix, Foire de Californie, 1908 », et, plus important encore, une serviette bourrée de commandes passées pendant la foire. Il avait dû dire à certains clients qu'il ne pourrait leur garantir qu'une demi-caisse : six bouteilles.

— Il nous faut *absolument* produire davantage, papa. Les ventes montent vraiment en flèche à présent. Pourquoi ne pas acheter du vin à d'autres producteurs de la vallée ?

— Non, répondit François. Nous n'aurions aucun contrôle sur la qualité. Nous ne vendrons jamais du vin que nous n'aurons pas fait nous-mêmes. Nous nous bornerons à accroître notre production ici, si nous le pouvons, mais je crois que nous sommes déjà près du maximum.

Il se tourna vers Marguerite.

— Qu'en penses-tu ? Que pouvons-nous faire d'autre ?

De plus en plus, tout naturellement, il discutait de tous les problèmes de viticulture avec elle, et il écoutait attentivement ses réponses. Souvent elle avait de bonnes idées à proposer ou elle disait quelque chose qui faisait jaillir une étincelle nouvelle dans son esprit.

— Maintenant que nous faisons tout le vin à Casa Rosa, dit-elle, nous pouvons défricher l'espace devant le chai, ici. C'est assez grand, puisqu'il fallait sortir la cuve et laisser de la place pour que les chariots puissent tourner. Et tante Lydie mettait les tréteaux pour les repas de vendanges, sans parler du clos des chèvres et du poulailler. De plus, en arrachant la pièce près de la route, au sud-est, nous devrions gagner une vingtaine de ceps. Ce n'est pas beaucoup mais ce serait toujours ça. En fait, la véritable expansion doit se faire à Casa Rosa. Il faudrait arracher à peu près toutes les vignes. Tout est planté en dépit du bon sens. C'est un gâchis. Nous pourrions gagner une moitié de récolte en plantant en rangs.

— J'y penserai, promit François. Entre-temps, nous replanterons près de la route, mais je préférerais ne rien faire sur le terre-plein de notre chai. Accroître notre production est sûrement une bonne idée, mais ce n'est pas essentiel à notre survie. Je ne veux ni abattre le chai ni sacrifier mes foudres et mes fûts. Nous aurons peut-être besoin d'eux d'ici un an ou deux.


Un soir d'été 1908, François, assis dans son fauteuil favori sous le porche, profitait pleinement de l'air embaumé en regardant le soleil se coucher derrière les coteaux, quand il fut saisi brusquement par la plus atroce des douleurs. Elle sembla naître dans son sternum et se répandre instantanément comme un cercle de fer qui lui comprimait la poitrine. La souffrance était si effroyable qu'au début il ouvrit simplement la bouche pour avaler une gorgée d'air, puis, juste avant de perdre conscience, il put jeter un grand cri d'agonie. Lydie et Marguerite se précipitèrent aussitôt hors de la maison.

— Oh ! mon dieu ! cria Lydie. Il est mort !

— Non, dit Marguerite. Il respire. Regarde. Faiblement, mais il respire. Il est si pâle. Tu peux prendre son pouls ?

Lydie saisit le poignet de François.

— Presque rien, dit-elle. Je sens quelque chose, mais à peine. Mon dieu, il va mourir !

— Il n'est pas encore mort ! répondit Marguerite, d'une voix âpre. Regarde. Il revient à lui. Tante Lydie, va dire à Absalon d'aller chercher le D$^r$ Daniels au plus vite. Ensuite, apporte toutes les couvertures que nous avons. Je crois qu'il vaut mieux ne pas le déplacer, c'est peut-être dangereux. Mais il va prendre froid si nous ne l'enveloppons pas. Vite !

Le D$^r$ Daniels sembla mettre un siècle à venir.

— Vous êtes une fille intelligente, dit-il à Marguerite à la fin de son examen. Vous avez probablement sauvé la vie de votre père. Il a eu une crise cardiaque. Et assez sévère. Quel âge a-t-il ?

— Il va sur ses cinquante-quatre ans, répondit Lydie.

— Il est relativement jeune, il se rétablira. Mais n'oubliez pas, à partir de maintenant, il va être obligé de changer de rythme et surtout pendant les cinq ou six semaines qui viennent. Il est absolument essentiel qu'il reste le plus immobile possible. Aucun mouvement, sous aucun prétexte. Vous serez obligée de vous occuper complètement de lui. Il ne faut même pas qu'il mange lui-même — rien, hormis le repos absolu. Et la nourriture devra toujours être très légère. La première chose à faire, c'est de le porter à l'intérieur. Quelqu'un pourra le soulever ?

Heureusement, les deux ouvriers agricoles étaient dans leur logement, et avec l'aide d'Absalon ils parvinrent à soulever François de son fauteuil et à le déposer sur son lit au premier étage.

Pendant la première semaine, le docteur vint le voir tous les jours, mais l'évolution de l'état du malade parut le satisfaire et peu à peu il espaça ses visites. Il n'autorisa pourtant pas François à bouger avant la fin de la sixième semaine. Ensuite, il lui permit de s'asseoir dans le lit, plus tard de s'installer dans un fauteuil près de la fenêtre, puis de marcher un peu dans la pièce et enfin — avec une lenteur désespérante et la promesse qu'il se ferait porter dans sa chambre à la fin du laps de temps autorisé, il le laissa descendre au rez-de-chaussée pendant une heure ou deux.

— Combien de temps cela va-t-il durer ? demanda François.

— Voyons, vous vous levez depuis quelle date ? Deux ou trois semaines ? Encore au moins quinze jours avant que je vous permette de rester debout toute la journée et de faire un petit tour dehors. Vous avez reçu un avertissement très clair et si vous avez envie de survivre, il vous faudra prendre les choses en patience. Pas de fatigues, pas de soucis, pas d'excitations.

— Je ne vois pas pourquoi vous vous donnez tant de peine pour me sauver, grommela François, si je ne dois plus être bon à rien.

— Eh bien, quelle reconnaissance ! Vous ne pourrez peut-être pas mener la même vie qu'autrefois, mais vous irez très bien. Question de temps. Vous ne pourrez plus gambader comme un jeune chien, mais vous ferez encore le tour de vos vignes, vous donnerez vos ordres et vous aurez même droit à une petite balade à San Francisco de temps en temps. Mais je ne vous conseillerais pas de vous livrer à des petites folies à cette occasion, hein ?

— Des petites folies ?

— Vous savez bien ce que je veux dire, répliqua le docteur. Votre femme ne vit pas avec vous, mais vous êtes un homme viril, et j'imagine que San Francisco devait subvenir à certains de vos besoins. N'y a-t-il pas une dame à qui vous rendez visite régulièrement ?

— Comment savez-vous tant de choses sur mon compte ? demanda François, plus amusé qu'irrité par la remarque du médecin.

— Connaître mes clients fait partie de mon travail. Alors du calme, hein ? Et comme je vous l'ai dit : pas de petites folies.


La nouvelle de l'état de François parvint à Emilie qui écrivit aussitôt à Lydie pour lui demander l'autorisation de venir rendre visite au malade. Lydie, après avoir consulté le Dr Daniels, répondit par un refus, mais un refus très aimable. Dans quelques semaines, ajouta-t-elle, Miss King pourrait très bien venir à Saint-Christophe — c'est-à-dire, si François n'était pas auparavant suffisamment rétabli pour se rendre à San Francisco. « Je suis certaine que si c'est le cas, vous veillerez à ce qu'il soit bien soigné pendant son séjour. Il ne pourra certainement pas faire l'aller et retour dans la journée, et les hôtels ne seraient pas à même de lui offrir toutes les attentions dont il a besoin. »

Emilie répondit qu'elle ferait tout le nécessaire pour le bien-être de François, et exprima son espoir d'avoir des nouvelles de Mlle Pujol rapidement. Mais Lydie n'avait pas écrit une deuxième fois. Il serait bien temps quand François serait vraiment rétabli. Au cours de ces premières semaines elle avait en fait tenu tous les visiteurs à l'écart, instituant un tour de garde — Marguerite, Absalon et elle-même — pour s'assurer qu'aucune personne non autorisée ne viendrait troubler son frère.

Quelqu'un pourtant franchit le barrage qu'elle avait dressé. Le docteur venait de partir après sa visite du matin, et elle se trouvait dans la cuisine en train de préparer le repas de midi. La porte s'ouvrit : c'était Vincenzo. Elle le regarda, surprise. Avec son corps déformé, la marche de Casa Rosa à Saint-Christophe représentait pour lui un grand effort — mais il l'avait accompli.

— Bonjour, Vincenzo, lui dit-elle. Que fais-tu ici ?

— Je suis venu voir l'oncle François.

— J'ai peur qu'il ne soit trop malade, mon petit. Mais il sera content de savoir que tu es venu. Je le lui dirai.

— Si je reste ici, vous voulez bien aller lui demander s'il ne veut pas me voir ? insista le jeune homme. Je vous en prie, tante Lydie.

— Mais je te l'ai déjà dit, on lui a interdit toutes les visites.

— Je crois qu'il veut me voir. Allez le lui demander, je vous prie. Si je me trompe, je repartirai. Si j'ai raison, je ne ferai rien qui le dérange.

Lydie eut l'impression d'avoir perdu toute volonté : elle se retrouva en train de monter les escaliers. François était éveillé et il avait l'air soucieux. Elle se précipita vers lui :

— Qu'y a-t-il ?

— Je... J'ai cru entendre quelqu'un. Quelqu'un est venu ?

— Oui. C'est Vincenzo. Il veut te voir, mais je lui ai dit...

Le front de François se détendit.

— Ah ! Vincenzo...

Il se pencha en arrière et sourit.

— Je pensais à lui, dit-il. J'espérais qu'il viendrait. Fais-le monter, Lydie.

— Tu es bien sûr ? Il ne faut pas le laisser t'énerver.

Il lui sourit, comme si c'était une idée absurde.

Vincenzo était déjà au milieu de l'escalier lorsqu'elle ressortit.

— Il veut te voir.

Dans la chambre, Vincenzo ne parla pas. Il tendit au malade un morceau de bois qu'il avait sculpté. François le prit. C'était un oiseau en vol. Le fil du bois, incurvé, avait été intelligemment utilisé pour donner du mouvement aux ailes étroites. François sourit et fit glisser ses doigts sur la surface polie de la figurine. Le jeune homme s'assit près du lit. Ni l'un ni l'autre ne parla.

Au bout d'un moment, se rendant compte qu'elle n'entendait aucune voix venant de la chambre, Lydie remonta. François dormait. Vincenzo avait posé une feuille de journal sur le sol pour recueillir les copeaux et s'était mis à sculpter un autre morceau de bois.

Il resta deux heures puis descendit.

— Il s'est endormi, dit-il. Je crois que ma sculpture l'a apaisé. Je reviendrai.

Par la suite, jamais Lydie ne l'empêcha de voir François. Ses visites semblaient faire du bien au malade, bien qu'ils ne parussent pas échanger plus d'une dizaine de mots. Mais chaque fois, Vincenzo offrait à son oncle un nouvel échantillon de son art, et chacun de ces présents apportait à François un sentiment de paix.

— Ce garçon lui fait autant de bien que mes remèdes, dit le D<sup>r</sup> Daniels à Lydie. Un étrange jeune homme...

Lydie acquiesça.

Quand François fut en bien meilleure santé et qu'il put passer au rez-de-chaussée la plus grande partie de la journée, Vincenzo renonça au silence.

— Oncle François, dit-il un jour, vous aimez mes sculptures. (C'était une affirmation plutôt qu'une question.) Je voudrais votre permission pour sculpter quelque chose de plus grand : les foudres. Les douves doivent avoir 5 centimètres d'épaisseur. Puisque vous n'utilisez plus votre chai, je pourrais sculpter ces vieux fûts sans abîmer le vin. J'en ferais de belles choses, oncle François, sans les abîmer. Je peux sculpter les scènes auxquelles je pense sans entamer le bois de plus d'un centimètre et demi, et comme les entailles ne couvriront pas toute la surface, les fûts resteront solides.

— Et que vas-tu sculpter ?

— Je ne sais pas encore. Je laisserai le bois me parler.

François accorda sa permission et désormais, à chacune de ses visites, Vincenzo apportait ses ciseaux et ses gouges. Il s'asseyait près de son oncle, puis il se rendait dans le chai et travaillait à ses sculptures. Jamais il ne rognait sur le temps qu'il passait avec François, souvent de longues heures bien qu'il lui parlât très peu. Le malade appréciait la compagnie silencieuse du jeune homme, et il était toujours heureux lorsque, en réponse à la question « N'as-tu pas envie de travailler à tes sculptures ? », Vincenzo secouait la tête et restait avec lui.

Il lui avait demandé la clé du chai.

— Je veux que personne ne voie ce que je fais tant que je n'ai pas terminé. Même pas vous, oncle François.


Bien entendu, dès que François était tombé malade, Lydie avait écrit à Charles, qui était revenu de toute urgence de son école de médecine de Los Angeles. Il ne la fréquentait que depuis quelques semaines, mais toute la famille le trouva changé. Peut-être avait-il encore grandi, mais surtout ses manières n'étaient plus les mêmes. Toujours enclin à la gravité, il parlait de façon aussi pédante qu'avant mais il semblait avoir acquis une confiance immense. Il interrogea Lydie méticuleusement sur la crise cardiaque de son père et sur le traitement qu'il recevait, jeta au malade un regard critique, consulta ses livres et annonça enfin qu'il était d'accord avec tout ce qui avait été fait et qu'avec le temps son père se rétablirait et vivrait encore de nombreuses années. Quand le D$^r$ Daniels vint en visite, il flatta le jeune homme en l'invitant à être présent pendant son examen. Il discuta le cas avec lui en jargon médical et il lui demanda même son opinion.

— C'était bien aimable à vous d'être si tolérant à l'égard de Charles, lui dit Lydie plus tard.

— Je me souviens de mes sentiments les premiers mois de mes études, répondit-il en riant. On croit tout savoir, et c'est très enrageant de voir les vieux barbons ne pas faire attention à vous. Alors, j'ai cru bon de l'impliquer. Et puis, il y a toujours de nouvelles techniques mises au point — il aurait pu m'apprendre quelque chose.

Charles demeura quelques jours, puis repartit à Los Angeles.

Lydie aurait également aimé appeler Ralph au chevet de son père, mais François soutenait toujours la fiction qu'il n'avait pu retrouver le jeune homme au cours de son séjour à New York et qu'il ne possédait donc pas son adresse. De fait, il ne savait pas si Ralph se trouvait encore dans la même pension, car depuis leur rencontre, il n'y avait eu aucune relation entre eux. François en avait ressenti beaucoup de peine, mais il ne songeait à blâmer que lui-même. Peu après son retour de New York, il lui avait écrit une fois en concluant sa lettre ainsi : « Je comprends que tu te sentes obligé de suivre ta propre voie dans la vie. Si tu n'as pas envie de m'écrire de temps en temps, j'essaierai également de le comprendre. Mais tu auras ma bénédiction pour tout ce que tu feras. »

Il avait été stupide de lui écrire en ces termes. De toute évidence, Ralph l'avait pris au mot et estimait toute correspondance inutile.

Depuis qu'il allait beaucoup mieux, les visites se succédaient sans relâche. Jean venait régulièrement, bien entendu, et il amena un jour Mordecaï et Sarah. Lors d'une autre visite, il était accompagné d'Esther Goldberg, âgée de dix-neuf ans et d'une beauté stupéfiante. Il était manifeste qu'elle adorait Jean. Le jeune homme expliqua qu'il la mettait au fait des problèmes commerciaux pour qu'elle puisse l'aider, mais François se demanda si Jean ne songeait pas à Esther pour autre chose qu'un poste d'assistante.

D'autres personnes vinrent également — des connaissances et des amis de Cinnabar et des vignobles environnants.

— C'est à vous de décider, lui avait dit le D<sup>r</sup> Daniels. Si vous vous sentez fatigué, renvoyez-les.

François ne s'en priva pas ! C'était très amusant de se débarrasser d'un visiteur dès qu'il l'importunait. Mais il ne renvoya pas Emilie lorsqu'elle vint. Il était peut-être très fatigué quand elle prit congé, mais quelle joie pour lui, de la revoir !

— Nom de dieu ! J'aime cette femme ! se dit-il.

Et il attendit sa visite suivante avec impatience.

Quelques semaines plus tard, il était capable de passer la journée assis sous le porche et de faire une brève promenade en début de soirée, à l'heure où il fait plus frais. Un jour, il fut surpris d'apercevoir un jeune couple bien vêtu qui remontait le chemin vers la maison. La femme était une blonde magnifique qui lui rappela Emilie quand il avait fait sa connaissance. Elle attira tellement son regard qu'il remarqua à peine le jeune homme à ses côtés.

— Papa !

François le reconnut aussitôt. Le soleil du soir brillait dans ses yeux et il ne pouvait pas très bien distinguer les traits de son visiteur, mais c'était Ralph. Son cœur se mit à bondir et il fut heureux d'entendre Lydie sortir sous le porche, attirée par la présence des visiteurs.

— Mes gouttes, Lydie ! cria-t-il.

— Ralph !

Elle se précipita à l'intérieur pour prendre le médicament.

— Désolé, haleta François. Cela m'a fait un choc.

— N'essaie pas de parler, papa. Tu n'as pas reçu ma lettre ? François secoua la tête.

— Mais, bon dieu ! jamais je ne serais venu sans prévenir ! Surtout quand j'ai appris à Cinnabar que tu avais été malade. Je t'ai écrit pour t'annoncer le jour de notre arrivée et te dire que nous logerions à l'hôtel pour ne pas vous déranger.

Lydie revint et administra le médicament. Au bout d'un instant, le pouls battit moins vite — le Dr Daniels déclara plus tard que c'était une nouvelle preuve du rétablissement normal de François.

— Es-tu prêt à recevoir un autre choc, papa ? Je ne t'ai pas encore présenté à Jeanie.

— Tu vas m'annoncer que cette jeune dame est ton épouse.

— Tout juste !

Il se tourna vers Jeanie.

— Je te l'avais bien dit. Il faut se lever matin pour devancer papa ! Tu ne l'embrasses pas ?

Elle se pencha et embrassa son beau-père sur la joue. Un parfum capiteux emplit les narines de François. Il ne pourrait jamais s'habituer aux parfums. C'était bon pour les très riches, comme Emilie, mais les gens ordinaires... Au fait, peut-être sa belle-fille était-elle riche, elle aussi ? Non, ses vêtements étaient impeccables et loin d'être misérables, mais ce n'était pas une toilette de femme riche.

— Enchantée de faire votre connaissance, monsieur Pujol.

— Je crois que vous pouvez m'appeler « papa » si vous en avez envie. Bienvenue dans la famille, Jeanie.

Les joues en feu, elle balbutia un remerciement mais n'ajouta pas un mot. Ralph la présenta à Lydie, puis expliqua :

— Nous nous sommes mariés il y a six mois. Je vous demande pardon de ne pas avoir écrit pour vous l'annoncer. J'en avais bien l'intention mais... Vous savez ce que c'est..

François hocha la tête mais il pensa : « Non, je ne sais pas ce que c'est... » Il ne comprenait pas comment on pouvait se marier et ne pas l'annoncer à sa famille — sauf si l'on avait honte de ce mariage, or il était manifeste que Ralph était fier de sa Jeanie, et avait toute raison de l'être. Mais pour leur faire plaisir, il acquiesça et sourit, puis il les écouta lui raconter qu'ils ne passeraient que deux nuits avant de partir à Los Angeles où Ralph avait des affaires à traiter.

— Tu pourras voir Charles, dit aussitôt Lydie.

— Oh ! il est là-bas ? Nous lui rendrons visite, répliqua Ralph, mais il n'y avait aucun enthousiasme dans sa voix et il ne demanda même pas ce que faisait son frère à Los Angeles.

Bientôt, Lydie chassa tout le monde du porche et aida François à remonter lentement dans sa chambre. Une fois allongé dans son lit, il songea que, dans sa tête, il n'avait fait que critiquer Ralph depuis son retour ! Il aurait dû se sentir transporté de joie au lieu de critiquer son premier-né. « Et je suis *vraiment* transporté de joie, se dit-il. Mais cela ne signifie nullement que je sois incapable de voir ses défauts. Mon fils est revenu à la maison enfin, et je suis transporté de joie... » Il s'endormit en essayant de se convaincre qu'il éprouvait réellement le bonheur qu'il aurait dû ressentir.

Quand Ralph et Jeanie s'apprêtèrent à partir, François s'était rendu compte, beaucoup plus clairement que jamais auparavant, que l'on pouvait très bien aimer quelqu'un sans l'apprécier pour autant. Il aimait Ralph et il était fier de lui — le jeune homme faisait une belle carrière dans son entreprise d'affrètement, il avait déjà obtenu une promotion importante et on lui confiait des responsabilités de plus en plus grandes —, mais il était tout de même soulagé de les voir partir. La jeune femme, Jeanie, était parfaite — jolie malgré son côté superficiel, et très agréable bien qu'elle n'ait pas grand-chose à dire. Il songea qu'il ne les reverrait peut-être jamais et, à sa vive surprise, il s'aperçut qu'il pouvait envisager cette perspective sans émotion.

— Venez nous voir la prochaine fois que ce sera sur votre route, leur dit-il au moment où ils s'éloignaient. Ne restez pas loin de nous si longtemps.

— Nous reviendrons dans un an ou deux, je pense, répondit Ralph.

L'absence de sincérité était la même des deux côtés.


Cette visite avait détruit le dernier espoir que François conservait encore de voir Ralph revenir un jour prendre la tête du domaine à sa place. Le jeune homme ne s'était jamais senti attiré par les vignes et le vin, mais il demeurait tout de même le premier-né, l'héritier, et si son père avait pu le désigner comme son successeur, tout aurait paru juste et dans l'ordre des choses. Chaque fois qu'il avait agité la question, il le reconnaissait à présent, François avait conservé dans sa tête une certaine réticence à prendre une décision irrévocable tant qu'il n'était pas certain que Ralph ne se trouvait plus dans la course. Or non seulement Ralph avait indiqué clairement qu'il n'appréciait pas la vie rurale et qu'il attendait avec impatience de retourner dans l'agitation fiévreuse de New York mais il avait parlé de son travail avec enthousiasme. Pour François, le connaissance d'une cargaison, si exotique qu'elle fût, si fabuleuse que pussent être les parties du monde d'où venaient et où allaient les bateaux, était une besogne sans intérêt, un griffonnage incessant de noms, de poids et de dates sur un grand registre. Mais pour Ralph, cela représentait de la puissance, de l'excitation, de l'efficacité. Jamais il ne retournerait aux œuvres lentes, hors du temps, de la culture et de la vinification.

A présent, il fallait que François se décide. Il ne pouvait reculer plus longtemps. La crise cardiaque avait démontré qu'il était vulnérable. Il s'était cru invincible, mais il pouvait mourir à tout instant.

Qui choisir ? Jean, Ricardo ou Vincenzo ? Il n'y avait pas d'autres candidats. Sauf, bien sûr, l'unique choix évident, le seul membre de la famille vraiment compétent pour le travail, le seul dont les sentiments à l'égard des vignes et du chai soient aussi pénétrants que les siens, le seul dont il écoutait les avis, le seul qui comprenait toutes ses décisions.

Au cours de ces semaines d'oisiveté forcée, où il avait dû se borner à espérer que tout serait fait comme il fallait, il avait évidemment voulu savoir ce qui se passait. Persuadé que le priver de ce centre d'intérêt lui aurait fait plus de mal que de bien, le D$^r$ Daniels avait accepté. Et qui avait assuré le lien entre François sur son lit de malade et ce qui se déroulait à l'extérieur ? Marguerite, bien entendu. Marguerite qui avait la même connaissance instinctive du moment exact où l'on doit vendanger. Marguerite qui savait tout juste combien il faut mélanger de Cabernet Sauvignon au Zinfandel pour obtenir le coupage le plus riche, le plus velouté, et donner à leur « Cuvée spéciale » son corps et son bouquet, Marguerite qui, surtout, aimait Saint-Christophe avec autant de ferveur que lui-même, aussi profondément que son grand-père avait aimé les vignes de Sauveterre, avec cette sorte d'abandon du cœur qui semble domestiquer et soumettre la Nature, de sorte que cet amour est payé au centuple.

Il y aurait peut-être de l'opposition — en tout cas de la part d'Armand et de Ricardo. Mais en fin de compte, quand tout le monde se serait habitué à l'idée, Ricardo ne s'en plaindrait sûrement pas davantage qu'Armand n'en avait voulu à François au sujet du testament de son beau-père. Ils étaient nés, tous les deux, non pour être des chefs, mais pour demeurer au second rang, et quand ils s'apercevraient qu'ils étaient bien commandés, cela suffirait à leur bonheur. Jean, en revanche, était un chef — mais dans son propre domaine : il ne présenterait pas d'objections. Et François songea que, peut-être, il s'était fait toute une montagne d'un rien.

Marguerite elle-même ne posa pas de problème. Quand il lui en parla, elle accepta sa décision comme si c'était la chose la plus naturelle du monde. Consciente de ses compétences, elle s'estimait capable de devenir le successeur dont la terre avait besoin.

## 9

La désignation de Marguerite comme successeur de François apporta peu de changements notables à Saint-Christophe et à Casa Rosa. Il était encore le Maître, et bien que Marguerite eût assuré la gestion des vignobles au jour le jour à cause de la maladie de son père, elle le consultait pour toutes les décisions.

François avait redouté les réactions d'Absalon et des ouvriers. Comment allaient-ils prendre l'idée de travailler sous les ordres d'une femme ? Mais ses craintes se révélèrent sans fondement. Comme Absalon le déclara :

— Mademoiselle Marguerite sait ce qu'elle fait. Comme vous. J'ai vu grandir cette petite, monsieur François. J'ai toujours su qu'elle serait le patron un jour.

De plus en plus, François respectait ses idées et les soutenait. Ce fut Marguerite qui insista pour installer de nouveaux pressoirs et pour commencer le renouvellement des vignes de Casa Rosa — processus qui s'échelonnerait sur cinq ans.

— J'ai pensé à une chose pour compenser la diminution de production le temps que les nouvelles vignes soient en état, lui dit-elle. Nous pourrions acheter de la vendange aux autres propriétaires. Certains produisent plus de raisins qu'ils ne peuvent en traiter dans leurs chais. Aujourd'hui, avec les méthodes modernes, les vieux chais manquent de place. Giacomo Filippi, par exemple, ne vinifie jamais tout ce qu'il récolte, il utilise son surplus comme engrais. Il n'est probablement pas le seul.

— Pourquoi n'y avons-nous pas songé plus tôt ?

— Nous étions trop soucieux de ne pas distribuer leur vin sous notre étiquette pour songer à faire notre vin avec leurs raisins.

Un autre jour, elle vint lui annoncer que les Sémillon de Casa Rosa étaient bons à vendanger — ils étaient mûrs avant les rouges.

— Il te faudra surveiller la fermentation.

— Il n'y a pas tellement de différence avec le vin rouge, dit-elle. Il faut simplement que le moût fermente sans les peaux et la râpe.

— Ricardo sait cela, j'en suis sûr, fit observer François sèchement. Mais tu vérifieras la température du chai. S'il fait trop chaud, les ferments « mangeront » tout le sucre et le vin sera trop sec. Et tu soutireras le moût dès que tu enlèveras la râpe, sinon tu auras trop de lie.

— Bien entendu, papa, répondit-elle patiemment. J'ai parlé aux autres propriétaires. Ils m'ont donné des conseils.

— C'était là où tu allais ? J'avais remarqué que tu disparaissais parfois de la maison. Je croyais que tu montais à Casa Rosa.

— Et tu n'as jamais cherché à t'en assurer ? Cela ne te ressemble pas, lui dit-elle d'un ton taquin.

— J'ai pensé que tu savais probablement ce que tu faisais.

— Ils ont des choses à m'apprendre, tout comme toi. Je trouve que nous avons tort de nous isoler ici, alors que nous pouvons partager nos problèmes avec d'autres.

François acquiesça. Cela n'avait jamais été son style, mais cela ne manquait pas de sens.

— Eichenbaum s'est montré très serviable, poursuivit-elle.

— Eichenbaum ?

— Oh ! je sais qu'il passe pour notre ennemi. Mais c'est fini, à présent. Quelle absurdité de prolonger une vieille querelle sans la moindre raison ! D'autant que vous auriez pu vous lier d'amitié tous les deux à la mort de son fils.

François poussa un soupir.

— Je suppose que tu as raison, avoua-t-il à regret.

— Bien sûr, j'ai raison. En tout cas, j'aime aller chez les Eichenbaum. C'est une belle propriété.

— Le plus beau vignoble de la vallée. La première fois que je suis venu ici, j'ai dit :...

— « Un jour, quand je serai riche, j'achèterai Oak Valley », acheva-t-elle à sa place.

— Aucune chance, à présent.

— Saint-Christophe est un beau vignoble, tu sais.

— Oui, mais moins beau. Le site d'Oak Valley lui-même, les arbres, la courbe des coteaux au-dessus, l'architecture des bâtiments et la manière dont ils se fondent dans le paysage...

— Je sais, répliqua-t-elle avec un sourire. C'est un endroit adorable. Je me sens toujours heureuse quand j'y suis.

— Tu y passes souvent ?

— Je vais parler à Peter. C'est un jeune homme étrange.

— Comment ça, étrange ?

— Je ne sais pas. Etrange, voilà tout. Je pense que c'est lié à sa vie avec son grand-père et une gouvernante, la seule femme de la maison.

Il aurait aimé lui poser d'autres questions — comment elle en était venue à parler au jeune Peter Eichenbaum, ce qui l'avait poussée à faire sa première visite à Oak Valley, la fréquence de ses visites, pourquoi elle ne lui en avait pas parlé plus tôt — mais elle était déjà repartie à son travail.

Il demeura immobile après son départ, perdu dans ses pensées. Il avait le temps de réfléchir, à présent. Quels changements, depuis les vingt-sept années qu'il était ici ! Les grandes choses, bien sûr — son accession à la propriété de Saint-Christophe et les conséquences du testament de Salvatore — mais aussi toutes les petites innovations : les pots à fumée placés maintenant dans les vignes, de petites boîtes en fer-blanc où l'on faisait brûler de l'huile lourde pour réchauffer l'air en période de gelées; les pressoirs qui remplaçaient les vieux cuveaux et qui cédaient maintenant la place à des modèles plus récents, plus productifs; les appareils à pulvériser le soufre dans les vignes, au printemps et au début de l'été, si pratiques et si efficaces comparés aux anciennes méthodes d'épandage à la main, comme les semeurs dispersent le blé, ou bien aux soufflets dont l'action était si irrégulière; et puis, pour le « collage » du vin, on utilisait maintenant l'argile du Wyoming, de plus en plus populaire, pour remplacer l'« isinglass » ou le blanc d'œuf.

Tout n'avait pas été facile. Le sol, riche, avait besoin de peu d'engrais et le climat paraissait incroyablement stable à une personne élevée en Europe. Les conditions étaient donc idéales pour la viticulture, mais le phylloxéra n'avait pas été leur seul ennemi. Certaines années, une partie des raisins avait « coulé », les fleurs s'étaient mal fécondées et tous les grains ne s'étaient pas formés sur les grappes. Puis on avait dû lutter contre d'autres maladies, comme le black-rot et le rougeot. La vigne est une plante très complexe, songeait François, qui nécessite des soins constants — et un sixième sens.

« Et je possède toujours ce sixième sens, se disait-il. Je ne suis pas encore prêt à renoncer. » Cette pensée le comblait de joie, d'autant plus que désormais, c'était pour lui une affaire de choix. A moins, évidemment, que Marguerite ne se marie et ne s'en aille : sur qui pourrait-il s'appuyer dans ce cas ? Et il n'était pas naturel qu'elle refuse le mariage. Comme il l'avait décidé déjà une fois, son bonheur était en définitive plus important que l'avenir de Saint-Christophe et de Casa Rosa. De toute manière, la terre survivrait, mais Marguerite pourrait-elle être pleinement heureuse sans un mari et sans enfants ?

— Tu travailles trop dur, lui dit-il un jour. Tu devrais prendre plus de loisirs. T'amuser un peu. Rencontrer des jeunes gens de ton âge.

— A Cinnabar ? lui demanda-t-elle d'un ton incrédule.

— Va à San Francisco dans ce cas. Va voir des viticulteurs de Santa Cruz, de Monterey, de Sonoma. Rencontre davantage de gens. Tu trouveras peut-être un jeune homme qui t'intéressera.

— Tu essaies encore de te débarrasser de moi, papa !

— Non, bien sûr. Je ne sais pas ce que je ferais sans toi. J'espère qu'après tes noces, ton mari viendra s'établir ici avec toi. Mais tu ne veux pas te marier ? Fonder une famille ?

— Les vignes et le vin sont mes enfants, dit-elle avant de s'enfermer dans le silence.

Il comprenait ce qu'elle voulait dire — à certains égards, son travail avait compté pour lui davantage que toute autre chose. Mais pour rien au monde, il n'aurait vécu sans Thérèse, les enfants, Lydie, ses amis. Il attendit. Ne dirait-elle rien de plus ?

— J'ai envie d'avoir des enfants, bien entendu, reprit-elle au bout d'un moment. Mais je ne suis pas encore prête. Il y a trop à faire ici.

D'ailleurs, je n'ai pas trouvé l'homme qui me convient. Et il faudra qu'il convienne à Saint-Christophe autant qu'à moi-même.

Charles faisait de très bonnes études à l'école de médecine. Ses résultats étaient excellents et, bien qu'il se montrât peut-être trop sérieux, il émanait de lui une satisfaction profonde. François savait qu'il avait eu raison de laisser le jeune homme suivre sa voie. C'était une vocation, aussi évidente que celle de Marguerite pour la vigne.

Il passait toujours ses vacances à Saint-Christophe, rapportant des brassées de bouquins dans lesquels il se plongeait du matin au soir. Cependant, jamais il n'avait cessé d'appartenir à la famille, comme l'avait fait Ralph. Il s'intéressait de près à tout ce qui survenait, et il quittait ses livres de temps à autre pour donner un coup de main.

Vers la fin du trimestre, il demanda dans une de ses lettres la permission d'amener à la maison, pour les vacances d'été, un de ses condisciples.

Les Pujol reconnurent en Tom Bagnall le type même du jeune Américain. Grand, large d'épaules, il avait un visage rond, ouvert, surmonté par une masse de cheveux blonds. Son sourire, toujours prêt à jaillir sur ses lèvres, révélait des dents blanches, et ses yeux bleu clair riaient à tout bout de champ. Il n'était pas vraiment beau mais toutes les femmes succombaient à son charme. De tempérament très gai, il possédait toute une gamme de bonnes histoires et il faisait sans cesse rire la famille en racontant les farces de carabins auxquelles les étudiants en médecine se livraient.

— Je croyais que vous étiez toujours en train d'étudier, dit François à Charles.

— Oh ! c'est ce que fait Charles, répliqua Tom. Il travaille comme un fou. Il nous fait honte à tous. Surtout à moi. Je suis le cancre de la promotion.

— Ce n'est pas vrai, dit Charles. Tom a de très bonnes notes.

— Tu veux dire, étant donné tout le temps que je passe à tirer ma flemme ! Non, il faut regarder les choses en face. M. Charles Pujol sera un jour l'un des plus grands chirurgiens d'Amérique et je ne suis destiné qu'à la simple médecine générale.

Il n'y avait aucune amertume dans sa voix, simplement une admiration manifeste pour les capacités de Charles.

Les parents de Tom venaient de déménager de Los Angeles à Boston, et comme il ne pouvait se permettre de traverser deux fois les États-Unis, il était resté avec Charles pour les vacances.

— Je ne sais pas ce que j'aurais fait sans votre invitation. Je tiens à vous remercier de m'avoir accepté ici, monsieur Pujol. J'espère que vous me permettrez de vous payer de la seule manière en ma possession : je ne suis peut-être qu'un docteur en herbe, mais pour laver la vaisselle, je n'ai pas mon pareil. Je me propose pour la place après chaque repas.

— Nous verrons, nous verrons, sourit Lydie. Je suis assez bonne pour la vaisselle, moi aussi.

— Parfait ! Nous la ferons ensemble et nous nous disputerons sur nos techniques respectives.

La vaisselle n'était pas le seul talent de Tom, et il entreprit avec une joyeuse énergie toutes sortes de corvées — qu'il s'agît de fendre du bois ou de sarcler le petit potager où Lydie faisait pousser des haricots verts et des petits pois.

Charles protestait parfois.

— Tu en fais trop, Tom.

— J'y prends plaisir.

— Oui, mais tu crées un précédent. Tante Lydie n'obtiendra jamais plus ce genre d'aide et je l'entends déjà nous reprocher, dans les années à venir : « Ah ! si vous faisiez seulement la moitié du travail de ce brave Tom ! » Jamais elle ne nous permettra d'oublier que tu es un parangon de vertu.

— Chacun ses talents, mon vieux. Toi, c'est la chirurgie. Moi, c'est de faire le bonheur de tante Lydie.

Et à la joie manifeste de Lydie, il la prenait dans ses bras, l'attirait contre lui et lui appliquait un baiser sonore sur la joue.

— C'est la reconnaissance du ventre, disait-elle.

— Comment pouvez-vous être aussi cruelle ? s'écriait le jeune homme. Comment osez-vous croire que ma dévotion ne repose que sur les délices de votre cassoulet, de vos choux farcis succulents, de vos inoubliables tripoux et de vos enivrantes tourtières aux pruneaux !

Il fermait les yeux, passait la langue sur ses lèvres et se frottait l'estomac en une pantomime de ravissement glouton.

— Ah ! dit Lydie joyeusement. Je vais vous faire goûter ma spécialité, le foie de canard aux raisins.

Tom ferma les yeux de nouveau et fit semblant de se pâmer d'extase.


Un samedi soir, deux semaines environ après l'arrivée de Charles et de Tom à Saint-Christophe, deux autres visiteurs se présentèrent à leur tour.

— Jean ! Que fais-tu ici ? demanda François en levant les yeux de son assiette.

— Je t'apporte un cadeau, papa.

Il revint à la porte, l'ouvrit et fit entrer Esther.

— Le voici.

François le regarda sans comprendre.

— Tu vas te marier ! cria Lydie.

— Tout juste, tante Lydie. Esther est ton cadeau, papa : une nouvelle belle-fille.

Ce fut une tempête de félicitations, de poignées de main, d'embrassades, et l'on ouvrit une bouteille d'« Extra Spécial ».

— Quand vous mariez-vous ? demanda Marguerite.

— L'an prochain, j'espère, répondit Jean.

— Vous restez combien de temps ?

— Une semaine. J'ai décidé de nous octroyer des vacances. Si c'est d'accord, tante Lydie.

— Bien entendu. Restez autant que vous voudrez.

— A votre âge je ne prenais pas de vacances, grommela François.

— Tu es en train de devenir un vieux ronchon ! lui dit sa sœur. J'estime qu'ils méritent des vacances.

— Oui. Soit. Les temps ont changé, je suppose.

Bien qu'il se fût joint à l'atmosphère de fête, François n'en était pas moins insatisfait. Esther était une fille très gentille, bien élevée et sur qui l'on pouvait absolument compter. Elle avait hérité des compétences de ses parents pour les chiffres et il savait pertinemment qu'elle avait beaucoup contribué au succès de l'entrepôt. De plus elle apportait à Jean une aide précieuse sur le plan des ventes. A bien des égards elle serait pour lui une compagne idéale. Mais elle était juive. Il n'éprouvait aucun sentiment antisémite précis — après tout, il n'avait qu'à se féliciter du travail accompli par les Goldberg — mais voir son fils épouser une Juive était une tout autre histoire...

Quand il en eut l'occasion, il demanda à Lydie le fond de sa pensée.

— Et quelle différence cela fait-il ? répondit sa sœur. C'est une brave fille et je l'aime beaucoup. Je croyais que tu considérais les Goldberg comme tes amis. Pourquoi la fille d'un de tes amis n'épouserait-elle pas ton fils ? Et de toute façon, c'est Jean qui l'épouse, pas toi. S'il est heureux, pourquoi te tracasser ? Si tu veux mon avis, il a de la chance que Mordecaï n'ait pas eu le même genre de préjugé stupide que toi.

— Je ne vois pas ce que tu veux dire.

— Il aurait très bien pu interdire à Esther d'épouser un non-juif. Ça ne t'est jamais venu à l'esprit ?

— Non.

Et François eut du mal à accepter cette idée. Il était persuadé que Lydie se trompait du tout au tout. Beaucoup plus tard, quand il put de nouveau se rendre de temps en temps à San Francisco, il prit Mordecaï à part et lui demanda :

— Franchement, entre nous, que pensez-vous du mariage de Jean et d'Esther ?

— Eh bien, quand Jean est venu me demander la permission, j'étais très opposé. Notre fille, épouser un goy !

— Un quoi ?

— Un goy. C'est ainsi que nous appelons les Gentils. Je lui ai répondu que je devais y réfléchir. Mais Esther nous a dit : « Qu'est-ce que vous avez contre Jean ? Vous travaillez pour un goy, non ? Vous tenez sa famille pour vos amis. Pourquoi le fils d'un de vos amis n'épouserait-il pas votre fille ? »

C'était incroyable, songea François, mais elle avait trouvé les mêmes mots que Lydie, presque comme si elles en avaient discuté ensemble et préparé une ligne de défense...

Avant qu'il ait eu le temps de creuser cette idée, il s'aperçut que Mordecaï lui serrait la main.

— Et finalement, nous avons dit oui. Après tout, c'est la vie. Et vous admettrez qu'ils forment un beau couple.

François en convint, ils allaient bien ensemble et ils paraissaient immensément heureux. Avant même de savoir où il en était, il commençait à discuter de la noce avec Mordecaï, qui alla chercher une bouteille du meilleur vin pour porter un toast... à eux-mêmes — pères tolérants d'un couple heureux.


Lydie ne fut pas la seule à succomber au charme de Tom Bagnall. Charles n'eut aucun mal à convaincre Marguerite de quitter la maison pour passer la soirée à Cinnabar, ou bien faire une visite avec Tom, Jean, Esther et lui-même, ou tout simplement marcher ensemble jusqu'aux crêtes des collines pour apercevoir la vallée de Sonoma.

Un soir, François trouva Charles tout seul dans sa chambre en train d'étudier.

— Pourquoi n'es-tu pas avec les autres ? demanda-t-il. Je croyais que vous descendiez tous à Cinnabar.

— Et pourquoi irais-je ? répondit Charles d'un ton sec. Jean parle à Esther, Tom à Marguerite, et personne ne me dit rien. Je reste le bec dans l'eau. Ça m'est égal, note bien. J'ai du travail par-dessus la tête.

Cette conversation donna à François ample matière à réflexion lorsqu'il alla s'asseoir sous le porche. Tom et Marguerite. Avait-elle enfin trouvé un homme qu'elle puisse aimer ? Il l'espérait avec ferveur. Tom lui plaisait. D'autant que par-delà sa désinvolture et ses blagues, il avait déjà décelé en lui un cerveau brillant, beaucoup d'ambition et surtout une nature généreuse. Il était certain que Charles n'en aurait pas fait son ami s'il n'avait vu en lui qu'un boute-en-train amusant. Bien entendu, si Marguerite devait épouser Tom, il lui faudrait abandonner l'idée de ramener son mari à Saint-Christophe. Un homme comme Tom exigerait que son épouse le suive partout où sa carrière le conduirait. Mais en fin de compte, ce serait peut-être pour le mieux. Le mariage et la maternité comble-raient sûrement Marguerite davantage que les vignes.

Lorsqu'il n'était pas pris par ses multiples corvées, Tom passait en général ses journées aux côtés de Marguerite, et c'était à ce moment-là qu'elle pouvait découvrir le mieux le fond de sa nature — l'intérêt qu'il portait au travail de la jeune fille, sa compréhension rapide de tout ce qu'elle faisait, son respect pour ses compétences. Sale et mal fagotée dans ses vêtements de paysanne, elle était pourtant à ses yeux comme une déesse. La maîtrise dont elle faisait preuve l'enchantait. Il regardait, émerveillé, l'habileté de ses doigts lorsqu'elle « levait » les jeunes pousses, il admirait sa capacité de dire au premier coup d'œil, sur un simple échantillon, si le processus de fermentation se poursuivait de façon satisfaisante, et de déterminer le moment exact de soutirer le vin ou bien d'ajouter l'argile du Wyoming. Il saisissait la moindre occasion de la toucher, de laisser leurs corps s'effleurer, et elle lui abandonnait parfois sa main pendant quelques secondes.

François observait le manège et attendait que Tom vienne lui demander la main de sa fille.


A Casa Rosa, Tom avait fait une conquête d'un autre genre. Vincenzo ne le quittait pas des yeux. Il était plus vif que tous les autres à réagir aux plaisanteries de Tom, et son propre humour semblait s'épanouir en présence de leur nouvel ami. Les deux jeunes gens passaient des heures à faire assaut de traits d'esprit — provoquant autour d'eux des cascades de rire.

Un soir Tom les amusa tous en racontant l'histoire d'une femme admise à la maternité de l'hôpital, qui s'était montrée d'une exigence inouïe pendant son séjour. On l'avait acceptée plusieurs jours avant la naissance parce que sa tension était trop élevée, et le résultat, disait Tom, c'était que la tension de tout le monde avait augmenté. Comme une épidémie. Le pire c'était quand elle avait déclaré au médecin : « Je veux une fille, vous savez ! » comme si cela dépendait de lui.

— Elle était impossible, un vrai dragon, et tout le monde la détestait. Eh bien quand le bébé est né, c'était un garçon, et...

— ...un vrai fils de garce, termina Vincenzo.

Ricardo pouffa de rire et Tom sourit, mais le visage de Caterina demeura de pierre et le sourire disparut aussitôt des lèvres d'Armand.

— Nous ne voulons pas de ce genre de langage ici, dit-il. Surtout en présence de ta mère. Tu te prends peut-être pour un homme, mais tu dépasses les bornes.

Vincenzo était écarlate. Il estimait le reproche mérité, mais il lui paraissait tout de même injuste dans la mesure où le langage de son père était souvent très trivial, et parfois en présence de dames. Une protestation monta sur ses lèvres, mais il se tut.

— Je te demande pardon, maman. Je suis désolé, papa.

Il y eut un silence gêné.

— Je crois que je vais me coucher. Bonne nuit.

Il se leva et quitta la pièce.

— Je dois vous présenter mes excuses, madame Listrac, dit Tom quand il fut parti. C'est de ma faute. Je lui ai tendu la perche.

— Ce n'est rien, Tom, répondit Caterina. Peu m'importe, au fond, mais l'on doit rester dans certaines limites. En fait, je vous suis très reconnaissante. Vous avez tiré Vincenzo de sa coquille. Je me félicite de le voir heureux comme il l'est depuis quelques semaines. Il est tellement silencieux la plupart du temps. Il descend au vieux chai tous les matins pour faire ses sculptures, et quand il revient il ne dit presque rien à personne.

— Des sculptures ?

Caterina expliqua que François avait donné à Vincenzo l'autorisation de sculpter les vieux fûts de vin de Saint-Christophe.

— J'aimerais les voir, dit Tom.

— Pas la moindre chance, dit Armand. Il ne laisse approcher personne. Il a demandé à M. Pujol d'interdire l'accès à quiconque jusqu'à ce qu'il ait terminé, et celui-ci a été assez fou pour accepter. Dieu sait ce qu'il fait là-bas. J'ai bien peur que les foudres ne soient plus utilisables.

Tom décida d'interroger Vincenzo sur ses sculptures. Aussitôt, le jeune homme lui lança un regard timide.

— Je vous les ferai voir si vous le désirez.

— Je croyais que vous ne vouliez les montrer à personne tant qu'elles ne sont pas finies.

— C'est vrai, mais vous, c'est différent. Pas demain : il faut que je fasse un peu de nettoyage d'abord. Après-demain.

Ce jour-là Vincenzo descendit plus tôt que de coutume à Saint-Christophe et conduisit Tom au chai. Quand il ouvrit la porte, une odeur âcre de vin se répandit, dominée bientôt par le parfum du bois. Dans un angle, un tas de copeaux. Quand Tom posa le regard sur le tonneau que Vincenzo était en train de sculpter, il en crut à peine ses yeux. C'était beau, tellement complexe, tellement délicat. Le foudre, de section ovale, était énorme, et Vincenzo avait sculpté la face plate. Il avait représenté une scène de vendange : les chariots tirés par les chevaux apportaient les raisins au pressoir tandis que les vendangeurs brandissaient leurs paniers pleins au-dessus de leurs têtes. En nul endroit la sculpture n'avait plus d'un centimètre et demi d'épaisseur, mais ce mince relief suffisait à conférer à la scène un bel effet de perspective, et elle semblait en trois dimensions. Surtout, Vincenzo était parvenu à lui insuffler un sentiment de gaieté, de fête et gratitude. Quand on regardait de près, les détails étaient parfois grossiers, mais Vincenzo avait le talent qui permet à l'artiste de savoir quel effet son coup de ciseau donnera vu de loin, comment par exemple des creux dessinés à la gouge se transformeront dans l'œil du spectateur en représentation parfaite d'une grappe de raisins.

Pendant un moment, Tom garda le silence, submergé par l'évidence d'un art auquel il ne s'attendait pas. Vincenzo, inquiet, l'observait.

— C'est incroyable, merveilleux, dit Tom enfin.

— Vous le pensez ? Vous aimez vraiment ?

— Je crois que c'est fantastique. Et très beau.

Vincenzo rougit de plaisir.

— Vous ne dites pas ça simplement pour...

— Non. Je ne dis pas cela pour vous plaire ou pour toute autre raison. Je suis abasourdi. C'est stupéfiant, Vincenzo. Mais pourquoi ne laissez-vous pas les autres le voir ?

— Tout d'abord, je n'aime pas montrer quelque chose tant que j'y travaille encore et que c'est inachevé. Et puis j'avais peur, je crois. Il est difficile de juger une chose que l'on a faite soi-même. Je sais ce que j'ai voulu mettre dans la sculpture, alors je vois que c'est là, sous mes yeux, mais j'ignore si les autres le verront.

— Je vois les vendanges. Je vois les fruits du travail, le point culminant de la végétation. Je vois la dignité humaine, l'amour et le bonheur. Je vois la gloire de la terre.

— Tout ça ?

Les yeux de Vincenzo s'emplirent de larmes de joie.

— Oui, tout ça. Je n'imaginais pas que vous puissiez créer une œuvre pareille. Comment avez-vous appris ?

— Je n'ai pas appris. C'est simplement une chose que je sais. Peut-être est-ce Dieu qui me dit où placer mon ciseau, et la force que je dois donner à mon coup de maillet.

— Peut-être, dit Tom. Maintenant que vous m'avez montré... Et les autres ? J'aimerais que Marguerite le voie.

Vincenzo acquiesça.

— Très bien. Mais pas en ma présence. Ils parleront tous en même temps et me bombarderont de questions.

L'œuvre de Vincenzo fit une impression très forte sur tout le monde et les prit au dépourvu, car aucun d'eux ne s'était attendu à un travail d'une telle ampleur et d'une telle beauté. De ce jour-là, ils le traitèrent tous avec plus de respect, et François en particulier l'encouragea à poursuivre. Vincenzo lui dit qu'il avait prévu toute une série de scènes évoquant les travaux de l'année.


Etrangement, et, à la grande déception de Tom, ce fut Marguerite qui parut la moins enthousiaste. Il l'avait conduite dans le chai la première, avant d'annoncer aux autres qu'ils pouvaient venir voir. Il avait ouvert la porte pour laisser le soleil pénétrer à flots, et il s'était reculé, s'attendant à une réaction enthousiaste. C'était l'après-midi, l'angle de la lumière donnait à la sculpture une intensité qui lui avait manqué dans l'éclairage plus uniforme du matin, et Tom se sentait de nouveau transporté par sa beauté.

Marguerite, cependant, parut insensible.

— Oui, c'est très bien, dit-elle au bout d'un instant, mais sa voix demeurait neutre. Le pressoir est disproportionné par rapport aux chariots. Heureusement que nous avons renoncé à nous servir de ces foudres, nous ne pourrons plus les utiliser à présent.

— Mais le bois a près de 5 centimètres d'épaisseur. Les sculptures n'ont pas endommagé les fûts.

— Je n'en suis pas si sûre, répondit Marguerite, butée. Je ne prendrais pas le risque. Il faut que je reparte au travail. Il y a beaucoup à faire en ce moment.

Tom referma la porte du chai derrière elle avec un sentiment de tristesse. N'était-il pas extraordinaire que Marguerite soit incapable de voir la beauté des sculptures ? Et si elle demeurait imperméable à leur beauté, ce n'était pas, il l'aurait juré, en raison d'un défaut physique de sa vue — simplement, les problèmes pratiques la préoccupaient trop... Ma foi, se dit-il, l'absence de goût pour l'art n'est sûrement pas un obstacle au mariage — car il avait décidé de lui demander sa main.

Elle semblait très heureuse en sa compagnie, et parfois même il pouvait croire qu'elle lui rendait son amour. Pourtant, Tom eut du mal à lui présenter sa demande. En effet, si Marguerite se montrait parfois agréable et même aimante, en d'autres circonstances elle se comportait à son égard comme en face des sculptures de Vincenzo — comme s'il ne présentait aucun intérêt comparé à la grande affaire que constituaient la vigne, les raisins et le vin. En outre, on approchait des vendanges et il était presque impossible de trouver un moment pour lui parler seul à seule en étant sûr qu'elle lui accorderait toute son attention. Elle travaillait tard le soir, elle était épuisée et n'avait plus l'énergie de descendre à Cinnabar ou de se lancer dans une promenade sur les collines. Il repoussa donc sa demande de jour en jour jusqu'à la veille de son départ avec Charles, à la fin des vacances, et il dut tenter sa chance dans les pires conditions, avec le père de Marguerite assis sous le porche et tante Lydie en train de travailler dans la cuisine — un manque d'intimité déplorable.

Bien entendu, Marguerite se doutait depuis quelque temps que Tom la demanderait en mariage. Dès qu'elle l'avait vu, elle s'était sentie attirée par lui : c'était le premier, le seul homme, qu'elle ait jamais désiré de tout son être. Mais dès cette soirée, au cours de la conversation, elle avait appris qu'aussitôt après son diplôme, il rentrerait à Boston prendre un cabinet médical qu'on lui avait déjà offert. Pendant quelque temps, elle s'était demandé s'il ne se laisserait pas convaincre de rester en Californie — ne pourrait-il pas assurer la succession du vieux D$^r$ Daniels, qui se retirerait bientôt ? Mais les jours passèrent et elle dut regarder la réalité en face : malgré l'intérêt qu'il prenait aux travaux de la vigne, malgré la joie que lui donnaient ces vacances, Tom n'était pas taillé pour la vie à la campagne. Il disait souvent qu'il était un enfant de la ville et le resterait à jamais. L'immobiliser à Saint-Christophe n'aurait qu'un seul résultat : le rendre amer et insatisfait — ce qui détruirait inévitablement leur mariage.

Elle avait donc décidé de l'éviter autant que possible et de feindre l'indifférence. Ce n'était pas si facile, et elle n'avait pas pu résister à la tentation des soirées avec Tom, Charles, Jean et Esther. Elle lui avait expliqué la vigne et le vin et ils avaient partagé leurs pensées exactement comme des amoureux destinés à passer toute leur vie ensemble. Pourtant c'était impossible, absolument impossible. Elle ne pouvait en discuter avec personne — pas même avec son père ou tante Lydie, qui auraient peut-être compris — mais elle agita le problème en tous sens tandis qu'elle travaillait dans les vignes...

Rien ni personne ne lui feraient quitter Saint-Christophe.

« Tu es une idiote, se disait-elle. Ce n'est qu'un bout de terre — de la poussière, des cailloux et des plantes. Cela ne vaut pas la peine de sacrifier pour si peu les joies du mariage... »

Mais elle aimait ce bout de terre plus intensément que toute autre chose ou tout être au monde. Ses parents, ses amis et ses voisins la jugeraient folle s'ils apprenaient quel choix elle était sur le point de faire. Mais ils la trouvaient déjà étrange, et peu importait donc qu'ils la croient plus bizarre encore. Et cependant... son cœur appelait Tom à grands cris. Comme elle désirait sentir ses bras autour d'elle, les lèvres brûlantes du jeune homme contre sa bouche, et toute la puissance de son corps ! Quelle amertume de renoncer à cela !

Pourtant, le moment venu, ce fut plus facile qu'elle ne l'avait escompté. Peut-être parce que l'ambiance était mauvaise, avec papa sous le porche et tante Lydie faisant la vaisselle dans la cuisine. Dans la précipitation, toute l'affaire prenait soudain un air de farce.

Ils demeurèrent un instant silencieux sans bouger, Marguerite pleinement consciente des efforts de Tom pour s'armer de courage.

— Marguerite, vous savez à quel point je tiens à vous, commença-t-il. Je vous aime très...

Et soudain, il y eut un formidable vacarme dans la cuisine, suivi d'un gémissement atterré de Lydie. Marguerite se leva pour aller voir, mais Tom la retint doucement par le bras.

— Non, Marguerite, restez. Je vous en prie... Elle se débrouillera très bien.

Elle savait qu'il serait facile de s'échapper dans la cuisine pour aider tante Lydie à ramasser les morceaux. Mais ce ne serait que repousser l'inéluctable. Il fallait de toute façon traverser l'épreuve.

Il recommença.

— Marguerite, je veux que vous soyez ma femme. Non, je vous en prie, ne dites rien encore. Je vous aime et je ferai tout ce qui est en mon pouvoir pour vous rendre heureuse. Je sais que quitter Saint-Christophe sera pour vous un chagrin terrible, mais je suis sûr que vous aimerez Boston, et nous reviendrons ici en vacances aussi souvent que possible. Oh ! Marguerite, je vous en prie, dites que vous acceptez de m'épouser !

Et soudain, placée en face de sa décision, sa résolution chancela. Pendant un instant, elle crut qu'elle allait s'évanouir. Rien de ce genre ne lui était arrivé jusque-là — les vapeurs, les larmes, les pâmoisons au moindre choc n'étaient l'apanage que des femmes faibles — mais brusquement toute la pièce semblait basculer autour d'elle et elle dut lutter contre l'étourdissement et le bourdonnement de plus en plus violent dans ses oreilles. Puis, aussi soudain qu'elle était venue, cette impression disparut. Elle avait fermé les yeux, elle les ouvrit : devant elle le visage anxieux de Tom.

— Marguerite ? entendit-elle. Vous allez bien ? Marguerite...

— Oui, je vais très bien, dit-elle en prenant un mouchoir pour se tamponner le front. Et je suis très fière que vous... Vous me plaisez beaucoup, Tom. Mais c'est non. Je ne peux pas vous épouser.

— Pourquoi ?

— Parce que... Parce que je ne vous aime pas.

Voilà ! C'était dit ! Le mensonge devait être exprimé clairement, hautement, pour qu'elle puisse bâtir dessus le reste de ses répliques.

— Vous me dites que je vous plais beaucoup, insista-t-il. Peut-être pourriez-vous finir par m'aimer. Je sais que je ne suis pas vraiment digne de vous, mais...

— Oh, si ! Vous l'êtes ! N'importe quelle jeune fille serait honorée de vous entendre dire les paroles que vous m'avez adressées.

— Alors, tout espoir n'est peut-être pas perdu ? Je pourrais peut-être revenir passer d'autres vacances. Nous pourrions... mieux nous connaître.

— Non, Tom, non. Mieux vaut m'oublier le plus vite possible. Comme je vous l'ai dit, je suis très flattée, et j'aimerais beaucoup éprouver les sentiments que vous désirez trouver en moi. Mais je ne peux pas, parce que, même si vous me plaisez beaucoup, je sais que je ne vous aime pas. Je suppose que l'amour est une sorte de magie. Nous ne pouvons lui imposer notre loi. Je regrette, Tom. Je regrette beaucoup. Et merci. Je ne vous oublierai jamais.

Elle ne pouvait supporter de lever les yeux vers lui. Il avait le visage si désespéré, si torturé, qu'un regard de plus et elle se serait effondrée.

— Si vous me permettez, Tom, dit-elle vivement, je vais monter me coucher. Je suis fatiguée.

Elle se détourna, quitta la pièce, monta l'escalier, se jeta sur le lit et enfouit son visage dans l'oreiller pour que personne dans la maison ne puisse entendre ses sanglots. Elle demeura ainsi longtemps, puis les larmes tarirent, les sanglots s'apaisèrent. Elle se leva, se déshabilla, fit sa toilette et se recoucha, les yeux perdus sur le plafond, un bloc glacé écrasant son cœur. Elle songea à ce qu'il lui restait à faire maintenant.

## 10

En 1910, Esther et Jean se marièrent sans tapage à la mairie. Dès le début, le mariage parut les galvaniser. Les ventes de vin augmentaient constamment et Jean ne cessait de presser Marguerite de produire davantage. Elle replanta progressivement les vignes de Casa Rosa, ce qui accrut sensiblement le volume de la récolte, et elle continua d'acheter à d'autres viticulteurs leurs excédents de raisins après que les nouvelles vignes furent en pleine exploitation. Au désespoir de Lydie, elle s'appropria le petit potager qui avait fourni dans le passé une bonne partie de leur alimentation.

— Nous n'en avons plus besoin, expliqua-t-elle. Nous pouvons gagner avec les vignes que je planterai à la place plus d'argent que nous n'en dépenserons en achetant tous nos légumes à Cinnabar.

— Mais ce ne seront pas les mêmes. Ils ne seront ni si frais ni si bons.

— Oh ! c'est stupide, voyons ! Les magasins ont des arrivages de légumes frais tous les jours.

— L'ennui avec cette fille, dit Lydie à François plus tard, c'est qu'elle ne s'intéresse pas à la nourriture. En fait, elle ne s'intéresse à rien en dehors de ses sacrées vignes et de son vin. J'aurais dû lui enfoncer un peu de bon sens dans la tête à coups de trique quand elle était plus jeune. Mais c'est trop tard, à présent, j'en ai bien peur.

Elle ne se trompait pas — d'autant que François se rangeait toujours du côté de Marguerite. Il reconnaissait en elle son propre acharnement vers un but unique, et il avait le même désir qu'elle de trouver de nouveaux moyens d'accroître la production pour satisfaire la demande de Jean.

Une des raisons expliquant l'accroissement des ventes était le travail accompli par Esther. Elle s'était chargée de la publicité des vins de Saint-Christophe et elle avait lancé une modeste campagne. Cela ne suffisait pas à la satisfaire.

— La difficulté c'est que personne n'a jamais entendu parler de Saint-Christophe, dit-elle à Jean.

— Nous vendons tout ce que nous produisons, quelqu'un doit donc être au courant.

— Oui, quelques personnes. Mais nous ne vendons pour ainsi dire rien en dehors de la Californie. Et même dans notre État, 75 % des

405

ventes se font à San Francisco. Et partout où nous vendons, nous avons les frais de livraison et les commissions des détaillants.

— Elles demeureront les mêmes si nous prospectons plus loin, et les frais de transport augmenteront.

— Je sais. Mais si nous pouvions intéresser les gens à nos vignes, si nous devenions célèbres, nous pourrions faire deux choses : augmenter le prix de nos vins pour compenser ces coûts de transports et les commissions, et commencer à vendre le vin directement à Saint-Christophe sans tous ces frais.

— Que veux-tu dire ? Pourquoi les marchands iraient-ils à Cinnabar acheter le vin quand ils peuvent se le faire livrer dans leurs magasins à nos frais ?

— Je ne songe pas aux détaillants. Je songe aux clients eux-mêmes, à des gens qui viendraient passer la journée dans nos vignes et voir notre chai — une sorte de visite organisée. Ils achèteraient chacun une bouteille ou deux, peut-être une caisse, qu'ils emporteraient eux-mêmes chez eux. Je pense que nous pourrions vendre ainsi jusqu'à deux cents caisses par an — à quelques *cents* de moins que le prix de détail.

— Est-ce que cela en vaut vraiment la peine ?

— Oui, parce que les gens qui en achèteront en voudront davantage. Et un grand nombre d'entre eux seront des touristes qui, à leur retour chez eux, demanderont notre vin chez leur fournisseur.

— Mais pourquoi auraient-ils envie de visiter Saint-Christophe ? Esther sourit.

— Je crois que je connais un moyen de les attirer là-bas.


Peu de temps après, Esther fit le tour des journaux de San Francisco. Ni le *Chronicle*, ni l'*Examiner* ne furent intéressés par sa proposition de publier une grande série d'articles sur les vins de Californie — en commençant par Saint-Christophe, exemple typique des meilleurs vignobles de la région. Elle se rendit dans les petits bureaux surpeuplés d'un nouveau magazine, l'*Observer*. Le rédacteur en chef était un jeune homme aux cheveux en bataille, nommé Mark Pedler, qui semblait avoir des idées très arrêtées. Il écouta avec intérêt la proposition de la jeune femme, mais lui répondit qu'il ne voyait pas « l'angle ».

— L'angle ? s'étonna Esther.

— Oui. Tout sujet doit être présenté sous un angle.

— Et qu'est-ce qu'un angle ?

— Ce qui rend l'article différent. Par exemple, pourquoi devrais-je écrire sur votre vigne plutôt que sur une autre ? Pourquoi devrais-je écrire sur le vin de Californie d'ailleurs ? Il faut trouver un angle... Quelque chose qui frappe l'imagination du lecteur.

— J'ai quelque chose qui frappera très bien votre imagination, dit Esther.

— Eh bien ?

— Venez à Saint-Christophe, vous le verrez, dit-elle.

— Vous ne vous attendez tout de même pas à ce que je perde mon temps et mon argent à aller — où est-ce déjà ? — à Cinnabar, sans être sûr que vous tenez quelque chose de solide ?

Elle ouvrit son sac, en sortit quelques pièces et les jeta sur la table.

— Voici de quoi payer votre billet de train. Si, là-bas, vous jugez que mon « angle » n'est pas assez bon, je vous paierai aussi votre temps. Sinon, vous me rembourserez l'argent du voyage.

Il la regarda et éclata de rire.

— D'accord, madame Pujol. J'irai voir Saint-Christophe. Et maintenant, racontez-moi donc l'angle.

— Non, expliqua-t-elle. C'est un secret jusqu'à votre visite.

Deux jours plus tard, ils partirent ensemble par le train du matin. Elle avait tout prévu. Elle lui fit visiter les vignes et le chai, lui exposa les faits et les chiffres, lui épela avec soin les noms des divers cépages, s'assura qu'il avait bien assimilé l'essor de l'entreprise au cours des vingt années précédentes, depuis l'attaque du phylloxéra.

— Le phylloxéra ? Qu'est-ce que c'est ?

— Je ne vous ennuierai pas avec ça. Je suis sûre que c'est un angle trop aigu pour vos lecteurs. Il s'agit d'une maladie à laquelle la vigne est sujette. Mais je vous en prie, oubliez-la, même s'il n'est question pour aucun vigneron de jamais l'oublier.

— Si ce n'est pas l'angle, quel est-il ? Tous ces éléments que vous m'avez fournis sont assez intéressants, mais ce n'était pas ce que j'espérais. Vous devez trouver mieux si vous voulez que je vous rembourse le prix du billet.

— Très bien, monsieur Pedler. Préparez-vous à être stupéfait. Préparez-vous à voir votre angle.

Elle le ramena de Casa Rosa à Saint-Christophe. Il se plaignit de revenir sur ses pas. Elle ne répondit rien, mais se dirigea d'un pas vif vers le vieux chai. Elle ouvrit la porte et attendit.

Vincenzo avait fini de décorer les vieux foudres qui se trouvaient là. Il y en avait une douzaine, et sept d'entre eux s'ornaient d'une scène différente représentant les travaux de la vigne et du vin tels qu'ils se pratiquaient en Californie au début du XX$^e$ siècle.

Lentement, Mark Pedler glissa la main dans sa poche et en sortit un billet d'un dollar.

— Je crois que finalement je vais vous devoir davantage...

— Je transige pour cette somme, répliqua Esther. Et bien sûr, l'article...

L'*Observer*, comme plus d'un magazine de cette époque, n'eut pas une très longue vie. Il cessa de paraître au bout de treize numéros. Mais le numéro onze contenait un article sur Saint-Christophe, accompagné par deux remarquables illustrations au trait — Pedler avait engagé le meilleur dessinateur de San Francisco pour rendre l'impression des sculptures de Vincenzo. Ce que disait l'article de la culture de la vigne était succinct et peu exact. Il ne parlait ni de l'immigrant sans le sou qui avait réussi, ni des nouvelles perspectives d'essor qui allaient rendre célèbre le nom de la Californie dans un domaine réservé pendant des siècles à trois ou quatre pays d'Europe. L'« angle » de l'article, c'étaient les sculptures de Vincenzo. Esther avait peut-être pris Mark Pedler pour un sot, mais elle devait reconnaître qu'il écrivait bien. Il décrivait les sculptures avec une telle frénésie de mots qu'on les sentait vivre sur la page imprimée.

L'article ne sauva pas l'*Observer* de sa débâcle, mais il réalisa ce qu'Esther avait espéré. Bientôt, un flot continu de visiteurs se rendirent à Saint-Christophe — uniquement le samedi, bien entendu, car Esther avait exigé que Pedler précise qu'on ne pourrait les recevoir les autres jours. Ils venaient par le train jusqu'à Cinnabar, puis on les faisait monter dans des chariots aménagés avec des bancs. Ils pouvaient assister à toutes les opérations de la culture et de la vinification, on leur faisait admirer l'œuvre de Vincenzo et on les ramenait enfin au chai de Casa Rosa, où Esther leur offrait un échantillon du vin et l'occasion de l'acheter à la bouteille s'ils le désiraient. Elle vendit un grand nombre de caisses. Les visiteurs commencèrent à venir de très loin — ainsi que les bons de commande. Ils augmentèrent leurs prix et continuèrent à vendre tout ce qu'ils pouvaient produire.

Quand ces visites organisées firent partie de leur vie quotidienne, Esther commença de les étoffer. Pendant quelque temps, elle eut des difficultés avec Vincenzo, mais quand elle se mit à vendre ses petites figurines dans le chai, il prit conscience non seulement de son potentiel mais de la nécessité de l'exploiter sur le plan commercial. Au début, l'idée de montrer son œuvre à Mark Pedler lui avait déplu souverainement, mais l'article avait été si élogieux que malgré sa réticence à exposer publiquement ses sculptures, il finit par donner son accord. Esther eut beaucoup plus de mal à le persuader de permettre aux visiteurs de le regarder travailler — ils restaient plantés devant lui comme des ahuris, lui posaient des questions idiotes et lançaient des remarques blessantes. Il n'y prit aucun plaisir, mais quand il vit l'effet stimulant que sa présence exerçait sur les ventes de ses statuettes, il accepta de continuer. Vincenzo avait trouvé enfin, non seulement sa vocation dans la vie mais aussi un moyen de gagner de l'argent.

Les autres ressentirent à peu près la même chose. Opposés à l'idée au départ, ils l'acceptèrent peu à peu et dirigèrent les visites chacun à leur tour, rivalisant pour les meilleures ventes — ou pour les remarques les plus absurdes des badauds. Tous, sauf Marguerite. Et Armand s'en plaignit à François.

— Elle a les chevilles enflées, ta fille ! Elle dit qu'elle déteste les visites et elle refuse d'y participer, mais cela fait partie de l'exploitation des domaines, non ? Alors pourquoi ces grands airs, comme si elle était au-dessus de tout ça ? Elle devrait être ravie que nous ayons tant de succès et que nos bénéfices augmentent.

— Je suis sûr qu'elle l'est, répondit François. Mais Marguerite me ressemble. L'obsession de la terre est passée dans son sang. Son grand-père était comme elle. Je crois qu'elle ne s'intéresse qu'à une chose : faire pousser les meilleurs raisins que la terre puisse produire, puis en faire le meilleur vin. Elle laisse les ventes à Jean. De toute façon, tu aurais mauvaise grâce à ronchonner : elle fait du meilleur vin que jamais, et en plus grande quantité, ce qui signifie davantage d'argent dans ton escarcelle.

— Qui ronchonne ? répliqua Armand.


Si Marguerite ne prenait aucune part aux visites organisées, c'était pour deux raisons. Tout d'abord, elle savait qu'elle jouait mal le rôle de ce que Vincenzo appelait « l'animal au zoo ». Elle détestait le regard de ces inconnus et encore plus leurs questions, souvent stupides et sans intérêt. Elle avait beaucoup de difficultés à s'empêcher de répondre de façon grossière ou blessante, et elle se rendait compte qu'un jour ou l'autre elle perdrait son calme et choquerait les touristes, détruisant d'un coup tout le travail accompli par Esther. Il était plus sage qu'elle se tînt à l'écart.

Mais il y avait une deuxième raison. Elle passait de plus en plus de temps avec le jeune Peter Eichenbaum. Cela datait à peu près du départ de Tom Bagnall. Le grand-père de Peter avait pris de l'âge et il ne pouvait plus faire grand-chose. De plus en plus, de lourdes responsabilités pesaient sur les épaules du jeune homme. Trop jeune pour diriger le personnel, manquant trop d'expérience en matière de viticulture et de fabrication du vin, il s'aperçut qu'il pouvait discuter de ses problèmes plus facilement avec Marguerite qu'avec son grand-père, enclin à se montrer irritable et à perdre la mémoire.

Les visites régulières de Marguerite à Oak Valley avaient débuté sous ces auspices : la jeune fille agissait comme une sorte de conseiller technique. Mais elle se rendait compte à présent qu'un autre élément entrait dans leurs relations. Peter avait six ans de moins qu'elle — il avait vingt-trois ans en cette année 1914 et il se considérait désormais comme un homme à part entière, pouvant traiter d'égal à égal avec la jeune femme.

Peter Eichenbaum était de taille moyenne, assez mince. Il semblait tenir de sa mère et n'avait nullement hérité de la puissance physique des Eichenbaum. Il avait un visage fin et certains le prenaient pour un faible, bien qu'il ne fût pas sans caractère. Quand on le connaissait mieux, on voyait les plis moqueurs de sa bouche et la sagacité de son regard. On s'apercevait alors que son menton exprimait une certaine force, même si son long nez en bec d'aigle le faisait oublier au départ. Personne n'aurait pu le qualifier de beau, mais ses traits ne manquaient pourtant pas de séduction.

Tôt ou tard il demanderait à Marguerite de l'épouser, et elle avait décidé d'accepter. Elle s'attendait à de vives protestations, mais elle avait cessé depuis longtemps de se soucier de ce que les gens pensaient d'elle. Ce mariage avec Peter était une idée qu'elle nourrissait depuis très, très longtemps. Le destin avait joué en sa faveur lorsqu'il lui avait fourni l'occasion de voir le jeune homme régulièrement. Tout en l'aidant pour l'exploitation de ses vignes, elle pouvait faire la preuve de sa sagesse, de sa solidité, de sa gentillesse. Et elle n'avait eu aucun mal à se mettre en valeur sur un autre plan. C'était une jeune femme très belle, et elle n'eut pas à regretter les heures passées à soigner sa coiffure et à choisir ses vêtements les plus élégants — surtout son corsage préféré, jugé un peu serré par certains, mais qui mettait sa silhouette si bien en valeur. Bientôt, elle put constater que Peter était devenu amoureux fou d'elle.

Il présenta sa demande par un après-midi de printemps, en 1914. Les circonstances n'étaient pas très romantiques. Il pleuvait fort et ils avaient dû réntrer en toute hâte pour terminer une discussion sur l'intérêt qu'offrirait pour Oak Valley l'introduction d'une plus grande variété de cépages. En plein milieu de leur conversation, et sans reprendre son souffle, Peter avait soudain déclaré :

— Marguerite, voulez-vous m'épouser ?

Elle recula légèrement, en un geste exprimant la surprise, posa la main sur sa poitrine comme pour apaiser son cœur battant la chamade, ferma les yeux et baissa la tête. Puis, lentement, elle la releva, et avec un regard modeste murmura d'une voix sans timbre :

— Peter ! Oh ! mon dieu...

— Je vous aime, Marguerite. Je vous en supplie, dites oui.

Elle leva les yeux vers lui, puis les baissa de nouveau.

— Je... Vous devez me laisser le temps de réfléchir.

C'était remarquablement bien joué et n'importe qui, ou presque, aurait cru que cette demande en mariage la prenait complètement au dépourvu.

Deux jours plus tard, elle accepta.

Peter éclata de rire, ravi, et la prit dans ses bras.

— Je vous aime... Je vous aime tant ! Je suis le plus heureux des hommes !

Il l'embrassa, ce qui lui évita de répondre. Ce fut un soulagement. Aurait-elle pu lui dire : « Je ne vous aime pas mais j'ai accepté de vous épouser parce que cela faisait partie de mon plan » ?

Mais quand il l'embrassa quelque chose d'inattendu et de stupéfiant se produisit. C'était la sensation la plus extraordinaire — un sentiment de plénitude tandis que ses bras l'enveloppaient, un sentiment de sécurité et de protection, et les lèvres qui se pressaient contre sa bouche étaient chaudes et agréables. Peut-être ne l'aimait-elle pas, mais il lui sembla dès cet instant que leur union ne serait probablement pas uniquement un mariage de raison. Peut-être avait-elle été prise à son propre piège et deviendrait-elle la plus consentante des captives.

La nouvelle provoqua naturellement une tempête dans son entourage, et pendant les semaines qui suivirent Marguerite eut l'impression qu'elle allait dépenser toute son énergie à se défendre, ainsi que Peter, contre les attaques des membres de la famille. Ils connaissaient tous l'histoire de la querelle entre François et le vieil

Eichenbaum, et ils étaient choqués qu'elle accepte de s'allier avec l'ennemi. Elle ne s'en soucia guère. La seule personne dont l'opinion comptât à ses yeux était son père. Après avoir annoncé ses fiançailles au repas du soir, le jour où elle avait dit oui à Peter (il avait voulu venir demander sa main à François, mais elle lui avait assuré que c'était tout à fait superflu et qu'elle réglerait le problème elle-même), elle alla rejoindre son père, assis dans son fauteuil favori sous le porche. Pendant longtemps, ils gardèrent le silence.

— Tu es une sotte, Marguerite, lui dit-il enfin. Je sais pourquoi tu fais ça, et ce n'est pas une bonne raison pour se marier.

Elle savait qu'il serait impossible de l'induire en erreur, mais il fallait qu'elle essaie.

— Je ne vois pas ce que tu veux dire, papa. J'aime Peter et il m'aime. Si ce n'est pas une bonne base pour un mariage, que peut-il y avoir d'autre ?

Il ne la contredit pas.

— Si à n'importe quel moment tu changes d'avis, si tu décides que tu préfères te dégager de ta parole, avoue-le franchement, ne serait-ce qu'à moi, et je t'aiderai. Veux-tu me le promettre ?

— Oui, papa.

— Très bien. Nous n'en parlerons plus, mais n'oublie pas. (Il marqua un temps de silence.) Où iras-tu vivre ?

— Ici, papa, pour le moment.

— Peter a donné son accord ?

— Je ne le lui ai pas encore demandé mais il le donnera. Tant que cette gouvernante de grand-père Eichenbaum sera là, je ne pourrai pas vivre sous le même toit. Elle est tellement grincheuse, routinière et impossible à tous égards que nous ne tarderions pas à nous prendre à la gorge. De plus, j'ai mon travail ici et à Casa Rosa, il faut que je sois sur place.

— Et ton travail à Oak Valley ? demanda son père à mi-voix.

Elle rougit.

— Je n'ai pas de travail là-bas. Peter continuera de diriger le domaine. Bien entendu, s'il désire mon avis, je le lui donnerai volontiers.

Il ne dit rien mais sourit dans sa barbe.

Ce commentaire informulé fit soudain déborder la coupe : Marguerite perdit son calme et explosa.

— Tu es aussi mauvais que les autres ! lança-t-elle. Je croyais au moins obtenir de toi une certaine compréhension, mais non ! Ce ne sont qu'insinuations, ricanements et critiques !

Elle se leva et le fixa d'un œil rageur.

— Peu m'importe ce que vous pouvez dire, tous ! Je l'épouserai, que cela vous plaise ou non.

Elle ne put retenir ses larmes, s'élança dans la maison et monta les escaliers quatre à quatre.

François était sur le point de la suivre lorsque Lydie sortit.

— Laisse-la, dit-elle. Elle est à bout de nerfs, pauvre petite. La journée a été difficile pour elle, tu sais. Elle se sentira mieux demain matin. En tout cas, inutile d'essayer de la faire changer d'idée. Elle est aussi têtue que toi.

— Je n'essayais pas de la faire changer d'idée, répondit François d'un ton innocent.

Lydie, sceptique, éclata de rire.

Il leva les yeux vers elle — la grosse Lydie, la souriante Lydie, qu'il croyait toujours voir à l'âge de dix-sept ans mais qui approchait déjà de la soixantaine : un visage ridé, des mèches grises.

— Assieds-toi et parle-moi un peu, dit-il.

Elle protesta pour la forme puis s'assit près de lui dans l'air tiède du printemps.

— Pourquoi n'as-tu pas fait comme elle ? demanda François enfin. Tu aurais pu trouver quelqu'un à épouser, et tu aurais été pour cet homme une bonne épouse.

— Et toi ? Comment te serais-tu débrouillé ? Que serait-il advenu des enfants ?

— Tout se serait bien passé. Tu penses encore à lui ?

— A Lorenzo ? De temps en temps. Cela ne me fait plus mal.

— As-tu été malheureuse, Lydie ?

Elle le regarda, surprise.

— Grands dieux, non ! Pas plus que la plupart des gens. Il y a des moments où j'ai été malheureuse, oui, mais j'ai du mal à me rappeler pourquoi ? Ce sont les belles heures que je me rappelle. Je n'ai pas mis d'enfants au monde, mais j'ai tout de même eu les tiens, et ils ont été ma vie. Certaines femmes n'ont même pas cela. Je ne me plains pas... Et toi ?

— Je crois que j'ai eu de la chance, moi aussi. Peut-être aurais-je été plus heureux si Thérèse avait vécu. Parfois j'envie les couples que je vois avancer ensemble vers le grand âge, toujours unis dans le bonheur.

Il y avait une certaine ironie dans sa voix.

— Mais aussitôt je songe à Blanche et je me demande s'ils sont vraiment aussi heureux qu'ils le paraissent.

Pour éviter toute discussion au sujet de Blanche il se hâta d'ajouter :

— Regarde Armand et Caterina.

— Ils ne sont pas malheureux.

— Non, peut-être pas. Je suppose que Caterina a fini par s'habituer à lui.

— Thérèse aurait dû « s'habituer à toi », elle aussi, non ?

Il lui lança un regard vif.

— Tu fais allusion à Emilie ?

— Bien entendu, je fais allusion à Emilie. Tu ne croyais tout de même pas que je n'étais pas au courant !

— Tu le savais dès le début ?

Elle acquiesça d'un signe de tête.

— Et Thérèse ? demanda-t-il. Elle le savait ?

— Je ne crois pas. Elle t'aimait trop pour penser du mal de toi.

412

Il sourit. Ils demeurèrent quelque temps silencieux.

— Qu'est-ce qui nous a amenés à parler de tout cela ? demanda Lydie enfin.

— Je ne sais pas. Je suppose que les fiançailles de Marguerite doivent marquer un tournant...

— Un tournant, peut-être. Mais pas la fin. J'ai eu l'impression que tu passais toute ta vie en revue. Ce n'est pas encore le moment, tu sais. Tu as encore des années devant toi. Et moi aussi, j'espère. Et je parierais volontiers que l'existence nous réserve encore quelques surprises.

Marguerite et Peter se marièrent à la fin de l'automne 1914, après les vendanges, pendant que le vin fermentait. Comme les deux familles étaient aisées, ce fut une cérémonie somptueuse. Le climat béni de Californie était encore assez doux à cette époque de l'année pour que le repas de noces fût servi dehors, et le soleil resplendissait dans un ciel bleu transparent. Le jeune couple prit le train de l'après-midi pour une semaine de lune de miel à Monterey.

— Une lune de miel ! grommela François, qui se sentait vieux et ronchon. De mon temps, on n'avait pas de semaine — ni d'argent — à perdre en lunes de miel.

— Ni de mon temps, renchérit une voix près de lui.

Il se retourna. C'était Friedrich Eichenbaum. Il n'avait pas échangé plus de quatre mots avec cet homme depuis leur brève poignée de main aux obsèques de Christiane.

— Monsieur, poursuivit l'Allemand, je vous dois des excuses. Nous sommes restés très longtemps ennemis, et peut-être est-il impossible que nous soyons amis à présent. Mais en tout cas, acceptez mes regrets pour ce qui s'est produit dans le passé. Nous étions tous les deux...

— ...jeunes et bêtes, acheva François à sa place. Le passé est le passé et mieux vaut le laisser où il est : dans l'oubli. Le futur appartient à ces jeunes plus qu'à nous-mêmes.

— Vous avez raison. Espérons qu'ils seront heureux.

Eichenbaum n'avait pas du tout l'air certain que son vœu serait exaucé.

Pourtant, contrairement à toute attente, Marguerite et Peter vécurent les mois qui suivirent dans une euphorie totale. Visiblement, Peter accepta très bien de quitter Oak Valley pour venir vivre à Saint-Christophe. Et il ne trouva nullement humiliant que Marguerite fasse figure de partenaire dominant au sein du couple et prenne, dans les faits sinon en titre, la direction d'Oak Valley. Progressivement, elle intégra les activités de vinification du domaine d'Eichenbaum à celles de Saint-Christophe et de Casa Rosa, et elle projeta d'amalgamer l'entreprise de vins en gros d'Eichenbaum, toujours en activité mais peu prospère, à l'affaire que Mordecaï et Sarah dirigeaient avec tant de succès. Une intégration plus complète était impossible du vivant du vieil Eichenbaum. Il avait peut-être serré la main de François, mais de là à accepter une association... Marguerite savait qu'elle devait avancer sur la pointe des pieds et elle était prête à attendre — d'autant plus qu'elle découvrait un bonheur dont elle n'avait pas rêvé. Chaque jour, elle avait l'impression d'aimer Peter davantage.

François ne pouvait que se féliciter en constatant la joie de sa fille, et il commença de se demander s'il ne s'était pas trompé : peut-être aimait-elle vraiment Peter au moment de leurs fiançailles... Pourtant il aurait juré qu'elle avait accepté de l'épouser pour un autre motif.


Un jour d'hiver 1915, un inconnu se présenta à Saint-Christophe. Il frappa à la porte et entra.

— Lydie ? dit-il.

Elle leva les yeux. C'était un homme de grande taille, à peu près du même âge qu'elle. Il était chauve et bedonnant. Son visage bouffi et mafflu avait le teint rougeaud des buveurs invétérés. Elle ne le reconnut pas.

— Lydie ? répéta-t-il.

— Oui.

— Tu ne sais pas qui je suis, hein ? Rien d'étonnant. Lorenzo Corsini.

— Mon dieu ! s'écria-t-elle.

Elle s'assit et porta à son visage ses mains couvertes de farine.

— Lorenzo ! Oh ! mon dieu !

— J'arrive de Casa Rosa, expliqua-t-il. J'ai appris que tu étais toujours ici. Comment vas-tu, Lydie ?

— Très bien. Et toi ? Et Elena ?

— Je ne l'ai pas vue depuis des années. Nous nous sommes séparés.

— Je suis désolée.

Il y eut un long silence.

— Et que fais-tu en ce moment ?

Il eut un petit rire plein de suffisance.

— Je suppose que tu me qualifierais de joueur professionnel. Je gagne ma vie en jouant aux cartes. Comment va François ? Et le reste de la famille ?

— Très bien. Ils rentreront dans une petite heure. Reste déjeuner avec nous.

— Non, merci. J'ai promis à maman de prendre le repas à Casa Rosa, et je sauterai dans le train de l'après-midi. Ce n'est qu'une visite en coup de vent.

— Ta mère a dû être très heureuse de te voir.

— Oui. Elle voudrait que je reste, évidemment. Mais je ne crois pas que je serais vraiment le bienvenu — les autres, n'est-ce pas...

Ils étaient tous les deux mal à l'aise. Ils bavardèrent une demi-heure, Lydie répondit à ses questions sur les enfants et les vignes. Il ne semblait pas l'écouter vraiment, son regard fuyait en tous sens sans jamais rencontrer les yeux de Lydie. Il évita de lui dire quoi que ce fût sur sa vie.

Après un long silence gêné, Lorenzo se leva.

— Il est temps que je me sauve. Cela m'a fait du bien de te revoir, Lydie. Présente mes respects aux autres, n'est-ce pas ?

Il s'approcha d'elle.

— Est-ce qu'un vieil ami peut t'embrasser avant de repartir ?

Il posa deux baisers sur ses joues.

— Faut-il vraiment que tu partes ? François aurait aimé te revoir.

— Je suis désolé, dit-il. Tout à fait désolé, Lydie.

Il y avait dans sa voix un regret qui se rapportait à quelque chose d'autre. Il se retourna et sortit.

En le regardant s'éloigner, Lydie évoqua le passé, le beau jeune homme qu'elle avait adoré. Elle l'avait appelé « le Vilain » à l'époque. Et maintenant, il était réellement laid, toute sa beauté détruite par les années. Cet inconnu au visage boursouflé et malsain n'avait rien à voir avec le Lorenzo qui vivait dans son cœur. Elle se laissa aller à sa rêverie, imaginant ce qui aurait pu se passer si... Ce jour-là le repas fut en retard, les haricots verts croquants et les côtelettes de mouton brûlées.

Quand François apprit par la suite, de la bouche d'Armand, que Lorenzo était revenu à Cinnabar, il le répéta à Lydie.

— Je sais. Il est venu ici. Une demi-heure. Il n'a pas voulu rester.

— Tu ne m'en as pas parlé.

— Ça n'en valait pas la peine. Ce n'était pas le Lorenzo que nous avons connu.

Elle souriait mais ses yeux étaient pleins d'ombres.


La lettre de Noël de Lucette arriva plus tôt que de coutume cette année-là. Lydie se mit à la lire et ses yeux s'emplirent de larmes. Elle tendit l'unique feuille à François.

« Chère Lydie, lut-il, j'ai le regret de vous faire part du décès de Mère, il y a trois jours. Cela s'est produit subitement, et elle n'a pas du tout souffert. Le docteur a dit que son cœur a lâché. Elle avait quatre-vingt-sept ans, c'est un grand âge. Ce fut si soudain que nous n'avons pas pu vous le faire savoir et, bien entendu, les obsèques auront lieu avant que vous receviez cette lettre. Il n'y a pas de raison que vous reveniez à Sauveterre, quoique naturellement vous seriez les bienvenus. Le travail est dur depuis que les enfants sont partis au front. Mais Henri et moi allons bien, et nous espérons qu'il en est de même pour vous, pour François et pour sa famille. Votre sœur affectionnée, Lucette. »

François ne pleura pas mais, ce soir-là, Lydie et lui s'assirent ensemble sous le porche. Il lui prit la main. Ils ne parlèrent pas mais il savait qu'elle pensait, elle aussi, à la vieille Marguerite, à la façon dont toute la maisonnée de Sauveterre gravitait autour d'elle, à l'amour et à la force dont elle avait toujours fait preuve — et il comprit à quel point l'exemple de leur mère avait influencé leur vie.

— « Ça suffit, Raphaël ! », cita François.

— Je sais, dit Lydie, et elle lui serra la main.

Le dimanche suivant, ils allèrent à l'église et brûlèrent un cierge pour l'âme de leur mère.


Le 8 juillet 1916 François fêta son soixante-deuxième anniversaire. Au début de sa vie, on faisait peu de cas des anniversaires — un repas spécial, peut-être, au temps de sa tendre enfance — mais ensuite, même si tout le monde le félicitait, ce n'était tout de même qu'un jour de travail comme les autres.

Cette fois, c'était exceptionnel, et Lydie avait organisé une grande fête.

Il regarda autour de lui. Ils étaient tous là : sa Marguerite tant aimée, avec Peter; Jean et Esther, élégants dans leurs habits de ville (il avait espéré qu'ils lui donneraient un petit-fils mais ils ne semblaient pas pressés de fonder une famille); Charles, chirurgien maintenant dans un hôpital de Los Angeles, et très apprécié leur avait dit le vieux D$^r$ Daniels; son ami Armand — combien d'années passées ensemble et n'était-ce pas en fait grâce à Armand qu'il se trouvait ici, à Saint-Christophe ? — et, Caterina, ressemblant de plus en plus à sa mère; Agnese à ses côtés, bien sûr, toujours en train de parler toute seule à mi-voix — elle n'avait plus toute sa tête; Ricardo et sa fiancée, une jeune fille de Cinnabar; Vincenzo, sculpteur déjà en renom, dont les collectionneurs commençaient à s'arracher les œuvres; Absalon, tout gris, tout courbé, qui avait bien du mal à marcher depuis quelque temps; Mordecaï et Sarah, silencieux dans un coin, côte à côte. Et d'autres amis et voisins.

Ralph n'était pas là, songea-t-il, avec un léger pincement au cœur. Ni Thérèse — mais elle était toujours avec lui, car elle faisait partie de lui à jamais...

Tous les autres étaient présents, ses connaissances et ses amis, et ils avaient tous apporté des cadeaux — dont la plupart le laissaient indifférent, mais c'était si excitant de dénouer les ficelles et de déplier les papiers, sous le regard de tous, au milieu de la joie partagée.

Oui, une fête splendide ! Et il se sentit plus jeune et plus guilleret que depuis des années, bien qu'il fût déjà, comme on disait à Sauveterre, « trois fois conscrit ».

Et puis il y avait trois cadeaux spéciaux.

Le premier était Emilie King. François l'avait relativement peu rencontrée depuis sa maladie. Il s'était bien rétabli, mais le voyage à San Francisco demeurait un effort à éviter. Etait-ce bien utile de l'entreprendre s'il n'avait pas assez d'affaires pour l'occuper là-bas pendant deux ou trois jours ? Et cela ne se produisait pas souvent. Il s'était rendu de temps en temps à l'appartement de sa vieille amie et elle était venue le voir à Saint-Christophe une ou deux fois. Ils avaient bavardé, et ils avaient profité pleinement des longs silences de connivence où ils songeaient peut-être tous les deux au passé. Mais cela faisait près de dix-huit mois qu'ils ne s'étaient pas rencontrés, et comme François ignorait qu'Emilie dût venir pour cette fête, sa surprise fut aussi vive que son plaisir lorsqu'elle arriva, juste au moment où la famille se mettait à table. Elle s'assit à ses côtés et tout le monde lui reconnut le droit de le faire. Elle était son premier cadeau.

Le second était une chose qu'elle avait apportée — non pas son présent d'anniversaire, une montre de gousset avec une inscription gravée, « A François de sa *Mademoiselle*, avec amour, 8 juillet 1916 » — mais une enveloppe qu'elle retira de son sac.

Elle demanda à Jean et à Esther de s'approcher d'elle.

— J'ai reçu cette lettre hier, dit-elle. C'est le résultat de votre travail à tous les deux, mais je crois que c'est à votre père de la lire le premier aujourd'hui.

Lorsqu'il eut achevé sa lecture, François demeura sans voix et des larmes lui montèrent aux yeux.

— Je crois que tout le monde doit savoir, n'est-ce pas ? dit Emilie. Jean réclama le silence, et Emilie se leva.

— J'aimerais partager avec vous, mes amis, une nouvelle très spéciale. C'est toute une histoire. Elle débute quand Esther — M^{me} Jean Pujol — est venue me rendre visite il y a plusieurs semaines. Son beau-père avait l'habitude de me demander conseil et il semble que l'idée se soit transmise à la jeune génération.

Cette remarque suscita quelques rires polis.

— Comme vous le savez, je crois, Esther consacre toutes ses peines à promouvoir les vins de Saint-Christophe, et le fait qu'ils sont largement connus maintenant est dû en grande partie à ses splendides efforts.

Les applaudissements fusèrent.

— Mais cela ne lui suffisait pas, reprit Emilie. Elle voulait... Dites-leur, Esther.

— Je désirais que les vins de Saint-Christophe soient servis sur la première table du pays, dit Esther. A la Maison Blanche.

Il y eut un murmure d'étonnement.

— Et pourquoi pas ? Nous sommes fiers d'être Américains, non ? Et nous devrions être fiers des vins américains.

Tous murmurèrent leur approbation, levèrent leurs verres et burent, comme pour prouver qu'ils étaient d'accord avec les paroles de la jeune femme.

— J'ai écrit au Président, poursuivit Esther. Après tout, me suis-je dit, nous sommes dans un pays libre. Mais tout ce que j'ai obtenu, c'est un accusé de réception poli d'un de ses secrétaires. Alors je suis allée voir M^{lle} King — M^{me} Jackson, je veux dire — pour lui demander de me suggérer une idée.

Emilie reprit la parole.

— Et je lui ai proposé d'écrire moi-même, parce qu'il y a des années, j'ai eu l'occasion de rencontrer une ou deux fois M<sup>me</sup> Wilson. J'ai pensé que peut-être une lettre personnelle pourrait enlever l'affaire. Hier, j'ai reçu une réponse, et j'aimerais vous la lire. Elle est datée de la Maison Blanche et elle dit ceci : « Chère Emilie, comme c'est aimable à vous de m'avoir envoyé cette bouteille de vin de Saint-Christophe. Le Président et moi en avons dégusté un verre ensemble hier soir, et nous sommes tombés d'accord : il peut se comparer avantageusement aux meilleurs vins de France. Le Président partage votre opinion : nous devons soutenir la production de notre pays, et il a donc invité le sommelier de la Maison Blanche à commander une réserve de ce cru, qui sera servi lors des grandes réceptions officielles. Merci encore. Cordialement, Jane Wilson. »

Ce fut, tout autour de la table, une explosion de vivats, de félicitations, de bravos. Quelqu'un commença de chanter, mais Emilie réclama le silence.

— Ce n'est pas moi que vous devez féliciter, dit-elle. Ce sont Esther et Jean qui ont eu les premiers cette idée. Et c'est François qui a fait du domaine Saint-Christophe ce qu'il est aujourd'hui. Cette nouvelle est un cadeau d'anniversaire spécial pour lui.

Le troisième cadeau vint plus tard, après que tous lui eurent réclamé un discours — la tête dodelinante de tout le vin qu'il avait bu et de l'ivresse de la fête, il avait murmuré quelques paroles un peu trop émues sur sa famille, ses amis et sa chance d'être là avec eux, puis il s'était assis au milieu des bravos.

Sa seule déception ce jour-là avait été de voir Marguerite et Peter partir dès le milieu du repas. Le vieil Eichenbaum était très malade.

— Il en a encore pour des années, assurait le D<sup>r</sup> Daniels. Il reprendra le dessus.

Marguerite et Peter avaient donc assisté au début de la fête, mais un homme d'Oak Valley était venu murmurer quelques mots à Peter, qui s'était levé aussitôt.

— Désolé, papa, avait dit Marguerite. Mais c'est grand-père Eichenbaum. Il nous a fait appeler. Nous reviendrons le plus tôt possible...

Et Marguerite venait d'arriver. Elle était seule, le visage fermé.

— Il est mort, papa, lui dit-elle. De façon très paisible. Un vrai soulagement. Il a demandé de ne rien dire à personne, sauf à toi. Les gens n'aimaient pas particulièrement son grand-père mais c'est tout de même le genre de nouvelle qui gâcherait une belle journée comme celle-ci.

Il garda le silence pendant un instant. La mort d'Eichenbaum ne lui causait que peu de chagrin. Leur rivalité était terminée, mais jamais il n'avait pu éprouver de sympathie pour cet homme.

— Merci de me l'avoir dit. Je suppose que tu savais que cela ne me troublerait pas beaucoup.

Elle le regarda intensément.

— Ne sais-tu pas pourquoi j'ai voulu te le dire ? Ne peux-tu deviner ?

— C'est pour cela que tu l'as épousé, n'est-ce pas ?

— Oui. Pour cela. Pour pouvoir te dire un jour : Oak Valley t'appartient. L'endroit que tu as toujours désiré est à toi. L'endroit que pendant mon enfance tu m'as appris à considérer comme le plus beau vignoble du monde. Et il est à toi parce qu'il appartient maintenant à Peter et à moi, et que ce qui nous appartient est aussi à toi. Voilà ! Est-ce que ce cadeau d'anniversaire te plaît ?

Elle se pencha et lui embrassa la joue. Il la regarda, incapable de répondre.

— Il faut que je parte, à présent, dit-elle. C'est un drôle de cadeau, non, qui vient avec un message de mort ? Mais la vie est ainsi faite. Tu avais raison : j'ai épousé Peter pour pouvoir te donner un jour Oak Valley, mais j'ai aussi trouvé l'amour et le bonheur. Alors c'était une bonne décision, n'est-ce pas ? Et maintenant, il faut que je rentre m'occuper de Peter et prendre toutes les dispositions. Il faut aussi que je sorte de cette robe — elle me serre.

Machinalement il posa les yeux sur le ventre de sa fille. Le tissu était très tendu à cet endroit, bien que Marguerite ne semblât pas avoir pris du poids par ailleurs.

Elle sourit et acquiesça de la tête.

— Un secret, papa, mais pas pour longtemps.

Elle l'embrassa de nouveau et s'éloigna en courant.

Pendant un moment après son départ, François parut complètement isolé au milieu de la gaieté générale — chacun semblait pris par son propre plaisir et sa propre conversation, et pendant quelques minutes personne ne lui parla ou ne s'approcha de lui. Il en fut heureux : cela lui laissait le temps de penser. Oak Valley... Oui, le plus beau vignoble qu'il ait jamais vu. Et maintenant, il pouvait aller là-bas, vivre dans cette demeure élégante, poser les yeux sur ces terres et se dire qu'elles appartenaient sinon vraiment à lui, du moins à sa famille. Combien d'années s'étaient écoulées depuis qu'il les avait vues pour la première fois et avait fait vœu de les posséder un jour ?

Il esquissa un sourire, parce qu'il savait maintenant qu'il n'en avait plus envie. Si beau que fût le domaine d'Oak Valley, jamais il ne compterait autant que Saint-Christophe à ses yeux. Il aurait dû trouver un moyen de dire à Marguerite que tout compte fait il n'avait pas envie de quitter sa vraie maison, son vrai foyer. Il rit sans bruit. Quel désespoir c'eût été pour elle, si elle n'avait pas trouvé l'amour auprès de Peter : elle l'aurait épousé pour rien. Mais elle était merveilleusement heureuse dans son foyer, et c'était pour lui beaucoup plus important qu'Oak Valley — cela, et la nouvelle qu'il allait être grand-père.

Qui sait, si c'était un garçon, ils l'appelleraient peut-être François ?

Imprimé aux Etats-Unis, 1982